● 浙江省高层次人才特殊支持计划资助

● 能力导向的中学化学“教－学－评”一体化丛书

丛书主编：王星乔

● 宁波市王星乔名师工作室
● 浙江省包朝龙名师网络工作室
研究成果

基于学科能力表现评价的化学教学设计与实施

王星乔　等 编著

化学工业出版社

·北京·

内容简介

《基于学科能力表现评价的化学教学设计与实施》是一本以学科能力理论为指导，系统阐述如何研制学科能力导向教学目标，并基于目标开展大单元、大情境教学设计的实践指南。本书紧密结合2019年版人教版中学化学教材，提供了23个典型教学案例，涵盖课标必修课程“化学科学与实验探究”“常见的无机物及其应用”“物质结构基础与化学反应规律”“简单的有机化合物及其应用”“化学与社会发展”等5个一级主题。每个案例均采用“目标研制—教学设计—教学评价”的三段式结构，逻辑清晰，操作性强。在目标研制部分，从课标研读、教材解读、能力模型建构等维度系统制定学科能力表现性目标；在教学设计部分，结合教学现状分析，呈现教学思路、教学流程及教学实录，体现大单元教学的整体性与情境性；在教学评价部分，基于表现证据评估目标达成度，并反思教学得失，提炼可推广的经验或改进方向。

本书既适用于一线化学教师和教研员优化教学设计，也可作为化学教育专业本科生、研究生的参考用书，对推动学科能力导向的化学教学改革具有重要的实践价值。

图书在版编目（CIP）数据

基于学科能力表现评价的化学教学设计与实施 / 王星乔等编著. -- 北京 : 化学工业出版社，2025. 11.
ISBN 978-7-122-49532-7

Ⅰ. G633. 82

中国国家版本馆 CIP 数据核字第 2025W71X41 号

责任编辑：孙钦炜　褚红喜　　文字编辑：武一帆
责任校对：张茜越　　装帧设计：韩　飞

出版发行：化学工业出版社
（北京市东城区青年湖南街 13 号　邮政编码 100011）
印　　装：三河市双峰印刷装订有限公司
787mm×1092mm　1/16　印张 22　字数 544 千字
2025 年 12 月北京第 1 版第 1 次印刷

购书咨询：010-64518888　　售后服务：010-64518899
网　　址：http://www.cip.com.cn
凡购买本书，如有缺损质量问题，本社销售中心负责调换。

定　　价：88.00 元

能力导向的中学化学“教—学—评”一体化丛书

编委会

《基于学科能力表现评价的化学教学设计与实施》

编写人员名单

王星乔（宁波市鄞州中学）
李　晶（宁波市鄞州中学）
滕瑛巧（宁波诺丁汉大学附属中学）
王仕杰（宁波市鄞州中学）
张金水（宁波外国语学校）
丁一风（慈溪市横河中学）
刁洪玲（宁波市北仑区大榭中学）
王　府（宁波科学中学）
王　磊（宁波市咸祥中学）
王云霞（上海市新中高级中学）
王宣文（浙江省仙居中学）
王馨远（宁波市北仑区大榭中学）
邓　杨（宁波华茂高级中学）
乐立莹（宁波市北仑中学）
刘香峰（浙江省余姚市第七中学）
许芳芳（象山县第三中学）
李雯昕（宁波市科创中学）
应贤玲（宁波市李惠利中学）
汪玉雯（宁波诺丁汉大学附属中学）
张　浩（余姚市第四中学）
李雪佳（宁波市鄞州中学）
陈孝娜（宁波市鄞江中学）
陈思源（杭州市高级中学）
陈靖潼（宁波荣安实验中学）
张丹宁（宁波市鄞州高级中学）
郑璐梦（宁波市北仑区泰河中学）
姜锦牌（浙江省衢州第三中学）
夏昌伟（杭州市富阳区教育发展研究中心）
谈小强（宁波市五乡中学）
徐　凯（宁波外国语学校）
裘倍蕾（宁波市北仑中学）
戚博闻（宁波市鄞州中学）
傅园家（浙江省奉化中学）
潘妩璠（宁波诺丁汉大学附属中学）
魏　妍（浙江师范大学）

序

随着《普通高中化学课程标准（2017年版2020年修订）》的实施及相应新教材的使用，我国高中化学课程进入了“以发展化学学科核心素养为主旨”的新课标、新教材、新教学、新高考的“四新”时代。学科核心素养是学科育人价值的集中体现，是学生通过学科学习而形成的正确价值观、必备品格和关键能力。《中国高考评价体系》构建了以“立德树人、服务选才、引导教学”为“一核”，以“核心价值、学科素养、关键能力、必备知识”为“四层”，以“基础性、综合性、应用性、创新性”为“四翼”的考试体系。其中“四层”回答了高考“考什么”的问题：“核心价值”指明立德树人根本任务，起到方向引领作用；“学科素养”承接核心价值的方向引领，统摄关键能力与必备知识；“关键能力”是支撑和体现学科素养要求的能力表征；“必备知识”是培养能力、达成素养的基础。可见，能力是考查学科核心素养的重要抓手。素养并非与生俱来，而是后天在有利的学习环境中习得的，具有可教性、可塑性和发展性。在认知心理学看来，后天习得的能力都是以知识和技能的习得为基础，经过巩固、应用等过程转化为个体的心理结构，才能够在新的情境中被提取与应用，从而形成稳固的素养。北京师范大学王磊教授认为，学科核心素养的实质是学生顺利完成学习理解、应用实践、迁移创新等学科认识活动和问题解决活动的稳定心理调节机制，即学生的学科能力。

发展学生学科核心素养的课程改革已全面实施，但采用新的课程并不一定会提高学生的学习表现。“对于学生而言，坏的课程好的教法胜过好的课程坏的教法，教学法胜过课程”，除非致力于发展引出学生能力自主建构的教学方法，否则学生的学业成就还是会低于标准要求。如何采取恰当的教学设计让学科能力可教、可见、可评，是化学课堂教学实践的痛点、难点，也是实施素养导向的新教学的关键点。宁波市王星乔名师工作室及浙江省包朝龙名师网络工作室发挥名师引领效应，建立化学教师专业发展共同体，致力于基于学科能力表现评价的教学设计与实施研究，落实新课标“教—学—评”一体化理念要求，取得了显著成效。

工作室团队以王磊教授的“学科能力内涵构成及其活动表现模型”为理论基础，将核心学科知识、核心学科活动经验和化学认识方式作为学科能力的三个维度，从学习理解、应用实践和迁移创新三个层面建立具体主题的化学学科能力活动表现框架，构建了课标、教材、资源分析→单元学科能力模型建构→学科能力表现性目标研制→真实问题情境创设→能力评价任务设计→教学策略选择→课堂教学实施→教学效果评价与反思的教学设计与实施模型，开发并实施了大量教学课例，使得一线教师在教学实践中有据可依、有径可循、有例可鉴。

本书中的教学课例针对具体的教学主题或单元，在研读相应的课程标准内容要求、学业要求及学业质量要求的基础上，结合教材编排分析，借助相应的学科能力表现模型，确立清晰的能力表现目标，以清晰的、可见的表现性目标指引后续的教、学、评活动；设计了情境→问题/任务→活动→知识能力建构一体化的教学思路，通过学生在情境引发的问题解决和任务活动中的表现评判其在学习理解、应用实践和迁移创新三级能力水平上的发展情况，实时诊断和改进教学，从而将“教—学—评”有机结合，充分发挥过程性评价对教与学的及时反馈与促进作用。课后达标评价则以“学科能力表现目标”为直接依据，精选作业情境素材，设计与实验、环境、能源、健康、材料等相关的实际问题，涵盖学习理解、应用实践、迁移创新等能力任务类型，通过批改作业和统计分析，评价学科能力表现目标的达成情况。课后达标评价与课堂教学互补，共同保障学科能力目标的实现。最后，以学生的课堂活动表现及课后达标评价数据为依据，反思教学效果，总结教学设计与实施的成功经验和改进措施，不断优化教学设计。整个教学设计与实施是围绕学科能力表现目标与评价的循环、迭代过程。

本书中的教学课例涵盖新课标必修课程的5个一级主题——化学科学与实验探究、常见的无机物及其应用、物质结构基础与化学反应规律、简单的有机化合物及其应用、化学与社会发展，囊括了人教版高中化学必修教材（2019年版）所有的章节。所有的教学课例皆来自工作室成员的课堂教学实践，不少课例已发表于《化学教学》《化学教育》等核心期刊，具有较强的可复制性、可借鉴性和可推广性。工作室领衔人及成员依托基于学科能力表现评价的化学教学设计与实施研究，取得了长足的进步：获评全国模范教师、获评浙江省高层次人才特殊支持计划教学英才、入选宁波市领军和拔尖人才培养工程（项目）、获宁波市教坛新秀一等奖第一名等市级以上荣誉或奖项百余人次。同时，学生的学业成就喜人：1人获全国化学竞赛（决赛）金牌并入选国家集训队，7人获全国化学竞赛（初赛）一等奖，省级以上获奖80余人次。通过课例研究，实现了教师专业发展和学生素养发展的双赢，也为化学名师工作室的建设提供了浙江样本。

杨玉琴　教授

（教育部“国培计划”专家，《化学教育》《化学教学》编委）

前言

在基础教育深度转型的当下，核心素养导向的教育理念日益深入人心。然而，一线教学仍面临诸多现实困境：如何将抽象的素养要求转化为可评可测的表现性学习目标？怎样让宏观的课程标准“落地”为具体的课堂实践？如何科学评估学生学科能力发展的真实水平？解决这些教育之问，成为我们执笔著书的初心。这本以“学科能力表现评价”为核心的化学教学著作，凝聚了宁波市王星乔名师工作室、宁波市王星乔名师乡村工作室以及浙江省包朝龙名师网络工作室全体成员五年来的教育热忱。它是我们在化学教育田野里深耕细作的见证，更是我们在新时代化学教育变革浪潮中交出的一份实践答卷。我们期望通过系统梳理基于“学科能力表现评价”的化学教学设计与实施路径，为教育同仁提供兼具理论深度与实践价值的教学参考，共同探寻化学学科核心素养“落地”的有效路径。

本书以王磊教授的“学科能力内涵构成及其活动表现模型”为理论基础，立足化学课程标准，以人教版高中化学必修教材（2019年版）为对象，创新性地构建了“目标研制—教学设计—教学评价”一体化闭环体系。本书包含23个教学案例，每个教学案例包括三大板块：①目标研制。编委会成员深入研读课标教材，拆解学科能力要素，结合学情分析，制定既符合理论框架又贴近教学实际的表现性目标。②教学设计。从情境创设到活动任务设计，从问题链构建到思维进阶引导，编委会通过反复打磨呈现了基于大情境的23个单元化教学设计。③教学评价。每个案例创新性地融合嵌入式评价、达标式评价，通过一系列可操作、可观测的评价任务，精准捕捉学生的能力发展轨迹。这三大板块环环相扣，形成科学化、体系化的教学支持系统，凸显了“学术性、实用性、创新性”等特色亮点，为课堂教学改进提供范例，助力学生化学学科能力进阶。

本书的编写得到了教育部化学课程标准研制组组长、华东师范大学博士生导师、二级教授王祖浩先生的关心和指导。盐城师范学院化学系主任杨玉琴教授，华中师范大学化学教育研究所所长王后雄教授，陕西师范大学《中学化学教学参考》编委会主任、编审王军翔对本书提出了一系列建设性的修改意见。北京师范大学胡久华教授，华东师范大学占小红教授，福建师范大学基础教育课程中心王云生特级教师，宁波大学王存宽教授，浙江师范大学竺丽英副教授，北京市特级教师支瑶、陈争，上海市教师教育学院教研员、正高级教师张新宇，福建教育学院张贤金教授，浙江省特级教师周千红、史定海、俞建锋、李明、杭伟华，江苏省特级教师陆军，宁波市教育局教研室原副主任倪国君、宁波市高中化学教研员姜幸光等教学专家对本书的编写给予了帮助和支持，也提出了许多宝贵的意见。

本书是浙江省教研课题“素养视域下发展化学学科能力的教学改进研究”（G2024075）、浙江省教育科学规划课题“学科能力导向下普通高中教学改进研究”（2023SC162）、浙江省教育信息化研究课题“学科能力视域下名师网络工作室助力乡村学校教学改进研究”（2024ETD62）、浙江省教育信息化研究课题“名师网络工作室赋能县域高中实验教学与学科能力双提升的研究路径研究”（2025ETD58）和宁波市教师教育科研课题“基于项目化研修的名师乡村工作室建设研究”（NJP2024067）的研究成果之一。

本书的编写工作由编委会主任王星乔主持，负责总体策划、框架体例设计与最终定稿，统稿工作由编委会副主任李晶、滕瑛巧、王仕杰、张金水承担，包朝龙、汪纪苗负责审定工作，其他分工如下：第 1 单元由夏昌伟执笔，第 2 单元由魏妍、许芳芳执笔，第 3 单元由滕瑛巧、潘妩璠、汪玉雯执笔，第 4 单元由丁一风执笔，第 5 单元由王磊执笔，第 6 单元由张金水、王云霞执笔，第 7 单元由谈小强、王星乔、陈靖潼执笔，第 8 单元由李雪佳执笔，第 9 单元由裘倍蕾、陈思源执笔，第 10 单元由邓杨、张浩执笔，第 11 单元由乐立莹执笔，第 12 单元由李雯昕、戚博闻执笔，第 13 单元由王馨远执笔，第 14 单元由李晶、王仕杰执笔，第 15 单元由郑璐梦执笔，第 16 单元由刁洪玲执笔，第 17 单元由刘香峰执笔，第 18 单元由徐凯、张丹宁执笔，第 19 单元由陈孝娜、王宣文执笔，第 20 单元由姜锦牌执笔，第 21 单元由傅园家执笔，第 22 单元由王府执笔，第 23 单元由应贤玲执笔。

本书的出版参考了王磊教授团队及其他学者的诸多研究成果，得到了浙江省高层次人才特殊支持计划、甬江人才工程领军拔尖人才培养项目、鄞州区“培养类人才项目”的资助。化学工业出版社为本书的出版提供了大力支持。编委会成员日夜研究，反复打磨，付出诸多心血，在此一并致以诚挚的谢意。

囿于学识所限，资料来源众多，书中难免存在疏漏或不当之处，恳请各位教育同仁、专家学者批评指正！

王星乔

2025 年 11 月于浙江宁波

目录

第 1 单元

物质的分类及转化

目标研制

一、课标研读

（一）内容要求和学业要求

“物质的分类及转化”教学单元为《普通高中化学课程标准（2017 年版 2020 年修订）》（以下简称课标）必修课程主题 2 中的内容，课标相应内容要求和学业要求如表 1-1 所示。

表 1-1 “物质的分类及转化”教学单元的课标内容要求和学业要求[1]

内容要求	学业要求
2.1 元素与物质 认识元素可以组成不同种类的物质，根据物质的组成和性质可以对物质进行分类；同类物质具有相似的性质，一定条件下各类物质可以相互转化；认识元素在物质中可以具有不同价态，可通过氧化还原反应实现含有不同价态同种元素的物质的相互转化。认识胶体是一种常见的分散系	1. 能依据物质类别和元素价态列举某种元素的典型代表物。能举例说明胶体的典型特征 2. 能列举、描述、辨识典型物质重要的物理和化学性质及实验现象。能用化学方程式、离子方程式正确表示典型物质的主要化学性质 3. 能从物质类别、元素价态的角度，依据复分解反应和氧化还原反应原理，预测物质的化学性质和变化，设计实验进行初步验证，并能分析、解释有关实验现象 4. 能利用典型代表物的性质和反应，设计常见物质制备、分离、提纯、检验等简单任务的方案。能从物质类别和元素价态变化的视角说明物质的转化路径

注：数字序号即课标中相应序号。

可见，课标中对“物质的分类及转化”提出了明确的内容要求：需从微观组成和宏观性质的不同视角认识物质的类别，这一要求初步体现了“结构决定性质，性质反映结构”的学科特色思维；物质变化是性质的具体体现，可通过氧化还原反应关联物质的价态与类别，由此构建价类二维的认知模型；同时，利用物质分类的思想初步认识分散系，知道胶体是一种常见的分散系。学业要求则从“列举”“描述”“辨识”“预测”等角度对能力表现提出了具体的要求。对内容要求的优化主要采用关联合并、删繁就简、增补解构的方法，对学业要求的优化则主要采用删繁就简的方法，最终形成该教学单元优化后的要求，如表 1-2 所示。

表 1-2 “物质的分类及转化”教学单元课标优化后的要求[1]

优化后的要求
（原内容要求 2.1）认识元素可以组成不同种类的物质，根据物质的组成和性质可以对物质进行分类；同类物质具有相似的性质，一定条件下各类物质可以相互转化，同类物质可以发生相似转化。在物质转化的过程中，指明物质所体现的具体性质，并用方程式对其性质进行表征。同一物质在不同环境中可能有不同的性质体现。关联物质类别与性质，建构物质性质的认知模型。利用物质分类思想认识分散系，知道胶体是一种典型的分散系，能从微观本质层面对分散系进行分类（关联合并、删繁就简、增补解构）
（原学业要求 1）能依据物质类别和元素价态列举某种元素的典型代表物（直接摘录） （原学业要求 2）能列举、描述、辨识典型物质重要的物理和化学性质，能用方程式正确表示典型物质的主要化学性质；能列举某一物质在不同环境中可能体现的不同性质，并能用方程式正确表达（删繁就简、增补结构） （原学业要求 3）能从物质类别角度，预测物质的化学性质和可能发生的类别转化，设计实验进行初步验证，并能分析、解释有关实验现象（删繁就简） （原学业要求 4）能利用典型代表物的性质和反应，设计常见物质制备方案。能从物质类别视角说明物质的转化路径（删繁就简）

（二）学业质量水平

课标学业质量水平与“物质的分类及转化”教学单元的相关要求的对应关系如表 1-3 所示。

表 1-3 “物质的分类及转化”教学单元的学业质量水平

学业质量水平描述[1]	针对本教学单元内容的具体表现
1-1 能根据物质组成和性质对物质进行分类，形成物质是由元素组成和化学变化中元素不变的观点；能对常见物质及其变化进行描述和符号表征	1-1 能列举常见的分类方法（交叉分类法、树状分类法），知道分类是一种科学的学习方法；在物质类别变化的过程中描述物质性质（酸性、碱性、金属性、非金属性、不稳定性等），并能用方程式表征，知道转化过程遵循元素守恒；能列举常见的胶体及其性质（丁达尔效应）
2-1 能从不同视角对典型的物质及其主要变化进行分类 2-2 能设计物质转化的方案，能运用化学符号表征物质的转化，能说明化学变化的本质特征和变化规律	2-1 能应用四大基本反应，认识常见物质类别的转化 2-2 对部分物质进行转化方案设计，并能用方程式进行表达
3-1 能从组成、结构等方面认识无机化合物和有机化合物的多样性，能从物质的组成、性质、官能团、构成微粒和微粒间作用力等多个视角对物质进行分类	3-1 从元素和物质类别的视角认识物质的性质；建立“元素—组成—类别—性质”的认知模型
4-1 能在物质及其变化的情境中，依据需要选择不同方法，从不同角度对物质及其变化进行分析和推断；能根据物质的类别、组成、微粒的结构、微粒间作用力等说明或预测物质的性质，评估所做说明或预测的合理性	4-1 根据元素组成和物质类别，预测物质的性质，并设计实验方案加以验证

注：数字序号即课标中相应序号。

二、教材解读

在人教版高中化学必修教材（2019 年版）第一章第一节“物质的分类及转化”中，通过对物质的分类、分散系及其分类和物质的转化等显性知识的介绍（图 1-1），构建“元素—组成—类别—性质”的认知模型，实现常见物质之间的转化，并用方程式加以表征。结合“方法导引”强化“分类是重要的科学探究方法”这一认知，结合“思考与讨论”和“实验”

掌握模型认知在物质性质预测过程中的重要价值，实现课标学业要求和学业质量水平中有关"说明""分类""使用""运用"等能力表现的具体要求。由于该节课内容处于初高中衔接的重要阶段，应重视化学学习方法的养成和科学思维的培养。该节课内容的最后，教材设计了"化学与职业"板块，引导学生了解化学学科在社会发展中的重要支撑作用，从而激发他们对化学学习的内在动力，形成认真且积极的化学学习观念。

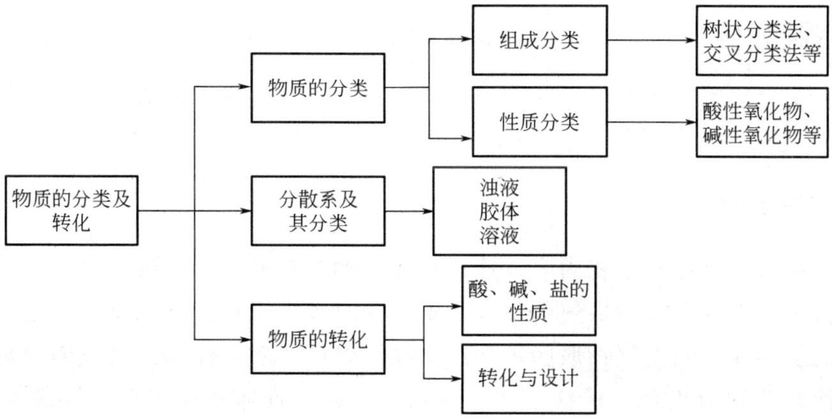

图 1-1　人教版高中化学必修教材（2019 年版）"物质的分类及转化"教学单元内容

三、能力模型建构

基于对课标和教材内容的分析，可以明确"物质的分类及转化"单元的核心是认识分类是一种科学的研究方法，以不同类别典型物质的转化过程为载体学习物质的性质，预测并探究同类陌生物质性质，为后期学习典型非金属、金属及其化合物建构一般的认知模型和形成科学的探究思路。具体能力模型如图 1-2 所示。研究对象由典型物质向分散系和陌生物质过

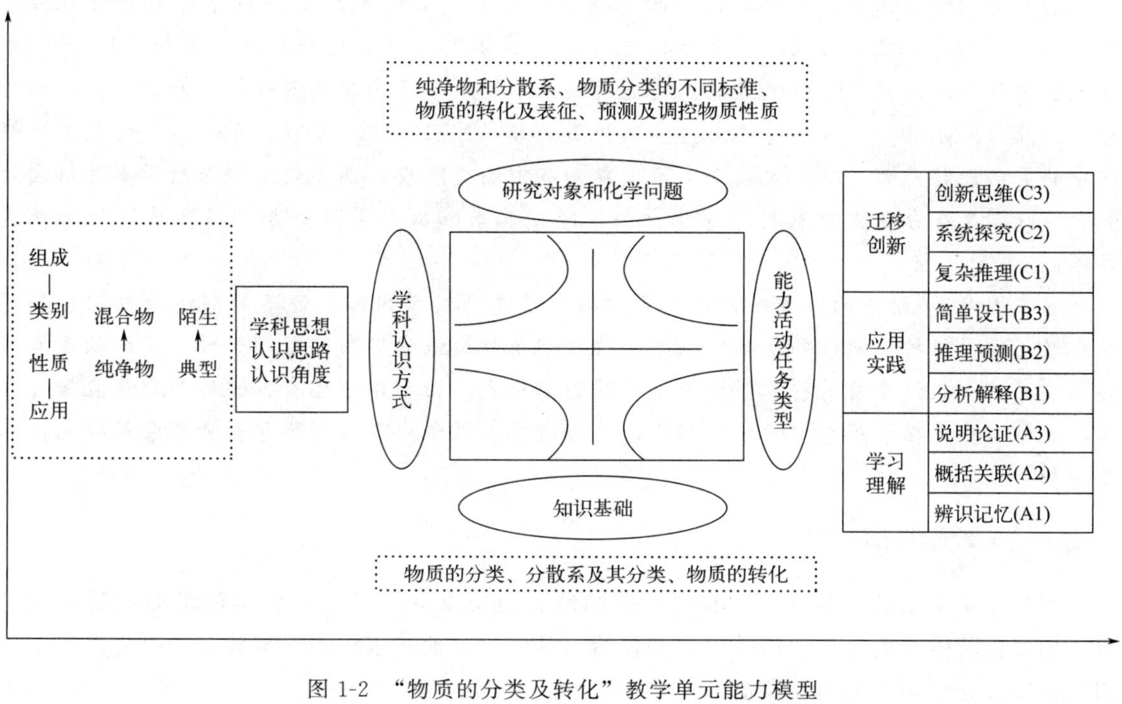

图 1-2　"物质的分类及转化"教学单元能力模型

渡，化学问题由简单向复杂过渡，学科认识方式由典型向一般过渡。在教学过程中讲解物质变化过程，让学生感悟“组成—类别—性质—应用”的认知模型、守恒思想。在概念教学过程中用好熟悉物质，侧重发展学习理解能力。在实验方案设计与探究教学过程中则注重应用实践和迁移创新能力的发展，注重模型认知与证据意识、科学探究与创新意识等学科核心素养在课堂教学中的有效落地。

四、课程资源分析

在实际教学过程中，能力目标的实现还受到授课类型、学生学情、教学资源等客观因素的影响。

（一）授课类型

本节课是初高中衔接的重要内容，建议授课类型为新授课，建议 2 课时。笔者对人教版高中化学教材相关内容进行了适当的整合。第一课时以“设计纯碱的制备方案”为主题，讲授常见物质的类别和不同类别物质的转化；第二课时以“职业体验（纯碱质检员）”和“挑战不可能”两个活动为主题，迁移应用“组成—类别—性质—应用”认知模型解决情境问题。同时，对比 $Fe(OH)_3$ 难溶物形成胶体的过程，创设挑战项目——用水溶性物质（Na_2CO_3）制备胶体。

（二）学情分析

已有基础：从知识层面来看，学生已学习 C、CO_2、H_2SO_4、HCl、NaOH、$CaCO_3$ 等个例物质的性质及其转化，知道 $CO_2+2KOH═══K_2CO_3+H_2O$、CO_2 在溶液中体现了酸性，很容易习得酸性氧化物的概念。从能力层面来看，学生已具备一定的分类思维，知道同类物质具有相似的性质，体现出较好的原型迁移水平，比如 SO_2 性质的学习和相关方程式的书写。当然，在教师的教学引导下，也可以培养学生的变型迁移能力，比如认识 Mn_2O_7 为酸性氧化物的过程。可以通过熟悉的盐类物质 $KMnO_4$ 反向建构酸性氧化物概念的认知过程——盐（$KMnO_4$）→酸（$HMnO_4$）→酸性氧化物（Mn_2O_7），从而提升认知模型在陌生情境中的灵活迁移能力。从心理层面上看，在初高中衔接阶段，高中化学概念教学要善用实验教学，让学生充分体验自然科学探索过程，激发其求知欲与学习兴趣，摒弃单纯的记忆式教学。

潜在困难：“物质的分类及转化”是初高中过渡的教学内容，过多的陈述性知识会影响学生对化学学科的正确认知。如何从学科价值视角开展课堂实践的教学设计，关联物质类别与性质，建构认识事物的科学模型是本节课的重难点。由于学生已有知识较为零散且储备有限，教学的重点在于基于学情优化任务，适当地融入教学内容，增强学生的课堂获得感，凸显学科价值。

（三）教学资源

本节课主要是概念学习，对教学资源的硬实力要求并不高，一般学校都能满足实验需求，比如：胶体的实验教学相关试剂和仪器、甘油等其他非水溶剂，碳酸钠与碳酸氢盐溶液相互转化实验的相关试剂和仪器。

五、表现性目标制定

将学科能力模型中 4 个维度进行连接组合[2]，再结合学生学情、授课类型、教学资源等客观因素，制定了“物质的分类及转化”主题学科能力表现性目标，如表 1-4 所示。

表 1-4 “物质的分类及转化”教学单元学科能力表现性目标

能力要素		表现性目标
A 学习理解能力	A1 辨识记忆	能表达酸、碱、盐、氧化物(碱性氧化物、酸性氧化物)、胶体相关的概念;能列举胶体的特征性质(丁达尔效应)
	A2 概括关联	能依据物质的组成与性质对常见物质进行分类,能根据研究需求采用不同的标准进行多样化的分类方法
	A3 说明论证	能用方程式准确表达物质的性质(酸性、碱性、金属性、非金属性、不稳定性等)
B 应用实践能力	B1 分析解释	能根据方程式、实验现象或事实解释反应物在转化过程中体现的性质;能利用胶体性质解释生活中的现象
	B2 推理预测	能基于物质类别预测物质可能具有的性质
	B3 简单设计	能依据物质类别设计物质转化方案并评价
C 迁移创新能力	C1 复杂推理	能利用“元素—组成—类别—性质”认知模型迁移解决陌生问题
	C2 系统探究	能建立系统(物质+环境)认识或预测物质的性质,并设计可行性方案验证或评价
	C3 创新思维	能建构变化的化学观念,能认识同一物质在不同环境中可能体现不同的性质

教学设计

一、教学现状

本课时为人教版高中化学必修教材（2019 年版）第一章第一节“物质的分类及转化”的新授课[3]。这部分内容是初高中衔接的关键内容，是高中生建构科学方法、认识丰富世界的重要阶段。新课标要求教师开展素养为本的化学课堂教学，创设真实情境问题，丰富探究活动，基于必备知识建构科学认识化学的思维与方法。面对情境复杂问题时，思维是认知视角，即“从哪想”的问题；方法是认识路径，即“怎么想”的问题[4]。经过文献分析发现，目前已有不少相关教学设计类文献，主要分为三类：一是物质分类的教学设计；二是物质转化的教学设计；三是胶体的教学设计。前两者单独设计或融合设计的相对较多，但在物质的分类及转化中融合胶体的教学设计相对较少。笔者认为现有教学主要将物质的分类及转化的研究对象聚焦于纯净物，但“转化”的过程往往是混合体系，应在教学实践的过程中，尝试将物质转化的视野放大为整个反应系统，关注物质转化的同时，关注混合体系的性质变化，尝试融合胶体的教学，这是挑战，亦是一种创新尝试。

二、教学思路

（一）创设真实问题情境

本课例以 Na_2CO_3 为载体，设计“认知—制备—检测—应用”大情境，建构科学认识“组成—类别—性质—应用”的一般模型，在第二课时教学过程中创设了“如果你是纯碱质检员，如何设计产品纯度检验方案”这一真实问题情境，创设的主要原因有：①纯碱是生活中常用物质，可以有效提升学生的课堂参与度。②基于性质，纯碱可归于碱性类物质；基于物质组成，纯碱属于盐类物质，这样的冲突可以激发学生主动思考分类的多样性。③纯碱中混有的杂质主要有碳酸氢钠，而酸式盐在水溶液中显碱性，这一现象能自然启发学生科学认识物质的性质——性质并非孤立存在，而是与环境息息相关，会随着环境变化而改变，从而构建性质认知的变化观念[5]。本课例通过“观察生活中的物质→酸碱性测验→验证酸式盐的酸性→实验设计→职业体验→挑战不可能”六个课堂任务，贯穿 2 个课时，详见图 1-3。

图 1-3　教学流程

（二）设计能力评价任务

依据上述确立的学科能力表现性目标，精心设计了多样化、梯度化的能力发展评价任务（表 1-5），体现对学科思维、学科认识视角和认识思路等的形成、诊断和发展。

表 1-5 “物质的分类及转化”教学单元能力发展评价

序列	教学环节	评价任务	评价活动	能力要素	素养价值
1	观察纯碱	观察不同纯碱包装袋配料表，了解其主要成分及功能。根据生活经验进行预测，并描述其可能具有的性质	【提问】按物质的组成分类，苏打和小苏打属于哪一类物质？ 【活动】基于不同的分类标准对苏打和小苏打进行分类，并依据分类标准列举其他同类物质	A1、A2、B1	建构物质“组成—类别—性质—应用”的认知模型，认识分类是科学探究的基础，以及分类标准有多样化特征
2	认识纯碱	探究 Na_2CO_3 和 $NaHCO_3$ 溶液酸碱性的方案设计、评价与实施	【提问】如何测定 Na_2CO_3 和 $NaHCO_3$ 溶液的酸碱性？请设计实验方案并评价	B2、B3	科学探究是认识事物的一般方法，利用酸式盐显碱性的特点，巧设认知冲突，激发学习兴趣
3		探究 $NaHCO_3$ 是否具有酸性，设计实验方案并进行评价与实施	【提问】实验能证明碳酸氢钠是否具有酸性吗？请设计实验方案并评价	B2、B3、C1、C2	科学探究是认识事物的一般方法，科学建构系统（物质＋环境）的性质认知模型，引导学生初步形成物质性质的变化观
4	制备纯碱	自主设计实验室制备 Na_2CO_3 的可行性方案	【提问】根据已学知识，任选材料设计制备 Na_2CO_3 的实验方案并评价	B3	迁移性质认知模型，实现常见物质类别间的转化
5	职业体验（纯碱质检员）	检测纯碱的纯度	【提问】如果你是质检员，请你根据已学知识设计纯碱纯度检测方案，并评价	B3、C1	变型迁移已有认知模型，创造性问题解决
6	挑战不可能	用水溶性物质（Na_2CO_3）制备胶体	【提问】请同学们尝试用水溶性物质制备胶体	C2、C3	建构认识物质性质的变化观念

（三）选择教学策略

“物质的分类及转化”的传统教学往往重视描述性知识的记忆，缺乏建构“组成—类别—性质—应用”学科观念的渗透。笔者选取生活情境、实验情境、探索情境等素材，巧妙利用认知冲突设计学习任务，并运用合作学习等教学策略组织教学。比如：酸式盐（$NaHCO_3$）在水溶液中呈碱性，但类别上属于酸式盐，那么其是否有酸性？如何开展实验探究？以生活典型物质关联问题与必备知识，一方面可以在学生的最近发展区开展有效教学，另一方面也能充分调动学生的课堂参与度。再比如：通过职业体验（纯碱质检员），将物质性质等知识应用于情境任务，将学习与评价融入环环相扣的任务，促进课堂教学；通过挑战可溶性物质制备胶体的任务，激发学生抓住事物的本质，变型迁移已有认知，引导学生创造性解决问题。基于系统（物质＋环境）认识物质的性质，有助于构建认知性质的变化观念。那么，在分散系中如何将水溶性分散质转化为难溶性分散质？完成这一任务挑战的关键是：冲破原有以“水”为分散剂的溶解能力认知模型。这也是本节课培养学生科学探究与创新意识核心素养的关键步骤。

三、教学实录（第二课时）

第一课时（任务一～任务四）中，学生已经了解酸、碱、盐、酸性氧化物、碱性氧化物等基本概念，关联了物质类别与性质，建构了“组成—类别—性质—应用”的科学认知模型及认识物质性质的变化观念。第二课时（任务五和任务六）利用性质的差异设计纯碱纯度检测方案并评价。在任务评价过程中，加深认识物质性质的变化观念。在胶体的教学过程中，引导学生灵活迁移性质的变化观念，创造性解决挑战任务，培养系统的科学探究思维。

任务五：职业体验（纯碱质检员）

【教师】上节课我们已经知道 Na_2CO_3 是盐类物质，其水溶液具有碱性；$NaHCO_3$ 属于盐类物质中的酸式盐，其水溶液呈碱性，但在碱性溶液中可以表现酸性，与碱反应生成 Na_2CO_3。老师展示的纯碱主要由 Na_2CO_3 和 $NaHCO_3$ 组成，如果你是一名纯碱质检员，请你根据以下试剂设计纯度检测方案。

【PPT】试剂超市：纯碱样品、$CaCl_2$ 溶液、$Ca(OH)_2$ 溶液、NaOH 溶液、蒸馏水、过滤装置、称量装置、气体搜集装置，以及相关试剂、仪器。

【学生】根据已有复分解反应相关知识，选择 $CaCl_2$ 溶液。

【教师】选择的理由是什么？

【学生】Na_2CO_3 与 $CaCl_2$ 发生复分解反应产生沉淀，而 $NaHCO_3$ 不能与 $CaCl_2$ 发生复分解反应，然后经过滤得到 $CaCO_3$ 沉淀，洗涤、干燥并称其质量，最后计算出纯碱的纯度。投屏展示学生设计方案 1，如图 1-4 所示。

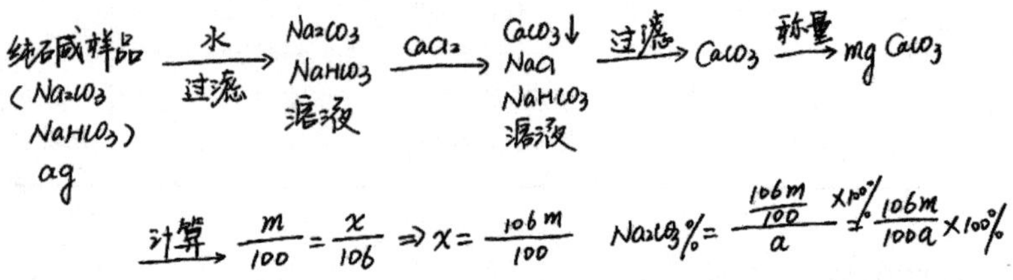

图 1-4　学生设计方案 1

【教师】大家觉得方案 1 的设计思路可行吗？

【学生】$NaHCO_3$ 可以体现酸性，若是给出氢离子，在有碳酸根的情况下，能否与 $CaCl_2$ 溶液发生反应？如果能的话，方案不可行。

【PPT】上节课我们学习了碳酸氢钠是酸式盐，一定条件下能体现酸性。$NaHCO_3$ 与碱反应生成盐和水，体现酸性：$NaHCO_3+NaOH = Na_2CO_3+H_2O$（用不同的颜色标注元素符号，引导学生注意，若是体现酸性，溶液中会有碳酸根离子产生，见图 1-5）。

$NaHCO_3$与碱反应生成盐和水，体现酸性：

$NaHCO_3+NaOH = Na_2CO_3+H_2O$

【实验探究】$NaHCO_3$与$CaCl_2$溶液能否发生反应?

图 1-5　$NaHCO_3$与碱反应的方程式

【演示实验】将一定浓度的碳酸氢钠溶液与氯化钙溶液混合，效果如图 1-6 所示。

混合后俯视图　　混合后侧面激光照射　　片刻后沉淀逐渐沉降

图 1-6　$NaHCO_3$ 溶液与 $CaCl_2$ 溶液的混合效果

【教师】实验表明碳酸氢钠溶液和氯化钙溶液剧烈反应，产生大量沉淀。该现象能否评价方案 1 的可行性？（为了让学生更好地看见沉淀的沉降，教师将烧杯中的浊液转移至试管中。）

【学生】即使产生沉淀，方案 1 也可行。最后碳酸钙沉淀的质量来自碳酸钠和碳酸氢钠，在已知碳酸钠和碳酸氢钠总质量的情况下，结合所得碳酸钙的总质量，可以通过二元一次方程组求解组分的含量。

【教师】非常好，该同学的数学思维能力很强。

【学生】老师快看，试管里出现了很多气泡（试管内变化过程如图 1-7 所示）。

立刻照射
无丁达尔效应　　半分钟后
顶部出现
丁达尔效应　　垂直照射
顶部出现
丁达尔效应　　1分钟后照射
有更多区域出现
丁达尔效应　　垂直照射
观察到大量气泡

图 1-7　试管中混合溶液的变化过程

【教师】关联物质的组成与性质，根据溶液成分，请大家预测，气泡是什么物质？为什么会产生气泡？

【学生】气泡一般在酸性条件下产生，依据 $NaHCO_3$ 和 $CaCl_2$ 的组成推测，能产生气体的物质应该是 $NaHCO_3$，我记得第一课时 $NaHCO_3$ 和盐酸反应可以生成 CO_2，所以我预测气体是 CO_2。

【教师】推测得非常好，根据大家的推测，我们可以将现有认知用化学符号表达出来，如图 1-8 所示。

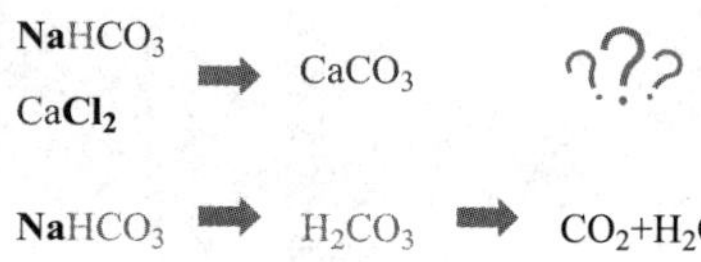

图 1-8　颜色标记 $NaHCO_3$ 与 $CaCl_2$ 的反应

【教师】请尝试书写上述反应的化学方程式。

【学生】用粗体表示的元素只有钠元素和氯元素，反应产物还应有 NaCl。$NaHCO_3$ 和 $CaCl_2$ 产生沉淀和气体的化学方程式可以表示为：$2NaHCO_3 + CaCl_2 = CaCO_3 + 2NaCl + H_2O + CO_2\uparrow$。

【教师】非常好！根据这位同学的推测，请大家再次评价方案 1 是否可行。

【学生】不可行。因为从方程式可以看出碳酸氢钠有一部分转化为 CO_2，有一部分转化为碳酸钙，含碳元素的物质种类增加，未知量增加，这将无法计算。

【教师】非常好。既有沉淀又有气体产生将使方案实施的难度增加。从实验数据获取的角度，大家会选择测量沉淀的质量还是气体的体积呢？

【学生】气体的测量很麻烦，因为现阶段我只会使用质量进行计算，所以我选择向溶液中加碱将碳酸氢钠转化为碳酸钠，然后利用沉淀的质量进行求解。

【教师】请大家优化方案 1。

最后同学们得到两种方案，如图 1-9 所示。

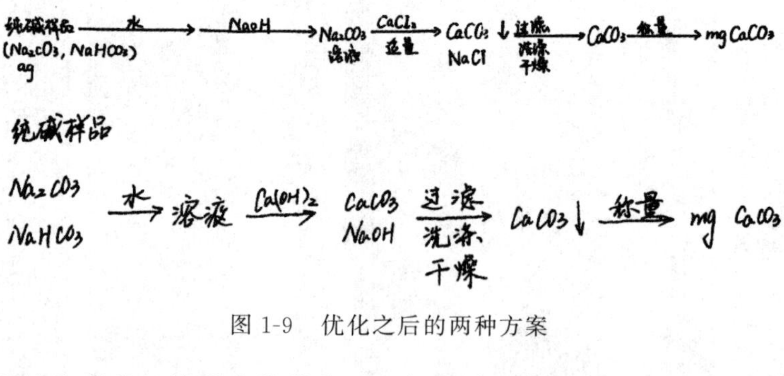

图 1-9　优化之后的两种方案

【教师】碳酸钠和碳酸氢钠均为盐类物质，但是碳酸氢钠属于酸式盐，其水溶液为碱性。碳酸氢钠与溶液环境可视为一个系统，当环境为碱性时，碳酸氢钠也可以体现出酸性。例如：碳酸氢钠溶液在氢氧化钠溶液中转变为碳酸钠，过程中提供了氢离子，表现为酸性；碳酸氢钠与盐酸反应的过程中，产生二氧化碳，结合了氢离子，表现为碱性；碳酸氢钠与氯化钙反应的过程中，既产生碳酸钙沉淀又产生二氧化碳，既表现酸性又表现碱性。

学习评价： 通过常见物质的分类、性质预测与检验，建构“组成—类别—性质—应用”的科学认知模型。部分学生能根据物质类别合理预测物质可能的性质，酸式盐的碱性可以通过事实进行认知，学生容易接受；反而是碳酸氢钠的酸性认知过程是学生认识的难点。设计该任务除了培养理解与实践能力之外，应重点发展学生C2、C3迁移创新的能力，为后续“挑战不可能”任务铺设能力基础。建构一般认知模型的同时，初步形成认识物质性质的变化观念。

任务六：挑战不可能（用水溶性物质制备胶体）

【教师】我们还有一个实验现象需要探讨，刚才 $NaHCO_3$ 溶液与 $CaCl_2$ 溶液混合的过程中，随着沉淀的不断沉降，上层分散系由浊液向胶体过渡。随着时间的推移，上层分散系丁达尔效应越来越明显。结合教材中氢氧化铁胶体的案例，我们发现难溶物容易产生丁达尔效应，说明难溶物更容易在水中聚集为1～100nm的微粒，而水溶性好的物质则更容易分散成小于1nm的微粒。请大家思考，如何利用水溶性好的物质 Na_2CO_3 制备胶体？

【PPT】试剂超市：纯碱样品（主要成分 Na_2CO_3）、NaCl固体、蒸馏水、乙醇、甘油（丙三醇）有机溶剂，以及其他试剂。仪器可任选。

【学生】氯化钠的水溶液不能产生丁达尔效应，我选择非水分散系，但是我并不知道它们是否可以溶解这些固体。

【教师】氯化钠和碳酸钠以水溶性分类，属于一类物质。同学们应用“组成—类别—性质—应用”的认知模型对性质进行了一次成功的预测，并提出了相应的问题。接下来我们动手验证一下非水溶剂对水溶性物质的溶解效果。下面展示学生实验过程中的部分效果，如图1-10所示。

纯净的甘油，无丁达尔效应 | Na_2CO_3不溶解 | Na_2CO_3与甘油搅拌 | Na_2CO_3与甘油搅拌几乎无丁达尔效应 | Na_2CO_3、甘油、少量水，丁达尔效应明显

图1-10 学生实验效果图

【教师】分散系由分散剂和分散质共同组成，依然可认为是一个系统。分散质可认为是物质，分散剂可认为是环境，系统的性质由两者共同决定。选择不同的分散质或调节不同分散剂的溶解能力可以有效制备不同类型的胶体。

学习评价： 在“挑战不可能”的任务中，尝试改变用难溶物胶体制备的固有认识，测评学生C2、C3能力发展效果。部分学生难以将思维核心转移至分散剂，缺乏从“系统”的角度认识性质的思维，创新意识有待提高。应进一步设计并培养认识物质性质的系统思维，建构性质认知的变化观念。

四、板书设计

板书设计见图 1-11。

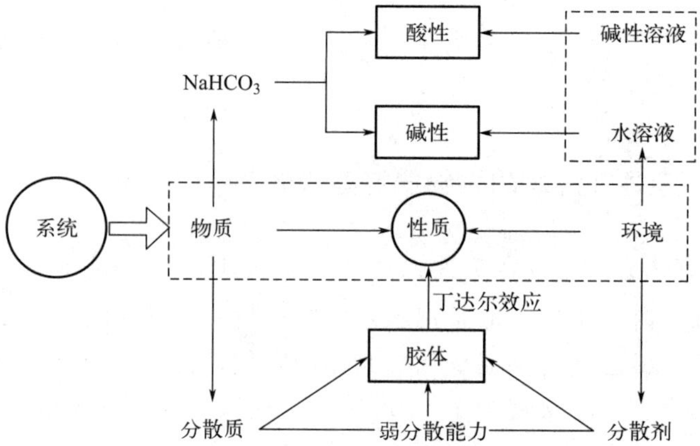

图 1-11 “物质的分类及转化”教学板书设计（第二课时）

教学评价

一、教学效果

（一）测评试题

碳酸氢钠（$NaHCO_3$）俗称小苏打，为白色细小晶体，溶于水呈碱性，是生产生活中重要的化学物质。在烘焙过程中，小苏打不仅是一种高效的膨松剂，还能有效调节面食的口感，使成品更加松软细腻。请回答下列问题：

1. 根据物质的组成进行分类，$NaHCO_3$ 属于（　　）。

A. 酸　　B. 碱　　C. 盐　　D. 氧化物

2. 烘焙过程中 $NaHCO_3$ 用作膨松剂是因为其受热易分解并产生 CO_2。该用途体现了 $NaHCO_3$ 的性质为（　　）。

A. 酸性　　B. 碱性　　C. 不稳定性　　D. 挥发性

3. 碳酸氢钠的水溶液呈碱性，能与面团中复杂酸性物质（HA）反应，改善面食口感，请写出 $NaHCO_3$ 与 HA 反应的化学方程式：________________。

4. 碳酸氢钠以阴离子分类可归为酸式盐，在强碱性溶液中可体现酸性，请写出 $NaHCO_3$ 与 NaOH 溶液反应的化学方程式：________________。

5. 将碳酸氢钠溶于水中，没有丁达尔效应；向分散系中加入一定量甘油，可出现明显的丁达尔效应。已知：碳酸氢钠难溶于甘油，甘油与水任意比例互溶。下列有关说法正确的是（　　）。

A. 甘油作为分散质，与水形成胶体

B. 丁达尔效应表明分散系中形成了悬浊液

C. 丁达尔效应是由胶粒带电引起的

D. 甘油作为分散剂降低了 Na_2CO_3 的溶解度，使微粒粒径处于胶体范围

（二）设计说明

物质的分类及转化是初高中衔接重要阶段的教学内容，试题难度选择适中，主要以“变化观念与平衡思想”“模型认知和证据推理”和“科学探究与创新意识”的化学学科核心素养，“组成—类别—性质—应用”的学科观念为测试宗旨。以典型物质“碳酸氢钠”为载体，设计了酸性、碱性、中性等溶液环境，通过用途、实验现象等维度引导学生探究碳酸氢钠的性质，建构认识物质性质的变化观念，要求学生运用分类思维，关联物质的“组成—类别—性质—应用”。每一个试题均对应学科能力表现性目标，旨在评价学生在完成本节课学习后所达到的相应学科能力水平。具体如表 1-6 所示。

表 1-6 评价说明和评分标准（总分 10 分）

试题编号	学科能力要素	认识能力	分值	标准答案及评分标准
1	A2 概括关联：能依据物质的组成与性质对常见物质进行分类，能根据研究需求采用不同的标准进行多样化的分类方法	2 分：根据化学式判定物质的组成，进而关联物质的类别，便于预测物质可能具有的性质 0 分：未能建立物质类别与组成之间的关联	2 分	2 分：C 0 分：其他选项
2	B1 分析解释：能根据方程式、实验现象或事实解释反应物在转化过程中体现的性质	2 分：根据实验事实，描述物质所具有的性质。能关联物质的组成与性质、性质与用途 0 分：缺乏从事实到性质的描述能力	2 分	2 分：C 0 分：其他选项
3	A3 说明论证：能用方程式准确表达物质的性质	2 分：具备用方程式表征实验事实的能力 0 分：不具备用方程式简洁表达物质性质的能力	2 分	2 分：$NaHCO_3 + HA \longrightarrow NaA + H_2O + CO_2\uparrow$ 0 分：其他答案
4	B2 推理预测：能基于物质类别推测物质可能具有的性质 A3 说明论证：能用方程式准确表达物质的性质	2 分：具备用方程式表征实验事实的能力，同时具备根据物质类别分析、预测物质性质的能力，能有效关联物质的类别与性质 0 分：缺乏物质类别与性质的关联能力，以及用方程式表征物质性质的能力	2 分	2 分：$NaHCO_3 + NaOH \longrightarrow Na_2CO_3 + H_2O$ 0 分：其他答案
5	A1 辨识记忆：能表达胶体相关的概念 B1 分析解释：能利用胶体性质解释生活中的现象 C2 系统探究：能建立系统（物质＋环境）认识或预测物质的性质，并设计可行性方案验证或评价 C3 创新思维：能建构变化的化学观念，能认识同一物质在不同环境中可能体现不同的性质	2 分：对胶体相关概念非常清晰，对胶体的特征现象——丁达尔效应具备解释能力。能辩证理解溶质在溶剂中的分散能力，建构认识物质性质的变化观念 0 分：对胶体相关概念模糊，在陌生情境中缺乏迁移胶体相关已有认知的能力	2 分	2 分：D 0 分：其他答案

（三）效果分析

收集答卷 70 份，能力对应的平均得分情况如表 1-7 所示。

表 1-7　评分结果

学科能力	试题编号	分值	平均分	得分率
A1	5	2	1.706	85.3%
A2	1	2	2.000	100.0%
A3	3、4	4	3.853	96.3%
B1	2、5	4	3.912	97.8%
B2	4	2	1.912	95.6%
C2	5	2	1.706	85.3%
C3	5	2	1.706	85.3%

通过数据分析可见，学生学习理解能力（A1、A2、A3）、应用实践能力（B1、B2）水平普遍较高，学生在教材预习和课堂学习的过程中，对生活中熟悉的物质表现出了更多的学习兴趣和探索欲望；当然，也存在少数同学未能形成物质性质的变化观念，孤立地认识物质的性质。针对迁移创新能力（C2、C3）的试题得分率中等，个体差异较大，部分学生表现出较高水平，也有部分学生尚有欠缺，对陌生物质的思考缺乏逻辑性，不能从典型事物模型中形成科学思维，进而有序思考。比如，对于溶解度，学生理解得过于单一，与生活经验中除水之外的溶剂接触较少，不能很好地理解溶剂的种类和状态可以是多样化的，缺乏对“分散”的理解，思维定势导致实践中灵活迁移认知模型和创新的能力较弱。

二、教学反思

本设计通过“环境调控物质性质”的创新视角，突破了传统教学中“物质性质固定不变”的认知局限。科学建构认知物质性质的模型，将类别与性质关联的同时，重视环境对物质性质的影响，初步建构系统学习物质性质的思维模式。在教学过程中充分挖掘实验的功能价值，善于融合实验现象和学生已有认知，注重证据推理能力的培养，通过构建科学认知模型化解认知冲突，将教学目标与学科能力发展目标相对应。在实验设计、现象解释、方案评价等教学活动中有效测评分析解释（B1）、推理预测（B2）、复杂推理（C1）等能力要素；利用水溶性物质制备胶体的挑战任务，引导学生基于水溶液中胶体制备模型进行系统思考，将水溶液环境灵活迁移至其他分散系，创新制备思路，再测评系统探究（C2）、创新思维（C3）等能力要素。

在教学设计和实施的过程中也遇到了一些问题，注重思维设计的课堂能让学生充分地思考，有效测评能力要素，但是在学生动手实践方面还略显保守。比如，纯碱纯度的计算过程并没有很好地落实，部分学生即使厘清了思路也可能存在计算思路不清的情况；有关分散剂的探究缺乏定量思维，可以更深入地培养学生的定量思维，从定性与定量相融合的角度科学建构物质性质的认知模型。比如：针对学生对牛奶、豆浆是不是胶体的问题进行定量分析，通过观察丁达尔效应的效果凸显“量”对系统性质的影响，为后续物质的量浓度的学习埋下伏笔。

参考文献

[1] 中华人民共和国教育部．普通高中化学课程标准（2017年版2020年修订）[S]．北京：人民教育出版社，2020：14-17，65-67.

[2] 王磊，支瑶．化学学科能力及其表现研究 [J]．教育学报，2016，12（04）：46-56.

[3] 王晶，毕华林．普通高中教科书·化学（必修）第一册 [M]．北京：人民教育出版社，2019：6-13.

[4] 董鸿志，杨雪莉，任莉娜．基于认识视角与认识思路的化学课堂教学——物质的分类及转化 [J]．化学教育（中英文），2022，43（21）：67-72.

[5] 夏昌伟．基于学科理解认知物质的氧化性 [J]．中学化学教学参考，2024（28）：12-15.

夏昌伟（杭州市富阳区教育发展研究中心　浙江杭州）

第2单元
离子反应

目标研制

一、课标研读

（一）内容要求和学业要求

“离子反应”教学单元为《普通高中化学课程标准（2017年版2020年修订）》必修课程主题2中的内容，课标相应内容要求和学业要求如表2-1所示。

表 2-1 “离子反应”教学单元的课标内容要求和学业要求[1]

内容要求	学业要求
2.3 电离与离子反应 认识酸、碱、盐等电解质在水溶液中或熔融状态下能发生电离。通过实验事实认识离子反应及其发生的条件，了解常见离子的检验方法	1. 能利用电离、离子反应等概念对常见的反应进行分类和分析说明。能用电离方程式表示某些酸、碱、盐的电离 2. 能用离子方程式正确表示典型物质的主要化学性质 3. 依据复分解反应和氧化还原反应原理，预测物质的化学性质和变化，设计实验进行初步验证，并能分析、解释有关实验现象

注：数字序号即课标中相应序号。

可见，课标中对于“离子反应”教学单元的内容要求，强调了基于实验活动来认识电解质的电离、离子反应的发生和反应条件，并要求掌握常见离子的检验方法。而学业要求则指出学生在理解这些概念的基础上，应能够使用符号来表征常见电解质的电离过程，并通过离子方程式的书写来体现物质的化学性质。学生还应能够运用所学知识预测物质的性质和变化，并设计实验，验证、分析和解释这些预测。通过直接摘录、增补解构、删繁就简等方法，形成该教学单元经过优化后的要求，具体见表2-2。

表 2-2 “离子反应”教学单元课标优化后的要求[1]

优化后的要求
（原内容要求2.3）能通过导电性实验掌握电解质的概念，能识别并记忆常见的电解质，知道常见酸、碱、盐的电离，从电离角度认识酸和碱的本质。知道电离发生的条件是电解质在水溶液中或熔融状态下。通过实验事实认识离子反应及其发生的条件，认识酸碱中和反应的实质并了解常见离子的检验方法（增补解构）

续表

优化后的要求
(原学业要求 1)能利用电离、离子反应等概念对常见的反应进行分类和分析说明。能用电离方程式表示某些酸、碱、盐的电离(直接摘录) (原学业要求 2)能用离子方程式正确表示典型物质的主要化学性质(直接摘录) (原学业要求 3)能从物质类别的角度,依据电离原理确定物质在溶液中的存在形式,依据复分解反应条件预测离子反应的发生或检验离子的存在,设计实验进行初步验证,并能分析、解释有关现象(增补解构)

(二)学业质量水平

课标中学业质量水平与“离子反应”教学单元的相关要求对应关系如表 2-3 所示。

表 2-3 “离子反应”教学单元的学业质量水平

学业质量水平描述[1]	针对本教学单元内容的具体表现
1-1 能认识离子反应的本质,能结合实例书写离子方程式 1-2 认识化学变化是有条件的,能说明化学变化中的质量关系和能量转化,能从物质的组成、构成微粒、主要性质等方面解释或说明化学变化的本质特征	1-1、1-2 能认识离子反应发生的实质,如酸碱中和反应实质,能结合离子反应实例(如金属与酸反应、复分解反应)分析反应发生(如生成沉淀、气体)的条件
2-1 能从不同视角对典型物质及其主要变化进行分类 3-1 能从多个角度对化学反应进行分类,认识化学反应的本质;能采用模型、符号等多种方式对物质的结构及其变化进行综合表征 3-2 能运用宏观、微观、符号等方式描述、说明物质转化的本质和规律 4-2 能选择简明、合理的表征方式描述和说明化学变化的本质和规律	2-1、3-1、3-2、4-2 能分别从宏观和微观角度认识离子反应,建立电离、电解质、非电解质等关键概念;掌握离子反应的实质并根据类型分类,能用微观示意图将思维外显,能用电离方程式和离子方程式进行表征
4-1 能在物质及其变化的情境中,依据需要选择不同方法,从不同角度对物质及其变化进行分析和推理 2-2 能设计物质转化的方案	4-1、2-2 能深入理解离子反应的本质,根据电解质的电离特性,设计物质转化方案,合理预测特定的离子反应和可能出现的宏观现象
1-3 能依据化学问题解决的需要,选择常见的实验仪器、装置和试剂,完成简单的物质性质、物质制备、物质检验等实验;能与同伴合作进行实验探究,如实观察、记录实验现象,能根据实验现象形成初步结论 2-3 能收集和表述实验证据,基于实验事实得出结论 3-3 能根据解决问题的需要提出实验探究课题;能收集并用数据、图表等多种方式描述实验证据,能基于现象和数据进行分析推理得出合理结论 4-3 能用数据、图表、符号等描述实验证据并据此进行分析推理形成结论;能对实验方案、实验过程和实验结论进行评价,提出进一步探究的设想	1-3、2-3、3-3、4-3 能通过小组合作,设计并完成电解质溶液导电性实验,观察现象并记录数据,提出合理猜想,加深对电解质和非电解质的认识;完成电导率变化实验收集数据、绘制曲线,基于宏观现象与数据变化,结合符号表征解释现象,分析离子间的相互作用,并初步构建研究水溶液中物质反应的框架;能评价实验设计,并提出改进方向
1-4 具有安全意识,能将化学知识与生产、生活实际结合,能主动关心并参与有关的社会性议题的讨论,赞赏化学对人类生活和生产所作的贡献;能运用所学的化学知识和方法分析讨论生产、生活中简单的化学问题(如酸雨防治、环境保护、食品安全等),认识化学科学对社会可持续发展的贡献	1-4、2-4、3-4、4-4 能利用离子反应原理分析如污水处理、酸雨防治、新型材料开发、电镀工艺等复杂真实问题,认识化学在环境保护、工业生产等领域中的价值

续表

学业质量水平描述[1]	针对本教学单元内容的具体表现
2-4 能分析化学科学在开发利用自然资源、合成新物质、保护环境、保障人类健康、促进科技发展和社会文明等方面的价值和贡献；了解在化工生产中遵循“绿色化学”思想的重要性，能从化学视角理解食品安全、环境保护等法律法规，关注化学产品和技术在生产、生活中应用可能产生的负面影响 3-4 能运用化学原理和方法解释或解决生产、生活中与化学相关的一些实际问题 4-4 能说明化学科学发展在自然资源利用、材料合成、环境保护、保障人类健康、促进科学技术发展等方面的重要作用；能运用化学原理和方法对解决生产和生活中的热点问题提出创造性的建议，能对化学技术推广应用和化学品使用进行分析和风险评估；能依据“绿色化学”思想分析某些化学产品生产和应用存在的问题，提出处理或解决化学问题的方案	

注：数字序号即课标中相应序号。

二、教材解读

在人教版高中化学必修教材（2019 年版）的第一章第二节“离子反应”中，教材通过电解质、离子反应、离子方程式书写等显性知识的教学（图 2-1），在强调概念学习的同时，也注重培养学生的核心素养，通过感知宏观现象，对电离、离子反应的实质进行微观辨析，并用符号表征微观过程，建立“宏观—微观—符号”三重表征的认识思维[2]。同时，教材重视模型对科学事实的描述、解释和预测等功能，以模型为重要的思维工具帮助理解电离与离子反应的学科本质，体现了新课标所倡导的“以学科大概念为核心，使课程内容结构化，以主题为引领，使课程内容情境化，促进学科核心素养的落实”的新课程理念。

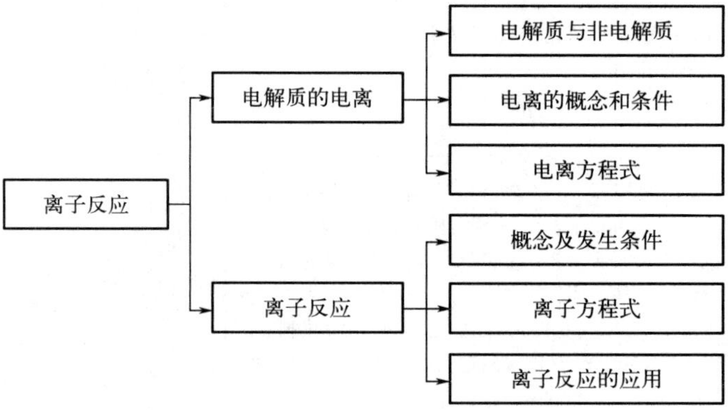

图 2-1 “离子反应”教学单元内容

三、能力模型建构

通过课标研读和教材分析，可以确立相关主题的知识基础、研究对象和化学问题、学科认识方式，从而构建该教学单元的学科能力模型（图 2-2）[3]。例如，该教学单元的核心知识是电解质的电离和离子反应；“宏观—微观—符号”三重表征既是认识思路也是认识角度，从宏观现象的观察，到微观角度的追本溯源，找到离子反应的本质，建构电离和离子反应的认知模型并用符号表征，利用三者的内在联系构建完整的认识体系。学科思想为宏观辨识与微观探析，可引导学生形成证据推理和模型认知的意识、科学探究与创新的意识。研究对象和化学问题为电解质及其电离的过程、条件和离子反应的过程、条件和实质。针对电离内容，可侧重发展学习理解能力；针对离子反应内容，可侧重发展应用实践能力。

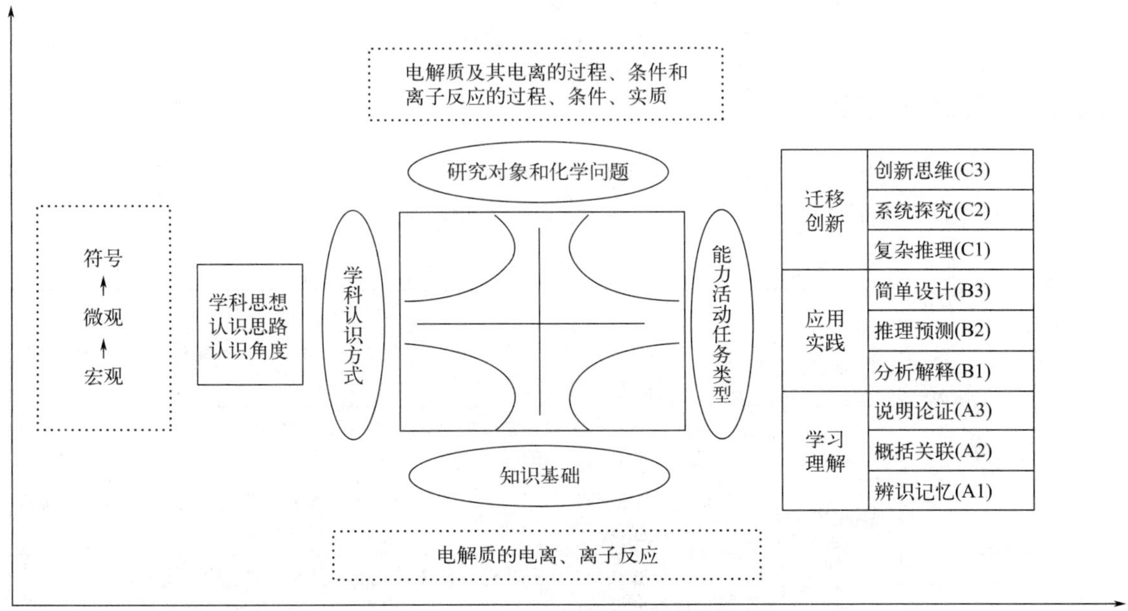

图 2-2 “离子反应”教学单元能力模型

四、课程资源分析

在实际教学过程中，能力目标的实现还会受到授课类型、学生学情、教学资源等客观因素的影响。

（一）授课类型

本节课的授课类型为新授课。

（二）学情分析

已有基础：从知识层面来看，学生在初中已经认识了酸、碱、盐这三类物质，并能宏观地分析它们在水溶液中的行为，能够分析酸、碱、盐类的代表物质之间的反应；从能力层面来看，学生在初中阶段已经形成了一定的对宏观现象的观察和解释说明能力、基本的实验操作能力和合作探究能力；从心理层面上看，学生初步完成从具体思维到以抽象思维为主的过渡，思维具有一定的独立性，情绪体验强烈，对化学实验有浓厚的兴趣。

潜在困难：学生在初中阶段的学习以知识记忆为主，总是被动接受知识而缺乏主动建构知识的能力；认识大多停留在宏观层面，难以从微观角度理解酸、碱、盐在溶液中的行为以及电解质在溶液中形成离子的微观过程，运用化学符号对微观过程表征的能力也有所欠缺；认识停留在定性层面，只关注离子的种类，不关注离子的数量，难以理解定量离子反应的书写。

（三）教学资源

教学资源在学科能力目标的实现中具有重要支撑作用，故而学科能力目标的制定需充分考量该客观因素。本节课的学科能力表现性目标制定要求授课学校提供试剂及硬件设施：蔗糖溶液、乙醇溶液、冰醋酸、氢氧化钡溶液、氢氧化钠溶液、稀硫酸、稀盐酸、稀硝酸、碳酸钡、氯化钙等试剂，电导率仪，蜂鸣器与干电池若干，以及多媒体投影设备。

五、表现性目标制定

将学科能力模型中 4 个维度进行连接组合，再结合学生学情、授课类型、教学资源等客观因素，制定了“离子反应”主题学科能力表现性目标，如表 2-4 所示。

表 2-4 “离子反应”教学单元学科能力表现性目标

能力要素		表现性目标
A 学习理解能力	A1 辨识记忆	能根据实验现象辨识溶液的导电性；能识别并记忆常见的电解质，知道酸、碱、盐是电解质；能书写电离方程式和离子方程式
	A2 概括关联	能通过动画模拟概括常见酸、碱、盐的电离情况；能概括电离、离子反应发生的条件；能归纳酸、碱的本质以及中和反应的本质
	A3 说明论证	能通过实验现象利用已有知识推导电解质溶液的导电性；能依据实验事实说明离子反应过程
B 应用实践能力	B1 分析解释	能结合实例分析电解质溶液的微粒组成和数量关系，从微观角度解释电解质溶液的导电性和离子反应过程；能应用离子反应原理分析、解决生活实际问题
	B2 推理预测	推断电解质溶液体系中微粒之间的相互作用以及作用结果；根据混合溶液体系中的微粒种类和数量，推测溶液成分和潜在离子反应的发生；预测电解质溶液体系中的离子共存情况
	B3 简单设计	能通过控制变量法设计、探究物质导电性的实验方案；能利用离子反应设计实验方案鉴别常见的酸、碱、盐；运用离子反应除去杂质离子
C 迁移创新能力	C1 复杂推理	—（新授课暂不要求）
	C2 系统探究	—（新授课暂不要求）
	C3 创新思维	—（新授课暂不要求）

教学设计

一、教学现状

本课时为人教版高中化学必修教材（2019 年版）第一章第二节“离子反应”的新授课[2]。本节课的核心概念“离子反应”，不但能够帮助学生构建化学观念（如微粒观、变化观），而且对于引导学生从微观层面理解水溶液中的物质及其变化过程，进而加深对化学学科的理解具有不可替代的作用。经过文献分析发现，目前关于这一主题的教学设计均渗透“宏观—微观—符号”三重表征思想，以培育学生的微粒观、变化观；部分文献借助数字化的可视化实验，在培养“宏观—微观—符号—曲线”的四重表征能力的基础上，着力培育学生的证据推理意识[4,5]；也有少数文献依托真实情境，例如探究泡腾片、碳酸饮料中的离子反应，以及围绕工业废水处理、生活水垢除杂等真实情境展开教学[6-9]。然而，多数教学设计仅聚焦于“离子反应”这一单一课时，未能结合第二课时进行单元整体教学，缺乏一定的整体连贯性。因此，如何通过单元整体教学设计将核心概念进行有机整合，构建微观本质认识框架，成为值得探讨的问题。

二、教学思路

（一）创设真实问题情境

本课例创设“智控水世界——探寻水位传感奥秘”这一情境主题，主要原因有三点。①架起学科与生活、科技的桥梁：水位传感器广泛应用于智能家居、工业生产等领域，此主题贴近生活且融合科技，从课堂上的简单实验到生活中的实际应用，能激发学生对化学与科技关联的探索兴趣，感受学科的实用价值。②有机串联教学内容：通过对水位报警器的原理、实际应用情况的分析讨论，能够自然串联离子反应相关知识，构建完整知识链条。③承载学科能力培养活动：第一课时围绕报警器分析工作原理、微观探究电离过程，第二课时围绕传感器失灵原因的分析、除杂方法的探讨及优化展望，设计系列学科能力活动，助力学生在解决真实问题中发展化学学科能力（图 2-3）。

图 2-3 教学流程

（二）设计能力评价任务

根据已确立的学科能力表现性目标，精心规划了分层递进的能力提升任务，促成从“知识理解”到“实践应用”的能力跨越。在这个过程中，学生在各种学习活动中的表现可以作为实现能力发展目标的有力证据，具体见表 2-5。

表 2-5 “离子反应”教学单元能力发展评价

序列	教学环节	评价任务	评价活动	能力要素	素养价值
1	认识自制水位报警器的报警现象	浅析水位报警器的报警原因	设计实验方案，探究 NaCl 固体、纯水和 NaCl 溶液的导电性	A1 A3 B1 B3	发展从宏观现象中提炼化学问题并解决问题的能力
2	探析自制水位报警器的工作原理	微观分析电离现象	认识 NaCl 固体微观结构、在水溶液和熔融状态下的导电过程	A1 A2	从宏观现象到微观角度，构建微粒观
3	制作水位报警器	导电性实验	学生分小组合作，选择不同的溶液完成导电性实验，进一步辨识电解质和非电解质	A3	发展证据推理意识
		书写不同酸、碱的电离方程式，归纳总结	书写 KNO_3、HCl、H_2SO_4、HNO_3、NaOH、$Ca(OH)_2$、$Ba(OH)_2$ 等的电离方程式，并归纳酸、碱的本质	A1 A2	用符号表征电离的微观情况，总结概括酸、碱的本质
4	探究电极式液位传感器“失灵”的本质原因	探究水垢的形成原因	开展实验，模拟 $CaSO_4$ 的形成，预测电导率的变化并验证	B1 B2	发展实验探究能力
		书写离子方程式，归纳总结	书写 H_2SO_4 和 $Ca(OH)_2$ 的离子方程式；归纳酸碱中和反应的本质	A1 A2	发展“宏观—微观—符号”认识思路，提升学习理解能力
5	设计除垢方案	利用离子反应去除水中的杂质离子	设计实验方案并预测实验现象，去除溶液中的 Mg^{2+}、Ca^{2+}，实验验证	B2 B3	设计实验方案，培养通过实践来解决生活实际问题的能力
		书写离子方程式，归纳总结	根据学生提出的实验方案，书写对应的离子方程式，归纳发生离子反应的本质	A1 A2 A3	发展“宏观—微观—符号”认识思路，提升学习理解能力
6	传统液位传感器的优化	了解传统液位传感器的不足	结合材料，解释传感器易失灵的另一原因，书写氧化还原型离子反应方程式	A1 B1	发展信息提取能力，迁移“宏观—微观—符号”的认识思路
		讨论并优化方案	小组合作讨论，交流液位传感器的优化方案	C3	发展创新思维，提升科学态度与社会责任素养

（三）选择教学策略

依据教学目标与内容，精心挑选适宜的教学策略。本单元内容是学习化学的基础，侧重发展学习理解能力和应用实践能力，采取情境创设、分组实验、概括归纳等教学策略，激发学生学习兴趣，巩固知识理解。例如，通过多轮的宏观现象观察到微观本质分析，再用方程式表征，深化学生在化学学习中“宏观—微观—符号”三重表征的认识思路。在离子反应的教学中，引导学生自行设计实验方案，通过“预测（predict）—观察（observe）—解释（explain）”的 POE 教学策略，促进学生对离子反应微观本质的理解，提升学生实验探究能力、锻炼逻辑思维。

三、教学实录（第一课时）

【引入】智能家居的普及，给日常生活带来了诸多便利，我们只需要一台手机，就可以操控家里的各种智能设备。以水系统为例，同学们知道为何这些智能家居能实时监测水箱水位，预防水箱满溢、水管破裂等情况吗？其实这些都是水位检测器的功劳，今天让我们借助自制的简易水位报警器来一探究竟。

任务一：认识自制水位报警器的报警现象

【展示】自制水位报警器装置，当液面上升至一定高度时，装置中的蜂鸣器发出响声。

【教师】水位报警器工作的关键在于什么呢？

【学生】液面上升。

【教师追问】为什么液面上升，装置就发出警报呢？

【学生】液面上升以后与两侧导线连接，整个装置中产生了电流。

【教师】为什么这杯水能接通电路呢？其实这是一杯盐水，水中溶解了部分 NaCl。

【教师】根据平时经验，你认为究竟是什么物质在导电呢？

【学生预测】可能是 NaCl 溶液。

【教师】请同学们基于以上猜想，设计实验方案并分小组进一步完成实验。

【实验 1】准备三个分别盛有干燥的 NaCl 固体、蒸馏水、食盐水的烧杯，组装包含小灯泡的导电装置，将石墨电极依次插入各烧杯，接通电源后观察并记录现象。实验记录表如表 2-6 所示。

表 2-6　导电性实验记录表

物质	NaCl 固体	蒸馏水	食盐水
现象			

【学生】实验现象是烧杯中盛有固体 NaCl、蒸馏水的小灯泡不亮，烧杯中盛有食盐水的灯泡亮，这说明是食盐水在导电。

【教师】除 NaCl 溶液以外，我们初中所学过的 KNO_3 溶液、盐酸、NaOH 等溶液都能导电。将 NaCl、KNO_3、NaOH 这些固体加热至熔化也可以导电。

【PPT】熔融 NaCl 导电视频。

【教师】这种在水溶液里或熔融状态下导电的化合物，我们称之为电解质。HCl、

H_2SO_4、NaOH、$Ca(OH)_2$、NaCl、KNO_3 等都是电解质。

【教师】在我们的日常生活中，湿手触碰开关容易导致触电事故，大家能否解释原因呢？

【学生】手上可能沾有 NaCl 或其他电解质，溶于水会导电。

学习评价：在“认识自制水位报警器的报警现象”这一任务中，多数学生能够结合已有知识和经验，从宏观上初步推断基本原理，解释 NaCl 溶液的导电性，具备 A1、A3、B1 学科能力。在设计实验方案环节，学生经过引导能够较好地设计出完备的实验方案，应用控制变量法探究物质的导电性，并动手实验操作，发展了 B3 学科能力。

任务二：探析自制水位报警器的工作原理

【教师】物质本身并不导电，只有将它们溶解在水中以后才导电，这是为什么呢？请回忆初中所学知识，电流是如何产生的？

【学生】带电荷粒子的定向移动。

【教师】这说明，在这个水位报警器的 NaCl 溶液中存在着能自由移动的、带电荷的粒子。试分析溶液中的物质组成，带电微粒究竟是什么呢？

【科学史料】1887 年，瑞典化学家阿伦尼乌斯在前人研究的基础上，结合大量实验证据提出电离学说——不需要外加的通电条件，电解质溶于水后会自动解离成离子。

【学生】猜测是 NaCl 自动解离成了 Na^+ 和 Cl^-。

【教师】为什么固体不能解离？水的作用是什么？

【PPT】干燥的 NaCl 固体的微观结构。

【教师】由于 Na^+ 和 Cl^- 分别带正电荷和负电荷，相反离子相互作用，二者按照一定的规则紧密排列，因此干燥的 NaCl 固体不导电。

【教师】那么在水溶液中，Na^+ 和 Cl^- 是如何存在的？尝试画出简单的示意图。

【学生活动】绘制 NaCl 电离的示意图。

【学生 1】水中正、负电荷的作用力变弱，两种离子在水中自发地自由移动。

【学生 2】两种离子在水分子的作用下变成自由移动的离子。

【PPT】播放 NaCl 固体在水中的溶解和形成水合离子的过程动画。

【学生描述】在水分子的作用下，两种离子脱离固体表面进入水中，被水分子包围。

【教师补充】从化合价上看，氢元素为 +1 价，对应氢原子带正电，氧原子带负电，因此，水分子中的氢原子围绕在 Cl^- 周围，氧原子围绕在 Na^+ 周围，形成水合钠离子和水合氯离子。

【教师追问】还有什么方法能使 NaCl 导电吗？

【PPT】NaCl 熔融状态下的电离过程。

【教师】这两个过程都叫作 NaCl 的电离，请尝试给出电离的概念。

【学生】电解质溶于水或受热熔化时，形成自由移动的离子的过程称作电离。

【教师补充】因此，电离的条件是溶于水或熔融状态。

【教师】如何解释自制水位报警器的工作原理呢？

【学生】NaCl 固体溶于水，发生电离，形成的自由移动的 Na^+ 和 Cl^- 接通了电路，产生电流，因此发出警报。

学习评价：在“探析自制水位报警器的工作原理”这一任务中，部分学生能够正确画出水溶液中 Na^+ 和 Cl^- 存在形式的示意图，多数学生能够简单概括动画模拟现象（即电离现象），在教师的补充后有更加深刻的认识，发展了 A2 学科能力。在了解发生电离的条件后，多数学生能根据事实说出电离的概念，认识到 NaCl 是一种常见的电解质，具备 A1 学科能力。

任务三：制作水位报警器

【教师】掌握水位报警器的工作原理以后，请同学们以四人为一组，选择桌面上的 2～3 种溶液（均为 0.5mol/L），自己动手来搭建一个模拟装置吧！在记录实验现象的同时利用电导率仪记录不同溶液的电导率（提供实验记录表，见表 2-7）。

表 2-7 导电性实验记录表

溶液	稀盐酸溶液	氢氧化钠溶液	稀硝酸溶液	乙醇溶液	蔗糖溶液	蒸馏水
现象						
导电情况						

【实验 2】学生分组完成实验，观察并记录实验现象与数据。

【学生】我们发现稀盐酸溶液、氢氧化钠溶液、稀硝酸溶液这三种溶液都能使水位报警器工作，而使用乙醇溶液、蔗糖溶液、蒸馏水时，水位报警器不能正常工作。

【教师】从中能推断出什么？

【学生】乙醇、蔗糖溶于水但不能导电，说明不是所有物质溶于水都具有导电性，也就是并不是所有的化合物都是电解质。

【教师】这一类溶于水或熔融状态不能发生电离导电的化合物，叫作非电解质。需要注意的是，蒸馏水中的水分子也存在微弱电离，只是在这种情况下难以测出其导电性。电解质包括酸、碱、盐、活泼金属氧化物、水等，而非电解质为多数非金属氧化物、部分有机物、SO_2、NH_3 等。

【教师】我们如何用化学符号来表征电解质的电离过程？为了简便起见，一般仍用离子符号表示水合离子。

【学生】用电离方程式表示。

【板书】书写 NaCl 的电离方程式。

【学生】书写 KNO_3、HCl、H_2SO_4、HNO_3 的电离方程式。

【教师】观察三种酸的电离方程式，如何从电离的角度认识酸？

【学生】酸电离时生成的阳离子全部都是 H^+。

【教师】书写 NaOH、$Ca(OH)_2$、$Ba(OH)_2$ 的电离方程式，并参考酸的本质给出碱的本质。

【学生】电离时生成的阴离子全部都是 OH^- 的化合物叫作碱。

学习评价：在“制作水位报警器”这一任务中，多数学生能够通过小组合作完成实验任务，具有良好的实验操作能力。部分学生难以对实验现象进行归纳总结，并联系电解质 NaCl 进行对比，此处可诊断并发展学生的 A3 学科能力。多数学生能正确书写电离方程式，并通过比较不同酸、碱的电离，从电离角度总结归纳出酸、碱的本质，具有良好的 A1、A2 学科能力。

【教师】经过本节课的学习，并结合下述材料，能否解决我们最开始的疑问——水位报警器是如何控制水位的呢？

【展示信息】自来水并非蒸馏水，主要含有以下几类物质：无机盐类、溶解气体、有机物（消毒副产物、蛋白质类、多糖类和腐殖酸等有机污染物）、微生物、颗粒物（泥沙、铁锈等悬浮固体）和重金属等[10,11]。

【学生】自来水中的可溶性无机盐会发生电离，电离出阴离子和阳离子而导电，当液面升高到警戒线时电路被接通，水位报警器就会报警并控制水量。

【教师补充】当然，真实应用于生活中的水位报警器会比我们自制的水位报警器要高级得多，还兼有补水功能。当水位低于设定点时，相当于水位报警器检测到无水信号，就会控制水泵抽水，水位上升至设定位置时，补水器就会自动停止加水，以防溢出。

【总结】今天我们围绕自制水位报警器展开讨论，通过导电性实验和微观探究，了解了智能家居中水位报警器的工作原理，掌握了电解质、电离等概念以及电离方程式的书写。我们日常接触的水，多数并非蒸馏水，其中存在着大量离子。鉴于此，在实际生活中，功能更为强大的智能化液位传感器已广泛应用于水位检测领域。请同学们课后查阅资料，了解水位传感器的种类及应用场景。

四、板书设计

板书设计如图 2-4 所示。

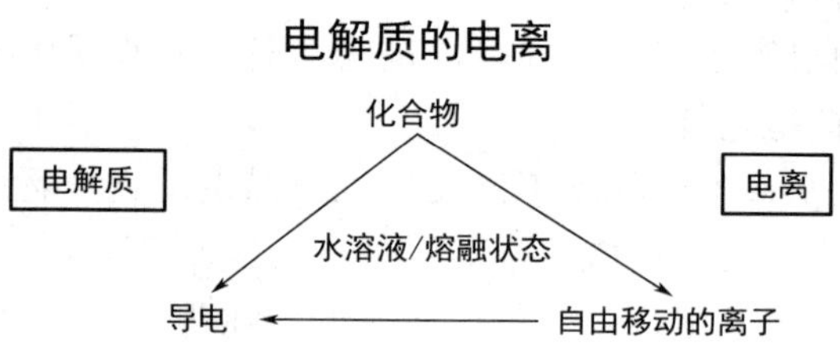

盐 ← $NaCl = Na^+ + Cl^-$

酸 ← $HCl = H^+ + Cl^-$；$H_2SO_4 = 2H^+ + SO_4^{2-}$；$HNO_3 = H^+ + NO_3^-$

碱 ← $NaOH = Na^+ + OH^-$；$Ca(OH)_2 = Ca^{2+} + 2OH^-$；$Ba(OH)_2 = Ba^{2+} + 2OH^-$

图 2-4 “离子反应”（课时一）教学板书设计

教学评价

一、教学效果

（一）测评试题

海洋中蕴含丰富的化学资源（如 NaCl、$MgCl_2$、KBr 等），以下是相关实验任务与问题，请结合所学知识完成。

1.【多选题】海洋中的下列物质，属于电解质的是（　　）。

A. 海水中的溶解氧（O_2）

B. 晒盐后析出的 NaCl 晶体

C. 海藻中提取的蔗糖（$C_{12}H_{22}O_{11}$）

D. 海底沉积的 $MgCl_2$ 固体

E. 美丽的珊瑚礁（主要成分为 $CaCO_3$）

F. 海底能源中的可燃冰（主要成分为 $CH_4 \cdot 8H_2O$）

2.【简答题】请写出题目 1 中电解质的电离方程式（水的电离除外）：

____。

3.【单选题】海洋酸化是全球关注的环境问题，大气中 CO_2 浓度的升高，导致海水吸收 CO_2 后 pH 值下降，影响海洋生态，如珊瑚礁的生长。有科学家提议往海水中加 $Ca(OH)_2$ 来增加碱性。下列说法正确的是（　　）。

A. CO_2 溶于海水使其 pH 值下降，因此 CO_2 属于酸

B. 海水中 H^+ 与 OH^- 结合生成 H_2O，发生中和反应

C. 珊瑚礁的主要成分 $CaCO_3$ 难溶于水，不是电解质

D. $Ca(OH)_2$ 只有在水中才能发生电离

4.【简答题】常温下，向某浓度的海水（含有大量的 Na^+、Mg^{2+}、Cl^-、SO_4^{2-} 等离子）中加入 $Ba(OH)_2$ 固体，溶液的导电性随 $Ba(OH)_2$ 固体加入的变化如图 2-5 所示。

（1）发生的离子反应方程式为：

____；

（2）请用文字说明图像变化的原因：

____。

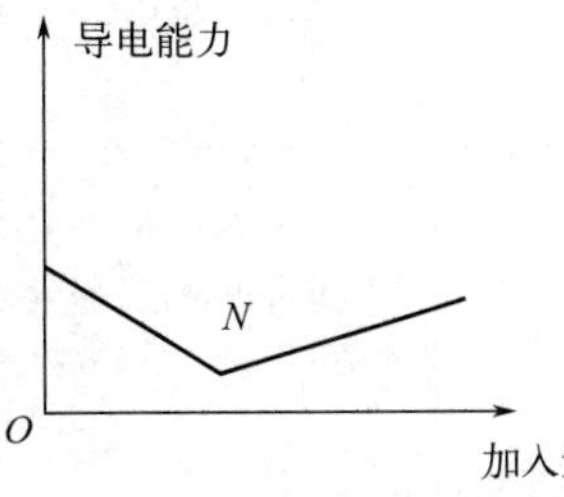

图 2-5　溶液的导电性随 $Ba(OH)_2$ 固体加入量的变化

5.【简答题】粗盐是从海水中提取的，含有泥沙、Ca^{2+}、Mg^{2+}、SO_4^{2-} 等杂质。现需通过实验提纯粗盐，得到纯净的 NaCl，请结合所学知识完成。

（1）粗盐提纯的实验步骤如下，请按正确顺序排列：____；

A. 过滤除去泥沙

B. 加入过量 $BaCl_2$

C. 加入过量 Na_2CO_3

D. 加入过量 HCl 溶液

E. 蒸发结晶得到纯净 NaCl

（2）在粗盐提纯过程中，加入 Na_2CO_3 溶液后，观察到白色沉淀生成。请分析沉淀的成分：____；

（3）在粗盐提纯过程中，如何检验 Ca^{2+} 和 Mg^{2+} 已被完全除去？请设计实验步骤并说明现象：

____。

（二）设计说明

所有题目均以“海洋资源”为主题，紧密联系实际生活与实验操作，展示化学知识在实

验中的应用价值。由于本单元内容是新授课，题目内容主要覆盖学习理解（A1）、应用实践（B1、B2、B3）两个能力层面，着重于基础知识的考查与巩固。通过粗盐提纯实验，强调了离子反应在分离提纯过程中的重要性，并致力于培养学生在实验设计方面的能力。针对关键能力点（例如实验步骤排序、误差分析）设置扣分项，以凸显学科思维的严谨性。

通过这些题目，结合海水资源的实际情境，可以全面评估学生对离子反应的掌握程度以及学科能力的实现情况。评分标准具体如表 2-8 所示。

表 2-8　评价说明和评分标准（总分 25 分）

试题编号	学科能力要素	认识能力	分值	标准答案及评分标准
1	A1 辨识记忆：能识别并记忆常见的电解质，知道酸、碱、盐是电解质	2 分：能辨识常见的电解质（系统水平） 0 分：无法辨识常见的电解质（孤立水平）	2 分	2 分：B、D、E 1 分：选对 2 个 0 分：其他选项
2	A1 辨识记忆：能书写电离方程式和离子方程式	6 分：能准确书写电离方程式（宏观—微观—符号） 1～5 分：能书写电离方程式，但存在错误，如配平错误等 0 分：无法准确书写电离方程式（欠缺）	6 分	$NaCl = Na^{+} + Cl^{-}$； $MgCl_2 = Mg^{2+} + 2Cl^{-}$； $CaCO_3 = Ca^{2+} + CO_3^{2-}$ 每个方程式完全正确得 2 分，未配平得 1 分，形式错误得 0 分
3	A2 概括关联：能归纳酸、碱的本质以及中和反应的本质	2 分：能认识到酸、碱的本质和电离发生的条件（系统水平） 0 分：对酸、碱的本质，以及电离条件的认识存在误区（欠缺）	2 分	2 分：B 0 分：其他选项
4(1)	A1 辨识记忆：能书写电离方程式和离子方程式	4 分：能正确书写离子方程式 1～3 分：方程式配平错误 0 分：未掌握离子方程式的书写（欠缺）	4 分	$Ba^{2+} + SO_4^{2-} = BaSO_4\downarrow$； $Mg^{2+} + 2OH^{-} = Mg(OH)_2\downarrow$ 两个方程式书写正确得 4 分；错一个扣 2 分，配平错误等扣 1～2 分，完全错误得 0 分
4(2)	A3 说明论证：能依据实验事实说明离子反应过程	2 分：准确解读图像，分析实验现象，说明离子反应过程（系统水平） 1 分：图像解析或过程说明不够准确（孤立水平） 0 分：表述错误，未掌握微观反应过程（欠缺）	2 分	$Ba(OH)_2$ 固体溶于水电离出 Ba^{2+} 和 OH^{-}，溶液中的 Mg^{2+}、SO_4^{2-} 分别和 OH^{-}、Ba^{2+} 生成沉淀，溶液中自由移动的离子数目降低，导致导电能力下降。导电能力又提高是因为溶液中的 Mg^{2+} 和 SO_4^{2-} 被反应完全，加入的 $Ba(OH)_2$ 固体使溶液中可移动的离子数目增多。 表述完整清晰得 2 分，表述部分错误或不完整扣 1 分；完全错误得 0 分
5(1)	B3 简单设计：运用离子反应除去杂质离子	3 分：能运用离子反应依次除去溶液中的杂质离子（系统水平） 0 分：对运用离子反应依次除去杂质离子未能掌握（孤立水平）	3 分	A→B→C→D→E 完全正确得 3 分，错 1 步扣 1 分，全错得 0 分

续表

试题编号	学科能力要素	认识能力	分值	标准答案及评分标准
5(2)	B1 分析解释：能结合实例分析电解质溶液的微粒组成和数量关系，从微观角度解释电解质溶液的导电性和离子反应过程	2 分：能根据情境分析离子反应，确定沉淀成分（系统水平） 1 分：能根据情境分析出部分沉淀成分（孤立水平） 0 分：无法回答（欠缺）	2 分	溶液中存在 Ca^{2+}、Mg^{2+}，因此沉淀成分为：$CaCO_3$、$MgCO_3$。 分析正确得 2 分，分析部分正确得 1 分，错误得 0 分
5(3)	B2 推理预测：根据混合溶液体系中的微粒种类和数量，推测溶液成分和潜在离子反应的发生；预测电解质溶液体系中的离子共存情况 B3 简单设计：运用离子反应除去杂质离子	4 分：能提取信息，进行离子除杂，并根据离子行为，描述宏观现象（系统水平） 2 分：未能准确推测溶液组成和可能发生的离子反应或未能建立从微观视角预测宏观现象的能力（孤立水平） 0 分：无法回答（欠缺）	4 分	取少量提纯后的溶液，加入 Na_2CO_3 溶液，若无白色沉淀生成，则说明 Ca^{2+} 和 Mg^{2+} 已被完全除去。 现象：溶液保持澄清，无沉淀生成。 步骤完整且现象描述准确得 4 分，步骤不完整扣 2 分，现象描述错误扣 2 分

（三）效果分析

收集学生答卷 100 份，各题得分情况如表 2-9 所示。

表 2-9　评分结果

学科能力	试题编号	分值	平均分	得分率
A1	1、2、4(1)	12(2+6+4)	9.88	82.3%
A2	3	2	1.73	86.5%
A3	4(2)	2	1.48	74.0%
B1	5(2)	2	1.54	77.0%
B2	5(3)	4	2.02	50.5%
B3	5(1)、5(3)	7(3+4)	3.13	44.7%

通过数据分析可见，学生的整体掌握情况为基础扎实，但应用薄弱。学生的学习理解能力（A1、A2、A3）整体较好，对基础概念（如电解质）掌握扎实，这是因为这部分知识相对简单且以记忆为主，学生能够较好掌握。相对而言，学生的 A3 能力得分率偏低，反映出学生从实验现象到理论模型的逻辑论证能力需提升。针对应用实践能力（B1、B2、B3）的试题，学生的得分率不高。这部分试题对学生能力提出了更高要求，部分学生具备较好的应用能力，而部分学生在运用所学知识解释实际问题上还存在困难。这提示教师在教学中，应着重加强应用实践能力的培养，如设计梯度化实践任务，层层深入，引导学生从理论到实践的迁移。

二、教学反思

本节课依据学科能力理论，以“智控水世界——探寻水位传感奥秘”为情境主线，遵循“宏观—微观—符号”三重表征的认识思路，通过实验探究、微观探析、符号表征等活动，落实了电离、离子反应等核心概念的教学，培养了学生的学科能力。教学实践表明，多数学生的学习理解能力（A1、A2、A3）较好，能通过导电性实验辨识电解质，结合微观动画概括电离条件与过程，并基于实验事实进行简单论证。在应用实践能力上，多数学生能分析溶液中的离子行为并预测离子反应现象（B1、B2 能力），但在实验方案设计（B3 能力）中仍存在操作规范性不足、变量控制意识薄弱的问题，经过教师引导后能完善实验方案，简单设计的能力有所提升。通过“水位传感器失灵”的真实问题解决，学生初步建立了“除杂思想”，并从科技创新、实际生活应用视角大胆设想，提出传感器的优化方案，发展了 C3 能力。总体而言，本节课为离子反应教学奠定了扎实的基础，后续需通过加强分层任务链（如设计实验、易错点辨析）和可视化工具的使用，持续优化“宏观—微观—符号”三重表征，同时渗透科学思维进阶（如批判性思维），为发展复杂推理（C1）和系统探究（C2）能力奠定基础，最终实现学科能力的全面提升。

本单元教学内容深刻贯彻“宏观—微观—符号”三重表征的认识思路，这为其他具有同样认识思路的主题教学（如化学平衡、化学反应速率等）提供参考。教师可以在充分研读课标、把握教学重点的基础上，创设真实生活情境、挖掘前沿科技，鼓励学生从被动接受知识，转向自主探究并构建知识框架。从宏观认识现象到微观探析本质，最后用化学符号将微观机制表征出来，在这个过程中设计丰富的探究活动，以发展学生的化学学科能力。在教学实践中发现，学生对于自主设计实验方案进行探究存在畏难心理。建议教师在教学初期，由浅入深地拆分探究问题，与学生共同展开探究活动，并采取多元化的评价方式，以帮助学生获得成就感，从而提升自信心。

参考文献

[1] 中华人民共和国教育部．普通高中化学课程标准（2017 年版 2020 年修订）[S]．北京：人民教育出版社，2020.

[2] 王晶，毕华林．普通高中教科书・化学（必修）第一册 [M]．北京：人民教育出版社，2019：14-21.

[3] 王磊．基于学生核心素养的化学学科能力研究 [M]．北京：北京师范大学出版社，2017：13-14，17-19.

[4] 黄毓展，蔡立媚，钱扬义．基于数字化实验，落实“证据推理与模型认知”学科核心素养——以拓展探究复分解型离子反应发生条件的教学应用为例 [J]．化学教育（中英文），2021，42（15）：51-57.

[5] 陈轩乐．基于四重表征支持核心素养提升的教学设计与实践——以“离子反应”为例 [J]．化学教与学，2024（22）：49-54.

[6] 张苗宇．基于观念建构的高中化学项目式学习单元教学设计——以“泡腾片中的离子反应”为例 [J]．科教文汇，2025（02）：168-175.

[7] 俞建锋．基于宏微结合导向下的“离子反应”单元整体教学设计 [J]．化学教育（中英文），2018，39（01）：43-47.

[8] 郑朝燕．基于学科关键能力培育的高中化学大单元教学实践——以“电离与离子反应”为例 [J]．新课程导学，2024（34）：95，98.

[9] 魏军．基于真实情境的教、学、评一体化案例——VC 泡腾片的奥秘 [J]．化学教与学，2022（03）：25-28，24.

[10] 黄海燕．电感耦合等离子体质谱法检测地表水和自来水中重金属含量研究 [J]．化学工程与装备，2024（11）：108-111.

[11] 肖萍，邹瑜斌，段淑璇，等．某自来水厂超滤膜污染物成分及化学清洗效果案例分析 [J]．环境工程学报，2020，14（05）：1404-1411.

魏 妍（浙江师范大学 浙江金华）

许芳芳（象山县第三中学 浙江宁波）

第3单元
氧化还原反应

目标研制

一、课标研读

（一）内容要求和学业要求

“氧化还原反应”教学单元为《普通高中化学课程标准（2017年版2020年修订）》必修课程主题2中的内容，课标相应内容要求和学业要求如表3-1所示。

表3-1 “氧化还原反应”教学单元的课标内容要求和学业要求[1]

内容要求	学业要求
2.1 元素与物质 认识元素在物质中可以具有不同价态，可通过氧化还原反应实现含有不同价态同种元素的物质的相互转化 2.2 氧化还原反应 认识有化合价变化的反应是氧化还原反应，了解氧化还原反应的本质是电子的转移，知道常见的氧化剂和还原剂	1. 能依据物质类别和元素价态列举某种元素的典型代表物。能利用氧化还原反应等概念对常见的反应进行分类和分析说明 3. 能从物质类别、元素价态的角度，依据复分解反应和氧化还原反应原理，预测物质的化学性质和变化，设计实验进行初步验证，并能分析、解释有关实验现象

注：数字序号即课标中相应序号。

可见，课标中对“氧化还原反应”的内容要求侧重于了解氧化还原反应的本质和特征，学业要求则从“列举”“分析说明”“预测”“设计实验”等能力表现角度提出了具体的要求。通过直接摘录、删繁就简、增补解构等方法，可以得到该教学单元课标优化后的要求，如表3-2所示。

表3-2 “氧化还原反应”教学单元课标优化后的要求[1]

优化后的要求
（原内容要求2.1）能说出常见元素不同价态的典型代表物，能认识到同种元素不同价态物质之间可以通过氧化还原反应实现转化（增补解构） （原内容要求2.2）能根据元素化合价变化判断氧化还原反应，能认识氧化还原反应的本质，能列举常见的氧化剂和还原剂（增补解构）

优化后的要求
(原学业要求1)能依据物质类别和元素价态列举某种元素的典型代表物。能利用氧化还原的概念对常见的反应进行分类和分析说明(直接摘录) (原学业要求3)能根据所含元素化合价升降的趋势预测陌生物质可能具有的氧化性或还原性,能设计实验进行初步验证,并能分析、解释有关实验现象(删繁就简)

(二)学业质量水平

课标学业质量水平与“氧化还原反应”教学单元的相关要求对应关系如表3-3所示。

表3-3 “氧化还原反应”教学单元的学业质量水平

学业质量水平描述[1]	针对本教学单元内容的具体表现
1-1 能根据物质组成和性质对物质进行分类;能认识离子反应和氧化还原反应的本质,能结合实例书写离子方程式和氧化还原反应化学方程式;能说明常见物质的性质与应用的关系	1-1 能根据物质的氧化性和还原性对物质进行分类;能认识氧化还原反应的本质,能结合得失电子守恒书写氧化还原反应化学方程式;能说明常见氧化剂和还原剂在生产、生活中的应用与性质的关系
2-1 能从不同视角对典型的物质及其主要变化进行分类;能从构成物质的微粒、化学键、官能团等方面说明常见物质的主要性质,能分析物质性质与用途的关系	2-1 能根据所含元素化合价升降的趋势对物质进行分类;能分析物质性质与用途的关系
3-1 能从多个角度对化学反应进行分类,认识化学反应的本质	3-1 能根据元素化合价变化判断氧化还原反应,认识氧化还原反应的本质
4-1 能根据物质的类别、组成、微粒的结构、微粒间作用力等说明或者预测物质的性质,评估所做说明或预测的合理性	4-1 能根据所含元素化合价升降的趋势,预测陌生物质的氧化性或还原性,评估所做说明或预测的合理性
1-3 能依据化学问题解决的需要,选择常见的实验仪器、装置和试剂,完成简单的物质性质、物质制备、物质检验等实验;能与同伴合作进行实验探究,如实观察、记录实验现象,能根据实验现象形成初步结论 2-3 能通过实验探究物质的性质和变化规律,能提出有意义的实验探究问题,根据已有经验和资料作出预测和假设,能设计简单实验方案,能运用适当的方法控制反应条件并顺利完成实验;能收集和表述实验证据,基于实验事实得出结论 3-3 能选择合适的实验试剂和仪器装置,控制实验条件,安全、顺利地完成实验;能基于现象和数据进行分析推理得出合理结论 4-3 能设计有关物质转化、分离提纯、性质应用等的综合实验方案	1-3、2-3、3-3、4-3 能根据氧化还原反应原理设计实验方案验证物质的氧化性或还原性;能综合运用氧化还原反应设计方案进行物质检验和鉴别

注:数字序号即课标中相应序号。

二、教材解读

人教版高中化学必修教材(2019年版)第一章第三节“氧化还原反应”中通过对氧化还原反应概念、宏观特征、微观本质,以及氧化剂、还原剂的相关概念等显性知识(图3-1)的介绍,建立“宏观—微观”“价态—类别”“定性—定量”的认识视角和“标出元素价态→分析价态变化→明确电子得失→利用氧化还原反应概念模型做出判断”的认识思路。教材结合具体的化学反应实例，以氧化还原反应概念的发展为线索，从宏观视角到微观视角，帮助学生建构氧化还原反应的认知模型，实现课标学业要求和学业质量水平中有关“分类”“说明”“预测”等能力表现的具体要求。本教学单元内容概念多、抽象，理论性强，教学时需注意引导学生建立氧化还原反应相关概念间的逻辑联系，同时借助“思考与讨论”栏目，引导学生从化学视角分析和解决实际问题，感受氧化还原反应的价值，增强社会责任感。

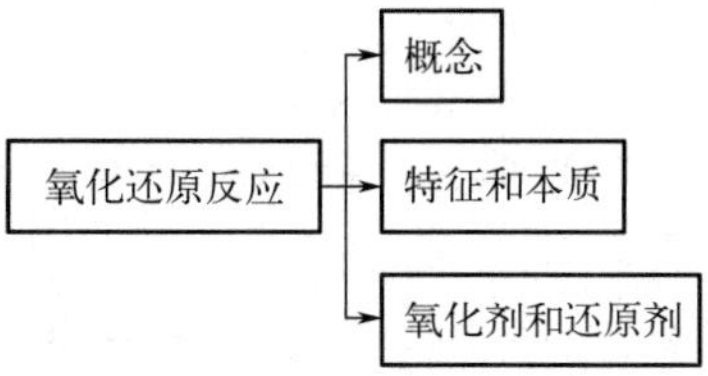

图 3-1 “氧化还原反应”教学单元内容

三、能力模型建构

通过课标研读和教材分析，可以确立相关主题的知识基础、研究对象和化学问题、学科认识方式，从而构建该教学单元的学科能力模型（图 3-2）[2]。例如，该教学单元核心知识是氧化还原反应概念及其应用；认识角度是宏观→微观、价态→类别、定性→定量；认识思路是标出元素价态→分析价态变化→明确电子得失→利用氧化还原反应概念模型做出判断，学科思想是“宏微结合”和守恒思想。研究对象和化学问题主要包括氧化还原反应的概念、特征和本质，氧化剂和还原剂及相关概念间的联系。

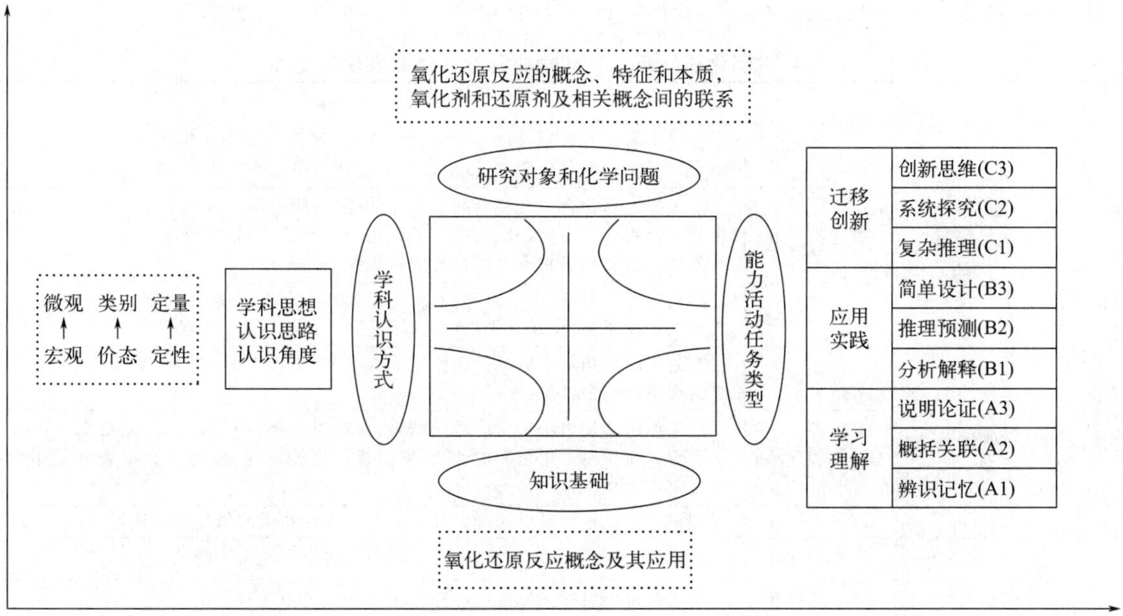

图 3-2 “氧化还原反应”教学单元能力模型

四、课程资源分析

在实际教学过程中，能力目标的实现还受到授课类型、学生学情、教学资源等客观因素的影响。

（一）授课类型

本节课的授课类型为新授课。

（二）学情分析

已有基础：从知识层面看，学生在初中阶段已经学习了化合价及部分化学反应，并能从得失氧的角度理解氧化反应和还原反应；从能力层面看，高一学生初步具备分析与归纳能力，能采用分类对比、实验探究等基本方法学习化学概念；从心理层面看，高一学生思维敏捷、好奇心强，对实验探究有浓厚的兴趣。

潜在困难：高一学生的抽象思维能力较弱，微观分析有一定的困难；实验方案设计能力较弱，实验思维不够严谨。

（三）教学资源

学科能力目标的实现还依赖于学校资源的支持，学科能力目标的制定需考虑教学资源因素。本节课的学科能力表现性目标制定要求授课学校提供教师演示实验用品、学生分组实验用品及多媒体投影等。

五、表现性目标制定

将学科能力模型中 4 个维度进行连接组合，再结合学生学情、授课类型、教学资源等客观因素，制定了“氧化还原反应”主题学科能力表现性目标，如表 3-4 所示。

表 3-4 “氧化还原反应”教学单元学科能力表现性目标

能力要素		表现性目标
A 学习理解能力	A1 辨识记忆	能说出常见元素不同价态的典型代表物，能认识氧化还原反应的本质，能列举常见的氧化剂和还原剂，说出常见氧化剂和还原剂在生产、生活中的应用
	A2 概括关联	能根据元素化合价变化判断氧化还原反应；能根据所含元素化合价升降的结果判断该物质在氧化还原反应中是氧化剂还是还原剂；能根据所含元素化合价升降的趋势判断该物质可能具有的氧化性或还原性
	A3 说明论证	能从化合价升降、电子转移、氧化剂和还原剂等角度论证物质的性质和物质之间的转化关系；能从类别、价态角度说明无机物性质的研究思路
B 应用实践能力	B1 分析解释	能分析陌生情境中的氧化还原反应及参与反应的物质性质；解释生产、生活中的现象，解决实际问题
	B2 推理预测	能根据陌生情境中物质的转化结果，推断氧化还原反应关系；能根据氧化还原反应规律预测陌生物质的性质，推测氧化还原反应，并能结合得失电子守恒书写化学方程式
	B3 简单设计	能根据氧化还原反应原理设计实验方案验证物质的氧化性或还原性
C 迁移创新能力	C1 复杂推理	能综合运用氧化还原反应原理解决陌生情境中的实际问题
	C2 系统探究	能综合运用氧化还原反应设计方案进行物质检验和鉴别
	C3 创新思维	—（新授课暂不要求）

教学设计

一、教学现状

本课时为人教版高中化学必修教材（2019 年版）第一章第三节“氧化还原反应”的新授课[3]。高中阶段氧化还原反应的学习是对初中所学氧化反应和还原反应内容的继续深化，有助于学生从微观视角理解反应的本质，建立“宏微结合”的思想，对于发展学生的核心素养具有重要价值。根据文献调研，“氧化还原反应”教学设计思路主要有以下方式：一是以“模型认知”为切入点探讨氧化还原反应概念教学的优化与改进[2,4]；二是采取创设真实问题情境、引导学生开展问题解决式学习等策略，实践“素养为本”的教学[5]。如何以学科能力发展为视角开展“氧化还原反应”教学，值得探讨。

二、教学思路

（一）创设真实问题情境

课标[1] 指出，真实、具体的问题情境是学生化学学科核心素养形成和发展的重要平台，为学生化学学科核心素养提供了真实的表现机会。本课例选择以“炼化企业含硫废气处理”为真实情境主题，主要原因有：①含硫废气的处理中涉及多个氧化还原反应，通过相关反应的层层递进分析，可有效帮助学生建立氧化还原反应的认识思路；②克劳斯法涉及多种硫及其化合物，是认识氧化剂、还原剂的良好载体，能承载学科认识方式的发展；③克劳斯法是炼化企业处理硫化氢的主要工艺，通过学习有助于发展学生资源化利用、绿色无污染等的工程思维，增强社会责任感，详见图 3-3。

图 3-3　教学流程

（二）设计能力评价任务

依据上述确立的学科能力表现性目标，精心设计了多样化、梯度化的能力发展评价任务，体现对学科思维、学科认识视角和认识思路等的建立、诊断和发展，具体见表 3-5。

表 3-5 “氧化还原反应”教学单元能力发展评价

序列	教学环节	评价任务	评价活动	能力要素	素养价值
1	分析克劳斯法中两个主要反应	从宏观物质角度认识氧化反应和还原反应	从物质得氧、失氧角度分析氧化反应、还原反应	A1	初步建立认识角度（宏观）
2	认识氧化还原反应的宏观特征	从宏观化合价角度认识氧化还原反应	小组合作，分析化合价升降与氧化反应和还原反应的关系	A1、A2	初步建立认识思路（价态）
3	探究氧化还原反应的微观本质	从微观电子转移角度认识氧化还原反应	小组合作，从微观角度分析 Na 和 Cl_2、H_2 和 Cl_2 的反应，观察原电池电流计指针变化	A2、A3	认识角度的进阶：从宏观到微观
4	明晰氧化剂和还原剂	构建氧化还原反应的认知模型	利用贴磁贴活动建立相关概念间的联系	A1、A2	建立认识角度：价态—类别
5	预测物质的氧化性或还原性	从氧化性、还原性的角度认识物质的性质	预测硫黄可能具有的氧化性或还原性并说明依据	A3、B1、B2	建立“价—性”认识思路
6	探究物质的氧化性或还原性	形成探究物质氧化性或还原性的思路和方法	设计实验方案探究 Na_2SO_3 的氧化性和还原性，动手实验，汇报交流	A3、B2、B3	巩固“价—性”认识思路
7	提出处理硫化氢的方案	应用基于物质类别和元素价态的认知模型解决真实问题	小组合作，探讨处理方案；书写离子方程式	B1、B2、C1	迁移应用学科认识方式

（三）选择教学策略

根据教学目标和教学内容，选择合适的教学策略。针对第一课时氧化还原反应概念的教学，采取对比分析、概括关联、实验演示等教学策略，例如通过铁-碳-硫酸铜原电池的演示实验，让学生直观感受电子转移的存在，建立化合价变化和电子转移的关联。针对第二课时氧化剂和还原剂，采取情境创设、概况关联、推理预测、简单设计等教学策略，例如从氧化还原角度预测 Na_2SO_3 的性质，让学生自主设计验证方案，并进行分组实验和成果分享，形成探究物质氧化性或还原性的思路和方法。

三、教学实录（第二课时）[7]

【引入】全国规模最大的炼化企业——中国石油化工股份有限公司镇海炼化分公司（简称为宁波镇海炼化），每年炼油量 2000 多万吨。石油炼制过程中会产生大量含硫化氢的烟气，不仅会使催化剂中毒失效，致使生产条件恶化、设备腐蚀，还会造成严重的环境污染。目前，宁波镇海炼化企业采用克劳斯法处理硫化氢。

任务一：明晰氧化剂和还原剂——建立认识角度

【展示】克劳斯法的基本原理（图 3-4）。

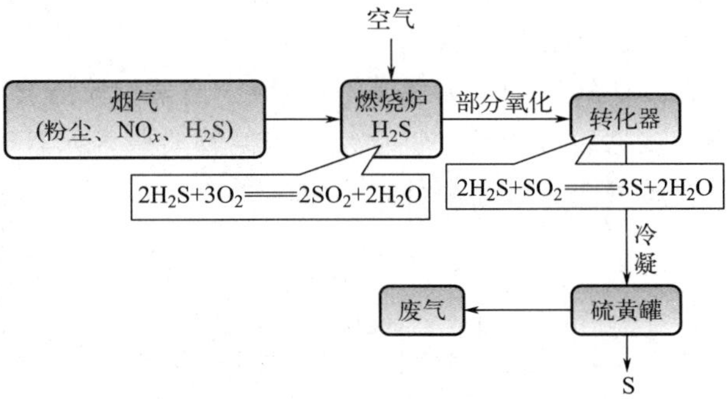

图 3-4　克劳斯法的基本原理

【提问】上节课我们已经认识了这两个氧化还原反应，老师把两个反应中的反应物分为了两组（SO_2 和 O_2 一组，H_2S 一组），同学们知道分类依据吗？

【学生 1】在反应中 SO_2 和 O_2 中所含元素化合价下降，H_2S 所含元素化合价升高。

【学生 2】SO_2 和 O_2 在反应中都得到电子，H_2S 在反应中失去电子。

【教师】两位同学分别从宏观和微观的角度说出了分类依据。确实如此，为了更好地区分反应物，我们定义了两个新的概念，氧化剂和还原剂。

【课本概念】所含元素化合价下降，即得到电子（或电子对偏向）的物质称为氧化剂；所含元素化合价升高，即失去电子（或电子对偏离）的物质称为还原剂。

【学生活动】教师提供打乱的相关概念：氧化反应、得到电子、还原反应、化合价降低、被还原、氧化性、失去电子、被氧化、化合价升高、还原性。请同学们按照氧化剂和还原剂对应整理，试着从宏观特征、微观实质、反应类型、物质性质这几个角度明晰氧化剂和还原剂。

【学生展示】学生上黑板贴相关概念的磁贴，师生共同评价，构建氧化还原反应的认知模型。

【小结】氧化还原反应为我们认识和研究物质增添了新的视角——从氧化性、还原性的角度对物质进行分类和性质研究。

学习评价：本环节通过分析克劳斯法中的两个核心反应建立氧化剂和还原剂概念，多数学生能够从化合价和电子转移两个角度认识氧化剂和还原剂，具备 A1、A2 学科能力。通过“贴磁贴”活动任务，引导学生从宏观特征、微观本质、反应类型、物质性质等角度概括关联氧化还原反应相关概念，进一步发展 A2 学科能力。

任务二：预测物质的氧化性或还原性——建立认识思路

【展示】克劳斯法工艺产品——硫黄的用途。

【学生活动】预测硫黄可能具有的氧化性或还原性，并说出自己的依据。

【学生 3】硫是非金属单质，有氧化性。

【学生 4】硫单质是 0 价，可以升高到＋4、＋6 价，也可以降低到－2 价，化合价有升高、降低的趋势，既有氧化性又有还原性。

【教师】硫作为非金属单质，可以从物质类别的角度来推测。同学们学习了氧化还原反应后，也要建立从元素价态进行分析的视角。

【师生归纳】“价—性”认知模型（如图 3-5 所示）：当某物质所含元素处于较高价态时，元素有降低价态的趋势，该物质可能具有氧化性；当某物质所含元素处于较低价态时，元素有升高价态的趋势，该物质可能具有还原性。

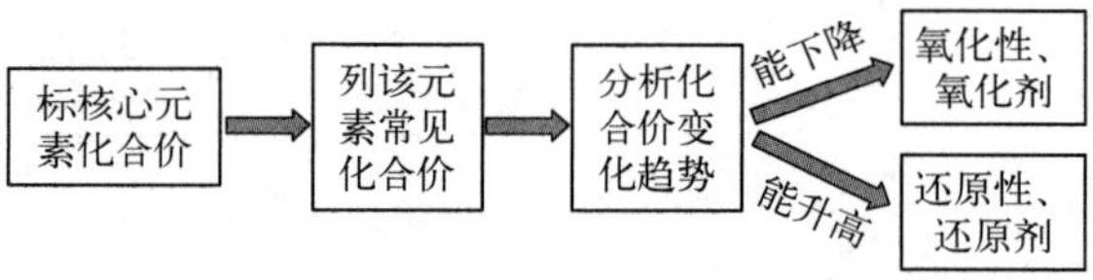

图 3-5 “价—性”认知模型

【学生活动】运用所学方法，预测下列物质可能具有的氧化性或还原性：O_2、H_2、$FeCl_3$、$KMnO_4$、Na_2S、Cl_2、CO、H_2O_2、KI。

【小结】归纳常见的氧化剂和还原剂。

学习评价： 在“预测硫黄性质”活动任务中，部分学生能根据物质类别和元素价态进行预测，多数学生还未建立基于元素价态预测物质性质的认识视角，需进一步通过“价—性”认知模型的构建和“预测常见物质的性质”任务，诊断并发展学生 A3、B1、B2 学科能力，形成“价—性”认识思路。

任务三：探究物质的氧化性或还原性——诊断并巩固认识思路

【提供信息】经克劳斯法处理后残留的硫化氢需点燃处理转化为二氧化硫，钠碱法是处理二氧化硫尾气的常用方法之一。碱洗脱硫过程分为吸收过程、中和过程和氧化过程。

【教师】Na_2SO_3 是中和过程的主要产物，请从氧化还原角度预测其性质并设计实验方案进行验证。

【学生活动】设计实验方案探究 Na_2SO_3 的氧化性和还原性，填写表 3-6。

实验用品：Na_2SO_3 溶液、Na_2S 溶液、稀硫酸、酸性高锰酸钾溶液；试管、胶头滴管。

【提供信息】常见含锰元素的物质有：$KMnO_4$（可溶于水，溶液显紫色）、K_2MnO_4（可溶于水，溶液显绿色）、MnO_2（难溶于水，黑色固体）和 $MnSO_4$（可溶于水，溶液无色或显浅粉色）。

表 3-6 验证 Na_2SO_3 性质的实验方案设计

预测性质	选取试剂	预测产物和现象	实验现象和结论
氧化性			
还原性			

【小组 1 展示】我们小组预测 Na_2SO_3 应具有氧化性，应该找一种具有还原性的物质与其反应，因此选择了还原剂 Na_2S 溶液，根据化合价为 +4 价的硫下降，-2 价的硫上升，预测产物应该是硫单质。通过实验发现，向 Na_2SO_3 溶液中滴加 Na_2S 溶液没有现象，滴加稀硫酸后变浑浊了，应该是生成了硫，Na_2SO_3 具有氧化性。

【小组 2 展示】Na_2SO_3 应具有还原性，选择酸性高锰酸钾溶液进行验证，硫的化合价应该升高到 +6 价，产物可能有 SO_4^{2-} 生成，锰元素从 +7 价下降，可能是 +6 价、+4 价、+2 价。通过实验发现，向 Na_2SO_3 溶液中滴加酸性高锰酸钾溶液，溶液由紫红色变为了无色。结合信息提示，我们认为锰元素从 +7 价变为 +2 价，实验验证了 Na_2SO_3 具有还原性。

【教师】同学们在实验中发现，Na_2SO_3 溶液和 Na_2S 溶液反应时，需要加入稀硫酸才出现预期现象，这是因为酸性或碱性等环境条件会影响物质氧化性或还原性的强弱。

【讨论】设计实验验证物质具有氧化性或还原性的思路是什么？如何选择合适的试剂完成实验验证？

【小结】实验探究物质氧化性和还原性的认识思路，如图 3-6 所示。

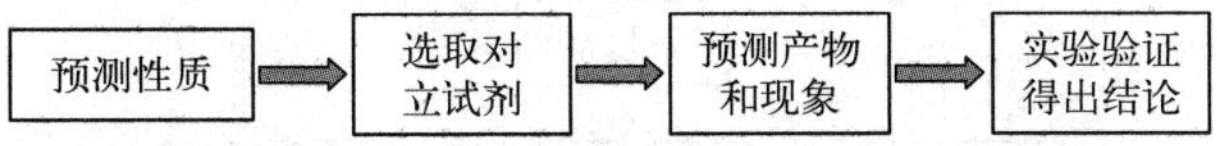

图 3-6　实验探究物质氧化性和还原性的认识思路

学习评价：在“探究物质的氧化性或还原性”任务中，多数学生能准确预测性质，具备了 A3、B2 学科能力，但 B3 能力较弱，只有部分学生能根据信息提示设计实验方案进行验证，因此需要进一步发展探究物质氧化性或还原性的思路和方法。

任务四：提出处理硫化氢的方案——迁移应用学科认识方式

【提供信息】克劳斯法属于干法脱硫，存在条件要求高、设备复杂、尾气处理不完全等弊端。

【提问】除了克劳斯法，硫化氢尾气处理还可采用哪些方法？

【学生 5】硫化氢具有还原性，可以用一些具有氧化性的物质吸收。

【学生 6】硫化氢是酸，也可以用碱性物质来吸收。

【提供信息】工业上用氧化法处理硫化氢，如氧化铁脱硫法、氧化锌脱硫法；也利用硫化氢的酸性采用弱碱性碳酸盐溶液或氨水来吸收。

【提问】依靠 Fe^{3+} 催化氧化硫化氢实现脱硫的方法是目前国内外使用较多的一种脱硫方法，反应如下：$2Fe^{3+} + H_2S = 2Fe^{2+} + S\downarrow + 2H^+$，请同学们思考 Fe^{3+} 吸收剂如何再生？

【学生 7】Fe^{3+} 吸收 H_2S 后变成了 Fe^{2+}，可以加氧化剂，如氯气、酸性高锰酸钾溶液等，重新生成 Fe^{3+}。

【练习】书写氯气氧化 Fe^{2+} 的离子方程式，分析元素化合价变化和电子转移情况。

【教师】利用氧化还原反应可以实现不同价态同种元素的物质的相互转化，在生产和生活中，氧化还原反应还有广泛的应用。例如，金属的冶炼、电镀、燃料的燃烧、绿色植物的光合作用，以及易燃物的自燃、食物的腐败、钢铁的锈蚀等。

学习评价：在“提出处理 H_2S 的方案”活动任务中，多数学生能基于物质类别和元素价态认知模型解决真实问题，发展了 B1、 B2 学科能力。在“讨论 Fe^{3+} 吸收剂循环再生方案”活动任务中，多数学生能给出再生方案，发展了迁移应用认知模型解决复杂问题的能力，即 C1 学科能力，形成了“绿色化学”的理念，增强了社会责任感。

【总结】我们认识了常见的氧化剂和还原剂，形成了从物质类别和化合价升降趋势预测物质可能具有的氧化性或还原性，并设计实验方案进行验证的思路和方法。同时，氧化还原反应还能指导我们的人生：对待得失就像氧化还原，得到和失去看似对立，实则统一。正是因为得与失的相互成就，才拥有了环境中更加稳定的氧化产物和还原产物。

四、板书设计

板书设计如图 3-7 所示。

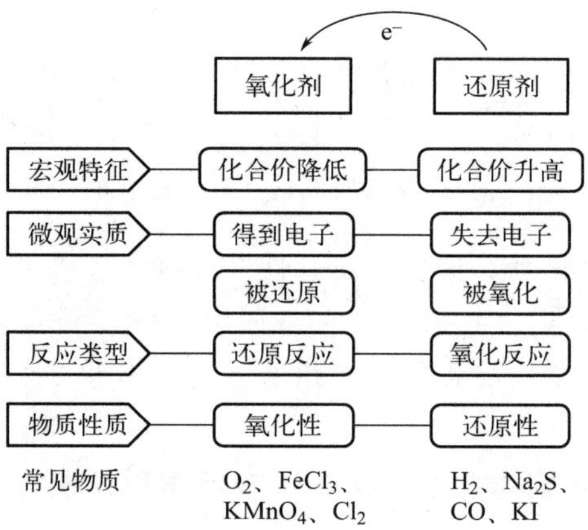

图 3-7 “氧化还原反应”教学板书设计

教学评价

一、教学效果

（一）测评试题

亚硝酸钠（$NaNO_2$）是一种白色结晶化合物，易溶于水，在建筑业中作为混凝土添加剂而广泛使用，因外观、口感与食盐相似被称为“工业盐”。近年来，因误食工业盐导致中毒的事件屡见报道。

1. 【选择题】从化合价角度推测亚硝酸钠可能具有的化学性质是（　　）。

A. 只有氧化性　　B. 只有还原性

C. 既有氧化性又有还原性　　D. 两者都没有

2. 【简答题】

（1）亚硝酸钠的中毒机理是其进入人体后将血液中的亚铁血红蛋白转化为高铁血红蛋

白，使其丧失携氧能力，导致全身组织缺氧。医院常用注射亚甲蓝溶液的方法治疗亚硝酸盐中毒，这是利用了亚甲蓝溶液的________（氧化性/还原性），请说明判断依据：_________。

（2）鱼塘中亚硝酸盐偏高是常见的水质问题，主要由池塘缺氧、淤泥过多、饲料投喂过量和换水不足引起，对鱼类的生长和健康造成不良影响。水产养殖中可用适量二氧化氯（ClO_2）处理亚硝酸盐，已知亚硝酸盐溶液显碱性，反应中 ClO_2 转化为 Cl^-，请写出该反应的离子方程式：________________________，反应中的氧化剂是（写化学式）___________。

3.【拓展题】为避免工业盐（$NaNO_2$）和食盐（NaCl）混淆，发生误食现象，请根据提供的试剂设计实验方案鉴别两者。（提供试剂：KI 溶液、淀粉溶液、$FeCl_2$ 溶液、KSCN 溶液、$K_2Cr_2O_7$ 溶液、稀 H_2SO_4。已知 $K_2Cr_2O_7$ 具有强氧化性，其溶液呈橙色，Cr^{3+} 溶液呈绿色，含 Fe^{3+} 的溶液遇 KSCN 溶液显血红色。）

（二）设计说明

以"宏观辨识与微观探析"和"科学探究与创新意识"的化学学科核心素养为测试宗旨，以亚硝酸钠作为情境素材，设置氧化还原反应、氧化剂和还原剂的判断、物质氧化性和还原性的预测，以及实验方案的设计等测试任务，要求学生运用氧化还原反应规律解决问题，具体如表 3-7 所示。

表 3-7 评价说明和评分标准（总分 16 分）

试题编号	学科能力要素	认识能力	分值	标准答案及评分标准
1	A2 概括关联：能根据所含元素化合价升降的趋势判断该物质可能具有的氧化性或还原性	2 分：能准确判断氧化性或还原性 0 分：不能判断	2 分	2 分：C 0 分：其他答案
2(1)	B2 推理预测：能根据氧化还原反应规律预测陌生物质的性质	2 分：能准确预测氧化性或还原性 0 分：不能预测	4 分	2 分：还原性 0 分：氧化性
	B1 分析解释：能分析陌生情境中的氧化还原反应及参与反应的物质性质	2 分：能从氧化还原角度解释其具有还原性 0 分：不能解释		2 分：高铁血红蛋白还原为亚铁血红蛋白，化合价下降，而亚甲蓝化合价升高，因此具有还原性 0 分：思维混乱，表述不清
2(2)	B2 推理预测：能根据陌生情境中物质的转化结果，推断氧化还原反应关系，并能结合得失电子守恒书写化学方程式	2 分：能准确书写离子反应方程式 1 分：能正确书写主要反应物和生成物，但未配平 0 分：不能正确书写离子反应方程式	4 分	2 分： $2ClO_2+5NO_2^-+2OH^-=\!=\!=5NO_3^-+2Cl^-+H_2O$ 1 分：未配平、OH^-、H_2O 未写 0 分：其他答案
	A2 概括关联：能根据所含元素化合价升降的结果判断该物质在氧化还原反应中是氧化剂还是还原剂	2 分：能准确指出氧化剂； 0 分：无法指出		2 分：ClO_2 0 分：无法指出

续表

试题编号	学科能力要素	认识能力	分值	标准答案及评分标准
3	B3 简单设计：能根据氧化还原反应原理设计实验方案验证物质的氧化性或还原性 C1 复杂推理：能综合运用氧化还原反应原理解决陌生情境中的实际问题 C2 系统探究：能综合运用氧化还原反应设计方案进行物质检验和鉴别	6 分：能根据提示，选用正确的氧化剂或还原剂，设计鉴别物质的完整方案并详细描述预期现象和结论 3～5 分：能简单设计实验方案，选择正确试剂，描述现象和结论 1～2 分：能选出正确的试剂，现象描述正确，无结论 0 分：无法设计方案，或试剂选择错误	6 分	(1)取少量固体溶于水中；(2)滴加少许稀硫酸溶液酸化；(3)向溶液中加入适量碘化钾溶液和淀粉溶液；(4)观察溶液颜色变化。若溶液变为蓝色，则是 $NaNO_2$，反之则是 NaCl。 (5)取少量固体溶于水中；(6)向溶液中加入少许稀硫酸溶液酸化；(7)滴加适量 $K_2Cr_2O_7$ 溶液；(8)观察溶液颜色变化。溶液由橙色变为绿色，则是 $NaNO_2$，反之则是 NaCl。 (9)取少量固体溶于水中；(10)滴加少许稀硫酸溶液酸化；(11)向溶液中加入适量 $FeCl_2$ 溶液，再滴加几滴 KSCN；(12)观察溶液颜色变化。溶液由浅绿色变为血红色，则是 $NaNO_2$，反之则是 NaCl。 6 分：答出(1)、(2)、(3)、(4)，或(5)、(6)、(7)、(8)，或(9)、(10)、(11)、(12) 3～5 分：加 KI 溶液，加淀粉溶液，变蓝则是 $NaNO_2$。加 $K_2Cr_2O_7$，橙色变为绿色则是 $NaNO_2$。加 $FeCl_2$ 和 KSCN，变红则是 $NaNO_2$(写出一种方案即可) 1～2 分：加 KI 溶液，加淀粉溶液，变蓝。加 $K_2Cr_2O_7$，橙色变为绿色。加 $FeCl_2$ 和 KSCN，变红(写出一种方案即可) 0 分：实验现象与加入试剂不相符

（三）效果分析

收集答卷 80 份，能力对应的平均得分情况如表 3-8 所示。

表 3-8 评分结果

学科能力	试题编号	分值	平均分	得分率
A2	1;2(2)	4(2+2)	3.55	88.8%
B1	2(1)	2	1.33	66.5%
B2	2(1);2(2)	4(2+2)	1.95	48.7%
B3	3	2	1.30	65.0%
C1	3	2	0.63	31.5%
C2	3	2	0.95	47.5%

通过数据分析可见，学生学习理解能力（A2）水平较高，说明通过课堂针对性学习，学生对基础概念的理解和关联能力较好；而针对应用实践能力（B1、B2、B3）和迁移创新能力（C1、C2）的试题得分率不高，大部分学生实验方案设计不够严谨，实验现象描述不够清晰。这不仅是因为这类试题开放程度大，对学生能力要求较高，还在于缺少相应的练

习，提示教师应重视学生实验能力的培养，增加实验设计和操作的机会。值得注意的是，B2 能力的试题得分率较低，原因主要是试题涉及离子反应，学生未注意溶液酸碱性，同时氧化还原的配平能力还处于较低水平，这需要教师在教学中适当拓展陌生情境中氧化还原反应方程式的书写。

二、教学反思

本课例依据学科能力理论，通过“目标制定—策略选择—情境创设—活动设计”的流程展开教学设计。围绕“炼化企业含硫废气处理”这一情境主题，从“宏观—微观”“价态—类别”的角度，引导学生掌握氧化还原反应原理，形成基于物质类别和元素价态预测物质性质，并设计实验方案进行验证的认识思路。教学实践表明，多数学生 A1、A2、A3、B1 学科能力较好，面对工业上 H_2S 处理方法和 Fe^{3+} 吸收剂循环再生这些实际问题，学生能够有效运用本节课所学知识提出解决方案，提升 B2、C1 能力，而且树立了资源化利用、绿色无污染等工程思维意识，增强社会责任感。

在探究 Na_2SO_3 的氧化性和还原性时，学生的 B3 能力欠缺，面对提供的实验用品不能准确地选出所需试剂，实验动手操作能力和科学探究思维还有待提高。在今后的教学中应多开展以学科能力和真实情境为主题的教学，精心设计能力活动任务，增加实验设计和操作的机会，引导学生在真实情境中应用知识，构建认知模型，促进学科认识方式的发展。

参考文献

[1] 中华人民共和国教育部．普通高中化学课程标准（2017 年版 2020 年修订）[S]．北京：人民教育出版社，2020：15-20，23-27，65-67.

[2] 王澄，孟献华．基于“模型认知”的氧化还原反应教学研究 [J]．化学教与学，2021（2）：34-38.

[3] 王晶，毕华林．普通高中教科书・化学（必修）第一册 [M]．北京：人民教育出版社，2019：22-26.

[4] 钱珍妮．基于发展“模型认知”的化学概念进阶学习——以“氧化还原反应”单元教学为例 [J]．化学教学，2023（4）：44-51.

[5] 闫银权．“素养为本”的化学教学设计策略——以“氧化剂和还原剂”教学为例 [J]．化学教与学，2021（3）：51-54.

[7] 滕瑛巧，王星乔，潘妩璠，等．促进学科能力发展的化学教学实践——以“氧化剂和还原剂”为例 [J]．化学教学，2024（08）：55-60.

滕瑛巧、潘妩璠、汪玉雯（宁波诺丁汉大学附属中学　浙江宁波）

第 4 单元

钠及其化合物

目标研制

一、课标研读

（一）内容要求和学业要求

“钠及其化合物”教学单元为《普通高中化学课程标准（2017 年版 2020 年修订）》必修课程主题 2 中的内容，课标相应内容要求和学业要求如表 4-1 所示。

表 4-1 “钠及其化合物”教学单元的课标内容要求和学业要求[1]

内容要求	学业要求
2.4 金属及其化合物 结合真实情境中的应用实例或通过实验探究，了解钠、铁及其重要化合物的主要性质，了解这些物质在生产、生活中的应用 2.6 物质性质及物质转化的价值 结合实例认识金属、非金属及其化合物的多样性，了解通过化学反应可以探索物质性质、实现物质转化，认识物质及其转化在促进社会文明进步、自然资源综合利用和环境保护中的重要价值	1. 能依据物质类别和元素价态列举某种元素的典型代表物 2. 能列举、描述、辨识典型物质重要的物理和化学性质及实验现象。能用化学方程式、离子方程式正确表示典型物质的主要化学性质 3. 能从物质类别、元素价态的角度，依据复分解反应和氧化还原反应原理，预测物质的化学性质和变化，设计实验进行初步验证，并能分析、解释有关实验现象 4. 能利用典型代表物的性质和反应，设计常见物质制备、分离、提纯、检验等简单任务的方案。能从物质类别和元素价态变化的视角说明物质的转化路径 5. 能根据物质的性质分析实验室、生产、生活及环境中的某些常见问题，说明妥善保存、合理使用化学品的常见方法 6. 能说明常见元素及其化合物的应用对社会发展的价值、对环境的影响。能有意识运用所学的知识或寻求相关证据参与社会性议题的讨论

注：数字序号即课标中相应序号。

可见，课标中对“钠及其化合物”的内容要求侧重于了解钠及其重要化合物的主要性质及其在生产、生活中的应用，认识物质及其转化在社会发展和环境保护中的重要价值。学业要求从“符号表征”“预测”“设计实验”“说明”等能力表现角度提出了具体的要求。通过直接摘录、增补解构、删繁就简等方法，可以得到该教学单元课标优化后的要求，如表 4-2 所示。

表 4-2 “钠及其化合物”教学单元课标优化后的要求[1]

优化后的要求
（原内容要求 2.4）结合真实情境中的应用实例或通过实验探究，了解钠及其重要化合物的主要性质和这些物质在生产、生活中的应用（直接摘录） （原内容要求 2.6）从物质类别和元素价态的角度认识钠及其化合物的性质及其转化在自然资源综合利用和环境保护中的重要价值（删繁就简）
（原学业要求 1）能依据物质类别和元素价态列举含钠元素的典型代表物（直接摘录） （原学业要求 2）能列举、描述、辨识钠及其化合物的物理和化学性质及实验现象，能用化学方程式、离子方程式正确表示钠及其化合物的主要化学性质（直接摘录） （原学业要求 3）能从物质类别和元素价态的角度，预测钠与水反应的产物，设计简单的实验方案进行初步验证，并能描述相关实验现象（增补解构） （原学业要求 4）能通过氧化钠和过氧化钠、碳酸钠和碳酸氢钠的对比学习，形成基于类别和价态对物质性质的认知模型（增补解构） （原学业要求 5）能从钠及其化合物的组成、价态、性质方面，分析、解释其在生产、生活中的应用，能妥善保存、合理使用钠及其化合物（增补解构） （原学业要求 6）能运用所学知识从社会发展价值、环境影响等多个角度讨论钠及其化合物相关的社会性议题（删繁就简）

（二）学业质量水平

课标学业质量水平与“钠及其化合物”教学单元的相关要求对应关系如表 4-3 所示。

表 4-3 “钠及其化合物”教学单元的学业质量水平

学业质量水平描述[1]	针对本教学单元内容的具体表现
1-1 能运用原子结构模型说明典型金属的性质；能对常用物质及其变化进行描述和符号表征，能说明常见物质的性质与应用关系	1-1 能根据钠的原子结构，预测钠的化学性质，能用化学方程式、离子方程式表示其主要化学性质
2-1 能从构成物质的微粒、化学键、官能团等方面说明常见物质的主要性质，能分析物质性质与用途的关系	2-1 能通过对过氧化钠、碳酸钠、碳酸氢钠的构成微粒分析，结合生产、生活中的重要用途，说明钠及其化合物的主要性质
2-2 能设计物质转化的方案，能运用化学符号表征物质的转化，能说明化学变化的本质特征和变化规律	2-2 能根据钠及其化合物的转化关系制备钠及其化合物，能书写相应的化学方程式、离子方程式
2-3 能设计简单实验方案，能运用适当的方法控制反应条件并顺利完成实验	2-3 能通过钠与氧气的实验探究，体会控制反应条件的重要性
3-1 能说明物质的组成、官能团和微粒间作用力的差异对物质性质的影响	3-1 能通过氧化钠和过氧化钠的微粒组成和元素化合价的对比，指出两种氧化物的区别和联系
3-2 能根据解决问题的需要设计无机化合物转化与制备	3-2 能通过碳酸钠和碳酸氢钠性质的对比学习，根据实际需求设计合理的转化与制备
3-4 能运用化学原理和方法解释或解决生产、生活中与化学相关的一些实际问题	3-4 能利用钠及其化合物的性质和转化关系分析并解释生产、生活中的问题
4-1 依据需要选择不同方法，从不同角度对物质及其变化进行分析和推断	4-1 能从实验现象、应用实例、文献资料等方面获取证据，说明钠及其化合物的主要性质

注：数字序号即课标中相应序号。

二、教材解读

在人教版高中化学必修教材（2019 年版）第二章第一节“钠及其化合物”中，通过对钠及其化合物（金属钠、氧化钠和过氧化钠、碳酸钠和碳酸氢钠）的组成（结构）、类别、价态、性质和应用等显性知识的介绍，建立“物质类别和元素价态、宏观辨识和微观结构”的认识视角，落实课标内容要求的钠及其化合物的应用价值及“结构决定性质，性质决定应用”的学科观念。本节课安排了 6 个实验、1 个探究，将“钠及其化合物”的学习融合在其中，给学生以大量的感性认识，用观察法、对比法、类比法、归纳法等各种科学方法，实现课标学业要求和学业质量水平中有关“预测”“设计”“说明”“运用”等能力表现的具体要求[2]。以钠及其化合物的研究为载体，帮助学生了解并逐步掌握研究金属及其化合物的方法和思路，注重培养学生观察、获取证据并分析的能力。教学单元内容如图 4-1 所示。

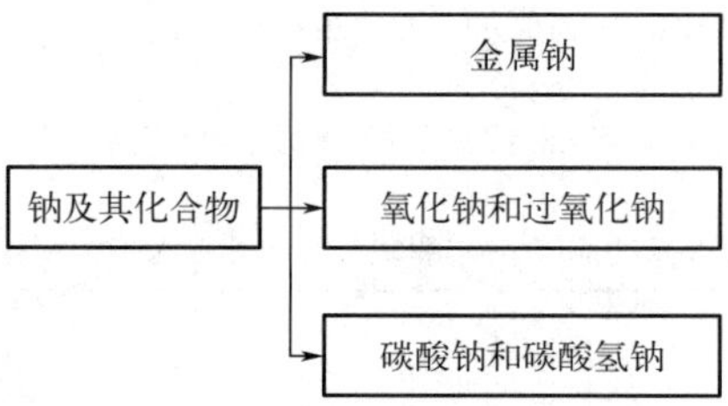

图 4-1 “钠及其化合物”教学单元内容

三、能力模型建构

通过课标研读和教材分析，可以确立相关主题的知识基础、研究对象和化学问题、学科认识方式，从而构建该教学单元的学科能力模型（图 4-2）[3]。例如，该教学单元核心知识

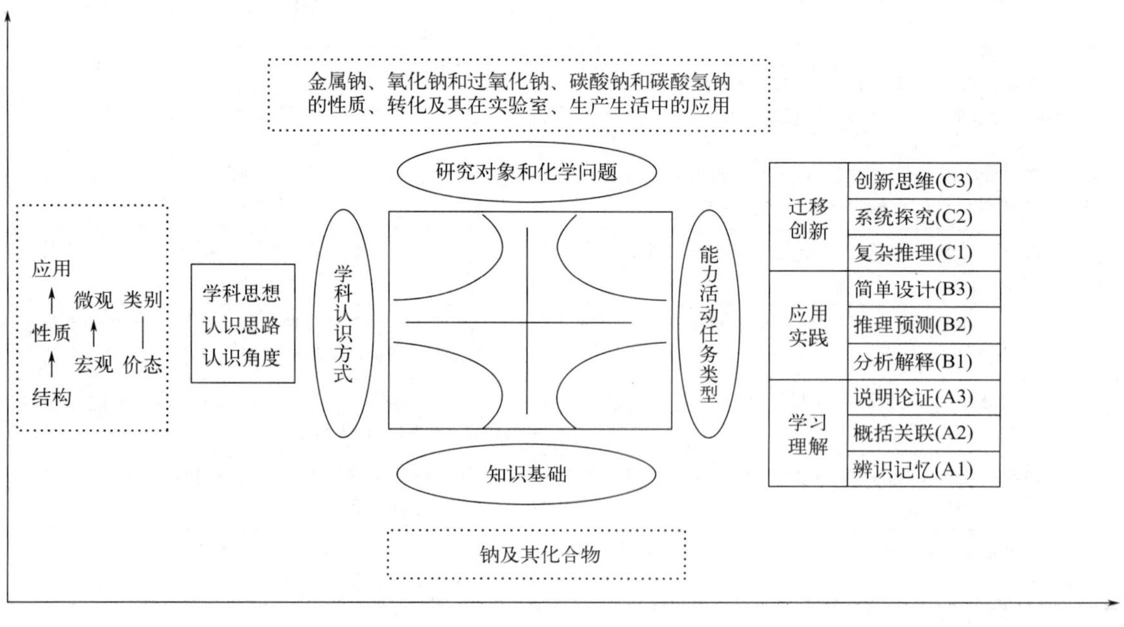

图 4-2 “钠及其化合物”教学单元能力模型

是钠及其化合物的性质及应用；认识角度是物质类别和元素价态、宏观辨识和微观结构；认识思路是结构→性质→应用；学科思想为结构决定性质，性质决定应用；研究对象和化学问题主要包括金属钠、氧化钠和过氧化钠、碳酸钠和碳酸氢钠的性质、转化及其在实验室、生产生活中的应用。

四、课程资源分析

在实际教学过程中，能力目标的实现还受到授课类型、学生学情、教学资源等客观因素的影响。

（一）授课类型

本节课的授课类型为新授课。

（二）学情分析

已有基础：从知识层面来看，在初中学习阶段，学生对铁等金属形成感性认识，对氯化钠、氢氧化钠、碳酸钠和碳酸氢钠等钠的化合物的基本性质有所了解；从能力层面来看，学生可以从金属活动性顺序入手，从物质类别、反应类型等视角学习认识物质的性质及其变化；从心理层面上看，大部分学生希望学习更多关于钠及其化合物的知识，并通过实验等方式加深对相关知识的理解和掌握。

潜在困难：初中学习“元素化合物”知识时，知识点较散，学生对于建模方式的学习尚不习惯；学生对化学实验感兴趣，但欠缺自主设计实验的能力。

（三）教学资源

学科能力目标的实现还依赖于学校资源的支持，学科能力目标的制定需考虑教学资源因素。本节课实验探究中所需实验仪器有镊子、棉签、滤纸、塑料吸管、注射器（20mL、60mL）、鲁尔三通、易拉罐、酒精灯、三脚架、泥三角、玻璃片等，实验药品有酚酞溶液、金属钠、煤油、肥皂水、蒸馏水、1mol/L 硫酸铜溶液。

五、表现性目标制定

将学科能力模型中 4 个维度进行连接组合，再结合学生学情、授课类型、教学资源等客观因素，制定了“钠及其化合物”主题学科能力表现性目标，如表 4-4 所示。

表 4-4 “钠及其化合物”教学单元学科能力表现性目标

能力要素		表现性目标
A 学习理解能力	A1 辨识记忆	能列举常见钠及其化合物，并能用化学方程式、离子方程式表示其主要化学性质，可以描述相关实验现象，能说出钠及其化合物在生产、生活中的应用
	A2 概括关联	能从物质类别、元素价态角度概括钠及其化合物的性质和转化关系；能够建立钠及其化合物物质类别、化合价、性质、反应现象及应用的联系
	A3 说明论证	能从复分解反应和氧化还原反应的原理、典型实验现象、实际应用等方面，说明钠的重要化合物的主要性质

续表

能力要素		表现性目标
B应用实践能力	B1 分析解释	能利用钠及其化合物的性质和转化关系，分析解释相关实验现象及在生产、生活中的应用
	B2 推理预测	能从物质类别和元素价态角度，预测陌生含钠元素物质的性质、相关反应的实验现象
	B3 简单设计	能结合钠及其化合物的性质和转化关系，设计含钠元素物质的分离、检测、制备等任务方案；能给出金属钠着火扑救方案
C迁移创新能力	C1 复杂推理	能从类别通性、氧化还原等认识角度，推测陌生含钠元素物质的性质，解决生产、生活中的实际问题
	C2 系统探究	—（新授课暂不要求）
	C3 创新思维	—（新授课暂不要求）

教学设计

一、教学现状

本课时为人教版高中化学必修教材（2019 年版）第二章第一节“钠及其化合物”的新授课。结合之前所学的物质的分类及转化、离子反应、氧化还原反应等核心概念，以钠及其化合物的研究为载体，构建金属及其化合物的研究模型，为后续学习“铁及其化合物”等奠定基础。根据文献资料显示，周淑晶、倪梦等以实验探究为基、认知模型为线、思维进阶为核，系统实现了从学习理解到应用实践再到迁移创新的递进式能力培养[4]；边静以钠的相关知识为明线，学科核心素养为暗线，开展以实验为主的多种探究活动[5]；叶炜华、吴小辉设计实验探究活动，从“物质类别”和“元素价态”视角梳理、总结和概括金属及其化合物性质变化的一般规律，形成研究金属及其化合物性质的一般模型[6]。

二、教学思路

（一）创设真实问题情境

本课例将“钠及其化合物在生产和生活中的应用”作为情境主题，主要原因有：①把本单元的知识与现实生活联系起来，体现从生活到化学，再从化学走向生产的思想；②加强学生设计实验、完成实验的能力，提升学生的化学学科素养；③关注社会前沿科技的发展，激发学生爱国热情，培养学生社会责任感（详见图 4-3）。

（二）设计能力评价任务

依据上述确立的学科能力表现性目标，精心设计了多样化、梯度化的能力发展评价任务，体现对学科思维、学科认识视角和认识思路等的建立、诊断和发展，具体见表 4-5。

图 4-3　教学流程

表 4-5　“钠及其化合物”教学单元能力发展评价

序列	教学环节	评价任务	评价活动	能力要素	素养价值
1	分析碱金属热消融法的原理	根据资料推测金属钠的性质	从情境材料提取信息，预测金属钠的性质	A1、B1	诊断并发展“结构—性质—应用”的学科思维
2	认识金属钠的性质	从原子结构预测钠的性质，并用化学符号进行表征	观察、分析、描述实验现象；归纳钠的主要性质；书写其化学方程式、离子方程式	A1、A3、B1、B2	诊断并发展学生“预测—实验—解释—结论”的认识思路；建立“类别—价态”的认识视角
3	探秘 Na_2O_2 性质与应用	预测、对比、归纳总结 Na_2O 与 Na_2O_2 的性质；预测 Na_2O_2 与 CO_2、H_2O 反应的产物	总结碱性氧化物的通性；分析产生差异的原因，设计实验验证	A2、B1	建立从物质类别、元素价态等角度系统认识物质性质的认识视角

续表

序列	教学环节	评价任务	评价活动	能力要素	素养价值
4	比较 Na_2CO_3 和 $NaHCO_3$ 的性质与应用	根据应用差异，预测性质；设计实验验证	根据用途上的差异预测性质，设计实验探究，讨论两者的鉴别和转化	B2、B3	培养“结构—性质—应用”的学科思维；建立元素观、分类观、变化观的认识角度
5	探寻钠及其化合物在生产、生活中的应用	观察图片，讨论分析，说明钠及其化合物的性质	查阅资料，运用知识讨论钠及其化合物在生产、生活中的作用	A3、C1	诊断并发展“结构—性质—应用”的学科思维

（三）选择教学策略

根据教学目标和教学内容，选择合适的教学策略。针对“钠及其化合物”内容，采用情境创设、实验探究、概括关联等教学策略，例如通过将真实的科研素材碱金属热消融法[7]引入新课，激发学生的学习兴趣和好奇心，感受化学在生活中的价值；采用对比、分类、归纳等科学方法，深化“结构决定性质，性质决定应用”的学科思想。本课例设置多个创新实验，生动形象地体现钠及其化合物的主要性质，让学生体会化学的活力与魅力，建构“预测—实验—解释—结论”的认识过程。

三、教学实录（第一课时）

【引入】说到癌症，许多人的第一反应是谈癌色变。即使在医疗技术高度发达的今天，它依然是导致人类死亡的主要原因之一。因此，攻克癌症是现代医学重要的研究课题。我听说中国科学院已经找到一种新的治疗方法，只需要一个普通注射器就能为患者治病，你相信吗？

【情境素材】碱金属热消融法[8]（图 4-4）。

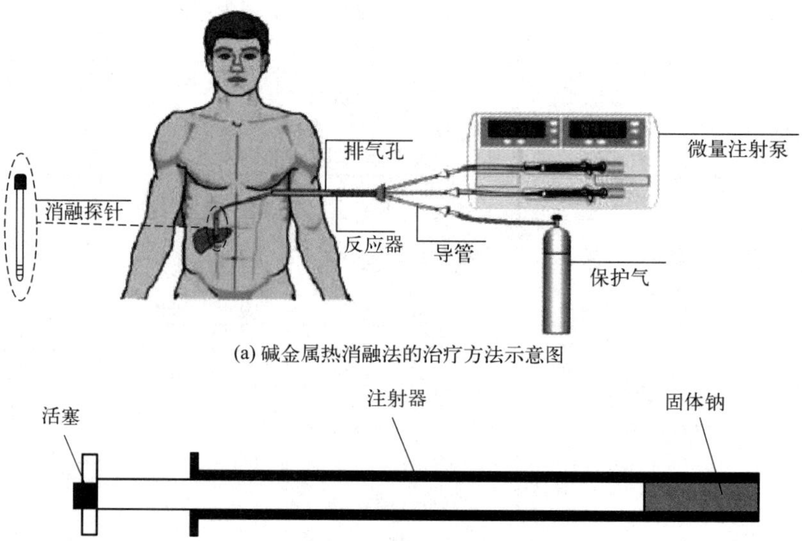

(a) 碱金属热消融法的治疗方法示意图

(b) 可注射碱金属消融剂的器具

图 4-4　碱金属热消融法[7]

将微量碱金属消融剂如钠、钾或其合金通过注射器注入目标部位，其与肿瘤组织内存在的水产生强烈的放热化学反应，从而达到极为高效的热消融目的。一般认为当温度升高时即可导致组织蛋白凝固，使血管及神经末梢遭受摧毁。处于室温下的碱金属通过注射器推入组织之前，并不产生任何热量，也不与组织接触，因而不会对周围正常组织造成热损伤。

碱金属性质非常活泼，可以与空气中微量的水和氧气发生反应，一般使用液体石蜡或惰性气体密封保存。

【教师】阅读材料，请同学们分析碱金属热消融法的原理是什么。

【学生】利用碱金属与水反应放出大量的热，使肿瘤组织蛋白凝固，达到消融目的。

【教师】碱金属真能帮助人类攻克癌症吗？这个不可思议的治疗方法真的有效吗？这节课我们以金属钠为例，揭开碱金属热消融法的神秘面纱。

任务一：认识碱金属热消融法针剂的保存

【教师】阅读材料，请同学们找出与碱金属相关的化学信息。

【学生】碱金属性质很活泼，能跟氧气、水反应；碱金属与水发生放热化学反应；碱金属保存在液体石蜡或惰性气体中。

【教师】金属钠是否也具备相同的性质呢？

【演示实验】用镊子从试剂瓶中取出一小块金属钠，用滤纸吸干表面的煤油，用自制简易取钠器（透明的塑料吸管）穿透钠块[9]，观察钠的光泽和颜色（图 4-5）。

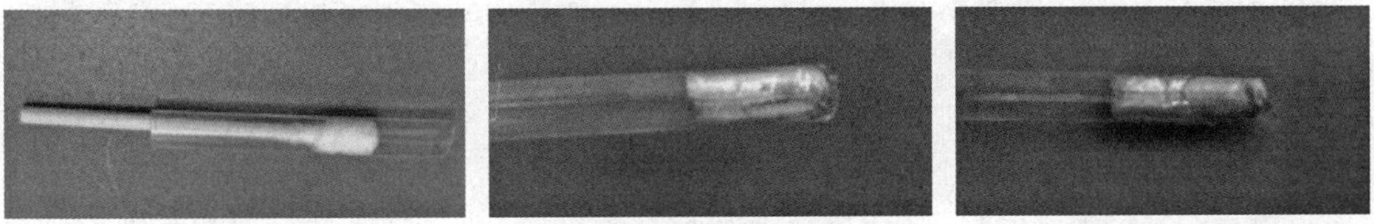

图 4-5　钠与氧气反应的改进实验

【教师】请根据刚才观察到的实验现象分析金属钠具备哪些性质。

【学生 1】实验室中，金属钠保存在煤油中，沉在底部，说明钠的密度比煤油大。

【学生 2】金属钠保存在煤油中，暴露在空气中易变质，说明钠很活泼。

【学生 3】塑料吸管可以穿透钠块，看到银白色的金属光泽，说明钠质地很软。

【教师】现在我用棉签将塑料吸管中金属钠柱往外推出一小部分，让它暴露在空气中，请同学们仔细观察金属钠的表面所发生的变化。

【学生】金属钠柱光亮的表面变暗了。

【教师】为什么钠的表面会变暗？

【学生】金属钠暴露在空气中，被氧气氧化了。

【教师】上述实验表明金属钠易被氧化，有很强的还原性。你能从原子结构的角度解释一下原因吗？

【学生】钠原子的最外层电子层上只有 1 个电子，在化学反应中该电子很容易失去，表现为金属钠具有很强的还原性，容易被空气中的氧气氧化。

【教师】通过刚才的实验我们已经知道，常温下钠与氧气反应会生成白色的氧化钠，如果改变反应条件，进行加热，钠又会发生什么变化呢？

【演示实验】将易拉罐底倒扣在泥三角上加热，同时切取一块绿豆大的钠，迅速投到罐底。继续加热片刻，待钠熔化后立即撤掉酒精灯[10]（图 4-6）。

图 4-6　钠在空气中燃烧的演示实验

【学生】在加热过程中，金属钠先熔成光亮小球，然后与氧气剧烈反应，发出黄色火焰，冷却后有淡黄色固体产生。

【教师】通过两组实验的对比，说明反应条件不同会导致反应产物不同。在加热的条件下，钠与氧气反应并没有生成氧化钠，这种淡黄色固体是过氧化钠。所以碱金属热消融法针剂必须密封保存在液体石蜡或者惰性气体中。

学习评价：在“认识碱金属热消融法针剂的保存”任务中，大多数学生能够深挖问题情境中的化学知识，能根据微观结构预测其性质，观察并描述实验现象，归纳总结钠的主要性质，具备 A1、B1 的学科能力。学生亲历“预测—实验—解释—结论”的认识过程，能逐渐形成“微观结构决定宏观性质”的认识思路。

任务二：剖析碱金属热消融法的工作原理

【过渡】通过阅读材料我们已经知道碱金属热消融法的原理是碱金属能与水反应发生放热化学反应。钠能与水反应的猜想是否成立呢？如果能反应，请同学们预测一下产物会是什么呢？

【学生 1】从氧化还原的角度分析，钠原子最外层电子数为 1，容易失去电子，化合价升高，具有强还原性；水分子中一定有原子易得电子，化合价降低，产物中会有 H_2。

【学生 2】从元素守恒的角度分析，钠元素会生成氢氧化钠。

【教师】结合大家的分析，我们用实验进行验证。为了让实验更安全、更环保，我将实验装置进行改进，在注射器中完成实验并对反应产物进行检验。

【演示实验】钠与水反应的改进实验（图 4-7）。

【教师】通过分析实验现象，你能得出哪些结论？

【学生】归纳总结：

① 钠的密度比煤油大，但是比水小，钠位于煤油和水的界面处；

② 钠跟水接触立即产生大量气泡，发出嘶嘶响声，反应很剧烈，钠在煤油和水层间

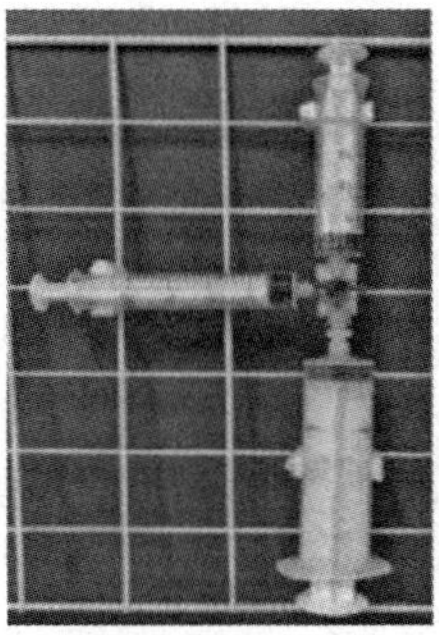
反应装置

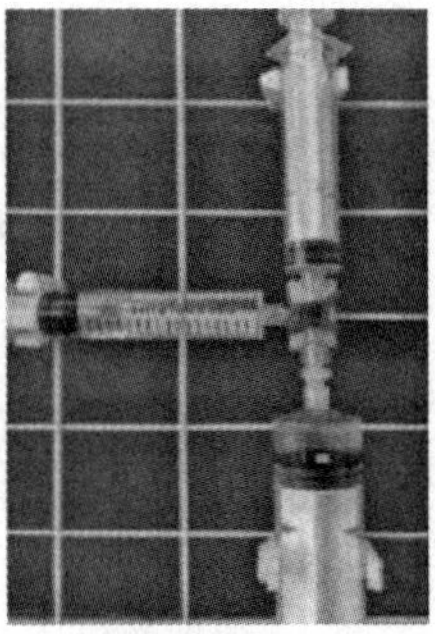
钠在煤油中

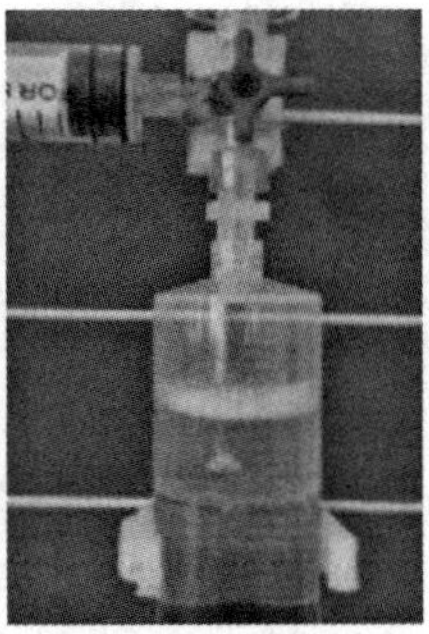
钠在煤油和水的界面

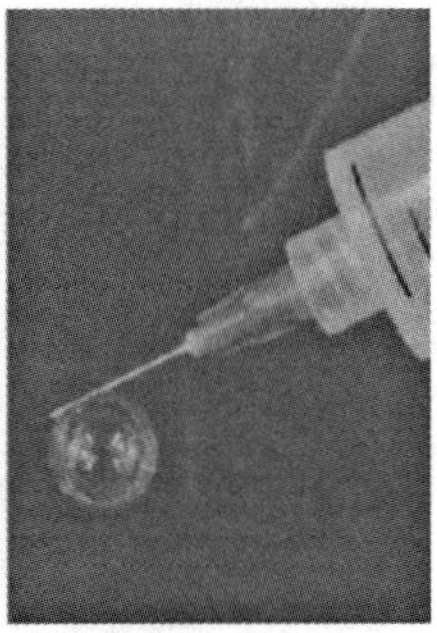
氢气的检验

图 4-7　钠与水反应的改进实验

跳动；

③ 反应产生的气体利用密度法检验，看到肥皂泡上浮，说明生成的气体是氢气；

④ 钠粒熔成小球，说明钠与水是放热化学反应，钠的熔点很低；

⑤ 酚酞变红，说明生成碱性物质，根据元素守恒可推出是氢氧化钠。

【教师】同学们总结得十分全面，我们可以把钠与水反应的实验现象归纳成五个字：浮、熔、游、响、红。请同学们书写该反应的化学方程式和离子方程式。

【学生】化学方程式：$2Na+2H_2O \xlongequal{} 2NaOH+H_2\uparrow$

离子方程式：$2Na+2H_2O \xlongequal{} 2Na^++2OH^-+H_2\uparrow$

【教师】钠和水反应的实质是钠与水电离出来的 H^+ 发生反应，产生氢气。同理可知，金属钠也能跟酸反应产生氢气，但是反应会更剧烈。猜想一下，钠与盐溶液（如硫酸铜溶液）反应，可能观察到什么现象？

【学生】猜想 1：由金属活动性顺序可以推出金属钠能置换出铜，有红色单质生成。

猜想 2：钠先跟水反应产生氢氧化钠，再与硫酸铜反应生成氢氧化铜蓝色絮状沉淀。

【演示实验】见图 4-8。

【教师】书写钠与硫酸铜溶液反应的化学方程式。

【学生】$2Na+2H_2O \xlongequal{} 2NaOH+H_2\uparrow$

$2NaOH+CuSO_4 \xlongequal{} Na_2SO_4+Cu(OH)_2\downarrow$

图 4-8　钠与硫酸铜溶液反应

【教师】从实验中我们可以确认钠与盐溶液反应的实质是钠在水溶液中先与水反应生成氢氧化钠，氢氧化钠进一步与盐发生复分解反应。根据金属活动性顺序，利用金属钠的强还原性制备其他金属单质时，必须在无水条件下进行。

学习评价：在“剖析碱金属热消融法的工作原理”任务中，大多数学生能准确描述钠与水反应的实验现象；部分学生可以迁移应用到预测钠与盐溶液反应的产物，初步具备了“结构决定性质”的学科思想和 A1 学科能力。部分学生无法合理预测陌生含钠元素物质的性质，需要进一步发展 B2 学科能力。

任务三：揭秘碱金属热消融法针剂的制备

【教师】那么碱金属热消融法的针剂是如何制备的呢？自然界中钠的存在形式是什么？

【学生】钠元素在自然界中以化合物的形式存在，主要有 $NaCl$、Na_2SO_4、Na_2CO_3 等。钠单质可以通过化学反应制得。

【信息 1】工业上钠的制法很多，目前世界上钠的工业生产多数采用电解熔融氯化钠的方法。以精制盐为主要原材料，通过熔融电解得到金属钠和副产物氯气，主要反应化学方程式为：

$$2NaCl \xlongequal{\text{电解}} 2Na + Cl_2\uparrow$$

【教师】由此可以看出工业制钠的原料丰富，钠单质容易获得，治疗过程中使用剂量微小，综合以上因素可以看出这种新型疗法的成本极为低廉，为今后实现肿瘤的高效低成本治疗提供了较大可能性。

【教师】金属钠在生产、生活中的应用十分广泛，军事、工业、科技等领域都有它的身影。请同学们分析这些用途体现了钠的哪些性质？

【信息 2】金属钠的用途见图 4-9。

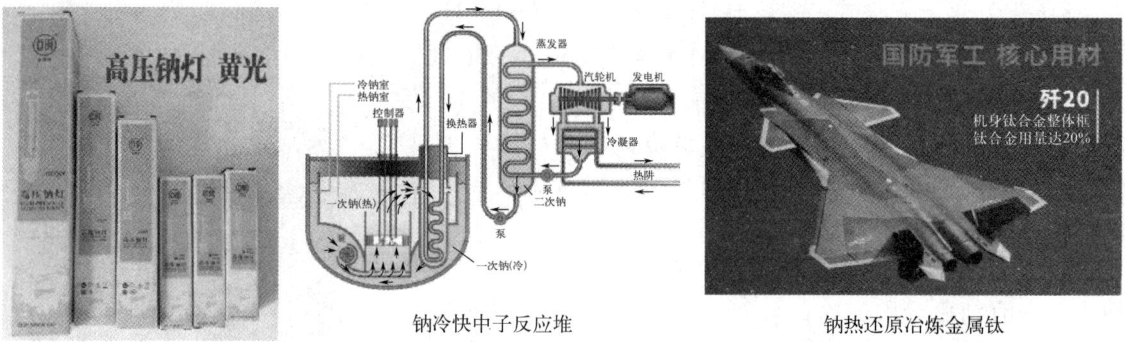

钠冷快中子反应堆　　钠热还原冶炼金属钛

图 4-9　金属钠的用途

【学生】钠发出的黄光射程远且透雾能力强，用它制造的高压钠灯常用于道路照明；钠导热性好，用作快中子反应堆的热交换剂；钠的还原性强，用它从其熔融的卤化物中还原出钛、铌、钽等在国防工业中有重要用途的金属。

【教师】如果存放钠的实验室发生火灾，作为消防员该如何处理呢？

【学生】在保证安全的情况下，先将尚未燃烧的金属钠转移到安全区域，然后用干燥的沙土进行灭火，绝对不能用水。

学习评价： 在“揭秘碱金属热消融法针剂的制备”任务中，大多数学生可以运用所学的知识，解释金属钠在生产、生活中的其他应用；能规范操作钠的保存和钠着火的扑救。多数学生能积极参与讨论，发展 A3、B1 学科能力。

【教师】我们已经知道碱金属热消融法治疗肿瘤的原理，结合金属钠的性质，你觉得这种方法值得大力推广吗？请阐述你的理由。

【学生 1】我觉得这种方法值得推广，它能够精准地将金属钠与水反应产生的热量作用于肿瘤部位，对周围正常组织的损伤相对较小，可有效减少治疗过程中的副作用。

【学生 2】我也觉得它值得推广，在惰性气体的保护下，用注射器推入微量的金属钠，不需要昂贵复杂的设备，高效且低成本。

【学生 3】该疗法中产生的钠离子是人体正常生理环境中的典型组成元素，容易被人体吸收，不会造成毒性。

【教师】碱金属热消融法治疗肿瘤具有一定的优势和潜力，在推广之前，还需要积累更多的临床数据，以确保该方法的安全性、有效性和经济性，为肿瘤患者提供更加安全、有效的治疗选择。

【总结】通过今天对钠的学习，我们掌握了研究物质性质的一般思路，学会从化学视角剖析问题，从物质的类别、化合价角度挖掘物质的性质并进行猜想，然后设计实验进行验证，归纳总结得出结论。

四、板书设计

板书设计见图 4-10。

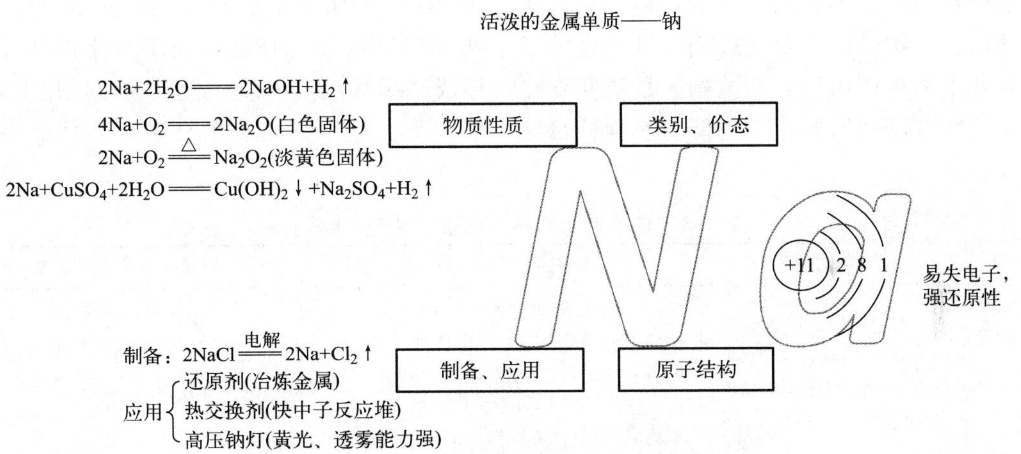

图 4-10 “钠及其化合物”教学板书设计

教学评价

一、教学效果

（一）测评试题

我国科研人员研制出一种室温“可呼吸”Na-CO_2 电池。以金属钠为负极，碳棒为正极，在非水溶液中发生下列反应：$4Na+3CO_2 \xlongequal{} 2Na_2CO_3+C$。

1.【单选题】金属钠是电池的负极材料，在反应过程中会释放出电子形成钠离子。下列关于钠的叙述中，不正确的是（　　）。

A. 钠原子的最外层电子层上只有一个电子

B. 钠的熔沸点比较低

C. 高压钠灯常用于道路和广场的照明

D. 钠久置在空气中生成过氧化钠

2. 【填空题】

(1) 在这个反应中，被氧化的是____________（填化学式，下同），还原产物是____________。

(2) 该电池的反应必须在非水溶液中进行，主要原因是：____________（填离子方程式）。

(3) 若电池外壳意外破损，导致金属钠暴露在空气中，请结合钠的性质提出合理的处理建议：____________。

(4) 在反应过程中，生成的 Na_2CO_3 和 C 全部沉积在碳棒上。设计实验方案证明电池产物中含有碳酸钠：____________（要求有试剂、现象和操作）。

（二）设计说明

本试题主要以“宏观辨识与微观探析”“证据推理与模型认知”“科学探究与创新意识”的化学学科核心素养为测试宗旨，以“可呼吸” $Na\text{-}CO_2$ 电池的组成和反应为测试载体，设置钠的储存、钠的性质及其应用、安全性等基于实际问题的测试任务，要求学生能从元素、原子和分子水平认识物质的结构、性质和变化，形成“结构决定性质，性质决定应用”的学科思想。所有试题均对应学科能力表现性目标，反映了上述测试宗旨的要求。具体如表 4-6 所示。

表 4-6　评价说明和评分标准（总分 14 分）

试题编号	学科能力要素	认识能力	分值	标准答案及评分标准
1	A2 概括关联：能够建立钠及其化合物物质类别、化合价、性质、反应现象及应用的联系	2 分：能说出钠原子的结构、钠的性质及应用，能准确描述钠与氧气的反应（系统水平） 0 分：无法将钠的知识迁移到实际应用（孤立水平）	2 分	2 分：D 0 分：其他选项
2(1)	A3 说明论证：能从理论分析说明钠的主要性质 B1 分析解释：能利用钠及其化合物的性质和转化关系，分析解释相关实验现象及在生产、生活中的应用	2 分：能从化合价角度分析陌生含钠元素物质反应的性质（结构—性质，系统水平） 1 分：对氧化还原反应中的部分概念不清晰（结构—性质，系统水平） 0 分：无法准确区分氧化还原反应中的相关概念（欠缺）	2 分	2 分：Na，C 两个答案都对 1 分：Na，C 只对一个答案 0 分：其他答案
2(2)	A1 辨识记忆：能用离子方程式表示钠的主要化学性质	2 分：能准确书写钠与水的离子方程式（宏观—微观） 1 分：能准确写出钠与水的离子方程式的反应物和生成物，未配平（孤立水平） 0 分：无法准确书写钠与水的离子方程式（欠缺）	2 分	2 分：$2Na + 2H_2O \xlongequal{} 2Na^+ + 2OH^- + H_2\uparrow$ 1 分：$Na + H_2O \xlongequal{} Na^+ + OH^- + H_2\uparrow$ 0 分：无法回答，或化学式书写错误

续表

试题编号	学科能力要素	认识能力	分值	标准答案及评分标准
2(3)	C1 复杂推理：能从类别通性、氧化还原等认识角度，利用物质性质解决生产、生活中的实际问题	3～4 分：能够结合钠的性质提出合理的应用方案（性质—应用，系统水平） 1～2 分：能大致结合钠的性质提出简单方案，但不完整（性质—应用，系统水平） 0 分：无法回答或有科学性错误（欠缺）	4 分	4 分：金属钠暴露在空气中会迅速与 O_2 和水蒸气反应生成氢氧化钠和氢气，可能引发爆炸或火灾；确保自身安全的情况下，立即用干燥的沙土覆盖，然后使用干燥的工具将覆盖了沙土的钠收集到合适的密闭容器中转交给专业部门 （评分标准参考认识能力）
2(4)	B2 推理预测：能从物质类别角度，预测陌生含钠元素物质的性质、相关反应的实验现象 B3 简单设计：能结合钠及其化合物的性质和转化关系，设计对含钠元素物质的分离、检测、制备等简单任务的方案	4 分：可以设计完整方案（系统水平） 1～3 分：可以设计实验方案，但不完整（孤立水平） 0 分：无法设计规范的实验方案（欠缺）	4 分	4 分：取少量碳棒上的生成产物于试管中，加水溶解、静置。用洁净的铂丝蘸取上层清液进行焰色试验，若火焰呈黄色，证明有钠离子；另取上层清液少许滴加盐酸（氯化钙溶液），有气泡生成（有白色沉淀产生），证明生成产物中有 Na_2CO_3 1～3 分：取少量碳棒上的生成产物于试管中，加水溶解，滴加盐酸（氯化钙溶液），有气泡生成（有白色沉淀产生），证明生成产物中有 Na_2CO_3 0 分：无法回答

（三）效果分析

收集答卷 100 份，能力对应的平均得分情况如表 4-7 所示。

表 4-7　评分结果

学科能力	试题编号	分值	平均分	得分率
A1	2(2)	2	1.48	74.0%
A2	1	2	1.9	95.0%
A3	2(1)	1	0.96	96.0%
B1	2(1)	1	0.97	97.0%
B2	2(4)	2	0.91	45.5%
B3	2(4)	2	0.86	43.0%
C1	2(3)	4	1.26	31.5%

通过数据分析可见，学生学习理解能力（A1、A2、A3）和应用实践能力（B1）水平普遍较高，借助之前所学习的“离子反应”和“氧化还原反应”知识，通过课堂对钠的性质及其在生产、生活中应用的针对学习，学生掌握情况良好。而针对应用实践能力（B2、B3）和迁移创新能力（C1）的试题得分率不高，大部分学生尚有欠缺。这部分试题既考查了学生对基础知识的掌握情况，也考查了学生思考问题的严谨性和科学性。值得注意的是，对应 B2、B3、C1 能力的试题得分率较低，原因主要在于面对开放试题，学生思考问题不够全面，孤立地罗列理论知识，这提醒教师在教学中需要进一步帮助学生建立“结构—性质—应

用”的认识思路，让学生能综合运用知识，突破“碎片化答题”的局限，真正提升学科能力。

二、教学反思

本课例依据学科能力理论，通过“创设情境—猜测性质—实验验证—归纳总结”的流程展开教学。围绕“钠及其化合物在生产和生活中的应用”的情境主题，遵循从宏观辨识到微观结构、从物质类别到元素价态的认识角度，“结构—性质—应用”的认识思路，从碱金属热消融法治疗肿瘤和生产、生活中含钠元素化合物的应用两个方面，落实了对钠及其化合物知识的教学。教学实践表明，多数学生在A1、A2、A3和B1能力方面得到了较好发展，应用实践能力（B2、B3）和迁移创新能力（C1）尚有欠缺。通过对钠与盐溶液反应的实验探究的分析发现，学生无法将钠与水反应、氢氧化钠与硫酸铜反应等零散的化学知识进行整合形成结构化的知识结构，进而进行推理预测；通过对测评试题的深入分析发现，学生无法灵活应用知识到实际生活情境中，同时在实验方案设计时缺乏思维的系统性和科学的严谨性。在今后的教学中，教师应该深化知识理解与应用、强化实验探究、促进知识迁移，帮助学生实现从知识学习到学科能力发展的进阶，最终形成结构化的学科认识体系，提升解决真实复杂问题的能力。

参考文献

[1] 中华人民共和国教育部．普通高中化学课程标准（2017年版2020年修订）[S]．北京：人民教育出版社，2020：15-20，23-27，65-67.

[2] 王晶，周业虹．普通高中化学教科书教师教学用书：化学（必修　第一册）[M]．北京：人民教育出版社，2019：40-44.

[3] 王磊，支瑶．化学学科能力及其表现研究[J]．教育学报，2016（4）：46-56.

[4] 周淑晶，倪梦，张慧敏，等．培养化学高阶思维的“钠及其化合物”教学[J]．中学化学教学参考，2024（23）：13-17.

[5] 边静．推进深度学习的“钠及其化合物”教学设计[J]．中学化学教学参考，2023（36）：20-22.

[6] 叶炜华，吴小辉．“教、学、评”一体化理念下的教学实践——以“钠及其化合物”为例[J]．中学化学教学参考，2024（16）：12-17.

[7] 江思达，陈懂，李雪冬，等．HYG TC-Ⅰ型热化学消融系统对碱金属消融剂的精确控制[J]．中国医疗设备，2017，32（07）：18-20，67.

[8] 卞海燕，程萍．基于真实问题情境的课堂教学——以金属钠的性质与制备为例[J]．化学教育（中英文），2021，42（23）：57-61.

[9] 王会展，吴君磊．吸管取钠：有关钠的实验可视化改进[J]．中学化学教学参考，2024（25）：45-47.

[10] 王星乔，滕瑛巧，包朝龙．促进教学内容结构化的化学教学——以人教版新教材“活泼的金属单质——钠”教学为例[J]．化学教与学，2021（05）：63-67，83.

丁一风（慈溪市横河中学　浙江宁波）

第 5 单元
氯及其化合物

目标研制

一、课标研读

（一）内容要求和学业要求

“氯及其化合物”教学单元为《普通高中化学课程标准（2017 年版 2020 年修订）》必修课程主题 2 中的内容，课标相应内容要求和学业要求如表 5-1 所示。

表 5-1 “氯及其化合物”教学单元的课标内容要求和学业要求[1]

内容要求	学业要求
2.1 元素与性质 认识元素可以组成不同种类的物质，根据物质的组成和性质可以对物质进行分类；同类物质具有相似的性质，一定条件下各类物质可以相互转化；认识元素在物质中可以具有不同价态，可通过氧化还原反应实现含有不同价态同种元素的物质的相互转化 2.5 非金属及其化合物 结合真实情境中的应用实例或通过实验探究，了解氯、氮、硫及其重要化合物的主要性质，认识这些物质在生产中的应用和对生态环境的影响 2.6 物质性质及物质转化的价值 结合实例认识金属、非金属及其化合物的多样性，了解通过化学反应可以探索物质性质、实现物质转化，认识物质及其转化在促进社会文明进步、自然资源综合利用和环境保护中的重要价值	1. 能依据物质类别和元素价态列举某种元素的典型代表物 2. 能列举、描述、辨识典型物质重要的物理和化学性质及实验现象。能用化学方程式、离子方程式正确表示典型物质的主要化学性质 3. 能从物质类别、元素价态的角度，依据复分解反应和氧化还原反应原理，预测物质的化学性质和变化，设计实验进行初步验证，并能分析、解释有关实验现象 4. 能利用典型代表物的性质和反应，设计常见物质制备、分离、提纯、检验等简单任务的方案。能从物质类别和元素价态变化的视角说明物质的转化路径 5. 能根据物质的性质分析实验室、生产、生活及环境中的某些常见问题，说明妥善保存、合理使用化学品的常见方法 6. 能说明常见元素及其化合物的应用（如金属冶炼、合成氨等）对社会发展的价值、对环境的影响。能有意识运用所学的知识或寻求相关证据参与社会性议题的讨论（如酸雨和雾霾防治、水体保护、食品安全等）

注：数字序号即课标中相应序号。

可见，课标中对“氯及其化合物”的内容要求侧重于非金属元素与化合物的性质，以及物质转化的重要价值。学业要求则对“辨识”“说明”“设计”“分析”等学科能力具体表现提出了要求。通过直接摘录、删繁就简、合并关联、增补解构等方法，可以得到该教学单元课标优化后的要求，如表 5-2 所示。

表 5-2 “氯及其化合物”教学单元课标优化后的要求[1]

优化后的要求
（原内容要求 2.1）能从元素价态、物质类别等角度概括常见含氯物质之间的相互转化关系，画出转化图（增补解构） （原内容要求 2.5、2.6）可以列举氯及其化合物的性质以及在生产生活中的重要应用与价值（合并关联）
（原学业要求 1）能依据物质类别和元素价态列举氯元素的典型代表物（直接摘录） （原学业要求 2）可以说出氯气及其化合物的物理、化学性质和反应的实验现象，能指出反应类型并书写相关方程式（增补解构） （原学业要求 3）能从物质类别、元素价态的角度，依据复分解反应和氧化还原反应原理，预测含氯物质的化学性质和变化（删繁就简） （原学业要求 4）设计 Cl^- 检验及氯水成分检验方案，并进行实验探究；能够结合实验装置（如氯气的实验室制法）分析不同试剂、仪器选择的理由，并形成气体制备的基本思路（增补解构） （原学业要求 5）能根据含氯物质的性质分析实验室、生产、生活以及环境中的某些常见问题，说明妥善保存、合理使用化学品的常见方法（增补解构） （原学业要求 6）能够联系所学化学知识，说明含氯物质的基本用途以及存在的健康隐患、水体危害，开展社会性议题的讨论与解决（删繁就简）

（二）学业质量水平

课标学业质量水平与“氯及其化合物”教学单元的相关要求对应关系如表 5-3 所示。

表 5-3 “氯及其化合物”教学单元的学业质量水平

学业质量水平描述[1]	针对本教学单元内容的具体表现
1-1 能运用原子结构模型说明典型非金属元素的性质	1-1 能画出氯原子（离子）的结构示意图，能运用原子结构模型说明氯元素具有较强的非金属性
1-3 能依据化学问题解决的需要，选择常见的实验仪器、装置和试剂，完成简单的物质性质、物质制备、物质检验等实验；能与同伴合作进行实验探究，如实观察、记录实验现象，能根据实验现象形成初步结论	1-3 能结合氯气的实验室制法分析选择不同装置、试剂、仪器的理由；能进行氯离子检验和氯水成分探究
2-1 能从不同视角对典型的物质及其主要变化进行分类；能从构成物质的微粒等方面说明常见物质的主要性质，能分析物质性质与用途的关系	2-1 能基于价态、类别二维视角说出氯气及其化合物的物理、化学性质；能结合原子（离子）结构分析、解释相关实验现象以及在生产、生活中的应用，能妥善保存、合理使用相关物质
2-2 能设计物质转化的方案，能运用化学符号表征物质的转化	2-2 能从元素价态、物质类别等角度概括常见含氯物质之间的相互转化关系，画出转化图，并写出相应的化学方程式
2-3 能通过实验探究物质的性质和变化规律；能收集和表述实验证据，基于实验事实得出结论	2-3 能够从实验现象、经验事实、文献资料等途径获取证据，说明氯气及其化合物的性质；能通过不同的现象知道氯气具有氧化性；能设计实验探究氯水成分
3-4 能运用化学原理和方法解释或解决生产、生活中与化学相关的一些实际问题	3-4 能说明漂白粉失效的原理，会以符号进行表征；科学使用含氯消毒剂等

注：数字序号即课标中相应序号。

二、教材解读

在人教版高中化学必修教材（2019 年版）第二章第二节“氯及其化合物”中，通过对氯气的性质、氯气的实验室制法以及氯离子的检验等显性知识（图 5-1）的介绍，建立“微观—宏观”的认识视角以及“性质—转化”的认识思路，凸显出从特殊到一般、物质到元素的认知进阶，进而形成研究物质的一般思路与方法。本章节以不同价态物质间的转化为线索，设置大量的实验探究活动，引导学生在实验探究中开展知识建构与意义学习；同时呈现大量的图片、素材与情境，让学生在感性认识中加深理性理解，在“方法导引”“科学 · 技术 · 社会”“资料卡片”“化学与职业”等栏目的学习中，实现课标对能力表现的具体要求。

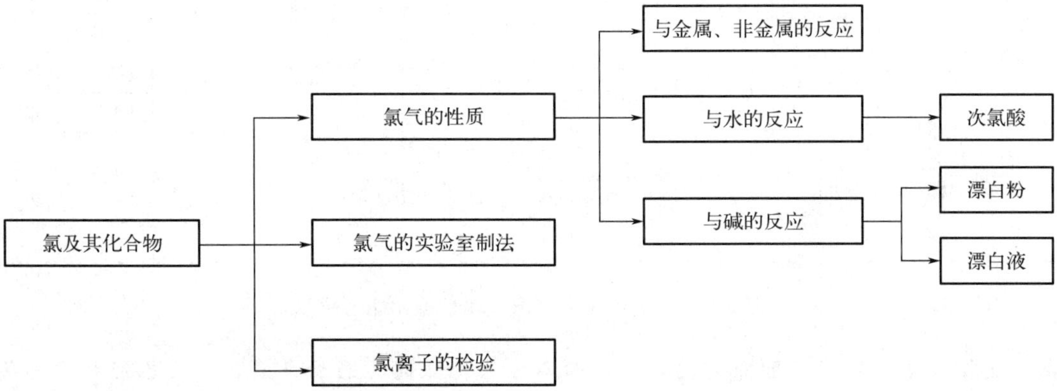

图 5-1　“氯及其化合物”教学单元内容

三、能力模型建构

通过课标研读和教材分析，可以确立相关主题的知识基础、研究对象和化学问题、学科认识方式，从而构建该教学单元的学科能力模型（图 5-2）[2]。例如，该教学单元核心知识是氯及其化合物，认识角度是宏观与微观、价态与类别通性，认识思路是分析结构—预测性质—实验验证—符号表征—关联结构、性质与用途，学科思想为结构决定性质，性质决定用途。研究对象和化学问题主要包括氯气的性质与应用、次氯酸及次氯酸盐的性质与应用、氯气的制法、氯离子的检验。

四、课程资源分析

在实际教学过程中，能力目标的实现还受到授课类型、学生学情、教学资源等客观因素的影响。

（一）授课类型

本节课的授课类型为新授课。

（二）学情分析

已有基础：从知识层面来看，学生已经学习了“钠及其化合物”，对于从结构角度研究物质的性质与用途有了基本的了解，也学过了氧化还原相关理论，知道氧化还原反应的基本

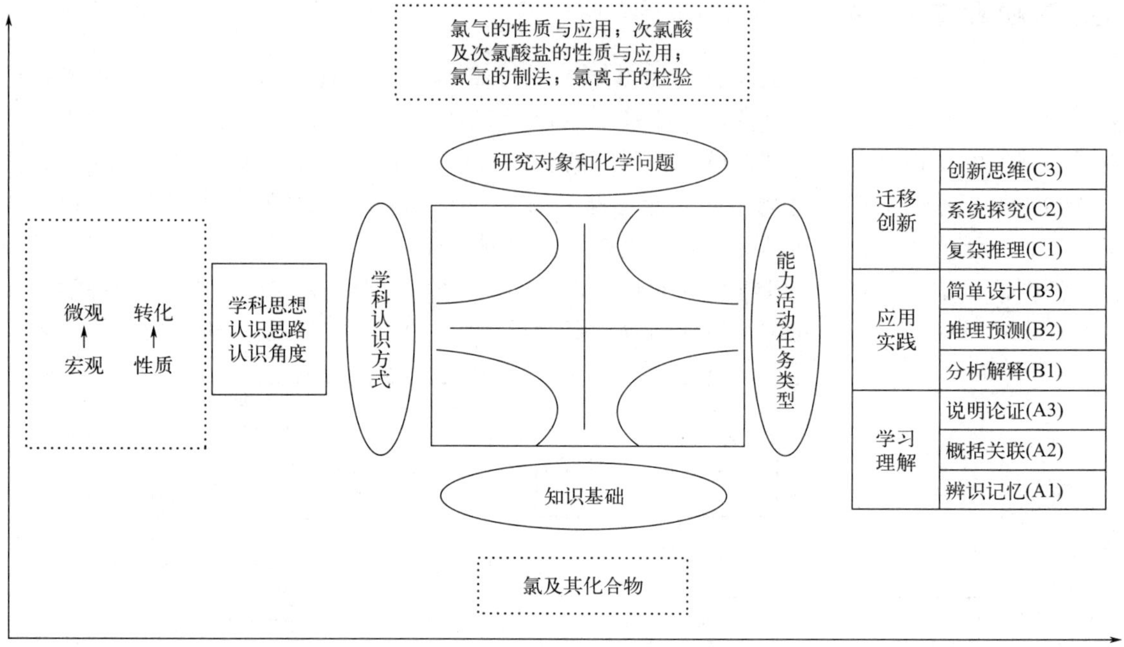

图 5-2 “氯及其化合物”教学单元能力模型

特点，还粗浅地学习了实验探究的一般思路与方法；从能力层面来看，学生已经初步具备了实验操作技能，对一般的探究实验的开展有基本的动手实践能力、观察与描述实验的能力，同时，经过“钠及其化合物”的学习，迁移应用能力逐渐提升；从心理层面上看，学生好奇心强，对于未知事物探索兴趣浓厚，感性思维活跃，尤其对实验开展与探究表现出无比的向往与喜爱。

潜在困难：学生理性思维较为薄弱，对于隐藏在现象背后的本质原因缺乏分析与判断能力；知识系统化、结构化水平不够高，不能很好地以俯瞰视角综合分析、处理问题，应用迁移水平不高；动手能力不是很强，尤其是在开展实验探究过程中，药品的选择、剂量、滴加顺序等问题仍然是学生需要进一步提升的点。

（三）教学资源

学科能力目标的实现还依赖于学校资源的支持，学科能力目标的制定需考虑教学资源因素。本节课的学科能力表现性目标制定要求授课学校提供氯气、稀 HNO_3 溶液、$AgNO_3$ 溶液、紫色石蕊试液、pH 试纸等实验药品，试管、表面皿、玻璃棒、胶头滴管等实验仪器，以及电子白板投影设备等硬件设施。

五、表现性目标制定

将学科能力模型中 4 个维度进行连接组合，再结合学生学情、授课类型、教学资源等客观因素，制定了“氯及其化合物”主题学科能力表现性目标，如表 5-4 所示。

表 5-4 “氯及其化合物”教学单元学科能力表现性目标

能力要素		表现性目标
A 学习理解能力	A1 辨识记忆	能画出氯原子(离子)的结构示意图;能说出氯气及其化合物的物理、化学性质和反应的实验现象,能指出反应类型并书写相关方程式;能列举氯及其化合物在生产、生活中的重要应用
	A2 概括关联	能比较不同含氯物质之间的组成、价态和性质之间的差异;能从元素价态、物质类别等角度概括常见含氯物质之间的相互转化关系,画出转化图
	A3 说明论证	能运用原子结构模型说明氯元素的性质;能从实验现象、经验事实、文献资料等途径获取证据,说明氯气及其化合物的性质
B 应用实践能力	B1 分析解释	能结合实验装置(如氯气的实验室制法)分析不同试剂、仪器选择的理由,并形成气体制备的基本思路;能结合原子(离子)结构等分析、解释相关实验现象以及在生产、生活中的应用,能妥善保存、合理使用相关物质
	B2 推理预测	能从物质类别、元素价态的角度,依据复分解反应和氧化还原反应原理,预测含氯物质的化学性质和变化,书写简单反应化学方程式
	B3 简单设计	能根据物质的特征反应设计实验进行物质鉴别、检验(如检验氯水的成分)、保存(如漂白粉保存不当会失效)、分离、提纯;能结合已知信息和反应规律简单设计物质合成路线
C 迁移创新能力	C1 复杂推理	能从主要含氯物质及其性质的角度对有关能源、材料、饮食、健康、环境、职业等实际问题进行分析、讨论和评价
	C2 系统探究	—(新授课暂不要求)
	C3 创新思维	—(新授课暂不要求)

教学设计

一、教学现状

本课时为人教版高中化学必修教材(2019 年版)第二章第二节“氯及其化合物”的新授课[3]。该内容是高中元素化合物模块的重要组成部分。

“氯及其化合物”与生产、生活联系密切,不仅蕴含着丰富的学科知识,还包含着构建研究元素化合物的方法和思路,承载着丰厚的教学价值与育人价值。经文献查阅,目前该章节的教学呈现多样化局面,主要有两种思路:一是基于某种教学模式,打破课时局限,将学科内容进行串联整合,设计大单元教学,以此实现学科核心素养的培养[4];二是以核心素养为导向,创设真实情境,通过实验探究等多种途径,落实素养为本的课堂教学[5]。

二、教学思路

教学流程如图 5-3 所示。

（一）创设真实问题情境

本课例选择自来水中余氯探讨、含氯消毒剂的发展史为真实情境主题，主要原因有三点。①密切联系生活实际：自来水的消毒以及含氯消毒剂的选用是民生问题，关系到人们的身体健康，学生以此作为学习情境，熟悉且接纳度高。②蕴含丰富的学科知识：可以通过探究焦“氯”原因、寻找除“氯”方法、开展多“氯”检测、认识 Cl_2 制取的流程等任务关联“氯及其化合物”相关教学内容。③激发学习兴趣：基于生活化背景，设计多个探究实验，充分调动学生的参与度，提高学习兴趣。

情境线索	任务线索	问题线索	活动线索	知识线索	能力线索	
自来水中的余氯	探讨焦“氯”原因	① Cl_2 注入自来水，网友为何焦虑？ ② Cl_2 与水反应生成什么？ ③如何验证 Cl_2 与水发生了反应？	①观察 Cl_2 的形态，嗅闻气味。 ②书写转化方程式进行表征。 ③设计“氯水成分探究”的实验方案并实施。	Cl_2 的物理性质 氯水的成分 氯离子的检验	A1、B2、B3	课时一
	寻找除“氯”方法	①为何可用阳光暴晒法除余氯？ ②根据图像，说明新制氯水与久置氯水的区别。	①多角度分析余氯含量变化的原因。 ②结合科研结果，说明论证。	久置氯水的成分 HClO的不稳定性	A3、B2	
	开展多“氯”检测	如何检验自来水中的余氯是否超标？	动手检测余氯含量。	含氯物质的性质 氯离子的性质	A3	
氯气制备的发展史	探究 Cl_2 的化学性质	①钢瓶贮存 Cl_2，是否就说明 Cl_2 与Fe不会反应？ ②请从结构角度说明 Cl_2 性质。 ③燃烧反应是否需要 O_2 参与？其本质是什么？	①实验探究Fe、Cu、Na、H_2 与 Cl_2 的反应。 ②画出结构示意图予以说明。 ③比较燃烧反应的特点，概括其本质。	Cl_2 的化学性质 氯原子结构示意图 燃烧反应的特点及本质	A1、A2、A3	课时二
	梳理 Cl_2 制取的发展史	①结合氯元素价态体系，从价态转化角度思考如何获得 Cl_2。 ②根据化学史实，写出 MnO_2 与 Cl_2 的反应方程式，并以双线桥标明电子得失情况。 ③如何选择合适装置制取、收集 Cl_2？	①分析价态，选择含Mn、Cl元素物质组合制取 Cl_2。 ②符号表征并加以说明电子得失情况。 ③根据反应原理、物质性质等分析原因。	氧化还原反应原理 Cl_2 的物理性质 Cl_2 的化学性质	B2、B3	
	建构气体制备认知模型	①综合各因素考量，完善实验室制取 Cl_2 装置组合。 ②梳理气体制备一般思路，建构认知模型。	学习并形成实验室气体制备的基本思路。	气体制备认知模型	B1、A2	

图 5-3 教学流程

（二）设计能力评价任务

依据上述确立的学科能力表现性目标，精心设计了多样化、梯度化的能力发展评价任务，体现对学科思维、学科认识视角和认识思路等的建立、诊断和发展。“氯及其化合物”的主题能力发展评价任务如表 5-5 所示。

表 5-5 “氯及其化合物”教学单元能力发展评价

序列	教学环节	评价任务	评价活动	能力要素	素养价值
1	探讨焦“氯”原因	探究氯气与水反应的微粒成分	小组合作，根据反应特点设计方案并进行实验探究，收集证据	A1、B2、B3	培养科学探究的学科思维
2	寻找除“氯”方法	说明与剖析方法	根据物质性质推测、说明方法的合理性	B2、A3	诊断并提升“性质—应用”的学科思维
3	开展多“氯”检测	开展定量实验	动手实验检测自来水中的余氯含量	A3	培养“绿色化学”“理论联系实际”的观念
4	探究 Cl_2 的化学性质	概括反应特点	演示实验，归纳反应规律	A1、A2、A3	建立“宏观微观相结合”的认识视角

续表

序列	教学环节	评价任务	评价活动	能力要素	素养价值
5	认识 Cl_2 制取基本流程	完善气体制备基本流程	根据反应特点、物质性质，选择合适的装置、试剂等，完善制备流程	B2、B3	发展结构化认识思路
6	建构气体制备认知模型	建构认知模型	总结出气体制备的一般规律	A2、B1	诊断并发展认知模型
7	回顾“含氯消毒剂”发展史	梳理发展史实	从文献资料中挖掘化学原理	A3	提升获取信息的能力
8	探究漂白粉的制备与性质	探究典型漂白剂	根据信息提示探究漂白粉的性质	B1、B2	建构认识思路（用途—性质—制备）
9	比较漂白液的制备与性质	探究典型漂白剂	根据信息提示探究漂白液的性质	A3、B2、B3、C1	迁移应用认识思路（性质—用途），培养创新性思维
10	绘制氯元素价类二维图	进行知识关联	开展绘制价类二维图活动	A2	提升知识与观念概括化水平

（三）选择教学策略

根据教学目标和教学内容，选择合适的教学策略。针对课时一内容，采取情境创设、推论预测、设计论证、合作讨论等教学策略，例如在氯水中微粒成分的探究环节，引导学生先进行预测，再进行方案设计并论证，体验科学研究的一般过程；针对课时二内容，主要采取展示交流、概括关联等教学策略，如通过引导学生结合反应的特点，完善氯气制备的基本流程，并概括形成一般规律，建立起气体制备的思维认知模型；针对课时三内容，则主要采取科学史实回顾、归纳总结等教学策略，如通过详细解析消毒剂发展科学史，完善物质转化路线，归纳出“氯及其化合物”的价类二维图，建构起“价态”“类别”的多维认识角度。

三、教学实录（第一课时）

【导入】2020 年 2 月 5 日，宁波市许多微信群里出现了一条信息：“刚刚自来水厂朋友来电话，非常时期，自来水在允许范围内加大了氯气的投入。”这则信息迅速激起人们热烈的讨论，随后市供排水集团自来水公司辟谣，止住了舆论的发酵。

任务一：探讨焦“氯”原因

【提问】①在水中加入 Cl_2 有何目的？②Cl_2 的过量加入为何会激起讨论？

【实物展示】装有 Cl_2 的塑料瓶。

【学生】仔细观察颜色、状态并以扇闻法感受味道。

【实验演示】将少量蒸馏水加到装满 Cl_2 的塑料瓶中，发现瓶子变瘪，溶液出现黄绿色。

【小结】Cl_2 的物理性质：黄绿色、有刺激性气味的有毒气体、能溶于水形成浅黄绿色的氯水、密度比空气大。

【过渡】由此，人们焦“氯”的原因在于氯气是一种有毒气体，会对身体健康造成威胁。自来水在管网运输过程中会繁殖大量的微生物，Cl_2 投入水中能有效抑制微生物的滋生，起到杀菌消毒的作用。

【资料卡片】含氯消毒剂与水经过一定时间的接触，与水中可氧化物质反应，剩余的氯量被称为余氯。余氯的存在形式为游离性余氯和化合性余氯[6]。游离氯通常以次氯酸（HClO）、次氯酸根（ClO^-）或溶解性单质氯（Cl_2）形式存在[7]。

【提问】Cl_2 与水只是溶解，还是发生了反应？若会反应，请写出反应方程式并简要说明反应的特点。

【学生】$Cl_2+H_2O \xlongequal{} HCl+HClO$（歧化反应）。

【追问】何以证明发生了反应？请设计实验方案加以证明。

【学生】交流讨论形成如表 5-6 所示的结果。

表 5-6　学生讨论结果汇总表

学生	微粒	方案	现象	评价
1	H^+	以 pH 试纸测氯水 pH	试纸上呈现出 pH<7 的颜色	教师点评：体现的是酸的通性
2		在氯水中滴入几滴紫色石蕊试液，观察颜色	溶液变红	
3		在氯水中加入少量铁粉，观察有无气泡生成	产生气泡	
4	Cl^-	加入 $AgNO_3$ 溶液，观察有无白色沉淀生成	产生白色沉淀	其他学生质疑：AgClO 可能是一种沉淀，会干扰检验；教师点评：在酸性条件下，AgClO 不稳定，会转化成 AgCl。若有干扰，也可证明 Cl_2 与水会发生反应，而不只是溶解。根据上述讨论，最终得出 Cl^- 的检出试剂为 HNO_3 酸化的 $AgNO_3$ 溶液

【活动】提供药品：氯水、铁粉、pH 试纸、紫色石蕊试液；提供仪器：试管若干、表面皿、玻璃棒、胶头滴管等。分组开展实验，观察实验现象，得出结论。

【小组 1 汇报】试管中产生白色沉淀。

【小组 2 汇报】加入铁粉，观察到产生了少量气泡。

【小组 3 汇报】pH 试纸先变红色后褪色；紫色石蕊试液部分变红、部分褪色。

【小结】这表明氯水中确实存在 Cl^-、H^+，另外还存在着一种物质具有漂白性。

【追问】这种漂白性物质可能是什么？

【学生】提出假设：从反应方程式来看，是 Cl_2 或者 HClO。

【教师】如何验证？

【学生】设计方案：①将 pH 试纸放入装有干燥氯气的集气瓶中；②将湿润的 pH 试纸放入装有干燥氯气的集气瓶中。观察实验现象。

【活动】描述并记录现象：干燥的 pH 试纸不变色，湿润的 pH 试纸变色，证明起漂白作用的是 HClO。

【教师】能否从化合价等角度进一步说明 HClO 的性质？

【学生】HClO 中氯元素化合价为+1 价，可降低为−1 价，具有强氧化性。此外 HClO 可以电离，产生 H^+，具有酸性。

【小结】Cl_2 与水的反应实际上是一个可逆体系（$Cl_2+H_2O \rightleftharpoons H^+ + Cl^- + HClO$）。

前面观察到的氯水呈浅黄绿色的原因是溶有少量未反应完的氯气。因此氯水溶液中存在三种分子（H_2O、Cl_2、HClO）、四种离子（H^+、Cl^-、ClO^-、OH^-）。

学习评价：在“探讨焦‘氯’原因”的任务中，多数学生能够对氯气的物理性质进行准确全面的描述与认识，具备了A1学科能力。但有一些学生对于氯水中微粒的预测及实验方案设计表现出明显的不适应，科学探究的素养还有欠缺，B2、B3学科能力有待提高。

任务二：寻找除“氯”方法

【资料卡片】氯对致病性微生物有很强的灭活作用，但经过处理后的水中含有余氯，对饮用水口感、人体健康、食品饮料品质等会造成影响和危害[8]。

【提问】根据氯水中含氯微粒，思考可以采用什么方法降低氯气的含量，并阐明理由。

【学生】可以采用阳光暴晒法，因为 Cl_2 在水中溶解度随温度升高而降低。

【追问】阳光照射或高温处理除了影响 Cl_2 的溶解度外还会影响什么？

【资料卡片】有科研工作者对HClO光照分解的产物进行了数字化探究实验，结果如图5-4所示[3]。

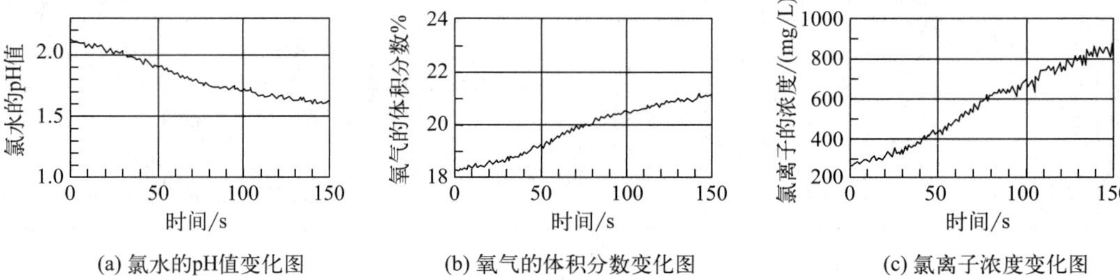

图5-4　分解产物变化图

【提问】请根据图像分析得出结论，并以化学方程式表示。

【学生】随着时间推移，溶液pH下降，酸性增强：$2HClO \xlongequal{光照} 2HCl + O_2\uparrow$。

【教师】这也就说明阳光照射下，HClO的含量也会发生变化。由此，大家能否说出新制取氯水与久置氯水中微粒种类的区别。

【学生】分析形成结论。久置氯水：H_2O、H^+、Cl^-、OH^-；新制氯水：三种分子、四种离子。

【教师】刚放出来的自来水带有浓烈的味道，原因在于一些含氯物质的影响。

学习评价：在“寻找除‘氯’方法”任务中，学生能够很好地对光照条件下氯水微粒的变化作出全面、系统的说明，具备了A3学科能力。少部分学生面对除氯方法的选择时，不能给出恰当的理由进行性质的推理与预测，B2学科能力发展仍有较大空间。

任务三：开展多“氯”检测

【资料卡片】我国《生活饮用水卫生标准》（GB 5749—2022）[9] 明确规定，出厂水余氯

（游离氯）含量不低于 0.3mg/L，管网末梢余氯含量不低于 0.05mg/L。

【提问】如何知道日常使用的自来水余氯含量是否达标？能否定性或定量检测？

【实验探究】以网购余氯试纸开展实验：阅读说明书上的步骤，检测自来水中余氯含量是否达标。

【学生】思考交流、实验探究并汇报结果。

【拓展】除了这种定量检测方法之外，还可以采用硝酸银滴定法测定余氯量（化合性余氯和游离性余氯），请大家课后查阅相关资料，深入探究。

学习评价： 学生以小组合作的形式开展自来水中余氯检测，并按照标准判断含量是否达标，在探究过程中学生主动积极，气氛热烈，发展了 A3 学科能力。

四、板书设计

板书设计如图 5-5 所示。

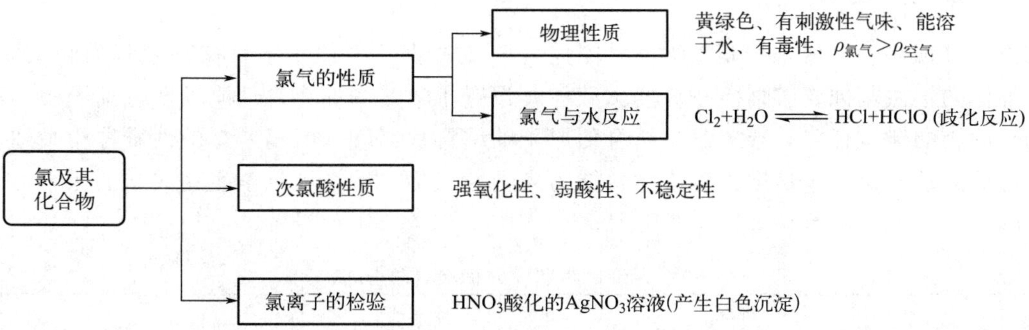

图 5-5 “氯及其化合物”（第一课时）结构化板书设计

教学评价

一、教学效果

（一）测评试题

氯气（Cl_2）干法刻蚀是半导体制造中的关键技术，其完整的工艺流程包括前处理、等离子体刻蚀、过刻蚀和后处理。其中，等离子体刻蚀是指将晶圆放入刻蚀设备的反应腔中，抽真空后通入适量的 Cl_2，同时施加射频电场，使 Cl_2 形成等离子体，再与晶圆表面的材料发生反应，实现刻蚀。请回答下列问题：

1. 用于干法刻蚀的 Cl_2 常被储存在干燥的钢瓶中，这体现了 Cl_2 的________性质。（填“易液化”“密度比空气大”或“有刺激性气味”）

2. 在生产过程中，Cl_2 的泄漏会造成重大安全事故。下列选项中能大量吸收 Cl_2 的是________。

A. NaOH 溶液　　　B. 浓 Na_2CO_3 溶液　　　C. 饱和食盐水　　D. 澄清石灰水

3. 刻蚀过程中，主要发生如下反应：$Si + 2Cl_2 \xlongequal{\text{一定条件}} SiCl_4$，请从原子结构的角度说明 Cl_2 在该反应中所体现的性质。

---

4. 在刻蚀过程中，如果 Cl_2 的流量过大，可能会引起产品刻蚀不均匀，通入辅助气体 H_2 可以有效解决问题。请结合化学方程式分析加入 H_2 的作用。

---

5. Cl_2 能刻蚀半导体 SiC，在高温条件下，两者发生反应生成两种氯化物气体，请写出相应的化学方程式。

---

6. 在半导体工艺中，晶圆表面 Cl^- 污染可能会影响器件性能与可靠性。请设计实验方案检验晶圆表面残留的 Cl^-。

（二）设计说明

以“宏观辨识与微观探析”“科学探究与创新意识”的化学学科核心素养为测试宗旨，以半导体的干法刻蚀真实情境作为测试载体，设置了氯气的储存、性质以及氯离子检测等基于实际问题的测试任务，要求学生结合氯原子的结构、氯气（氯离子）的性质等相关知识解决相应的问题。每一个试题均对应学科能力表现性目标，旨在评价学生完成本节课学习后相应的学科能力水平。具体如表 5-7 所示。

表 5-7　评价说明和评分标准（总分 12 分）

试题编号	学科能力要素	认识能力	分值	标准答案及评分标准
1	A1 辨识记忆：能说出氯气及其化合物的物理、化学性质和反应的实验现象	2 分：能正确辨识出物质的性质（系统水平） 0 分：无法正确辨识出物质的性质（孤立水平）	2 分	2 分：填“易液化” 0 分：填“密度比空气大”或“有刺激性气味”
2	A2 概括关联：能比较不同含氯物质之间的组成、价态和性质之间的差异	2 分：能正确比较出不同物质性质的差异（系统水平） 1 分：能部分概括不同物质性质的差异（孤立水平） 0 分：不能正确比较出不同物质性质的差异（欠缺）	2 分	2 分：A、B 1 分：A 或 B 中的任意一个 0 分：其他答案
3	A3 说明论证：能运用原子结构模型说明氯元素的性质	2 分：能够正确进行符号表征，并建立起符号与宏观性质之间的关联（符号—宏观，系统水平） 1 分：能够正确进行符号表征，但无法建立起符号与宏观性质之间的关联（符号—宏观，孤立水平） 0 分：无法正确进行符号表征，也无法建立起符号与宏观性质之间的关联（欠缺）	2 分	2 分：Cl 的原子结构示意图为： 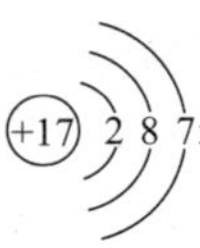 最外层电子数为 7，容易得到一个电子，因此 Cl_2 表现出极强的氧化性 1 分：能画出 Cl 的原子结构示意图，但无法得出氯气具有强氧化性的结论 0 分：无法画出 Cl 的原子结构示意图，也无法得出氯气具有强氧化性的结论

续表

试题编号	学科能力要素	认识能力	分值	标准答案及评分标准
4	B1分析解释：能结合原子（离子）结构等分析、解释相关实验现象以及在生产、生活中的应用	2分：能基于信息提示，结合化学方程式对可能存在的原因予以解释 1分：能正确书写化学方程式，但是无法根据信息提示，揭示操作背后的可能原因，无法建立因果关系 0分：无法结合化学方程式分析解释因果关系	2分	2分：$H_2+Cl_2 \xlongequal{一定条件} 2HCl$，加入$H_2$能与部分的$Cl_2$反应，起到稀释$Cl_2$浓度的作用 1分：$H_2+Cl_2 \xlongequal{一定条件} 2HCl$，但是无法结合题干信息给出合理解释 0分：无法结合化学方程式进行合理解释
5	B2推理预测：能预测含氯物质的化学性质和变化，书写简单反应化学方程式	2分：根据信息提示，正确书写化学方程式 0分：物质推断及符号表征能力有欠妥之处	2分	2分：$4Cl_2+SiC \xlongequal{高温} SiCl_4+CCl_4$ 0分：无法推断出物质，也无法书写出化学方程式
6	B3简单设计：能根据物质的特征反应设计实验进行物质检验	2分：能正确选择试剂，设计实验方案并能描述预期现象（系统水平） 1分：能进行简单的表述，试剂的选择以及预期现象的描述等有欠妥之处（孤立水平） 0分：无法设计方案或设计方案错误（孤立水平）	2分	2分：以过量稀硝酸溶液洗涤晶圆，并收集洗涤液于试管中，加入硝酸银溶液，若出现白色沉淀，则证明存在Cl^- 1分：只给出参考试剂（稀硝酸、$AgNO_3$溶液），未给出现象描述或现象描述基本正确 0分：无法给出设计方案或设计方案错误

（三）效果分析

收集答卷118份，能力对应的平均得分情况如表5-8所示。

表5-8　评分结果

学科能力	试题编号	分值	平均分	得分率
A1	1	2	1.69	84.7%
A2	2	2	0.76	38.1%
A3	3	2	0.37	18.6%
B1	4	2	1.00	50.0%
B2	5	2	1.80	89.8%
B3	6	2	1.37	68.6%

通过数据分析可知，学生的学习理解能力（A2、A3）水平普遍较低，这与试题本身的复杂程度以及学生对题目本身的理解能力有关，而指向低阶能力（A1）培养的试题，学生则表现出了较高的水平，反映出学生对于物质的性质、特点及现象具有较高的辨识能力；针对应用实践能力（B1、B2、B3）的试题得分率中等偏上，尤其是推理预测（B2）能力达到极高的水平。据批阅情况，学生普遍能写出化学反应方程式，但是难以结合方程式进行分析并解释内在的原因，原因在于学生未能结合题干中的关键信息，给出恰当的解释；而在面向简单设计（B3）能力的试题测验中，学生能正确写出检验试剂与实验现象，但是无法给出

合理的操作方案，导致得分率稍低。需要指出的是，对应 A2 能力的试题的得分极低，原因可能在于学生对物质性质之间差异的认识与应用还未形成系统的结构，这提示教师在教学中还需进一步帮助学生建立起物质性质之间的联系；而对应 A3 能力的试题得分最低，原因在于多数学生未能根据信息提示结合氯原子的结构示意图进行说明，提示教师在后续教学中还应着重提升学生的符号表征意识。

二、教学反思

本课例以自来水中余氯的探究与检测、氯气的实验室制法、含氯消毒剂的发展史为真实情境，涉及氯及多种化合物知识，是学习元素化合物模块内容的良好载体。课例中设计了梯度化、多样化的活动任务，全面覆盖由 A1～C1 学科能力要素所指向的表现性目标，学生在知识建构的同时，实现了学科能力的有效提升。

教学中，学生在探究氯水中微粒成分时，能够对其中的微粒组成作出大胆的猜测，但一些能力的培养也存在提升的空间。如 B3 能力目标，学生设计实验方案进行验证猜想存在一定程度的困难，难以给出合理的方案。同时，在实验操作过程中，多数学生表现得手忙脚乱，面对所提供的实验药品，无法准确选择，其探究思维与动手能力有待提高。学生在选择合适的含 Mn、Cl 元素物质制取 Cl_2 时，思维混乱，难以运用氧化还原基本理论作出选择，其 B3 能力仍需进一步强化。

由此，在今后的教学中，仍应充分重视学生的能力薄弱表现，多剖析教材上的经典实验，引导学生从原型实验中提炼思维方法，从操作中掌握实验技能，以促进简单设计能力提升。此外，还应强化学生化学方程式的书写训练，结合价态、类别等角度，帮助学生总结反应规律，理解反应本质，从而提升学习理解能力。

参考文献

[1] 中华人民共和国教育部．普通高中化学课程标准（2017 年版 2020 年修订）[S]．北京：人民教育出版社，2020：14-17，65-67.

[2] 王磊，支瑶．化学学科能力及其表现研究 [J]．教育学报，2016，12（04）：46-56.

[3] 王晶．普通高中教科书·化学（必修）第一册 [M]．北京：人民教育出版社，2019：41-48.

[4] 孙幸，黄劲嵩，李惠云，等．基于 HPS 教学模式的单元教学实践——以“氯及其化合物”单元为例 [J]．化学教学，2023（12）：48-54.

[5] 吴锶敏，钱扬义，黄琦，等．真实情境下素养为本的“氯及其化合物”教学——含氯消毒剂在自来水消毒中的应用 [J]．化学教育（中英文），2024，45（05）：85-90.

[6] 李佳臻．水中余氯检测方法与标准现状对比及方法改进 [J]．山西化工，2024，44（12）：80-82，85.

[7] 李亚红，周筝，赵小芳．我国水中余氯测定标准的对比分析 [J]．化工环保，2019，39（05）：496-505.

[8] 崔浩，何保华，钱艳峰，等．自来水中的余氯测试与处理研究进展 [J]．广州化工，2022，50（08）：7-9，14.

[9] 国家市场监督管理总局．生活饮用水卫生标准：GB 5749—2022 [S]．北京：中国标准出版社，2022.

王　磊（宁波市咸祥中学　浙江宁波）

第6单元

物质的量

目标研制

一、课标研读

（一）内容要求和学业要求

“物质的量”教学单元为《普通高中化学课程标准（2017年版2020年修订）》必修课程主题1中的内容，课标相应内容要求和学业要求如表6-1所示。

表6-1 “物质的量”教学单元的课标内容要求和学业要求[1]

内容要求	学业要求
1.1 化学科学的主要特征 了解物质的量及其相关物理量的含义和应用，体会定量研究对化学科学的重要作用 1.5 学生必做实验 配制一定物质的量浓度的溶液	3. 能运用实验基本操作实施实验方案，具有安全意识和环保意识。能观察并如实记录实验现象和数据，进行分析和推理，得出合理的结论 5. 能基于物质的量认识物质组成及其化学变化，运用物质的量、摩尔质量、气体摩尔体积、物质的量浓度之间的相互关系进行简单计算

注：数字序号即课标中相应序号。

可见，课标中对“物质的量”的内容要求侧重于帮助学生建立对物质的量相关概念的认知，体会定量研究在化学科学中的重要作用，强调学生必做实验的重要性。学业要求则对实验实施、实验结果分析处理、运用物质的量相关物理量进行转换计算等方面提出了具体要求。通过直接摘录、增补解构等方法，可以优化该教学单元的要求，如表6-2所示。

表6-2 “物质的量”教学单元课标优化后的要求[1]

优化后的要求
（原内容要求1.1）能通过物质的量相关物理量及单位的发展史，理解物质的量、摩尔质量、气体摩尔体积、阿伏加德罗常数、物质的量浓度等核心概念的定义、符号、单位及其相互关系。运用物质的量及其相关物理量的知识进行化学计算，运用定量研究的方法解决实际问题（增补解构） （原内容要求1.5）能动手配制一定物质的量浓度的溶液，并进行误差分析（直接摘录并增补解构）

续表

优化后的要求
（原学业要求 3）能配制一定物质的量浓度的溶液并能分析实验过程要注意的事项，能使用容量瓶，能进行误差分析（增补解构）
（原学业要求 5）能基于物质的量认识物质组成及其化学变化，运用物质的量、摩尔质量、气体摩尔体积、物质的量浓度之间的相互关系进行简单计算（直接摘录）

（二）学业质量水平

课标学业质量水平与“物质的量”教学单元的相关要求对应关系如表 6-3 所示。

表 6-3　“物质的量”教学单元的学业质量水平

学业质量水平描述[1]	针对本教学单元内容的具体表现
1-2　认识物质的量在化学定量研究中的重要作用，能结合实验或生产、生活中的实际数据，并应用物质的量计算物质的组成和物质转化过程中的质量关系	1-2　能根据对物质的量相关概念的理解处理真实情境中的数据，能分析物质的组成和物质转化过程中的定量关系，从而有效解决实际化学问题

注：数学序号即课标中相应序号。

二、教材解读

在人教版高中化学必修教材（2019 年版）第二章第三节“物质的量”中，通过对物质的量、摩尔质量、气体摩尔体积、影响气体体积大小的因素、物质的量浓度相关概念的理解和应用、配制一定物质的量浓度的溶液等显性知识的介绍，建立“定性—定量”“宏观—微观”的认识视角和“化学事实—构建模型—运用模型”的认识思路（图 6-1）。本教学单元内容体现了物质的量是化学学科的核心概念，也是连接宏观物质与微观粒子的桥梁，具有广泛的应用价值和重要的学科意义。

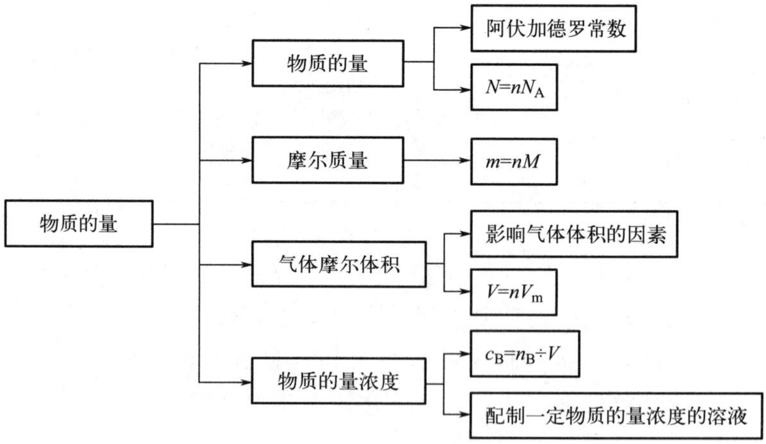

图 6-1　“物质的量”教学单元内容

三、能力模型建构

通过课标研读和教材分析，可以确定“物质的量”教学单元的核心知识是物质的量的定义、单位、计算公式以及其在化学计算中的应用。认识角度是建立宏观可测物理量与微观粒子数量之间的定量关系，实现化学计量从定性到定量的科学思维转变。认识思路是通过生活实例和化学事实感性认知物质的量，然后构建物质的量作为宏观与微观桥梁的概念模型，通过计算和情境关联运用模型。学科思想为量化思维，即运用数学方法和量化手段来分析和解决化学问题。研究对象和化学问题主要包括物质的量（n）、摩尔质量（M）、气体摩尔体积（V_m）、阿伏加德罗常数（N_A）、物质的量浓度（c_B）的定义、符号、单位及其相互关系。针对物质的量概念学习，可以侧重发展学生的学习理解能力；针对物质的量相关物理量的关联转化应用，可以侧重发展学生的应用实践能力和迁移创新能力。具体能力模型见图 6-2。

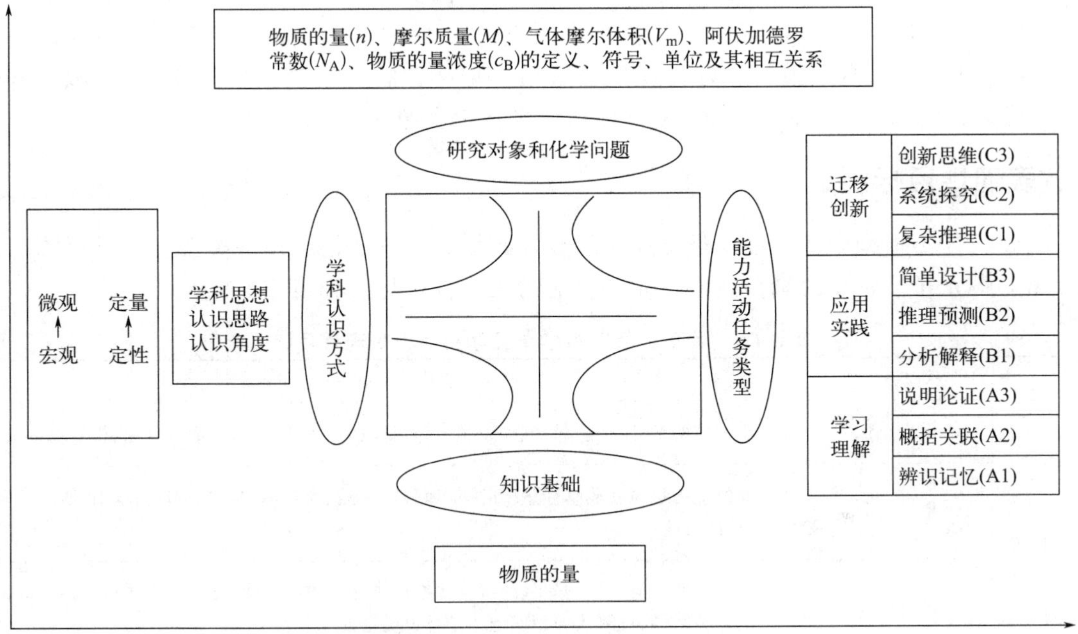

图 6-2 “物质的量”教学单元能力模型

四、课程资源分析

在实际教学过程中，能力目标的实现还受到授课类型、学生学情、教学资源等客观因素的影响。

（一）授课类型

本节课的授课类型为新授课。

（二）学情分析

已有基础：从知识层面来看，学生在初中阶段已能定量认识物质以及化学变化，熟悉常见物理量的单位和换算，能基于化学方程式进行质量计算，已认识质量守恒、原子守恒思想。从能力层面来看，学生具备数学计算与逻辑思维能力，能运用这些能力分析物质的微观与宏观关系，并有效处理相关题目信息，实现知识融合与应用。从心理层面来看，高一学生通常对新知识充满好奇心，具有稳定的自信心和积极的学习态度。他们能够努力克服遇到的学习挑战和困难。此外，学生已经形成了各自独特的学习策略和比较良好的学习习惯。

潜在困难：物质的量概念抽象且难以直观理解，物理量转换复杂多变易引发混淆与错误，同时要求学生具备较强的逻辑思维能力以处理复杂的化学计算与推理，能适应高中阶段更为严谨与高效的学习节奏。

（三）教学资源

学科能力目标的实现还依赖于学校资源的支持，学科能力目标的制定需考虑教学资源因素。本节课的学科能力表现性目标制定需要以下资源的支持和保障：教材资源及物质的量相关文献史料数据、实物演示资源（如模拟酸性污水、模拟中和剂等）、实验活动仪器（如pH计或pH试纸、电子天平、各种规格容量瓶、烧杯、胶头滴管、玻璃棒等）、试剂（如$FeCl_3$固体、蒸馏水或自来水等）、多媒体与信息技术资源。

五、表现性目标制定

将学科能力模型中4个维度进行连接组合，再结合学生学情、授课类型、教学资源等客观因素，制定了"物质的量"教学单元学科能力表现性目标，如表6-4所示。

表6-4 "物质的量"教学单元学科能力表现性目标

能力要素		表现性目标
A学习理解能力	A1 辨识记忆	能说出物质的量、摩尔质量、气体摩尔体积、物质的量浓度等物理量的概念、符号和单位
	A2 概括关联	能建立物质的量与其他物理量(如阿伏加德罗常数、摩尔质量、气体摩尔体积、物质的量浓度等)之间的联系
	A3 说明论证	能说明物质的量与其他物理量的定量转换规律；能说明溶质的质量分数和物质的量浓度之间的定量关系；能对阿伏加德罗定律进行说明论证
B应用实践能力	B1 分析解释	能分析化学反应中各物质变化量之间的定量关系；能从物质的量角度定量分析物质的组成和化学反应中的物质变化
	B2 推理预测	能根据给定的实验数据进行物质的量及其相关物理量的间接计算；能进行化学方程式的简单计算
	B3 简单设计	能设计配制一定物质的量浓度的溶液的实验；能基于物质的量核心概念及定量关系原理设计规范实验方案并验证假设
C迁移创新能力	C1 复杂推理	能在涉及多个变量和复杂条件的化学问题中，运用"物质的量"的知识进行逐步推理，分析各变量之间的关系及其对结果的影响
	C2 系统探究	—(新授课暂不要求)
	C3 创新思维	—(新授课暂不要求)

教学设计

一、教学现状

本教学单元为人教版高中化学必修教材（2019 年版）第二章第三节“物质的量”的新授课[2]。物质的量是化学核心概念，对帮助学生深化化学反应理解、掌握化学计算技能及构建化学知识体系至关重要，其教学效果受教材设计、教学方法、学生认知规律及评价方式等多重因素影响。当前教学实践[3-10]表明，随着教育理念革新与教学方法多元化，“物质的量”单元教学呈现出从碎片化到体系化、从讲授式到探究式、从单一学科到跨学科的转型特征，教师通过大概念整合、实验驱动、情境问题、信息技术融合及项目式学习等路径提升学生对物质的量的深层理解与应用，多元化教学模式不仅契合核心素养培养要求，也为抽象概念直观化教学提供了可借鉴的范式。然而，由于物质的量概念较为抽象，部分教师在教学创新上的不足，导致学生掌握程度不一，教学效果不均衡。

二、教学思路

（一）创设真实问题情境

本课例创设了“污水处理厂的水质调控与药剂配制”这一真实情境主题，主要原因有三点。①贴近生活引兴趣：污水处理与日常紧密相连，学生能直观感受抽象概念在现实中的应用，增强学习关联性与实用性，激发探究兴趣。②融合知识强实践：解决污水处理问题时，学生整合运用物质的量相关知识，构建宏观与微观知识体系，强化应用实践能力，促进深度理解与迁移运用。③模拟角色增认知：模拟污水处理技术员，代入职业场景，体验场景任务和挑战，增强对相关职业领域的认知（详见图 6-3）。

（二）设计能力评价任务

依据上述确立的学科能力表现性目标，精心设计了多样化、梯度化的能力发展评价任务，体现对学科思维、学科认识视角和认识思路等的建立、诊断和发展。具体见表 6-5。

（三）选择教学策略

根据教学目标和教学内容，选择合适的教学策略。针对物质的量概念学习（侧重发展学习理解能力），采用污水处理情境导入与实例解析结合策略，创设污水处理中和剂计量情境，借助生活与实验案例剖析物质的量和单位、阿伏加德罗常数及摩尔质量内涵，运用类比、对比方法构建概念框架，组织小组讨论，促进概念内化，强化抽象概念理解。针对物质的量相关物理量关联转化应用（侧重发展应用实践与迁移创新能力），设计任务驱动实践，以污水处理所需氢氧化钠的质量计算为主线，通过问题链驱动探究换算关系，用模拟实验验证公式应用，引导知识转化为解决问题的工具，培养实践创新与知识迁移能力。

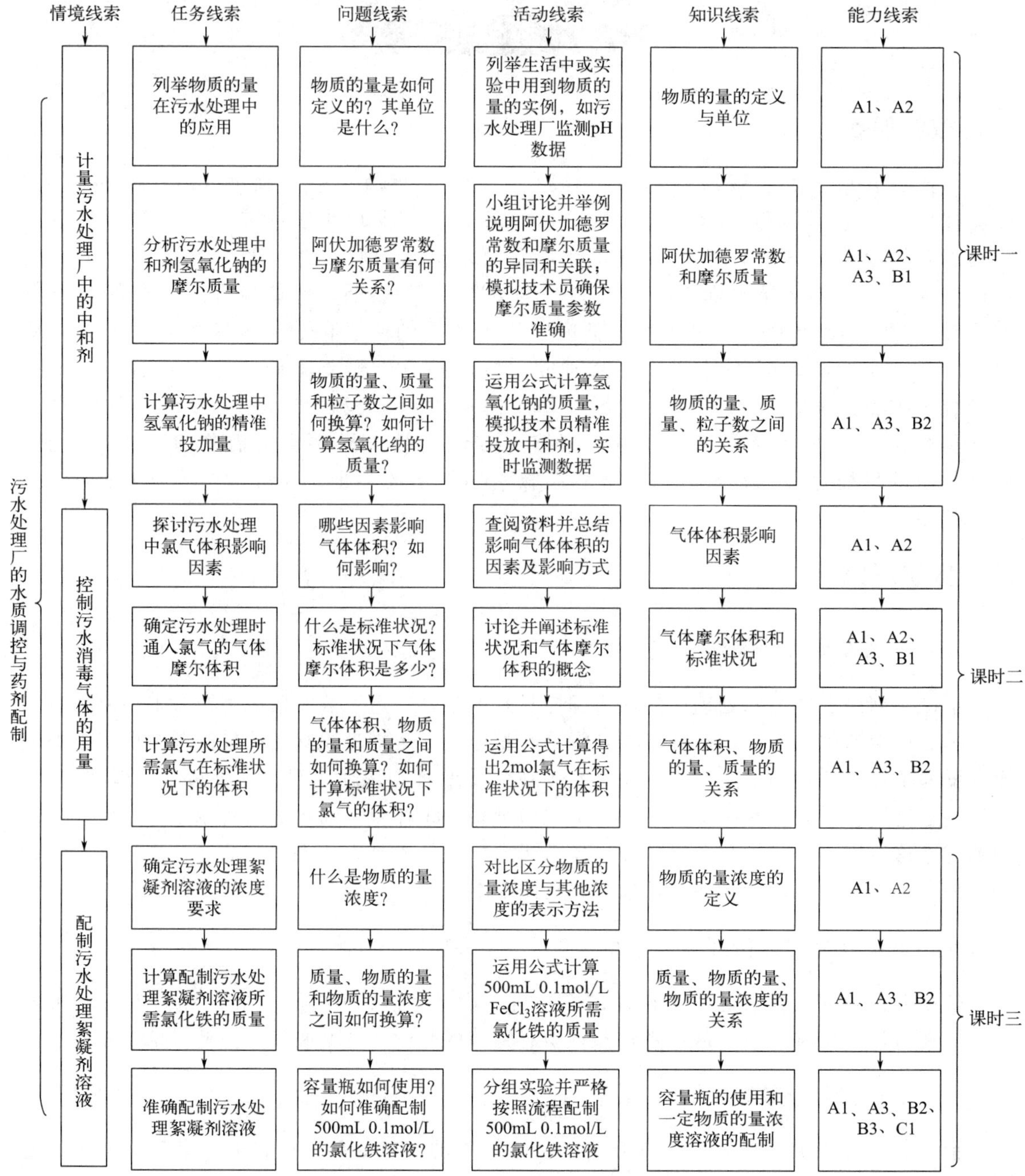

图 6-3　教学流程

表 6-5　“物质的量”教学单元能力发展评价

序列	教学环节	评价任务	评价活动	能力要素	素养价值
1	列举物质的量在污水处理中的应用	准确口述物质的量的定义、单位，并列举至少两个应用实例	课堂提问：询问学生对物质的量定义及单位的理解； 小组讨论：分享生活中物质的量应用实例	A1、A2	提升宏观与微观结合思维，深化化学概念理解与应用，形成“定性—定量”分析思维

续表

序列	教学环节	评价任务	评价活动	能力要素	素养价值
2	分析污水处理中和剂氢氧化钠的摩尔质量	阐述阿伏加德罗常数与摩尔质量的异同、关联，根据给定数据准确计算质量和微粒数	小组讨论：辨析阿伏加德罗常数和摩尔质量两者的异同、关联； 计算练习：根据数据计算质量和微粒数	A1、A2、A3、B1	增强科学思维与模型构建能力，运用化学知识解决实际问题
3	计算污水处理中氢氧化钠的精准投加量	运用公式准确计算氢氧化钠质量，分析投加影响因素	模拟操作：模拟技术员精准投放中和剂； 数据讨论：分析投加影响因素及误差来源	A1、A3、B2	巩固公式应用与实践操作能力，培养严谨科学态度与创新能力
4	探讨污水处理中氯气体积的影响因素	通过小组讨论和资料查阅总结氯气体积的影响因素，分析各因素影响方式	小组讨论：分析氯气体积可能受哪些因素影响； 实验数据分析：给出实验数据，让学生判断哪些因素主要影响氯气体积	A1、A2	拓展实验分析与数据处理能力，提升科学思维与问题解决能力
5	确定污水处理时通入氯气的气体摩尔体积	准确口述标准状况（标况）概念及气体摩尔体积数值	概念辨析：讨论气体摩尔体积的概念及其与物质的量、体积的关系； 案例分析：给出具体案例，学生计算物质的量和体积	A1、A2、A3、B1	增强科学思维与模型应用能力，运用气体摩尔体积解决实际问题
6	计算污水处理所需氯气在标况下的体积	分析气体体积、物质的量和质量的换算关系并解决问题	模拟实验：通过模拟实验计算标准状况下氯气的体积； 精准控制：模拟技术员精准控制氯气通入量并检测数据	A1、A3、B2	拓展实验操作与数据分析能力，培养严谨科学态度与实践应用能力
7	确定污水处理絮凝剂溶液的浓度要求	分享絮凝剂溶液浓度应用实例并说明意义	课堂提问：询问学生对溶液浓度定义的理解； 小组讨论：根据资料提供的低浓度、中浓度、高浓度絮凝剂溶液实例，讨论分享自己的理解	A1、A2	提升化学概念理解与应用能力，形成“定性—定量”分析思维
8	计算配制污水处理絮凝剂溶液所需氯化铁的质量	设计合理絮凝剂溶液配制实验方案	公式应用：运用浓度公式计算氯化铁的质量；模拟配制：模拟技术员设计配制絮凝剂溶液实验方案	A1、A3、B2	巩固公式应用与实验设计能力，以及实践操作与问题解决能力
9	准确配制污水处理絮凝剂溶液	进行絮凝剂溶液配制实验操作，规范操作并分析、反思实验过程	实验操作：给出具体配制要求，学生进行实验操作； 过程观察：观察学生操作过程是否规范，结果是否准确； 评价反馈：开展自评、互评和教师评价，反馈配制结果	A1、A3、B2、B3、C1	融合实验操作与团队协作能力，培养严谨科学态度与创新能力，增强自我评价与同伴评价能力

三、教学实录（第一课时）

【情境导入】在某电镀企业的污水处理厂内，工作人员正紧密监控着污水处理的每一个环节。污水从巨大的管道中流入处理池，由于污水中含有大量酸性物质，导致 pH 值偏低，不符合排放标准。为了调节污水的 pH 值，技术人员决定添加中和剂。

【教师】老师带来了一瓶 250 mL 的模拟污水，利用 pH 试纸可以测出污水的 pH 约为 1。这瓶模拟污水中 H^+ 的物质的量约为 0.025 摩尔（mol），假如同学们是污水处理技术人员，请问中和这瓶污水中的酸需要取多少克 NaOH？

任务一：理解污水处理中物质的量概念需求

【过渡】处理污水时，定量描述 H^+ 的单位——摩尔（mol）是哪个物理量的单位？这个物理量是如何定义的？本单元我们将一探究竟。

【教师提问】如何定量描述氢气和氧气反应化学方程式的含义？

【学生】化学方程式如 $2H_2+O_2 = 2H_2O$，可以定量描述为：2g 氢气和 32g 氧气完全反应会生成 36g 水，或“2 份”氢气分子和“1 份”氧气分子完全反应会生成“2 份”水，这表示了反应物和生成物之间微观数量的比例关系。

【问题】氧气的宏观质量和微观数量有一定关联吗？

【教师】是的，氧气的宏观质量（如克、千克等）与其微观数量（如分子数、物质的量等）之间存在关联。通过物理量物质的量，我们可以将宏观质量和微观数量联系起来。

【问题】已知一个氧气分子的质量约为 5.315×10^{-23}g。请计算 32g 氧气中氧气分子的数量等于多少？

【学生】由于一个氧气分子的质量约为 5.315×10^{-23}g，所以 32g 氧气中氧气分子的数量就是 6.022×10^{23} 个。

【教师】图 6-4 展示了一打鸡蛋和一箱饮料，这些都是日常生活中以特定数量集合而成的物品，常见一定数量的集合体有“打”“箱”“堆”等。这 6.022×10^{23} 个氧气分子可以表示为“一份”或“一堆”氧气分子。

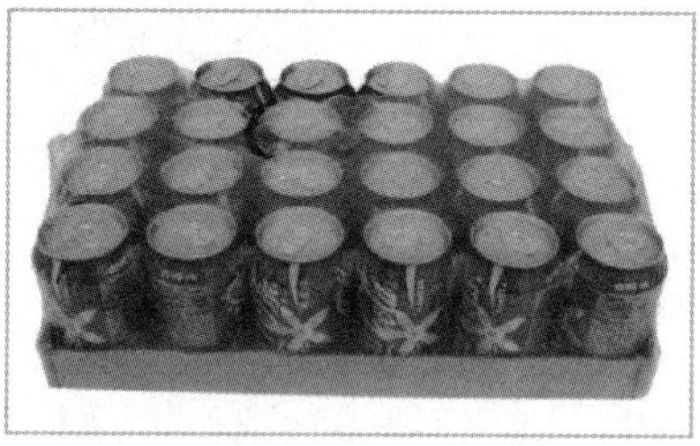

图 6-4 常见一定数量的集合体

【资料卡片】摩尔（mol，化学单位）一词来源于德语 Mol，这个词又源自新拉丁语“moles”。原意为大量和堆集。1 摩尔＝1 堆。

【资料卡片】1971 年，第 14 届国际计量大会上，“物质的量”被确定为七个国际单位制中的一个基本物理量，单位为摩尔（mol）。

【人教版教材第 53 页】物质的量表示含有一定数目粒子的集合体，符号为 n；单位为摩尔，简称摩，符号为 mol。

【问题】“一摩尔鼹鼠（a mole of moles）”“一摩尔胡老师”，请带着批判的眼光审视，这样使用单位摩尔严谨吗？

【学生】不严谨。摩尔是化学中用于描述微观粒子数量的单位，如分子、原子、离子等，不适用于宏观物体，如鼹鼠或人。这样的用法混淆了宏观与微观的界限，违背了摩尔的定义和使用规则。

【资料卡片】巴黎时间 2018 年 11 月 13 日上午，第 26 届国际计量大会（CGPM）对国际单位制进行了修改，通过了修改摩尔（mol）定义等一系列调整的提案，修改变化将于 2019 年 5 月 20 日生效。

【教材】新定义：1 摩尔包括 6.02214076×10^{23} 个基本单元，这一常数被称为阿伏加德罗常数，符号为 N_A，单位为 mol^{-1}。

【资料卡片】为了纪念阿伏加德罗在化学领域作出的杰出贡献，1926 年诺贝尔物理学奖得主、法国物理学家让·佩兰在 1909 年提出，将一个自然界基本常数用阿伏加德罗的名字来命名。

【课堂巩固】关系式 1：$N=nN_A$。

【练习与应用】在 0.5mol NaOH 中 Na^+ 的数目约为（　　）个，0.5mol H_2SO_4 中氢原子的数目约为（　　）个。

【教师】为什么我们需要引入物质的量这一概念？

【学生讨论】物质的量可以帮助我们定量描述化学反应中反应物和生成物的比例关系，将宏观质量与微观粒子数联系起来，方便我们在化学研究中确定定量关系以及开展实验操作。

学习评价：学生通过课堂提问能准确阐述物质的量定义及单位（A1 辨识记忆），在小组讨论中学生积极联系生活实例，体现宏观与微观思维的结合（A2 概括关联）。但概念核心应用未深入展开，概括关联的逻辑性与准确性需加强。

任务二：分析污水处理中和剂氢氧化钠的摩尔质量

【过渡】在处理污水时，通过酸碱中和反应的计量数关系，可以确定所需中和剂氢氧化钠的物质的量，那我们如何知道所需氢氧化钠的质量呢？

【学生】需要确定物质的量和质量之间的关系后进行计算。

【教材】1 mol 任何粒子或物质的质量以克为单位时，其数值都与该粒子的原子量或分子量相等。单位物质的量的物质所具有的质量叫作摩尔质量。

关系式 2：$m=nM$。

【教材】【练习与应用】现有 0.270kg 质量分数为 10％的 $CuCl_2$ 溶液。计算该溶液中：

（1）$CuCl_2$ 的物质的量；（2）Cu^{2+} 和 Cl^- 的物质的量。

【问题】估算一瓶 540mL 纯净水中有多少个水分子。

【学生】要估算一瓶 540mL 纯净水中的水分子数，我们首先需要知道水的密度和摩尔质量。水的密度约为 1g/mL，摩尔质量约为 18g/mol。这瓶水的质量：$m=\rho V=1g/mL\times$

540mL＝540g。这瓶水的物质的量：$n=m/M=540g\div18g/mol=30mol$。利用阿伏加德罗常数来计算水分子数：$N=nN_A=30mol\times6.02\times10^{23}/mol\approx1.806\times10^{25}$个。因此，一瓶540mL纯净水中大约有$1.806\times10^{25}$个水分子。这个数量非常庞大，体现了化学世界中微观粒子的巨大数量级。

【教师】阿伏加德罗常数与摩尔质量有何关联？

【学生】小组讨论并举例说明阿伏加德罗常数和摩尔质量的异同和关联。阿伏加德罗常数是1摩尔物质包含的粒子数，摩尔质量是1摩尔物质的质量。

【教师】如何运用公式关联物质的量、质量和微粒数进行计算？

【学生】通过公式$m=nM$和$N=nN_A$，可以将质量、微粒数通过物质的量关联起来，帮助我们进行宏观质量和微观粒子数之间的换算。

学习评价：学生能辨识并记忆阿伏加德罗常数、摩尔质量等概念（A1辨识记忆），通过案例分析与计算练习，学生能够自主关联物质的量、质量与微粒数之间的关系（A2概括关联、A3说明论证），并清晰阐述换算逻辑（如$m=nM$）。但小组讨论中存在参与度不均、公式运用不熟练及操作流程理解不足的问题，需通过实践训练加以改进。

任务三：计算污水处理中氢氧化钠的精准投加量

【过渡】在处理污水时，如何计算所需氢氧化钠的质量？

【学生】已知模拟污水中H^+的物质的量约为0.025mol，根据化学方程式确定所需的NaOH的物质的量为0.025mol，再乘以摩尔质量计算出所需NaOH的质量为2.0g。

【教师引导】如图6-5所示，在实际操作过程中，我们如何确保污水中和剂的精准投放，并进行实时监测呢？

【学生】精确称量NaOH的质量，将其溶解后加入污水中，并用pH试纸实时监测pH值，确保pH值接近7。

【实验】将称量好的NaOH快速溶解配制成模拟中和剂并倒入模拟污水，用玻璃棒充分搅拌，用pH试纸测pH值。

【教师】回顾模拟污水处理的应用实例，提醒学生注意准确选择中和剂降低成本（实际选用CaO），分析实际操作中的误差来源并初步提出减少误差的有效措施。

图6-5　污水处理中添加污水中和剂

学习评价：学生掌握换算公式并精准执行中和剂投加操作（A1 辨识记忆、B2 推理预测），能论证计算思路与误差来源（A3 说明论证）。但在模拟污水处理的讨论与分析中学生大多聚焦于常见的影响因素，需提升在复杂情境下的综合分析能力与实际操作能力。

【资料卡片】摩尔日是一个非正式节日（并不放假），在化学爱好者中流行。具体的节日时间为每年的 10 月 23 日，早 6：02 到晚 6：02，因为这个时间的美式写法为 6：02 10/23，与阿伏加德罗常数（6.02×10^{23}）的数字对应，直接关联到化学核心概念“摩尔”，既体现了科学的严谨性，又融入了文化趣味性。

【总结】物质的量是连接宏观质量和微观粒子数的桥梁，宏观物质与微观粒子的认知模型如下：

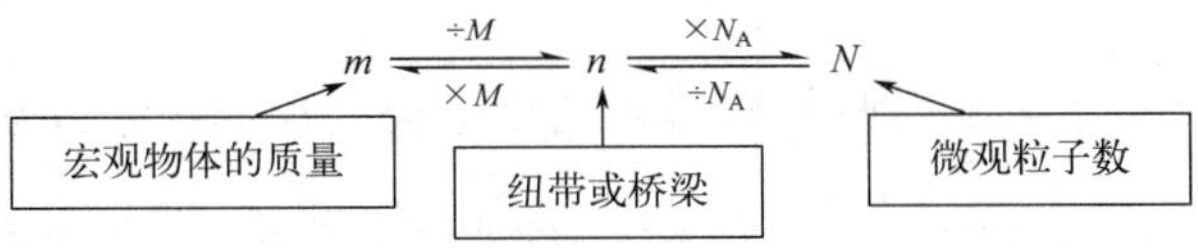

四、板书设计

板书设计如图 6-6 所示。

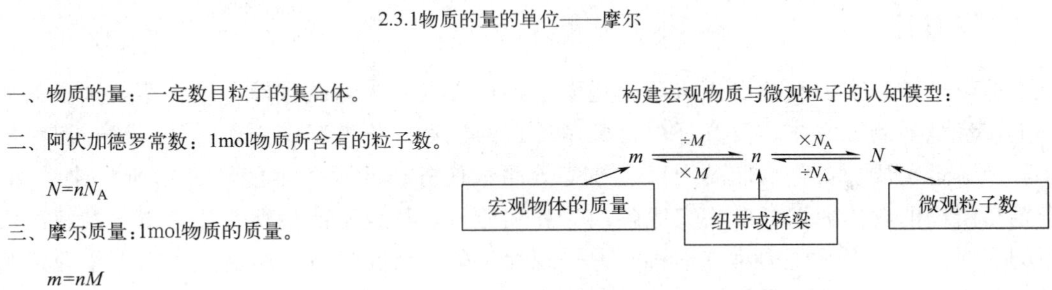

图 6-6 “物质的量”教学板书设计

教学评价

一、教学效果

（一）测评试题

情境背景：某药物研发公司正在开发一种新型抗生素，该抗生素的化学式为 $C_{16}H_{19}N_3O_4S$，摩尔质量为 357.4g/mol。在合成过程中，需要精确控制反应物的质量，以确保高效合成产品和得到高纯度产品。

请回答以下问题：

1.（1）抗生素的摩尔质量与哪些物理量紧密相关？（2）请给出计算公式，并解释摩尔质量的含义。

____

____。

2. 现需配制 1L 1mol/L 的抗生素溶液，(1) 请计算所需抗生素的质量，(2) 简要说明配制步骤。

____

____。

3. 在抗生素的合成过程中，2A+B ⟶ C（其中 C 为抗生素），已知原料 A 的摩尔质量为 100 g/mol，原料 B 的摩尔质量为 50 g/mol。在一次实验中，投入了 20.00 g 的反应物 A 和 30.00 g 的反应物 B。

(1) 请计算投入的原料 A 和 B 各自的物质的量。

____。

(2) 判断哪种反应物是限制反应物（即被完全消耗的反应物）并说明理由。

____。

(3) 如果实际实验中生成物 C 的质量为 25.00 g，请计算该反应的产率（产率＝实际生成的质量÷理论生成的质量×100%），并分析可能导致实际产率低于理论产率的原因。

____

____。

（二）设计说明

本题以“宏观辨识与微观探析”的化学学科核心素养为测试宗旨，以新型抗生素的研发这一真实情境为测试载体，设置了包括摩尔质量的计算、化学反应方程式的应用、溶液的配制，以及通过物质的量分析产品产率、纯度等测试任务，要求学生能够运用所学化学知识，结合题目给出的具体数据，准确完成各项计算和分析，从而全面检验其化学素养和解决实际问题的能力。每一个试题均对应学科能力表现性目标，旨在评价学生完成本节课学习后相应的学科能力水平。评分标准具体如表 6-6 所示。

表 6-6　评价说明和评分标准（总分 16 分）

试题编号	学科能力要素	认识能力	分值	标准答案及评分标准
1	A1 辨识记忆：能说出物质的量、摩尔质量、气体摩尔体积、物质的量浓度等物理量的概念、符号和单位 A2 概括关联：能建立物质的量与其他物理量（如阿伏加德罗常数、摩尔质量、气体摩尔体积、物质的量浓度等）之间的联系	4 分：知道摩尔质量的概念、符号和单位，且能关联物质的量与其他物理量（系统水平） 2 分：知道摩尔质量的概念、符号和单位或能关联物质的量与其他物理量（关联水平） 0 分：无法回答（欠缺）	4 分	4 分：摩尔质量是单位物质的量的物质所具有的质量，符号为 M，单位为 g/mol；摩尔质量计算公式为 $M=m/n$，指 1 摩尔物质所含粒子的总质量 2 分：能准确说出摩尔质量的概念、符号和单位或能正确表示摩尔质量的计算公式并解释其含义 0 分：其他答案

续表

<table>
<tr><th>试题编号</th><th>学科能力要素</th><th>认识能力</th><th>分值</th><th>标准答案及评分标准</th></tr>
<tr><td>2</td><td>B2 推理预测：能根据给定的实验数据进行物质的量及其相关物理量的间接计算
B3 简单设计：能设计配制一定物质的量浓度的溶液的实验</td><td>4 分：根据给定的数据进行物质的量的间接计算，并设计实验配制溶液（系统水平）
2 分：根据给定的数据进行物质的量的间接计算（定量水平），或设计实验配制溶液（实验水平）
0 分：无法根据给定的数据进行物质的量的间接计算，无法设计实验配制溶液（欠缺）</td><td>4 分</td><td>4 分：所需抗生素的质量为 357.4g（1L × 1mol/L × 357.4g/mol）；配制步骤包括：称量抗生素、溶解、转移至容量瓶、定容、摇匀
2 分：计算正确但步骤有缺失或不规范
0 分：计算错误且步骤不合理</td></tr>
<tr><td>3(1)</td><td rowspan="3">C1 复杂推理：能在涉及多个变量和复杂条件的化学问题中，运用“物质的量”的知识进行逐步推理，分析各变量之间的关系及其对结果的影响</td><td>2 分：根据给定的数据正确运用关系式计算物质的量（系统水平）
0 分：无法准确计算（欠缺）</td><td>2 分</td><td>2 分：正确计算原料 A 和原料 B 的物质的量分别为 0.20mol 和 0.60mol
0 分：计算过程不清晰，结果错误</td></tr>
<tr><td>3(2)</td><td>2 分：在涉及多个变量和化学反应中，能准确运用物质的量的知识进行逐步推理，准确分析出限制反应物（定量水平＋关联水平）
1 分：能尝试分析变量间关系对结果的影响，但推理过程存在一定局限性或不完整（定量水平）
0 分：无法作答（欠缺）</td><td>2 分</td><td>2 分：根据反应方程式 $2A+B \longrightarrow C$，0.20 mol 的 A 需要 0.10 mol 的 B 来完全反应，而实际投入的 B 的物质的量为 0.60 mol，远大于所需的 0.10 mol，因此 A 是限制反应物
1 分：分析或计算部分正确
0 分：计算和分析均错误</td></tr>
<tr><td>3(3)</td><td>3～4 分：能在涉及多个变量和复杂条件的化学问题中，准确运用物质的量的知识进行逐步推理，分析各变量关系，并正确计算产率，给出合理原因并清楚解释（系统水平）
1～2 分：能分析数据并正确计算产率或能给出合理原因（定量水平或关联水平）
0 分：无法作答（欠缺）</td><td>4 分</td><td>4 分：正确计算理论生成物 C 的质量为 35.74g；正确计算产率为 70.0%；原因有反应不完全、副产物的生成、原料纯度不足、反应过程中的损失等。原因合理，解释清楚。
3 分：计算正确，解释部分有小错误但整体合理
2 分：计算正确，解释存在较多错误但有一定合理性
1 分：计算部分正确或解释存在较多错误，但有一定合理性
0 分：计算和解释均错误</td></tr>
</table>

（三）效果分析

收集答卷 60 份，能力对应的平均得分情况如表 6-7 所示。

表 6-7　评分结果

学科能力	试题编号	分值	平均分	得分率
A1	1(2)	2	1.67	83.3%
A2	1(1)	2	1.33	66.7%
B2	2(1)	2	1.5	75.0%
B3	2(2)	2	0.83	41.7%
C1	3	8	3.83	47.9%

数据分析显示，A1 辨识记忆能力对应试题得分率为 83.3%，A2 概括关联能力对应试题得分率为 66.7%，表明学生对摩尔质量的概念、符号和单位有较好的理解，但在关联物质的量与其他物理量时认识仍模糊不清。B2 推理预测能力对应试题得分率为 75.0%，B3 简单设计能力对应试题得分率为 41.7%，表明学生能够根据给定的数据进行物质的量的间接计算，但在设计实验配制溶液方面表现一般，需要加强实验设计和操作技能的训练。C1 复杂推理能力对应试题得分率为 47.9%，表明学生对多变量问题的整合能力不足或对物质的量在复杂情境中的桥梁作用理解不深。建议通过分步拆解问题链和跨学科案例强化训练，以培养复杂问题分析能力。

二、教学反思

本课例以污水处理情境引入物质的量概念，有效促进学生从宏观到微观理解其在化学计算中的核心作用。通过精心设计的实验与问题链，学生扎实掌握物质的量、摩尔质量等关键概念，展现出良好的学习理解与应用实践能力。教学实践表明，在学习理解能力（A1、A2）方面，学生表现较好，显示出学生能较好地理解物质的量相关概念，并能准确关联物质的量与其他物理量；在应用实践能力（B2、B3）方面，学生在处理稍复杂的概念应用时仍能保持较好的表现，面对更为抽象或复杂的概念应用时存在困难，尤其是在理解抽象概念和进行复杂计算方面需要加强；在迁移创新能力（C1）方面，学生在将多个概念融会贯通并灵活运用于复杂情境上有较大的提升空间。

教学实践表明，教学内容密度较高，实验操作时间不足，导致部分学生未能充分参与实验设计和操作环节。建议通过预设时间节点和实时提醒学生的方式，优化课堂节奏把控。可以优化问题设计，确保问题具有明确性、针对性和梯度性。可以通过设置问题链、引导学生逐步深入思考和回答的方式，来提高问题的有效性和针对性。此外，本课例应确保充足的实验操作时间，并引入跨学科问题，帮助学生更好地掌握物质的量及其应用。通过设计跨学科的复杂问题，帮助学生理解抽象概念，同时培养其批判性思维、创新思维和系统探究能力。

参考文献

[1] 中华人民共和国教育部．普通高中化学课程标准（2017 年版 2020 年修订）[S]．北京：人民教育出版社，2020：15-20，23-27，65-67.

[2] 王晶，毕华林．普通高中教科书·化学（必修）第一册 [M]．北京：人民教育出版社，2019：53-60.

[3] 刘亚民，刘庆，陈秋冰，等．关注“物质的量”的规范表述与正确表达 [J]．中国计量，2022（9）：41-43.

[4] 黄文军，罗晓燕，张钧如．基于概念认识功能的教学案例——以“物质的量”为例 [J]．化学教育（中英文），2021，42（21）：60-65.

[5] 江薇．基于宏微结合与模型认知的教学设计——以“物质的量及其相关物理量”的概念建构为例 [J]．中学化学教学参考，2022（22）：24-26.

[6] 张军．基于双线融合教学模式的课时学历案编制——以“物质的量的单位——摩尔”为例 [J]．中学化学教学参考，2023（8）：6-9.

[7] 杨冬清，许丽娟，张虎成，等．基于学科发展进程及学生认知构建“物质的量”概念 [J]．中学化学教学参考，2023（29）：6-11.

[8] 王伟，王后雄，孙妍．摩尔概念的历史变迁及其科学价值 [J]．化学教育（中英文），2020，41（11）：101-106.

[9] 吴乾环，韦吉崇．基于概念逻辑与核心素养发展策略的“物质的量”教学 [J]．中学化学教学参考，2024（19）：18-21.

［10］ 黄文娜．融入化学史的“物质的量”教学［J］．中学化学教学参考，2023（29）：34-37.

张金水（宁波外国语学校　浙江宁波）
王云霞（上海市新中高级中学　上海）

第7单元

铁及其化合物

目标研制

一、课标研读

（一）内容要求和学业要求

“铁及其化合物”教学单元为《普通高中化学课程标准（2017年版2020年修订）》必修课程主题2中的内容，课标相应内容要求和学业要求如表7-1所示。

表7-1 “铁及其化合物”教学单元的课标内容要求和学业要求[1]

内容要求	学业要求
2.1 元素与物质 认识元素在物质中可以具有不同价态，可通过氧化还原反应实现含有不同价态同种元素的物质的相互转化 2.4 金属及其化合物 结合真实情境中的应用实例或通过实验探究，了解钠、铁及其重要化合物的主要性质，了解这些物质在生产、生活中的应用 2.6 物质性质及物质转化的价值 结合实例认识金属及其化合物的多样性，了解通过化学反应可以探索物质性质、实现物质转化，认识物质及其转化在促进社会文明进步、自然资源综合利用和环境保护中的重要价值	1. 能依据物质类别和元素价态列举某种元素的典型代表物 2. 能列举、描述、辨识典型物质重要的物理和化学性质及实验现象。能用化学方程式、离子方程式正确表示典型物质的主要化学性质 3. 能从物质类别、元素价态的角度，依据复分解反应和氧化还原反应原理，预测物质的化学性质和变化，设计实验进行初步验证，并能分析、解释有关实验现象 4. 能利用典型代表物的性质和反应，设计常见物质制备、分离、提纯、检验等简单任务的方案。能从物质类别和元素价态变化的视角说明物质的转化路径 5. 能根据物质的性质分析实验室、生产、生活及环境中的某些常见问题，说明妥善保存、合理使用化学品的常见方法 6. 能说明常见元素及其化合物的应用对社会发展的价值、对环境的影响。能有意识运用所学的知识或寻求相关证据参与社会性议题的讨论

注：数字序号即课标中相应序号。

可见，课标中对“铁及其化合物”的内容要求侧重于运用化学学科思维方式和方法学习铁及其化合物的性质及相互转化，认识物质及其转化的重要价值。学业要求则从“辨识”“说明”“预测”“设计”等能力表现角度提出了具体的要求。通过直接摘录、增补解构、删繁就简等方法，可以得到该教学单元课标优化后的要求，如表 7-2 所示。

表 7-2 "铁及其化合物"教学单元课标优化后的要求[1]

优化后的要求
（原内容要求 2.1）认识元素在物质中可以具有不同价态，可通过氧化还原反应实现含有不同价态同种元素的物质的相互转化（直接摘录） （原内容要求 2.4）结合真实情境中的应用实例或通过实验探究，了解铁及其重要化合物的主要性质，了解这些物质在生产、生活中的应用（删繁就简） （原内容要求 2.6）结合实例认识金属及其化合物的多样性，了解通过化学反应可以探索物质性质、实现物质转化，认识物质及其转化在促进社会文明进步、自然资源综合利用和环境保护中的重要价值（直接摘录）
（原学业要求 1）能依据物质类别和元素价态列举铁元素的典型代表物（删繁就简） （原学业要求 2）能列举、描述、辨识铁及其重要化合物的物理和化学性质及实验现象。能用化学方程式、离子方程式正确表示铁及其重要化合物的主要化学性质（直接摘录） （原学业要求 3）能从物质类别、元素价态的角度，依据复分解反应和氧化还原反应原理，预测铁及其重要化合物的化学性质和变化，设计实验进行初步验证，并能分析、解释有关实验现象（直接摘录） （原学业要求 4）能利用铁及其重要化合物的性质和反应，设计常见物质制备、分离、提纯、检验等简单任务的方案。能从物质类别和元素价态变化的视角说明物质的转化路径（直接摘录） （原学业要求 5）能根据铁及其重要化合物的性质分析实验室、生产、生活及环境中的某些常见问题，说明妥善保存、合理使用化学品的常见方法（直接摘录） （原学业要求 6）能说明铁及其重要化合物的应用对社会发展的价值。能有意识运用所学的知识或寻求相关证据参与社会性议题的讨论（删繁就简）

（二）学业质量水平

课标学业质量水平与"铁及其化合物"教学单元的相关要求对应关系如表 7-3 所示。

表 7-3 "铁及其化合物"教学单元的学业质量水平[1]

学业质量水平描述	针对本教学单元内容的具体表现
1-1 能根据物质组成和性质对物质进行分类；能对常见物质及其变化进行描述和符号表征；能结合实例书写离子方程式和氧化还原反应化学方程式；能说明常见物质的性质与应用的关系	1-1 能列举铁及其重要化合物，根据物质的组成和性质进行分类，能用化学方程式、离子方程式表示其主要化学性质，能说明其性质与应用的关系
2-1 能从不同视角对典型的物质及其主要变化进行分类；能从构成物质的微粒、化学键、官能团等方面说明常见物质的主要性质，能分析物质性质与用途的关系	2-1 能从类别、价态等视角对铁及其化合物的主要变化进行分类，能分析物质性质与用途的关系
3-1 能说明物质的组成和微粒间作用力的差异对物质性质的影响；能从多个角度对化学反应进行分类，认识化学反应的本质；能采用模型、符号等多种方式对物质的结构及其变化进行综合表征	3-1 能构建铁及其重要化合物之间的转化关系模型
4-1 能根据物质的类别、组成、微粒的结构、微粒间作用力等说明或预测物质的性质，评估所做说明或预测的合理性；能基于物质性质提出物质在生产、生活和科学技术等方面应用的建议和意见	4-1 能够从类别通性、元素价态、氧化还原和离子反应原理等多个角度综合分析复杂情境，推测含铁元素的陌生反应或陌生物质性质，解决生产、生活相关问题
2-2 能设计物质转化的方案，能运用化学符号表征物质的转化，能说明化学变化的本质特征和变化规律	2-2 能够利用铁及其化合物的性质和转化关系，设计含铁元素物质的制备、检验、分离等简单实验方案

续表

学业质量水平描述	针对本教学单元内容的具体表现
3-2　能运用宏观、微观、符号等方式描述、说明物质转化的本质和规律；能根据解决问题的需要设计无机化合物转化与制备；能分析评估物质转化过程对环境的影响 4-2　能基于“绿色化学”理念设计无机化合物制备的方案，并对方案进行评价和优化；能分析评估物质转化过程对环境和资源利用的影响	3-2、4-2 能设计系统、完整的检验食品中的铁元素的实验方案；可以运用所学知识，搜集相关证据，从社会发展价值、环境影响等多个角度讨论与铁元素相关的社会性议题，如铁的冶炼、电路板腐蚀液的后续处理等
1-3　能依据化学问题解决的需要，选择常见的实验仪器、装置和试剂，完成简单的物质性质、物质制备、物质检验等实验；能与同伴合作进行实验探究，如实观察、记录实验现象，能根据实验现象形成初步结论 2-3　能通过实验探究物质的性质和变化规律，能设计简单实验方案，能运用适当的方法控制反应条件并顺利完成实验；能收集和表述实验证据，基于实验事实得出结论	1-3、2-3 能设计铁及其重要化合物的制备、检验、分离等简单实验方案，能基于实验事实得出结论
3-3　能根据解决问题的需要提出实验探究课题；能选择合适的实验试剂和仪器装置，控制实验条件，安全、顺利地完成实验 4-3 能在复杂的化学问题情境中提出有价值的实验探究课题，能设计有关物质转化、分离提纯、性质应用等的综合实验方案；能对实验方案、实验过程和实验结论进行评价，提出进一步探究的设想	3-3、4-4 可以设计系统、完整的检验食品中的铁元素的实验方案
1-4　能运用所学的化学知识和方法分析讨论生产、生活中简单的化学问题（如酸雨防治、环境保护、食品安全等），认识化学科学对社会可持续发展的贡献 2-4　能分析化学科学在开发利用自然资源、合成新物质、保护环境、保障人类健康、促进科技发展和社会文明等方面的价值和贡献	1-4、2-4 能运用所学的化学知识和方法分析讨论铁及其化合物相关化学问题，如补铁剂的保存与服用、机械除锈等，认识化学科学对社会可持续发展的贡献

注：数字序号即课标中相应序号。

二、教材解读

在人教版高中化学必修教材（2019 年版）第三章第一节“铁及其化合物”中，通过对铁的单质和铁的重要化合物（铁的氧化物、铁的氢氧化物、铁盐和亚铁盐）制备、性质、转化及用途等显性知识（图 7-1）的介绍，建立“价—类”的认识视角和“预测—实验—结论”的认识思路，落实课标内容要求的铁及其化合物的主要性质及其在生产、生活中的应用，进一步强化性质决定应用的观念。借助书本图片及资料卡片的相应内容，让学生从生活、生产角度感受到含铁元素物质的具体应用，结合验证性和探究性实验，实现学业要求和学业质量水平中有关“列举”“描述”“辨识”“分析”“解释”等能力表现的具体要求。本节课应充分发挥实验的教学功能，培养学生的探究能力、创新意识、合作精神等。

三、能力模型建构

通过课标研读和教材分析，可以确立相关主题的知识基础、研究对象和化学问题、学科认识方式，从而构建该教学单元的学科能力模型（图 7-2）[2]。对于“铁及其化合物”教学单元，通过以上分析，可以明确核心知识是铁及其重要化合物的性质、转化和应用；认识角

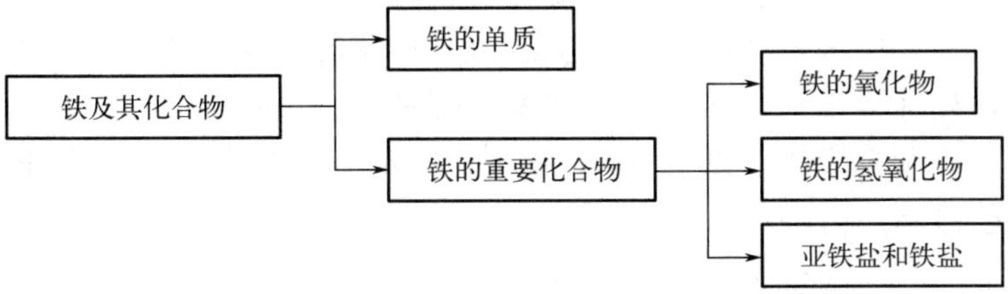

图 7-1 “铁及其化合物”教学单元内容

度是类别和价态；认识思路是预测性质—设计实验—获取证据，学科思想为性质决定应用，用途反映性质；研究对象和化学问题主要包括铁的单质、铁的重要化合物（氧化铁、氢氧化铁、铁盐和亚铁盐）的性质、氢氧化亚铁的制备、铁离子的检验、铁及其化合物的相互转化与应用（保存、使用、检验、鉴定、分离、制备等）。

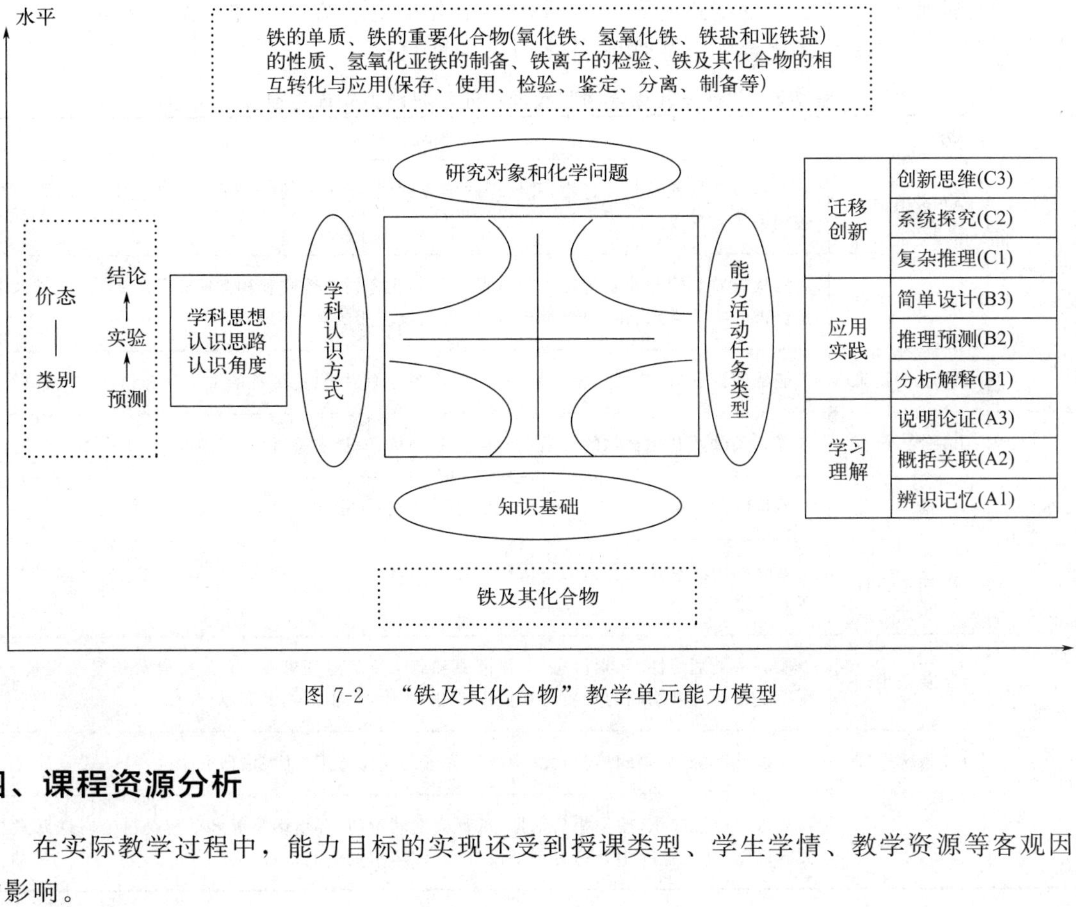

图 7-2 “铁及其化合物”教学单元能力模型

四、课程资源分析

在实际教学过程中，能力目标的实现还受到授课类型、学生学情、教学资源等客观因素的影响。

（一）授课类型

本节课的授课类型为新授课。

（二）学情分析

已有基础：从知识层面来看，学生已经学习了分类法，实验探究法，以及氧化还原反应、离子反应等基本理论和钠、氯等元素及其化合物的性质；从能力层面来看，学生整体能力较强、素养较高，知道从价态、类别角度认识无机物的性质；从心理层面上看，高一学生思维敏捷、活跃，好奇心强，对化学实验有浓厚的兴趣。

潜在困难：学生对元素化合物知识的系统学习方法还没有掌握；实验方案设计不够严谨、实验操作不够熟练。

（三）教学资源

学科能力目标的实现还依赖于学校资源的支持，学科能力目标的制定需考虑教学资源因素。本节课的学科能力表现性目标要求授课学校提供常规的试剂及补铁剂，实验条件支持开展分组探究实验。

五、表现性目标制定

将学科能力模型中 4 个维度进行连接组合，再结合学生学情、授课类型、教学资源等客观因素，制定了“铁及其化合物”主题学科能力表现性目标，如表 7-4 所示。

表 7-4 “铁及其化合物”教学单元学科能力表现性目标

能力要素		表现性目标
A 学习理解能力	A1 辨识记忆	能列举常见铁及其化合物，并能用化学方程式、离子方程式表示其主要化学性质，可以描述相关实验现象
	A2 概括关联	能从物质类别和元素价态角度概括铁及其化合物的性质和相互转化关系；能建立铁及其化合物的物质类别、化合价、性质、反应现象及应用的联系
	A3 说明论证	能从理论分析、典型实验现象、实际应用等方面说明、论证铁的重要化合物的主要性质
B 应用实践能力	B1 分析解释	能利用铁及其化合物的性质和转化关系分析、解释实验现象，以及生活、生产中的问题
	B2 推理预测	能从物质类别、元素价态等角度推测陌生含铁元素物质的性质、实验现象
	B3 简单设计	能够利用铁及其化合物的性质和转化关系，设计含铁元素物质的制备、检验、分离等简单实验方案
C 迁移创新能力	C1 复杂推理	能够从类别通性、元素价态、氧化还原和离子反应原理等多个角度综合分析复杂情境，推测陌生含铁元素物质的性质及相关反应，解决生产、生活相关问题
	C2 系统探究	能设计系统、完整的检验食品中的铁元素的实验方案，并完成研究报告
	C3 创新思维	能运用所学知识，搜集相关证据，从社会发展价值、环境影响等多个角度讨论与铁元素相关的议题，如工业废水处理的创新设计，含铁净水剂的制备等

教学设计

一、教学现状

本课时为人教版高中化学必修教材（2019 年版）第三章第一节“铁及其化合物”的新

授课[3]。根据教材安排和知识点的难易程度，将铁单质、铁的氧化物及氢氧化物作为第 1 课时教学内容，将铁盐和亚铁盐作为第 2 课时教学内容。其中，铁盐和亚铁盐因与日常生活联系紧密，适合开展探究实验且有助于促进学生化学观念的形成而成为热门的教学主题。查阅文献[4-7] 发现，该课题涉及的研究素材包括补铁剂、矿泉水、铁肥、印刷电路板废液等。其中由于补铁剂具有材料易得、现象明显、便于分组实验等优点，成为广大教师优先选择的实验及探究对象。而在教学实践中，多数教师选择的补铁剂是目前市场上使用较少的第一代或第二代补铁剂，与实际生活关联性不够。如何创设更加真实的教学情境，发挥该主题的学科能力培养价值和育人价值，值得研究。

二、教学思路

（一）创设真实问题情境

本课例创设了“探秘补铁剂”这一情境主题，主要原因有三点。①培养学生的科学态度：补铁剂中的化学知识体现了化学与生活的紧密联系，使学生认识到化学对社会发展的重大贡献。②关联相关教学内容：课时一通过探讨植物补铁剂——绿矾的制备，关联铁、氧化铁、氢氧化铁的性质；课时二通过设置“寻找补铁剂”“检验补铁剂”“使用补铁剂”三个学习任务，将 Fe^{2+} 和 Fe^{3+} 的检验及相互转化等核心知识点相关联。③承载学科能力活动：在各个任务环节中精心设置有深度的问题及探究实验活动，有助于实现学科能力导向教学目标的具体能力活动（详见图 7-3）。

图 7-3　教学流程

（二）设计能力评价任务

依据上述确立的学科能力表现性目标，精心设计了多样化、梯度化的能力发展评价任务，体现对学科思维、学科认识视角和认识思路等的建立、诊断和发展。具体见表 7-5。

表 7-5 “铁的重要化合物”教学单元能力发展评价

序列	教学环节	评价任务	评价活动	能力要素	素养价值
1	探讨绿矾的制备	评价绿矾制备方案的优劣	小组讨论，从“价—类”角度分析反应类型，并通过实验验证氢氧化亚铁的稳定性	A1、A2、A3、B3	培养“性质—应用”的学科思维；形成证据推理的思维方式
2	分析铁的生产	归纳总结铁的冶炼方法	从视频及其他文字资料提取信息，归纳铁的冶炼方法	A1、A2、B1、C3	学习认识方法（获取资料并解读）
3	验证铁的性质	探究铁和水蒸气反应的产物	根据实验现象推测产物，并通过对比，总结铁被氧化后产物的特点	A1、A2、B1、B3	培养科学探究能力，形成认知模型
4	寻找补铁剂	将常见的含铁元素物质进行分类	师生探讨“常见的含铁元素物质中哪些适合做补铁剂”	A1、A2、B1	建立利用“价态—类别”进行物质分类的认知思路
5	检验补铁剂	探究葡萄糖酸亚铁口服液及多糖铁胶囊中铁的价态	小组讨论并设计实验方案，利用所给仪器及药品进行验证	B1、B2、B3、C1、C2	建立科学探究的认识思路，诊断并发展科学探究能力，培养创新意识
6	使用补铁剂	解释补血剂和维生素 C 一起服用的原因	小组实验：分组验证 Fe^{3+} 的氧化性	A3、B1、B3、C3	迁移应用认识思路，诊断并发展价态变化观念及科学探究等学科能力

（三）选择教学策略

根据教学目标和教学内容，选择合适的教学策略。针对 Fe^{2+} 和 Fe^{3+} 相互转化的内容（侧重发展关联和分析论证的能力），采用理论分析、实验验证、交流展示、符号表征等教学策略，例如通过观察亚铁盐、铁盐中加入氧化剂和还原剂的实验现象，书写发生反应的方程式，强化“物质变化和价态变化”的化学观念。针对铁元素检验的内容（侧重发展推理设计和迁移应用能力），采用情境创设、简单设计、小组合作、实验探究等教学策略，例如通过设计补铁剂中铁元素的检验方案，形成“科学探究、创新思维”的学科素养。

三、教学实录（第二课时）

任务一：寻找补铁剂

【引入】小芳是一名高中生，最近她出现了一些症状：经常感到软弱无力、疲倦困乏；头发干枯、易脱落；经常头晕眼花、四肢无力、注意力不集中；嗜睡且睡眠质量不好；食欲减退且食之无味。你知道小芳得了什么病吗？

【学生】可能是贫血。

【教师】小芳去医院做了检查，这是她的验血单。从报告单（图 7-4）可以看出小芳是得了缺铁性贫血，那么该怎么补铁呢，你能否给出你的建议？

项目		结果		参考值	
1	血清铁	2.75	↓	7.8～32.2	μmol/L
2	不饱和铁结合力	68.04	↑	31～51	
3	总铁结合力	70.79		45～75	μmol/L
4	转铁蛋白饱和度	3.9	↓	20%～50%	

图 7-4　小芳的验血报告单

【学生 1】可以吃补铁的食物，比如菠菜、猪肝等。

【学生 2】也可以吃一些补铁的药物。

【教师】同学们回答得很好，一般补铁的方式有两种：一种是食补，即多吃一些含铁量高的食物；另一种是药补，即吃一些补铁剂。食补见效相对缓慢，鉴于小芳的贫血症状已较为严重，可以推荐她吃一些补铁剂。那么哪些含铁元素物质适合做补铁剂呢？下面让我们一起来寻找补铁剂，请同学们在学案上写出常见的含铁元素物质，并对其进行分类。

【学生】按照物质的类别分类如下。

单质：Fe

氧化物：Fe_2O_3、FeO、Fe_3O_4

碱：$Fe(OH)_2$、$Fe(OH)_3$

盐：$FeCl_3$、$Fe_2(SO_4)_3$、$FeCl_2$、$FeSO_4$

按照化合价分类如下。

零价铁：Fe

二价铁：FeO、$Fe(OH)_2$、$FeCl_2$、$FeSO_4$

三价铁：Fe_2O_3、$Fe(OH)_3$、$FeCl_3$、$Fe_2(SO_4)_3$

【教师】请找出上述适合做补铁剂的物质，并说明理由。

【学生 1】铁单质、铁的氧化物及氢氧化物不溶于水，所以我选择可溶性的铁盐或亚铁盐。

【学生 2】人体血红蛋白中的铁元素为 Fe^{2+}，所以我选择硫酸亚铁或氯化亚铁。

【学生 3】人体的胃液中含有盐酸，铁粉可以和其反应，生成亚铁离子，我认为也可选用铁粉做补铁剂。

【教师】同学们的回答都有一定的道理。老师查阅了相关资料，得到以下信息：(1) 亚铁离子可通过小肠被人体吸收，而铁离子则不容易被吸收；(2) 铁可与胃中盐酸反应，使得胃酸浓度降低，吸收效果差，服用量少效果不佳，大量服用易产生大量热，造成胃黏膜损伤。基于以上两点，上述物质中选择亚铁盐做补铁剂较合适。

【资料 1】19 世纪，科学家用硫酸亚铁制成了第一代补铁剂，但性质不稳定，胃肠道刺激性显著。

【教师】为什么硫酸亚铁不稳定？可能生成了什么物质？

【学生】可能被空气中的氧气氧化后生成了硫酸铁。

【教师】请大家根据所给药品并结合资料卡的内容，通过实验检验硫酸亚铁溶液是否变质。

【实验药品】久置的硫酸亚铁溶液、硫氰化钾溶液。

【资料 2】

> 资料卡
>
> 在含有 Fe^{3+} 的溶液中加入硫氰化钾（KSCN）溶液，溶液变成红色，而在含有 Fe^{2+} 的溶液中加入硫氰化钾溶液，溶液不变色。因此，化学上常用硫氰化钾溶液检验溶液中是否存在 Fe^{3+}。

【学生实验】取少量硫酸亚铁溶液于试管中，加入几滴硫氰化钾溶液后，发现溶液变成红色，证明已有硫酸亚铁被氧气氧化。

学习评价：在“寻找补铁剂”的任务中，多数学生能够将常见的含铁元素物质按照价态和类别角度进行分类，具备一定程度的 A1、 A2 学科能力；通过资料卡和实验了解第一代补铁剂性质不稳定的特点，发展了 B1 学科能力。

任务二：检验补铁剂

【教师】硫酸亚铁片补血剂属于第一代补血剂，目前市场上已较为少见，老师去药店买来了两种补血剂（展示时已去掉标签，第一种为口服液，第二种为胶囊）。请同学们检验补铁剂中铁元素的价态。

【学生实验】取少量第一代补铁剂于试管中，滴加硫氰化钾溶液，发现溶液没有变红。

【教师】通过实验你能得出什么结论吗？

【学生】试管中溶液不变红，说明口服液中不存在 Fe^{3+}，可能存在 Fe^{2+}。

【教师】如何检验 Fe^{2+} 呢，你能设计实验方案吗？

【学生】往刚才的试管中再加入氧化剂将 Fe^{2+} 氧化成 Fe^{3+}，溶液可能会变成红色。

【教师】很好，请同学们根据提供的试剂进行检验。

【学生实验】在刚才的试管中再加入少量氯水，溶液变血红色，证明该补铁剂含有亚铁离子。

【教师】补铁剂加入氯水后 Fe^{2+} 转化成 Fe^{3+}，请大家用方程式表示该过程。

【学生】$2Fe^{2+}+Cl_2 = 2Fe^{3+}+2Cl^-$

【教师】该补铁剂的名称叫作葡萄糖酸亚铁口服液，是第二代补铁剂。老师查了一下网上对该口服液使用后的评价，很多人反映有以下情况：铁锈味较浓，出现消化不良反应，有恶心、呕吐、便秘的现象。根据前面所学知识你能解释一下为什么葡萄糖酸亚铁口服液会出现铁锈味吗？

【学生】可能是亚铁离子被空气中的氧气氧化生成铁离子导致。

【教师】药店老板向我推荐了第二代补铁剂，该补铁剂做成了胶囊，其内部成分呈棕色粉末状。请同学们通过实验检验第二代补铁剂中铁的价态。

【学生实验】打开胶囊，将少量药粉加水溶解，溶液呈棕黄色，取少量溶液于试管中，加入硫氰化钾溶液，无明显现象，加入少量氯水，仍然无明显现象。

【教师】实验结果无明显现象，是不是该补铁剂不存在铁元素？有没有更合理的检验方法呢？

【学生】人体胃液呈酸性，检验时应模拟人体环境，可以将补铁剂放在盐酸溶液中溶解，再取样检验。

【教师】请大家根据新方案重新进行检验。

【学生实验】取药粉加盐酸溶解，取少量溶液于试管中加入硫氰化钾溶液，发现溶液呈红色。

【教师】通过实验我们发现第二代补铁剂含有 Fe^{3+}，它的名称叫作复方多糖铁胶囊，是第三代补铁剂，常称多糖铁。由实验可知，多糖铁还有哪些性质呢？

【学生】多糖铁可溶于水，在水中不能电离出铁离子，但在酸性条件下可以电离出铁离子。

【教师】阅读有关多糖铁的资料，进一步了解多糖铁的性质。

【资料 3】

资料卡

多糖铁是一种由多糖与铁离子（Fe^{3+}）通过配位键结合形成的高分子复合物，具有副作用小、分子性质稳定、溶解性好、含铁量高等优点。

学习评价： 在“检验补铁剂”的任务中，大部分学生能够设计出检验葡萄糖酸亚铁的实验方案，具备一定程度的 B1、B2、B3 学科能力；但检验多糖铁时，当实验现象与预测出现不一致时，很少有学生能改进实验方案，说明类比迁移、复杂推理能力较弱。同时，学生设计的检验方案存在不完整、不规范的现象。通过此环节的教学，重点发展 C1、C2 学科能力。

任务三：使用补铁剂

【教师】阅读复方多糖铁胶囊的使用说明书并思考：为什么维生素 C 与本品同服，有利于本品吸收？

【资料 4】具体如图 7-5 所示。

【学生】多糖铁中含有的是三价铁元素，不利于人体吸收，维生素 C 可能具有还原性，会把铁离子还原为亚铁离子，亚铁离子更容易被人体吸收。

【教师】同学们分析得很有道理，正三价对于铁元素来说处于高价态，因此具有明显的氧化性，现提供试剂，请同学们设计方案并用实验证明 Fe^{3+} 的氧化性。（试剂：$FeCl_3$ 溶液、KSCN 溶液、维生素 C 片、铁粉、氯水、KI 溶液、淀粉溶液。）

【学生】学生小组讨论实验方案，并分工合作进行实验（教师巡视并进行指导）。

【教师】请同学们将实验方案及结果进行汇报。

【学生 1】在试管中加入 $FeCl_3$ 溶液，再加入 KSCN 溶液，溶液显红色，加入 1 片维生用法用量：成人每日一次，每次口服1～2粒；儿童需在医生的指导下使用。

不良反应：极少出现胃肠刺激或便秘。

禁　　忌：1.肝肾功能严重损害，尤其是伴有未经治疗的尿路感染者禁用；

2.铁负荷过高、血色病或含铁血黄素沉着症患者禁用；

3.非缺铁性贫血(如地中海贫血)患者禁用。

相互作用：1.维生素C与本品同服，有利于本品吸收。

2.本品与磷酸盐类、四环素类及鞣酸等同服，可妨碍铁的吸收。

3.本品可减少左旋多巴、卡比多巴、甲基多巴及喹诺酮类药物的吸收。

4.如与其他药物同时使用可能会发生药物相互作用，详情请咨询医师或药师。

图 7-5　复方多糖铁胶囊使用说明书

素 C 片，振荡后，红色消失，说明维生素 C 确实可以还原 Fe^{3+}。

【学生 2】在试管中加入 $FeCl_3$ 溶液及 KSCN 溶液，再加入铁粉，振荡后，红色消失，同时溶液颜色呈浅绿色，说明铁粉和 Fe^{3+} 反应后生成了 Fe^{2+}。

【学生 3】在试管中加入 $FeCl_3$ 溶液及 KSCN 溶液，溶液显红色，再加入 KI 溶液，红色消失，溶液呈棕黄色，说明 Fe^{3+} 被 I^- 还原。

【学生 4】我们在上述实验加入 KI 溶液后又加入了淀粉溶液，溶液变成深蓝色，说明 Fe^{3+} 和 I^- 反应后生成了 I_2。

【教师】由实验可知 Fe^{2+} 和 Fe^{3+} 在氧化剂和还原剂的作用下相互转化：

$$Fe^{2+} \underset{\text{维生素 C、Fe、KI}}{\overset{Cl_2\text{、}O_2}{\rightleftharpoons}} Fe^{3+}$$

【过渡】与第一代、第二代补铁剂相比，多糖铁作为第三代补铁剂，无论是吸收效果、口味还是副作用方面都得到了优化。请同学们观察铁元素在小肠内的吸收示意图，了解人体吸收铁元素的生物学机理。

【资料 5】铁元素在人体中的吸收过程如图 7-6 所示。

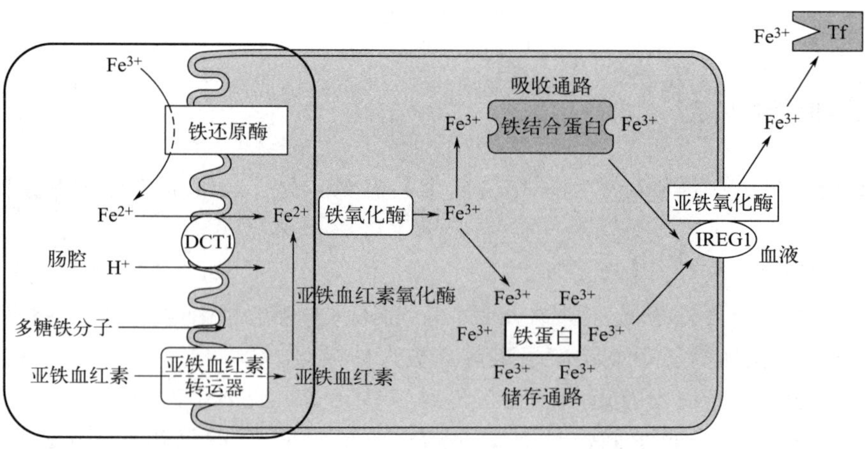

图 7-6　铁元素在小肠内的吸收示意图（Robert M Berne，2004）

【学生】从图 7-6 看铁离子需要还原成亚铁离子才能进入小肠细胞，而多糖铁则可以直接进入。

【教师】大家观察得很仔细，多糖铁复合物在胃液中会有少部分铁离子溶出，被还原成亚铁离子后在十二指肠以离子状态吸收，未溶出部分则以分子形式被小肠细胞吸收。由于多糖铁中的铁元素大部分都是以分子形式被小肠吸收，不仅减少了对肠道的刺激，而且吸收效率也更高。因此，越来越多的贫血患者都选择了第三代补血剂。

【总结】通过本节课的学习我们知道了常见补铁剂的成分及检验铁元素的一般方法，也知道了不同价态含铁元素物质的相互转化，不仅如此，大家通过小组讨论、设计方案、动手实验等一系列活动体验了科学探究的过程，将真实的生活问题用科学方法做了解答，这对形成创新意识、提高科学素养很有帮助。本节课研究了药物补铁的方法，那么食物补铁时该如何选择相应的食物呢？菠菜补铁是真的吗？有兴趣的同学，可以一起和老师去实验室探寻答案。

学习评价： 在“使用补铁剂”的任务中，学生由补铁剂的使用说明书对 Fe^{3+} 的性质进行预测，通过实验进行验证，证实了 Fe^{3+} 的氧化性。在小组实验及互相交流的过程中，大部分学生能够顺利完成实验并得出结论，此处诊断并发展了 A3、 B1、 B3 学科能力。对于多糖铁具有更好的补铁效果这一问题，需要一定的生物学知识，大部分学生无法解释，说明 C3 学科能力较为薄弱，需要教师进一步引导。

四、板书设计

板书设计如图 7-7 所示。

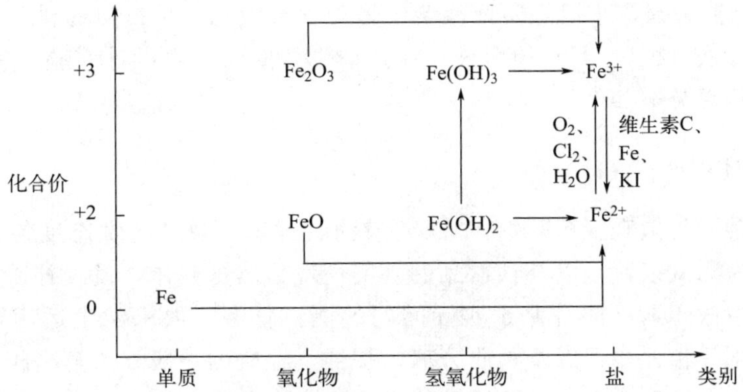

图 7-7 “铁及其化合物”教学板书设计

教学评价

一、教学效果

（一）测评试题

据统计，我国曾约有 2 亿人患有缺铁性贫血和铁缺乏症，发生率高达 15%～20%。治疗贫血通常采用调整饮食和补充铁剂等方法。请回答如下问题：

1.【单选题】对于贫血患者，以下方式不能达到补铁效果的是（　　）。

A. 食用含铁粉的麦片　　B. 多吃黑木耳、猪肝、牛肉等食物

C. 服用乳酸亚铁口服液　　D. 多喝茶

2.【简答题】硫酸亚铁片适用于儿童、老人、孕产妇缺铁性贫血的治疗。某同学为探究保存时间较长的硫酸亚铁片的情况，设计了如下实验方案：

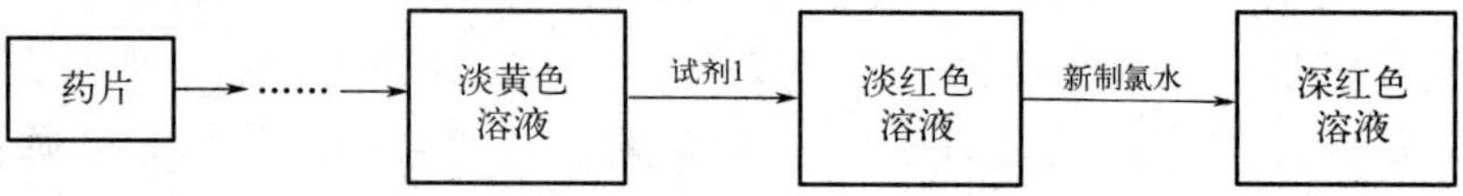

（1）试剂 1 的主要成分的化学式是____________________；

（2）加入新制氯水溶液红色加深的原因是（用离子方程式表示）____________；

（3）该同学在实验中加入过量氯水，放置一段时间后，发现深红色褪去，现对褪色原因进行探究。

① 提出假设

假设 1：溶液中的＋3 价铁被氧化为更高价态的铁；

假设 2：____________________________。

② 验证假设

为了对你所提出的假设 2 进行验证，请写出一种实验方案：

____

____________________________________。

3.【拓展题】某兴趣小组想验证菠菜中是否含有铁元素，查阅资料后发现菠菜中的铁元素主要以草酸亚铁（FeC_2O_4）的形式存在。请你帮助该小组设计实验方案。（已知 FeC_2O_4 难溶于水，受热易分解。）

（二）设计说明

以“宏观辨识与微观探析”“科学探究与创新意识”及“科学态度与社会责任”的化学学科核心素养为测试宗旨，以补铁食品的真实情境为测试载体，设置补铁方式选择、补铁药剂分析和菠菜中铁元素检测等基于实际问题的测试任务，要求学生运用含铁元素物质的类型、性质、转化等相关知识以及物质分离、提纯、检验的一般方法解决相应问题。每一个试题均对应学科能力表现性目标，旨在评价学生完成本节课学习后相应的学科能力水平。具体如表 7-6 所示。

表 7-6　评价说明和评分标准（总分 18 分）

试题编号	学科能力要素	认识能力	分值	标准答案及评分标准
1	A1 辨识记忆：能列举常见铁及其化合物，并能用化学方程式、离子方程式表示其主要化学性质，可以描述相关实验现象	2 分：能辨识生活中的含铁元素物质（系统水平） 0 分：不能辨识生活中的含铁元素物质（孤立水平）	2 分	2 分：D 0 分：其他选项

续表

试题编号	学科能力要素	认识能力	分值	标准答案及评分标准
2(1)	A2 概括关联：能从物质类别和元素价态角度概括铁及其化合物的性质和相互转化关系；能建立铁及其化合物的物质类别、化合价、性质、反应现象及应用的联系	2 分：能根据现象判断并准确地写出硫氰化钾的化学式（宏观—符号） 0 分：无法写出硫氰化钾化学式（欠缺）	2 分	2 分：KSCN 0 分：其他答案
2(2)	A1 辨识记忆：能列举常见铁及其化合物，并能用化学方程式、离子方程式表示其主要化学性质，可以描述相关实验现象	1～2 分：能解释实验现象并准确书写氯气和氧化亚铁反应的离子方程式（宏观—符号） 0 分：不能解释实验现象并准确书写氯气和氧化亚铁反应的离子方程式（欠缺）	2 分	2 分：$2Fe^{2+}+Cl_2 = 2Fe^{3+}+2Cl^-$ 1 分：离子方程式中反应物和产物书写正确，但未配平 0 分：反应物或产物书写错误或没书写离子方程式
2(3)	B1 分析解释：能利用铁及其化合物的性质和转化关系分析、解释实验现象，以及生活、生产中的问题 B3 简单设计：能够利用铁及其化合物的性质和转化关系，设计含铁元素物质的制备、检验、分离等简单实验方案	4 分：能从物质类别及价态的角度解释硫氰化铁红色褪去的原理（性质—应用）；对提出的假设，能设计出简单的实验方案进行验证（系统水平） 2 分：能提出合理的假设来解释硫氰化铁红色褪去的原因（性质—应用），不能设计出实验方案验证假设 0 分：角度不合理或无法回答（欠缺）	4 分	4 分：SCN^- 被过量的氯水氧化；取少量褪色后的溶液，滴加过量 KSCN 溶液，若出现红色，则说明假设 2 成立，若不出现红色，则说明假设 2 不成立 2 分：SCN^- 被过量的氯水氧化 0 分：无法回答
3	B2 推理预测：能从物质类别、元素价态等角度推测陌生含铁元素物质的性质、实验现象 C2 系统探究：可以设计系统、完整的检验食品中的铁元素的实验方案，并完成研究报告	7～8 分：根据草酸亚铁的性质及检验材料的特点，完整、合理地写出实验方案（性质—应用，分离—提纯，系统水平） 5～6 分：大致能写出实验方案，但不够完整（性质—应用，孤立水平） 1～4 分：部分实验步骤合理，但一些步骤考虑欠妥，甚至存在错误（孤立水平） 0 分：无法设计方案（欠缺）	8 分	取新鲜菠菜叶子，洗净烘干后充分燃烧成灰烬；将灰烬研磨成粉末，加入少量稀盐酸浸泡，加热促进溶解，过滤；取少量滤液滴加 KSCN 溶液，若溶液变为红色，则说明其含有铁元素 （评分标准参考认识能力）

（三）效果分析

收集答卷 94 份，能力对应的平均得分情况如表 7-7 所示。

表 7-7　评分结果

学科能力	试题编号	分值	平均分	得分率
A1	1、2(2)	4(2+2)	2.40	60.1%
A2	2(1)	2	1.15	57.5%
B1	2(3)	2	0.46	23.0%
B2	3	2	0.72	36.0%

续表

学科能力	试题编号	分值	平均分	得分率
B3	2(3)	2	0.26	13.0%
C2	3	6	0.83	13.8%

通过数据分析可见，学生学习理解能力（A1、A2）水平普遍较高，这是由于这部分试题难度较低，属于辨识、记忆、关联等较低层阶的思维水平，学生普遍掌握较好，但A2能力对应试题中涉及离子方程式书写部分，错误率较高，这说明学生对于物质的拆分及氧化还原的配平等化学基本理论的理解及运用还处于较低水平，需要教师加强针对性训练和系统性纠错。实践应用能力（B1、B2、B3）和系统探究（C2）的试题得分率较低，只有极少部分学生拿到了高分，大部分学生思维较为混乱，特别是关于实验方案设计这类涉及文字描述的题型，普遍存在回答不合理、不完整等现象。这不仅是因为这类试题本身开放程度较大，对学生能力要求较高，还在于学生缺少实验操作和对实验过程及结果描述的练习，这也提示教师要重视对学生实验能力的培养，并在平时的教学中设计符合学生能力水平的学习任务，提高他们的实践和创新能力。

二、教学反思

本课例依据学科能力理论，通过"目标制定—策略选择—情境创设—活动设计"的流程展开教学设计。围绕"探秘补铁剂"的情境主题，遵循"寻找补铁剂—检验补铁剂—使用补铁剂"的思路，引导学生从价态和类别的角度认识含铁物质间的转化，通过实验探究的方式对Fe^{2+}和Fe^{3+}的检验及性质进行证实。教学实践表明，多数学生A1、A2、A3学习理解能力较好，但用方程式表征含铁物质的性质及转化的能力较薄弱；B1、B2应用实践能力较好，部分B3应用实践能力及C1、C2、C3能力尚有欠缺，不过在教师的引导和同学的合作中获得了不同程度的提升。总体而言，本节课的教学设计与实践不仅落实了知识学习，提升了学科能力，加深了对化学学科价值的理解，而且使学生认识到化学对保护生命健康、满足人民日益增长的美好生活需要作出了重大贡献。

本课例的设计思路对相似主题的教学，如"钠及其化合物""氯及其化合物""硫及其化合物"等，具有一定的参考价值。教师可以在充分挖掘教学内容的能力培养价值和育人价值的基础上，通过制定学科能力导向的教学目标，选择合适的教学策略（例如模仿迁移、小组合作等），创设真实情境（例如"会呼吸的钠电池""含氯消毒剂的发展"等），设计丰富的能力活动（例如方案设计、实验探究等）进行教学设计与实践。在本节课的教学实践中，发现不少学生的实验思路不够清晰、实验操作水平较低，存在实验混乱、操作不规范的现象，建议教师应重视实验教学，平时多让学生进实验室动手实践。此外，本节课学生实验活动过多，导致部分探究环节因受课堂时间的限制，在没有充分展开的情况下便匆匆给出结论，学生的设计推理能力没有得到充分锻炼，建议教师根据学生的表现进行必要的引导，做实验之前应做好充分的预设，及时纠正活动中的不足之处。

参考文献

[1] 中华人民共和国教育部．普通高中化学课程标准（2017年版2020年修订）[S]．北京：人民教育出版社，2020：15-17，23-25，65-67.

[2] 王磊．基于学生核心素养的化学学科能力研究［M］．北京：北京师范大学出版社，2017：13-14，17-19.

[3] 王晶，毕华林．普通高中教科书·化学（必修）第二册［M］．北京：人民教育出版社，2019：71-74.

[4] 王正兵．素养为本的化学教学与评价的设计和实施——以“补铁剂中铁的检验与转化”为例［J］．化学教育，2019（11）：29-35.

[5] 孙亚红，熊辉，申敬红，等．“教、学、评”一体化的深度学习教学实践——以“探究五大连池矿泉水补铁功能”为例［J］．化学教学，2021（1）：46-51.

[6] 刘东方，李文昱，康新，等．高中化学“铁及其化合物”的项目式教学——探秘铁肥的合理使用［J］．化学教育，2022（17）：53-61.

[7] 陈廷俊．“从印刷线路板废液中回收铜并重新得到三氯化铁溶液”实验探究教学设计与反思［J］．化学教育，2012（12）：67-69.

谈小强（宁波市五乡中学　浙江宁波）
王星乔（宁波市鄞州中学　浙江宁波）
陈靖潼（宁波荣安实验中学　浙江宁波）

第 8 单元

金属材料

目标研制

一、课标研读

（一）内容要求和学业要求

“金属材料”教学单元为《普通高中化学课程标准（2017 年版 2020 修订）》必修课程主题 1、主题 2、主题 5 中的内容，课标相应内容要求和学业要求如表 8-1 所示。

表 8-1 “金属材料”教学单元的课标内容要求和学业要求[1]

内容要求	学业要求
1.1 化学科学的主要特征 了解物质的量及其相关物理量的含义和应用，体会定量研究对化学科学的重要作用 2.4 金属及其化合物 结合真实情境中的应用实例或通过实验探究，了解钠、铁及其重要化合物的主要性质，了解这些物质在生产、生活中的应用 2.6 物质性质及物质转化的价值 结合实例认识金属、非金属及其化合物的多样性，了解通过化学反应可以探索物质性质、实现物质转化，认识物质及其转化在促进社会文明进步、自然资源综合利用和环境保护中的重要价值 5.2 化学科学在材料科学、人类健康等方面的重要作用 知道金属材料等常见材料类型，结合实例认识材料组成、性能与应用的联系	1.5 能基于物质的量认识物质组成及化学变化，运用物质的量、摩尔质量、气体摩尔体积、物质的量浓度之间的相互关系进行简单计算 2.4 能利用典型代表物的性质和反应，设计常见物质检验等简单任务的方案 2.6 能说明常见元素及其化合物的应用对社会发展的价值、对环境的影响 5.2 能从材料组成的角度对生活中常见的材料进行分类，能根据使用需求选择适当的材料，能解释使用注意事项，并能科学合理使用

注：数字序号即课标中相应序号。

可见，课标中对“金属材料”的内容要求侧重于金属材料的主要性质及其在生产、生活中的应用，以及“结构决定性质，性质影响应用”的学科观念。学业要求则从“列举”“应用”“说明”等能力表现角度提出了具体要求。通过直接摘录、关联合并、增补解构等方式，可得到该教学单元课标优化后的要求，如表 8-2 所示。

表 8-2 “金属材料”教学单元课标优化后的要求[1]

优化后的要求
(原内容要求 1.1)能应用物质的量及其相关物理量进行化学方程式相关计算，理解守恒关系。体会定量研究对化学学科的重要作用(增补解构) (原内容要求 2.4)知道铁合金结构对其性能的影响，能说出铁及铁合金在生产、生活中的应用，结合它们的实例说出铁单质和铁合金的性质差异(增补解构) (原内容要求 2.6)能从铝和氧化铝与稀盐酸、NaOH 溶液反应的实验，理解铝、氧化铝的化学性质(增补解构) (原内容要求 5.2)知道金属材料在材料科学等方面的重要作用，结合实例认识材料组成、性能与应用的联系(直接摘录)
(原学业要求 1.5)能基于物质的量认识物质组成及化学变化，运用物质的量、摩尔质量、气体摩尔体积、物质的量浓度之间的相互关系进行计算(直接摘录) (原学业要求 2.4)能列举铝及氧化铝的常见物理、化学性质。能用化学反应的方程式正确表示铝和氧化铝的两性(增补解构) (原学业要求 2.6)能说明合金对社会发展的价值、对环境的影响(直接摘录) (原学业要求 5.2)能从材料组成的角度对生活中常见的材料分类，能根据使用需求选择适当的材料，解释使用注意事项，并科学合理利用(直接摘录)

（二）学业质量水平

课标学业质量水平与“金属材料”教学单元的相关要求对应关系如表 8-3 所示。

表 8-3 “金属材料”教学单元的学业质量水平

学业质量水平描述[1]	针对本教学单元内容的具体表现
1-2 认识物质的量在化学定量研究中的重要作用，能结合实验或生产、生活中的实际数据，并应用物质的量计算物质的组成和物质转化过程中的质量关系	1-2 能结合化学反应方程式，运用物质的量进行基本的计算
1-3 能完成简单的物质性质实验；能与同伴合作进行实验探究，如实观察、记录实验现象，能根据实验现象形成初步结论	1-3 能设计实验探究铝、氧化铝的性质，知道两性氧化物，丰富对金属多样性的认识，体会实验对认识和研究物质性质的重要作用
1-4 赞赏化学对人类生活和生产所作的贡献；能运用所学的化学知识和方法分析讨论生产、生活中简单的化学问题	1-4 能列举生活中的合金，能说出纯金属与合金的性质差异，具备将化学知识与生产、生活实际结合，以及主动关心并参与有关社会性议题的讨论的意识
2-2 能应用质量守恒定律分析物质转化对资源利用的影响	2-2 能在物质的量计算过程中，体会守恒思想，感受定量研究对化学科学的重要作用，体会物质的量的学习价值
4-1 能根据物质的类别、组成、微粒的结构等说明或预测物质的性质，评估所做说明或预测的合理性 4-4 能说明化学科学发展在材料合成、促进科学技术发展等方面的重要作用	4-1、4-4 能描述金属材料的发展历史，预测合金材料的未来发展趋势

注：数字序号即课标中相应序号。

二、教材解读

在人教版高中化学必修教材（2019 年版）第三章第二节“金属材料”中，通过对金属材料包括铁合金、铝合金和新型合金的介绍，建立“组成—结构—性质—用途”的认识视角和“人类需求—材料性质—材料结构—材料改进”的认识思路，建构学科价值观念。借助

“思考与讨论”“化学与职业”“科学·技术·社会”等栏目，实现学业要求和学业质量水平的相关要求。本节课知识要求不高，但要注重拓展学生对材料的认知，注重对学生职业发展的引导。教学需要培养学生的科学态度、社会责任和创新意识。具体见图 8-1。

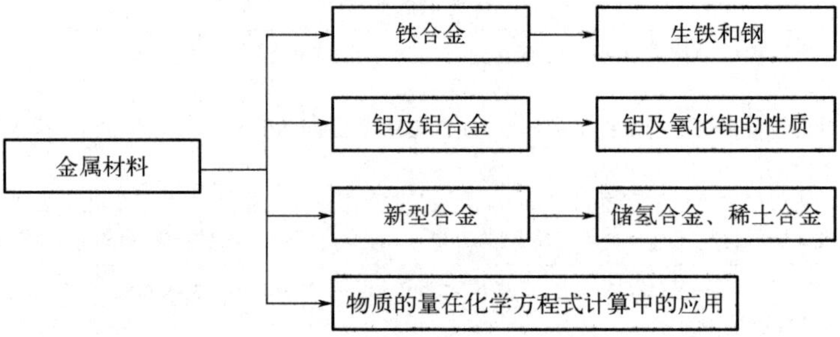

图 8-1 “金属材料”教学单元内容

三、能力建构模型

通过课标研读和教材分析，可以确立相关主题的知识基础、研究对象和化学问题、学科认识方式，从而构建该学科能力模型（图 8-2）[2]。例如该教学单元的核心知识是金属材料的结构特点及应用和物质的量在化学方程式计算中的应用；认识角度是“结构—性质—用途”，认知思路是“了解材料—应用材料—改造材料”，学科思想为“结构决定性质，性质决定应用”。研究对象和化学问题主要包括金属铝及其氧化物的物理、化学性质，合金结构变化对物质性质的影响，以及物质的量计算。针对金属铝及其氧化物性质的内容，可侧重发展学生的学习理解能力；针对物质的量计算问题，可侧重发展学生的应用实践能力。

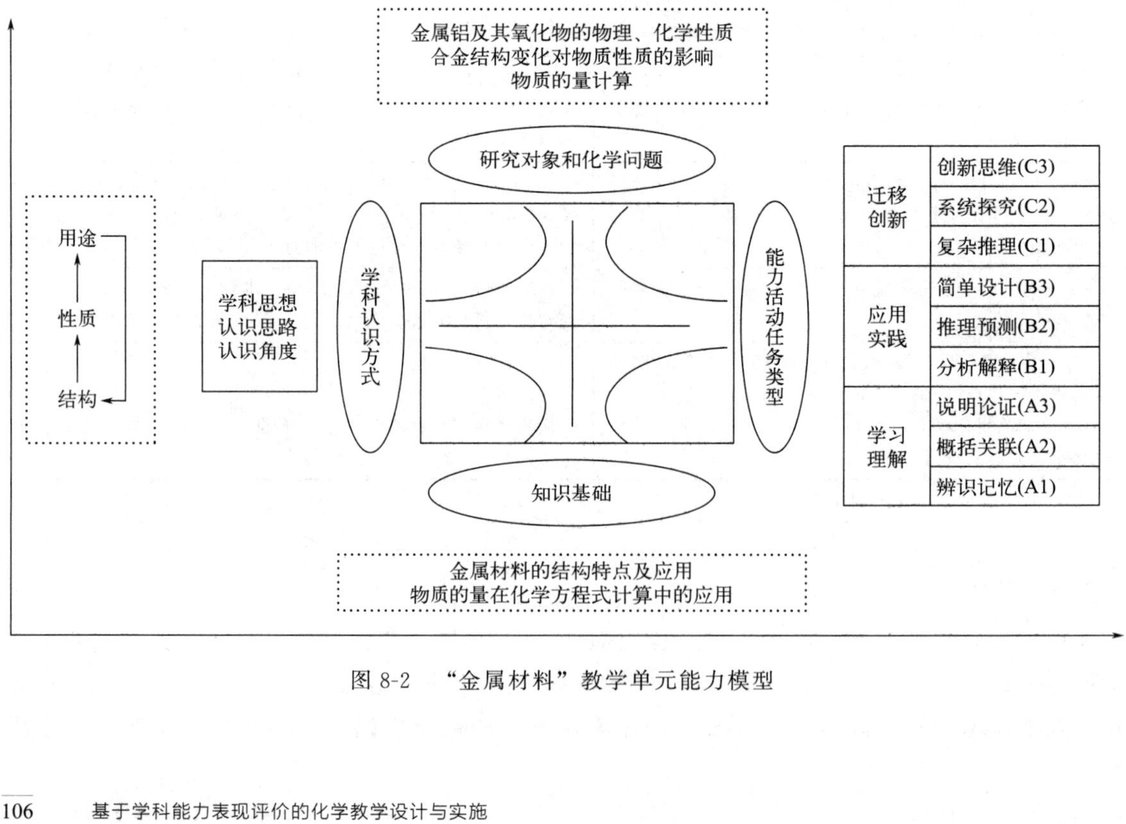

图 8-2 “金属材料”教学单元能力模型

四、课程资源分析

在教学实际中，能力目标的实现受学生学情、授课类型、教学资源等客观因素的影响。

（一）授课类型

本节课的授课类型为新授课。

（二）学情分析

已有基础：从知识层面来看，学生已经学习了部分元素化合物的相关内容，了解元素化合物的知识学习遵循“结构——性质——用途”的一般流程，理解金属的通性，这些均有利于建构铝的相关知识体系。从能力层面来看，学生已具备基本的实验动手能力和观察能力、整理和收集资料能力，能进行简单的化学运算。这些为本节课的小组实验和调查研究提供了能力保障。从心理层面来看，该年龄层的学生已具备一定的思辨能力，本节课的“化学与职业”栏目介绍了测试工程师这个职业，可以以此为契机，做相关的职业选择引导和专业选择引导。

潜在困难：为了拓展学生的视野，对于金属材料的发展和金属材料性质的优化，可以采用社会调查、撰写小论文等形式完成。在这个过程中，把学生组织起来，合作交流，提升自主学习能力，是本次课程的一个难点。教学中如何避免无目的的自主阅读，如何组织学生交流、汇报自己的研究成果，以及如何对学生研究成果进行多样性和客观性的评价，都是本节课的潜在困难。

（三）教学资源

本教学单元中，金属材料尤其是合金占大量篇幅。因此完成本节课的教学，需要学生通过多种渠道检索知识，这需要信息技术的支持。在课堂上为完成教学目标，可以采用动画、视频的形式，从微观的角度展示合金与纯金属在结构上的差异性；亦可以采用课前微课的形式，引导学生有效地搜集资料。从学生的角度来看，本节课可以安排在假期之后，给学生足够的时间思考、检索和整理，以撰写汇报资料，充分发挥学生的自主性。

另外，在学生实验部分，需要提供相应的实验药品及仪器，如 0.1mol/L 盐酸、0.1mol/L NaOH 溶液、铝片、砂纸、试管、试管架等。

五、表现性目标制定

将学科能力模型中 4 个维度进行组合，再结合学生学情、授课类型、教学资源等客观因素，制定了“金属材料”教学单元学科能力表现性目标，如表 8-4 所示。

表 8-4　“金属材料”教学单元学科能力表现性目标

能力要素		表现性目标
A 学习理解能力	A1 辨识记忆	能说出金属铝的物理、化学性质；能说出合金的概念
	A2 概括关联	能根据铝和氧化铝与强酸、强碱反应的实验，概括铝、氧化铝的特点。 能在化学反应方程式中完成物质的量和各物理量的相互求算
	A3 说明论证	能以铁铝合金为例，说明合金与纯金属在性质上的差异性

续表

能力要素		表现性目标
B 应用实践能力	B1 分析解释	能从微观结构分析、解释纯铝和铝合金存在性能差异的原因。 能够理解铝与强酸、强碱反应的计量特点。能进行物质的量、摩尔质量、气体摩尔体积和物质的量浓度之间的相互换算，并能够运用这些关系进行化学方程式的计算
	B2 推理预测	能结合钢中金属元素的主要作用，预测合金金属材料的发展趋势
	B3 简单设计	能够设计铝和氧化铝与强酸、强碱的反应实验，并在实验设计中明确药品使用量
C 迁移创新能力	C1 复杂推理	能结合金属材料的使用史，从物理性质、微观结构的角度分析材料迭代的原因
	C2 系统探究	—（新授课暂不要求）
	C3 创新思维	—（新授课暂不要求）

教学设计

一、教学现状

本课时为人教版高中化学必修教材（2019 年版）第三章第二节“金属材料”的新授课。作为人教版教材的特色内容，在钠和铁之后设置“金属材料”内容，从合金的应用和发展角度，对已学的金属知识做了由性质到应用再到结构的提升。“金属材料”是化学知识体系的重要组成部分，也是培养学生科学探究能力和创新意识的关键内容。通过对金属材料的学习，学生能够更好地建立“结构决定性质，性质决定应用”的思想；深化类比观和价态观，构建定性、定量相结合的思想；理解材料科学的基本概念，为未来的学习和职业生涯打下坚实的基础。现有文献对该章节的研究主要集中在通过翻转课堂等教学模式，激发学生的学习兴趣和培养学生的科学态度与社会责任素养[3]；也有学者以高铁、易拉罐为模型，提升学生对金属材料的认识和应用能力[4-5]。

二、教学思路

（一）创设真实问题情境

本节课选择“眼镜框架发展史”为真实情境主题，主要原因有两点。①关联教学内容：从纯铁框架到轻金属铝框架再到合金框架，介绍金属铝的物理、化学性质，引出新型合金发展的必要性和合金性能的优势。②以与学生生活、学习息息相关的眼镜为切入点，介绍眼镜框架材料发展史，预测未来框架材质发展趋势，激发学生学习兴趣，调动学生学习热情。具体如图 8-3 所示。

（二）设计能力评价任务

依据上述确立的学科能力表现性目标，精心设计了多样化、梯度化的能力发展评价任务，体现从“学习理解”到“应用实践”再到“迁移创新”的进阶。与此同时，学生在学习活动中的表现可作为达成能力发展目标的表现，将评价嵌入教学过程中，发挥评价的诊断与发展功能，具体如表 8-5 所示。

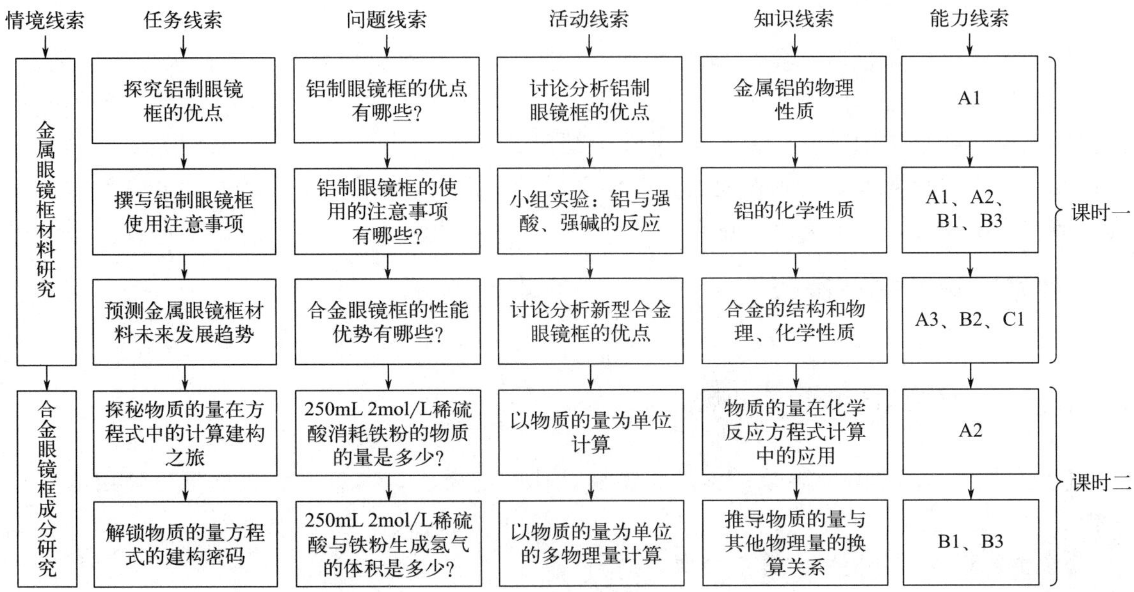

图 8-3 教学流程

表 8-5 “金属材料”教学单元能力发展评价

序列	教学环节	评价任务	评价活动	能力要素	素养价值
1	探究铝制眼镜框的优点	概括金属铝的物理性质	【提问】铝制眼镜框的优点有哪些	A1	建立“性质—应用”的认识视角
2	撰写铝制眼镜框使用注意事项	设计、完成并准确记录和汇报实验现象	【提问】铝制眼镜框的注意事项有哪些 【活动】小组实验探究铝片与盐酸、氢氧化钠的反应	A1 A2 B1 B3	建立“宏观—微观”的认识视角
3	预测金属眼镜框材料未来发展趋势	预测合金材料的性能	【指导阅读】教材“资料卡片”及“化学与职业”内容 【提问】请你设计一款合金眼镜框，并简述其优势	A3 B2 C1	认识金属材料发展对人类的贡献
4	探秘物质的量在方程式中的计算建构之旅	完成方程式计算	【活动】书写铁粉与硫酸反应的化学方程式，并计算250mL 2mol/L的硫酸消耗铁粉的物质的量	A2	学习并巩固物质的量在化学方程式计算中的应用
5	解锁物质的量方程式的建构密码	构建物质的量、摩尔质量、气体摩尔体积和物质的量浓度之间的关联	【活动】计算250mL 2mol/L的硫酸消耗足量铁粉生成氢气的体积	B1 B3	诊断并发展物质的量与其他物理量的换算关系

（三）选择教学策略

根据教学目标和教学内容，选择合适的教学策略，针对金属材料内容，采用情境创设、实验探究等教学策略，例如金属铝、氧化铝的性质探究环节，发展实验能力、合作能力和根据实验现象归纳总结的能力。针对金属眼镜框材料未来发展趋势内容，采用调研、自主合作、展示交流的教学策略，例如使用多媒体手段，小组撰写合金材料的发展报告并汇报，深化“结构决定性质，性质决定应用”的认知。

三、教学实录（第一课时）

任务一：探究铝制眼镜框的优点

【引入】很多同学都戴眼镜，你的眼镜框是什么材质？请猜想做眼镜框最早使用的材料是什么？

【学生】观察、分析后回答：金属、树脂。

【PPT】眼镜框材料发展史（图 8-4）。

在 13 世纪的意大利，早期的眼镜框多使用木材、骨头或皮革制成，这些材料轻便但不够坚固耐用，到了 18 世纪，金属开始被用于眼镜框的制造，如铜和黄铜，但这些材料容易生锈且重量较重。

(a) 意大利的第一副可戴式眼镜　　(b) 美国发明家本杰明・富兰克林的金属眼镜框

图 8-4　眼镜框材料发展史

【教师】最早的眼镜框是木制的，后来发展为金属的。19 世纪金属铝实现量产，人们开始使用铝制眼镜框，同学们能说一下铝制眼镜框的优点吗？

【学生】质地轻。

【任务】老师没有纯铝制眼镜框，但是实验篮中给大家放了铝片和砂纸。请大家观察铝片，补充铝的物理性质。

【学生】铝片质软、可弯折，硬度不高，未打磨的铝片呈白色，打磨过后有银白色金属光泽。

【PPT】铝的物理性质：

铝是一种银白色的轻质金属，质软、密度低、有银白色金属光泽。
铝具有良好的延展性。

学习评价： 在评价金属眼镜框材料更迭中，多数学生能从铝的物理性质的角度评价铝制眼镜框的优点，具备 A1 学科能力。

任务二：撰写铝制眼镜框使用注意事项

【提问】请问使用纯铝制眼镜框，在使用的时候有什么注意事项?

【学生】思考回答：铝制眼镜框不能长时间浸泡在汗液中，可能被腐蚀。

【任务】探究金属铝的化学性质。

【PPT】小组实验探究打磨和未打磨的铝片与盐酸、氢氧化钠的反应。

实验药品：0.1mol/ L 稀盐酸、0.1mol/ L 氢氧化钠、铝片。

实验用品：铝片、砂纸、试管若干。

注意事项：盐酸、氢氧化钠每次取 5mL，小组成员要安排一人记录实验现象。

【提问】请小组汇报实验现象。

【学生】打磨过的铝片可以和氢氧化钠、盐酸快速反应，产生气泡。没打磨过的铝片，前面变化不明显，浸泡一段时间后，也能快速产生气泡。

【教师】氧化铝既能和强碱反应，也能和强碱反应。氧化铝与强碱反应生成四羟基合铝酸钠。请书写铝片与盐酸、氢氧化钠反应的化学方程式。

【学生】书写化学反应方程式。

【教师】经过上述实验，请评价纯铝制眼镜框的优点和缺点。

【学生】小组讨论书写。

优点：质地轻。

缺点：质地软，易弯折、变形。性质较活泼，易被氧化失去光泽。

【教师】由于纯铝材料硬度、强度较小，确实不适合做眼镜框。但是铝的价格低廉、质量轻的优点却让人无法割舍。能否优化铝材料?

【观点】加入适量合金元素能够保留纯铝质轻、延展性好等优点，同时增强硬度，提高耐腐蚀性。

【提问】为什么纯金属内加入合金元素，其硬度会变大?

【视频】纯金属内所有原子的大小和形状都是相同的，原子的排列十分规整，加入或大或小的其他元素原子后，改变了金属原子有规则的层状排列，使原子层之间的相对滑动变得困难，导致合金硬度变大。

【PPT】纯金属和合金的原子排布如图 8-5 所示。

【思考】合金的性能由什么决定?

【学生】原子组成与结构决定了合金的性能，合金元素的种类和配比不同，决定了其不同的性能，从而决定了其不同的用途。

学习评价： 在“实验探究铝和氧化铝与强酸、强碱的反应”任务中，多数同学能规范地操作实验，记录和汇报实验现象， A2、B1 能力发展较好。部分同学存在实验现象记录不

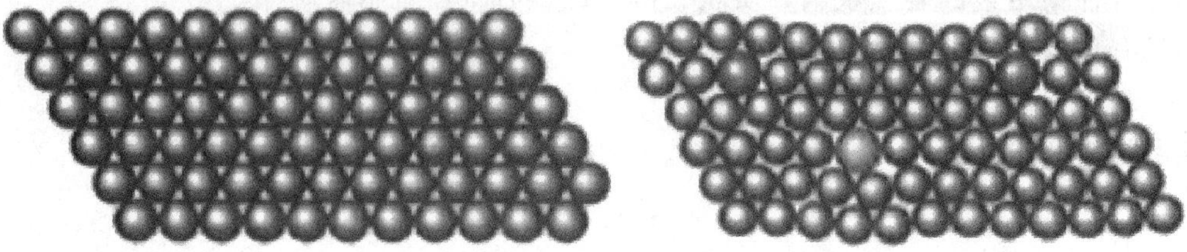

图 8-5　纯金属和合金的原子排布图

全面的情况，表现为 B3 学科能力略有不足。在“分析合金框架的优势”任务中，绝大多数同学能理解合金微观结构的变化导致性质硬度变化，诊断学生 A3 学科能力，培养了学生“宏观—微观”的认知思路。

任务三：预测金属眼镜框材料未来发展趋势

【教师】现在眼镜店里出售的眼镜框的材料主要是钛合金、纯钛等。已知钛比铁的密度小，强度高于铝，而抗腐蚀性近似于铂。请讨论：不同合金的特点及其在眼镜框中的适用性。

【学生】分组进行讨论，研究不同合金的特性，如铝合金、铁合金、不锈钢、钛合金等，并探讨它们在眼镜框制造中的优势和局限性。

【学生汇报】铝合金虽然轻但硬度较低，可能耐用性差；钛合金虽然价格较高，但性能卓越，有更高的强度和更好的生物相容性。

【提问】如果眼镜制造商想要开发一种新型眼镜框，既要求轻便又要求高强度，你认为他们应该选择哪种金属材料或合金？请解释你的选择。

学习评价：在评价和预测金属眼镜框材料未来发展趋势时，学生通过交流、讨论评价材料的优越性，多数同学积极参与讨论，发展了 B2、C1 学科能力，感受了化学对于促进人类发展的贡献。也有同学创新意识不足，有待提升。

四、板书设计

板书设计如图 8-6 所示。

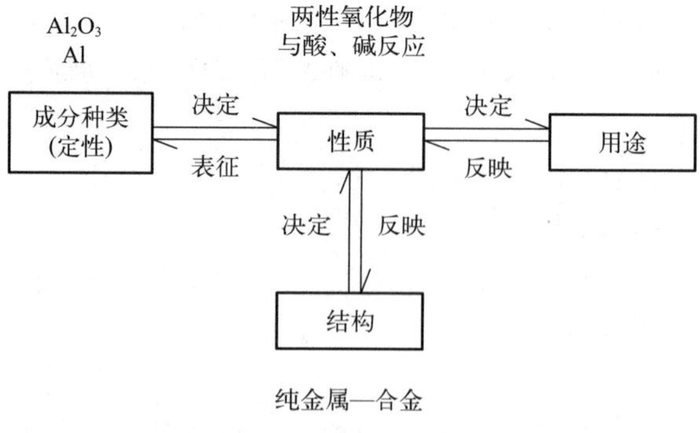

图 8-6　“金属材料”教学板书设计

教学评价

一、教学效果

（一）测评试题

早在四五千年前人类就开始使用金属器具。铝是地壳中含量最多的金属元素，由于化学性质活泼，直到 1830 年才由一位瑞典科学家提取出了纯铝，1940 年铝制易拉罐投入使用。请你回答下列问题：

1. 【单选题】金属材料的使用见证了人类文明发展过程，历史上人类冶炼部分金属的大致年代如图 8-7 所示，下列说法正确的是（　　）。

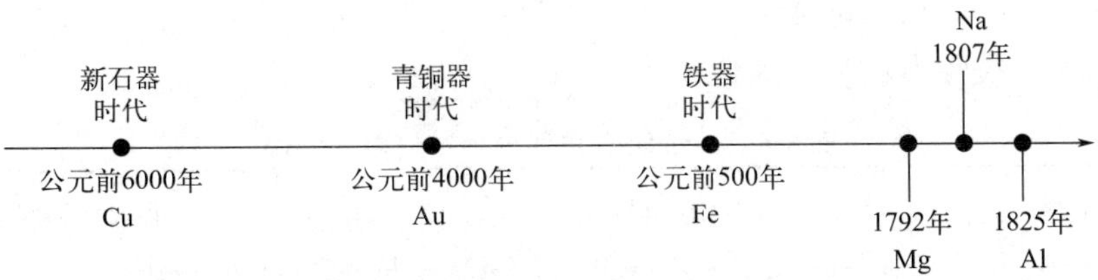

图 8-7　人类冶炼部分金属的年代图

A. 由图可知最早冶炼的金属为 Au

B. 人类最早使用的合金为铁合金

C. 铝是地壳中含量最高的金属元素，但铝的冶炼时间较晚

D. 铁、铁合金、铁的氧化物都为金属材料

2. 【简答题】某小组利用传感器探究在密闭环境中易拉罐和少量稀盐酸反应过程中温度和压力的变化，结果如图 8-8 所示。

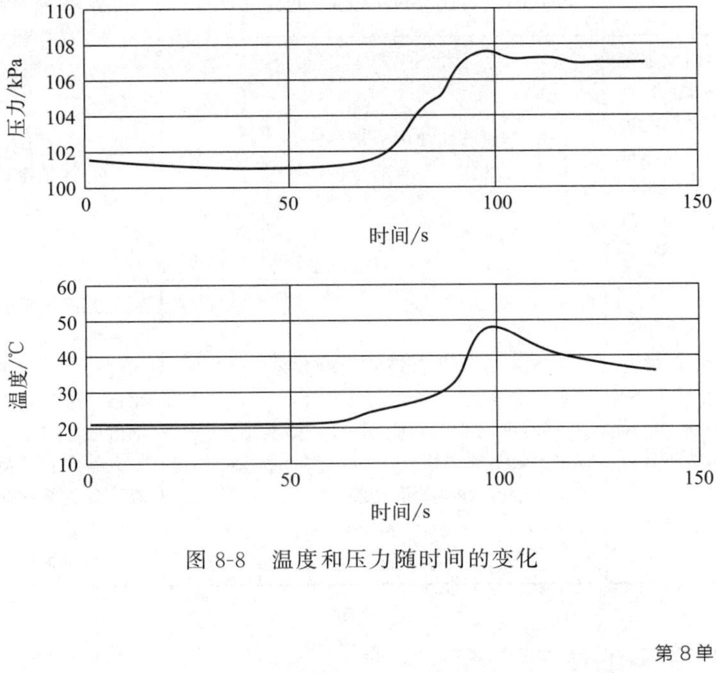

图 8-8　温度和压力随时间的变化

（1）请写出铝制易拉罐与盐酸反应的化学方程式：________________________。

（2）请分析 50～100s，压力变大的可能原因：________________________。

3.【简答题】某品牌易拉罐为镁铝合金，将易拉罐打磨、清洗并干燥后，剪碎并磨成粉，取 10.2g 该粉末浸入足量的盐酸中，完全溶解后收集到的气体在标准状况下的体积为 11.2L；另取相同质量的该粉末浸入足量的 NaOH 溶液中，充分反应之后，收集到的气体在标准状况下的体积为________。

4.【拓展题】查阅资料发现，有的易拉罐中含有大量的铝，但是也有少量的铁、铜，以及部分塑料成分。如何回收铝制易拉罐中的金属铝？请完成方案设计。

（二）设计说明

以“宏观辨识与微观探析”“科学态度与社会责任”的化学学科素养为测试宗旨，以金属材料的发展和应用为测试载体，设计试题，要求学生应用本节课学习的合金材料和金属铝的物理、化学性质解决相关试题。每个问题均对应学科能力表现性目标，旨在评价学生完成本节课后相应的学科能力水平。具体见表 8-6。

表 8-6　评价说明和评分标准（总 12 分）

试题编号	学科能力要素	认识能力	分值	标准答案及评分标准
1	A1 辨识记忆：能说出金属铝的物理、化学性质	2 分：能有效提取题干信息，结合铝的化学性质判断出铝冶炼时间晚 0 分：无法结合铝的化学性质判断出铝冶炼时间晚	2 分	2 分：C 0 分：其他选项
2(1)	A2 概括关联：能根据铝和氧化铝与强酸、强碱反应的实验，概括铝、氧化铝的性质	2 分：能准确书写铝和盐酸反应方程式 0 分：无法准确书写铝和盐酸反应方程式	2 分	2 分：$2Al+6HCl \xlongequal{} 2AlCl_3+3H_2\uparrow$ 0 分：未能准确书写方程式
2(2)		2 分：能准确根据铝与酸反应生成气体并放热的现象，解释压强增大 0 分：无法准确分析压强变大原因	2 分	2 分：铝与盐酸反应生成氢气和反应放热共同导致的压强变大 0 分：未能准确分析原因
3	B1 分析解释：能够理解铝与强酸、强碱反应的计量特点。能进行物质的量、摩尔质量、气体摩尔体积之间的相互换算，并能够运用这些关系进行化学方程式的计算	2 分：能进行简单的分析计算 0 分：无法进行简单的分析计算	2 分	2 分：6.72L 0 分：未能准确计算
4	B3 简单设计：能够设计铝和氧化铝与强酸、强碱的反应实验，并在实验设计中明确药品使用量	4 分：可以设计合理的实验方案，并能详细描述，实验试剂选择合理 2 分：可以描述实验方案，但是实验试剂选择有欠缺 0 分：无法设计实验方案	4 分	4 分：易拉罐打磨去除油膜，加氢氧化钠稀溶液溶解，过滤，留滤液。通入过量二氧化碳，过滤留滤渣（氢氧化铝），热分解得到氧化铝。加助熔剂熔融，并电解。得到金属铝 2 分：易拉罐溶解，加弱酸，过滤，滤渣热分解得到氧化铝，电解熔融氧化铝得到铝 0 分：未能书写实验方案

（三）效果分析

收集答卷 90 份，能力对应的平均得分情况如表 8-7 所示。

表 8-7　评分结果

学科能力	试题编号	分值	平均分	得分率
A1	1	2	1.75	87.5%
A2	2(1)、2(2)	4(2+2)	3.26	81.5%
B1	3	2	0.9	45.0%
B3	4	4	2.1	52.5%

通过数据分析可见，学生学科学习理解能力（A1、A2）水平较高。这是由于这部分试题难度较低，主要是方程式识记，学生掌握较好。但是 B1 能力对应试题的得分率较低，个体差异大，可见学生对物质的量相关知识未能有效提取。这就提示在下一课时的教学中，需要对物质的量在化学方程式中的计算进行规范和强化。对于 B3 能力对应试题，绝大多数同学能书写简单的实验设计方案，但是在语言的精炼程度、试剂的精准选择上，略有欠缺。这也提示在日后的教学中，应关注学生思维的缜密性。

二、教学反思

本课例依据学科能力理论，通过“目标制定—情境创设—活动设计”的流程展开教学设计。针对学科能力表现性目标，围绕金属眼镜框材料更新的真实问题展开，遵循“结构—性质—用途”的思路，引导学生学习金属铝、从微观结构角度优化金属材料、评价现在常见的金属框架材料和预测未来金属框架。在教学实践中，学生表现出浓厚的兴趣，很好地培养了学生的科学探究能力，发展了学生的批判性思维和创新能力。教学实践表明，多数学生在 A1、A2 的学习理解能力，B1 简单的分析能力上表现较好，但是在 B3 简单设计能力上尚有欠缺，在教师的引导和小组讨论中获得了一定程度的提升。这也启示在金属材料教学设计中，教师可充分关注身边的素材，以易拉罐、汽车火车的材料演变创设情境，制定学科能力导向的教学目标，选择合适的教学策略，设计丰富的活动，并可利用多媒体和信息技术手段，如视频、动画和模拟软件，来展示金属的内部结构和合金的形成过程，这样可以帮助学生更好地理解抽象的概念，提高课堂的互动性和趣味性，以促进教学的顺利进行。

参考文献

[1] 中华人民共和国教育部．普通高中化学课程标准（2017 年版 2020 年修订）［S］．北京：人民教育出版社，2020：15-20，23-27，65-67.

[2] 王磊．基于学生核心素养的化学学科能力研究［M］．北京：北京师范大学出版社，2017：13-14，17-19.

[3] 林志杰，邹睿，谭晓敏．翻转课堂模式下发展科学态度与社会责任素养的高中化学教学实践［J］．化学教与学，2024（6）：56-62.

[4] 李学玲，杨玉琴，孙玉明，等．大概念统领下的单元整体教学设计与实践［J］．化学教学，2023（7）：44-51.

[5] 蔡玲玲，吴君磊，林海斌．“结构与性能”导向的“金属材料”项目化学习［J］．化学教育（中英文），2023，44（21）：56-61.

李雪佳（宁波市鄞州中学　浙江宁波）

第9单元
原子结构与元素周期表

目标研制

一、课标研读

（一）内容要求和学业要求

“原子结构与元素周期表”教学单元为《普通高中化学课程标准（2017 年版 2020 年修订）》必修课程主题 3 中的内容，课标相应内容要求和学业要求如表 9-1 所示。

表 9-1　“原子结构与元素周期表”教学单元的课标内容要求和学业要求[1]

内容要求	学业要求
3.1　原子结构与元素周期律 认识原子结构、元素性质与元素在元素周期表中位置的关系。知道元素、核素的含义，了解原子核外电子的排布。结合有关数据和实验事实认识原子结构、元素性质呈周期性变化的规律，建构元素周期律。知道元素周期表的结构，以第三周期的钠、镁、铝、硅、硫、氯，以及碱金属和卤族元素为例，了解同周期和主族元素性质的递变规律。体会元素周期律（表）在学习元素化合物知识与科学研究中的重要作用 3.5　学生必做实验 同周期、同主族元素性质的递变	1. 能画出 1～20 号元素的原子结构示意图 2. 能利用元素在元素周期表中的位置和原子结构，分析、预测、比较元素及其化合物的性质

注：数字序号即课标中相应序号。

可见，课标中对“原子结构与元素周期表”的内容要求侧重于“位—构—性”的关系，以及元素周期表在学习元素化合物知识与科学研究中的价值。学业要求则从“解释”“说明”“利用”“分析”“预测”“比较”等能力表现角度提出了具体的要求。通过直接摘录、增补解构等方法，可以得到该教学单元课标优化后的要求，如表 9-2 所示。

表 9-2 “原子结构与元素周期表”教学单元课标优化后的要求[1]

优化后的要求
（原内容要求 3.1）可以描述元素、核素、同位素等概念和元素周期表的结构，指出原子结构及核外电子排布、元素性质与元素在元素周期表中位置的关系。举例说明元素周期表在学习元素化合物知识与科学研究中的重要作用（增补解构） （原内容要求 3.5）学生必做实验：同周期、同主族元素性质的递变（直接摘录）
（原学业要求 1）能画出 1～20 号元素的原子、离子结构示意图，能用原子结构解释元素性质及其递变规律，并能结合实验及事实进行说明（增补解构） （原学业要求 2）能利用元素在元素周期表中的位置和原子结构，分析、预测、比较元素及其化合物的性质（直接摘录）

（二）学业质量水平

课标学业质量水平和“原子结构与元素周期表”教学单元的相关要求对应关系如表 9-3 所示。

表 9-3 “原子结构与元素周期表”教学单元的学业质量水平

学业质量水平描述[1]	针对本教学单元内容的具体表现
1-1 能运用原子结构模型说明典型金属和非金属元素的性质 2-1 能从原子结构视角说明元素的性质递变规律	1-1、2-1 能从原子核外电子排布视角说明同主族元素原子半径、核外电子数、金属性和非金属性递变的规律
1-3 能依据化学问题解决的需要，选择常见的实验仪器、装置和试剂，完成简单的物质性质、物质制备、物质检验等实验；能与同伴合作进行实验探究，如实观察、记录实验现象，能根据实验现象形成初步结论 2-3 能通过实验探究物质的性质和变化规律，能提出有意义的实验探究问题，根据已有经验和资料作出预测和假设，能设计简单实验方案，能运用适当的方法控制反应条件并顺利完成实验；能收集和表述实验证据，基于实验事实得出结论	1-3、2-3 设置评价任务一“设计实验方案探究钠、镁、铝元素金属性的变化规律”和评价任务二“根据已有经验和资料探究硅、磷、硫、氯非金属性的变化规律”，从方案设计、实验操作、证据推理、方案评价等角度评估学业质量水平的达成程度

注：数字序号即课标中相应序号。

二、教材解读

人教版高中化学必修教材（2019 年版）第四章第一节“原子结构与元素周期表”中介绍了原子结构及构成原子的微粒间的关系、原子核外电子的排布规律、元素周期表的结构、同主族元素性质递变规律等显性知识（图 9-1），通过元素“位—构—性”和“结构决定位置，位置反映性质”的学科思维开展教学，让知识教学转向观念、思维、方法的锻炼，落实课标内容要求的“体会元素周期律在学习元素化合物知识与科学研究中的重要作用”的学科观念[2]。借助大量文字与图片以及实验，帮助学生从感性和理性层面学习相关内容，掌握归纳法和总结法等认识方法，结合“思考与讨论”“科学史话”等栏目，实现学业要求和学业质量水平中有关“说明”“解释”“分析”“预测”等能力表现的具体要求。

三、能力模型建构

通过课标研读和教材分析，可以确立相关主题的知识基础、研究对象和化学问题、学科认识方式，从而构建该教学单元的学科能力模型（图 9-2）[3]。例如，该教学单元的核心知识是原子结构与元素周期表；认识角度是“宏观辨识与微观探析”，认识思路是“预测—实

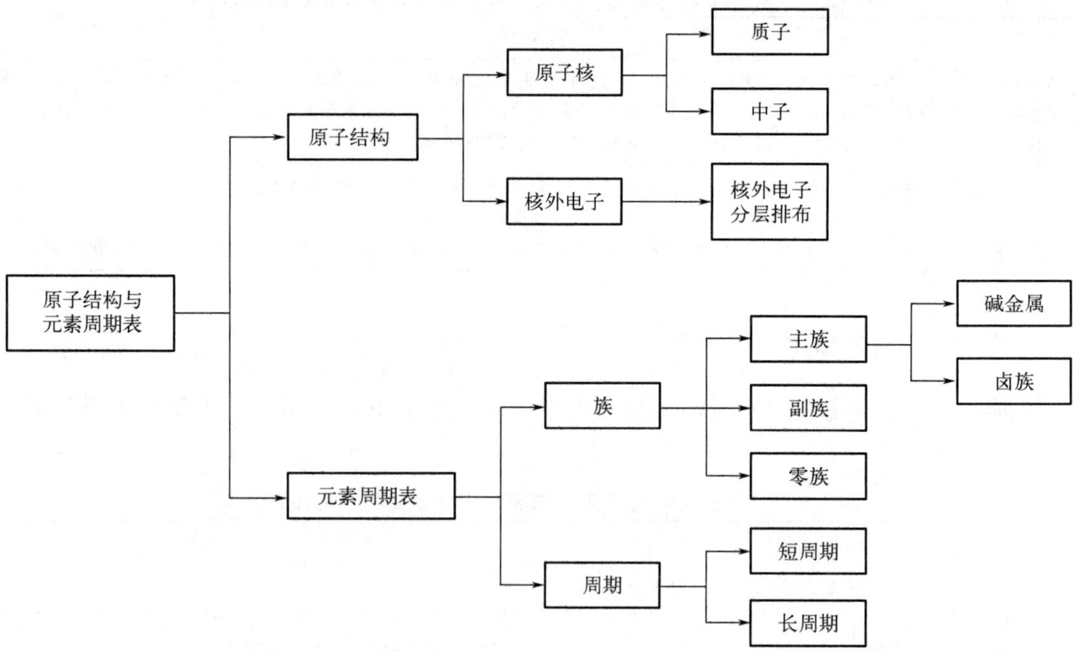

图 9-1 “原子结构与元素周期表”教学单元内容

验—推理—结论”，学科思想包括“位—构—性”的关系，以及“结构决定性质，性质决定应用”的核心观念等。研究对象和化学问题主要包括原子核外电子排布、元素周期表编排规则，以及元素金属性和非金属性的递变规律。

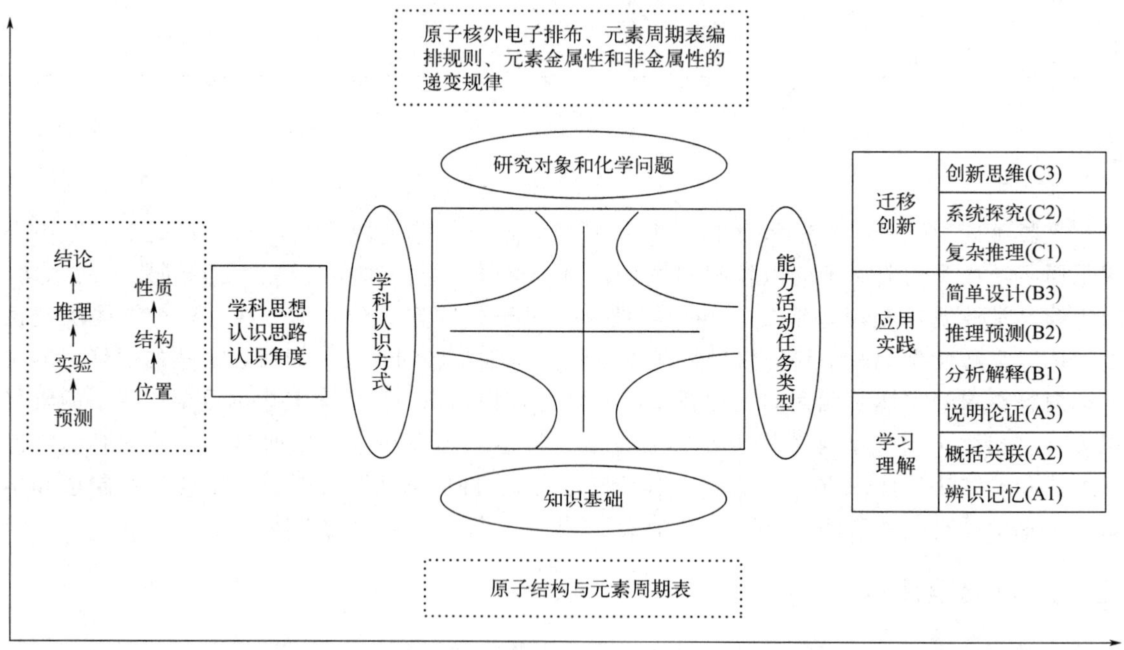

图 9-2 “原子结构与元素周期表”教学单元能力模型

四、课程资源分析

在实际教学过程中，能力目标的实现还受到授课类型、学生学情、教学资源等客观因素的影响。

（一）授课类型

本节课的授课类型为新授课。

（二）学情分析

已有基础：从知识层面来看，学生已经了解典型金属（如钠、铁）与典型非金属（如氯）的性质和原子结构的粗略概念；从能力层面来看，学生具备一定的“宏观辨识与微观探析”能力；从心理层面上看，学生能够意识到物质的性质和物质结构的关系。

潜在困难：学生难以在微观的原子结构和宏观的元素性质之间建立联系。

（三）教学资源

本节课实验探究中所需的实验仪器有坩埚、泥三角、三脚架、烧杯、试管若干，药品有蒸馏水、钾、酚酞溶液、0.1mol/L 溴化钾溶液、0.1mol/L 碘化钾溶液、新制氯水、稀溴水。

五、表现性目标制定

将学科能力模型中 4 个维度进行连接组合，再结合学生学情、授课类型、教学资源等客观因素，制定了“原子结构与元素周期表”教学单元学科能力表现性目标，如表 9-4 所示。

表 9-4　“原子结构与元素周期表”教学单元学科能力表现性目标

能力要素		表现性目标
A 学习理解能力	A1 辨识记忆	能说出构成原子的微粒的种类和电性；能画出 1～20 号元素的原子、离子结构示意图；能描述元素周期表的结构
	A2 概括关联	能概括原子核外电子排布规律；建立“位—构—性”的关联
	A3 说明论证	能以 1～20 号元素的原子结构为例，说明原子核外电子排布的规律；能利用原子结构说明元素性质的相似性和递变性
B 应用实践能力	B1 分析解释	能根据原子结构分析、解释元素的性质
	B2 推理预测	能根据原子结构、元素在元素周期表中的位置和元素性质中的任意一个信息，推测出其他两者的信息
	B3 简单设计	能设计实验方案验证同主族元素性质的相似性
C 迁移创新能力	C1 复杂推理	能根据陌生元素在元素周期表的位置、陌生元素的性质和原子结构中的任意一个信息，推测出其他两者的信息
	C2 系统探究	能对同一主族元素的性质进行系统探究
	C3 创新思维	能根据原子结构和元素性质，设计出有创新性的元素周期表

教学设计

一、教学现状

本课时为人教版高中化学必修教材（2019 年版）第四章第一节“原子结构与元素周期表”的新授课[2]。本节课包含原子结构、核素、元素周期表和元素性质等内容，是聚焦元素“位—构—性”关系开展学科观念构建、思维能力训练的关键课程[4]。在教学实践中，很多教师对该部分内容的教学以传统的介绍、总结为主，没有深刻领悟到教材的编排意图，使得这部分内容的教学价值未能得到充分的展现。经过文献分析发现，目前关于这一主题的教学设计类文献较少，主要是以化学史为线索进行设计[5-6]。如何通过情境设计将抽象知识转化为问题解决活动，帮助学生培养解决问题的能力，提高学生的化学核心素养，并发挥其育人价值，值得探讨。

二、教学思路

（一）创设真实问题情境

本课例创设了“元素王国的求救信”这一情境主题，主要原因有三点。①知识串联逻辑：通过“锁定元素身份—追踪逃逸电子—破译坐标密码”的任务链，自然串联原子结构、同位素、电子排布、元素周期表分区、性质递变等知识点。将教材中割裂的“结构”与“性质”章节整合为“结构决定位置，位置反映性质”的完整认知框架；化解抽象概念的认知障碍，通过隐喻将微观粒子和宏观规律转化为可感知的具象模型。②承载学科素养：在解决问题中，培养突破定式、合理外推的习惯。③让学科精神与人文情怀交融：在解决元素王国危机的任务中，通过角色代入，学生体验科学家“发现问题—建立模型—解决问题”的完整探究过程，理解科学研究的价值导向（详见图 9-3）。

（二）设计能力评价任务

依据上述确立的学科能力表现性目标，精心设计了多样化、梯度化的能力发展评价任务，体现对学科思维、学科认识视角和认识思路等的建立、诊断和发展。具体见表 9-5。

（三）选择教学策略

根据教学目标和教学内容，选择合适的教学策略。针对传统原子结构和元素周期表内容，采取情境驱动、探究实践与价值观渗透的三维策略，将原子结构与元素周期表知识转化为学生主动构建的化学世界观，实现知识习得、能力发展与品格塑造的有机统一。例如，通过情境角色扮演，任务链驱动知识探索，使学生完成“发现问题—建立模型—解决问题”的完整探究过程；通过分析归纳、探究发现促成学生自主建构元素周期表的基础知识和“结构决定位置，位置反映性质”的基本观念。

三、教学实录（第一课时）

【引入】元素王国遭遇“能量风暴”，元素的身份被篡改，整个王国陷入混乱，我们一起化身特工，拯救元素王国。

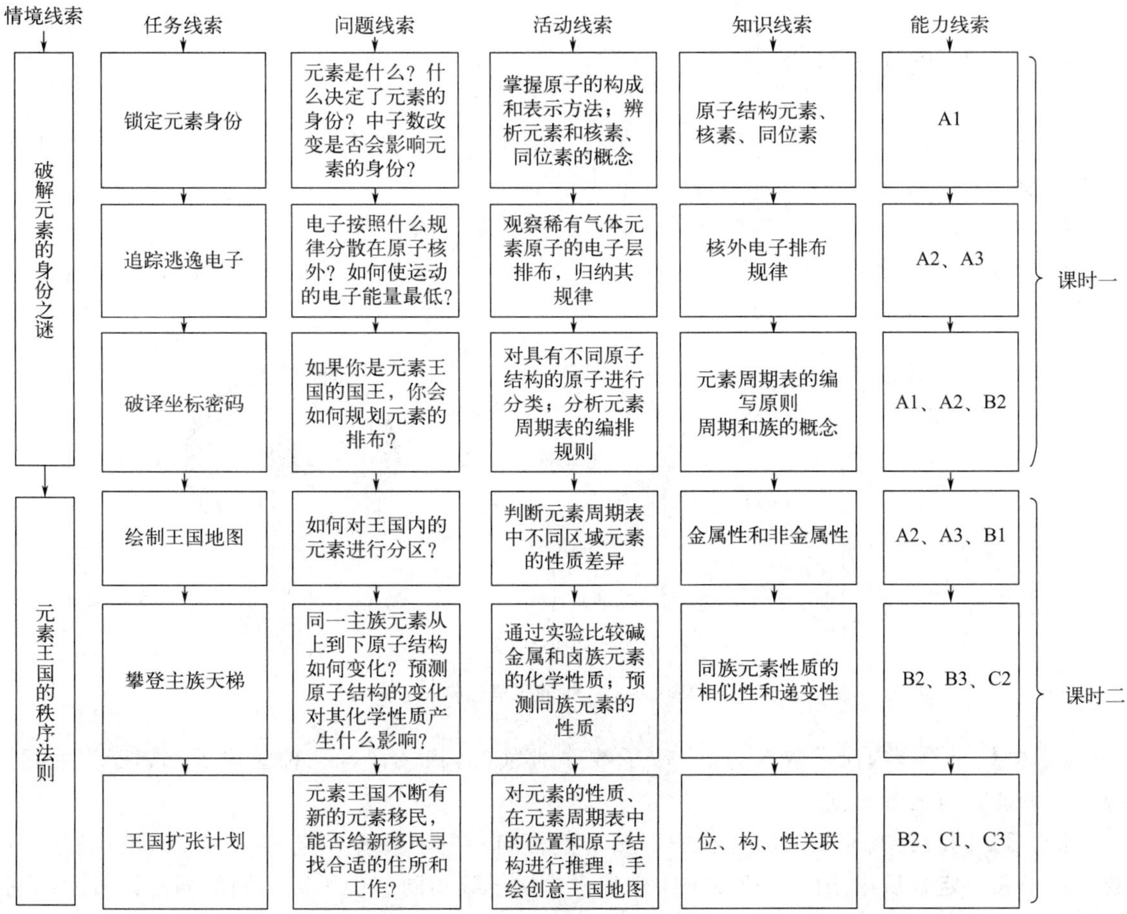

图 9-3　教学流程

表 9-5　“原子结构与元素周期表”教学单元能力发展评价

序列	教学环节	评价任务	评价活动	能力要素	素养价值
1	锁定元素身份	辨析元素和核素、同位素的概念	分析三种氢原子的结构，掌握原子的构成和表示方法；辨析元素和核素、同位素的概念	A1	培养“结构—性质”的学科思维；培养“宏微结合”的思维
2	追踪逃逸电子	归纳原子电子层排布规律	通过稀有气体元素原子的电子层排布，归纳其规律	A2、A3	培养归纳总结的学科思维
3	破译坐标密码	分析元素周期表的编排规则	小组合作设计元素地图，归纳元素周期表的编排规则	A1、A2、B2	建立“结构—位置”的认识思路
4	绘制王国地图	对元素周期表中的元素进行分区	归纳总结元素周期表中不同区域元素性质的差异	A2、A3、B1	培养归纳总结的学科思维；诊断并发展“位—构—性”的学科思维
5	攀登主族天梯	预测同族元素的性质	通过实验比较碱金属和卤族元素的化学性质；预测同族元素的性质	B2、B3、C2	诊断并发展“位—构—性”的学科思维
6	王国扩张计划	预测陌生元素的性质和应用	对元素的性质、在周期表中的位置和原子结构进行推理；手绘元素周期表	B2、C1、C3	迁移应用认识思路；诊断并发展“位—构—性”的学科思维

任务一：锁定元素身份

【教师】元素王国中有 118 种元素，现在这些元素都失去了身份标识，我们的首要任务就是要锁定元素的身份，什么是元素？

【学生】具有相同的核电荷数（质子数）的一类原子的总称。

【教师】特工抓捕了三种不同的氢原子（图 9-4），比较三种氢原子的异同，判断这三种原子是否属于同种元素，你的判断依据是什么？

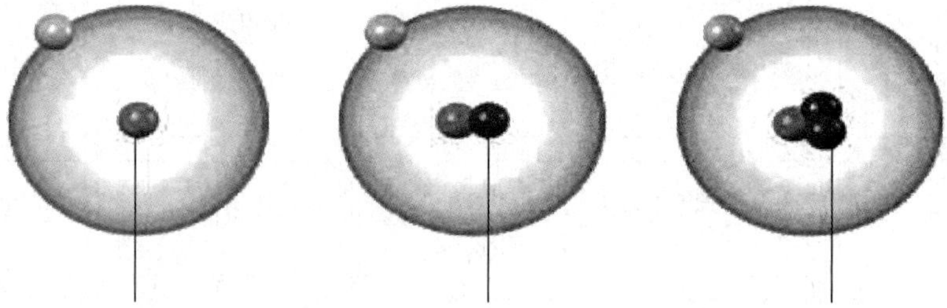

图 9-4　三种氢原子结构

【学生】原子核内质子数都为 1，中子数分别为 0、1、2；这三种氢原子都属于氢元素，因为三者的核电荷数相同。

【教师】同种元素原子的原子核中，质子数相同，中子数不一定相同。我们把具有一定数目质子和一定数目中子的一种原子叫作核素。质子数相同而中子数不同的同一元素的不同原子互称为同位素。同位素属于同一种元素，在元素周期表中占据相同的位置，即“同位”。

【教师】为方便特工管理，采用 ^A_ZX 表示原子组成，其中 X 表示元素符号，Z 代表质子数，A 代表质量数（即质子数与中子数之和），你能否用此方法表示三种氢的核素？

【学生】^1_1H、^2_1H、^3_1H。

【教师】不同氢原子的质量数不同，结合表格（表 9-6）数据分析氢元素的原子量。

表 9-6　三种氢的同位素在自然界中的占比

核素种类	^1_1H	^2_1H	^3_1H
丰度(占比)	99.98%	0.016%	0.004%

【学生】元素的原子量是按照各种核素的丰度计算出来的平均值。

学习评价： 在“锁定元素身份”任务中，大部分学生能够分析三种氢的同位素的异同，具备 A1 学科能力，通过引导可以辨析元素和核素、同位素的概念，发展了 B2 学科能力。

任务二：追踪逃逸电子

【教师】“能量风暴”也影响了原子核外的电子，电子按照什么规律分散在原子核外？在多电子原子中，电子分别在能量不同的区域内运动。我们把不同区域简化为电子层，分别用

K、L、M、N、O、P、Q 来表示从内到外的电子层。观察稀有气体元素的电子层排布（表 9-7），从中你能发现什么规律？

表 9-7　稀有气体元素的电子层排布

核电荷数	元素名称	元素符号	各电子层的电子数						
			K	L	M	N	O	P	Q
2	氦	He	2						
10	氖	Ne	2	8					
18	氩	Ar	2	8	8				
36	氪	Kr	2	8	18	8			
54	氙	Xe	2	8	18	18	8		
86	氡	Rn	2	8	18	32	18	8	
118	鿫	Og	2	8	18	32	32	18	8

【教师】He 原子的 2 个电子为什么排在 K 层而不是 L 或 M 层？

【学生】从内层开始排起，逐渐向外层排。在离核较近的区域内运动的电子能量较低，越远能量越高，从内往外排能够降低电子能量，使原子更加稳定。

【教师】K、L、M、N 电子层最多能容纳的电子数依次是多少？第 n 层最多容纳多少电子？有什么规律？

【学生】依次为 2、8、18、32，第 n 层最多能容纳 $2n^2$ 个电子。

【教师】各稀有气体元素原子中最外层电子层最多能容纳的电子数是多少？次外层电子层最多能容纳的电子数是多少？

【学生】K 层为最外层时最多容纳 2 个电子，其他各层为最外层时最多容纳 8 个电子，次外层除 K、L 层以外可容纳 18 个电子。

【教师】原子最外层电子层有 8 个电子（K 层 2 个）的结构是相对稳定的结构。

【活动】试画出镁和溴的原子结构示意图。

【学生】

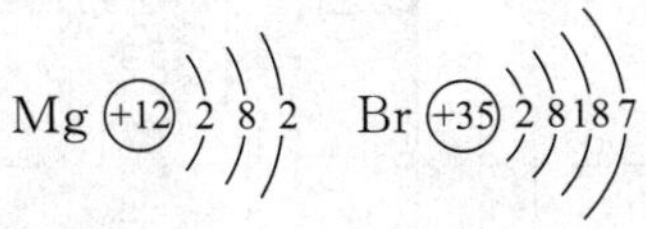

学习评价： 在“追踪逃逸电子”任务中，多数同学能够通过分析稀有气体元素原子的电子层排布，归纳其规律，部分学生不能顺利归纳原子核外电子排布规律，此处诊断并发展 A2、 A3 学科能力，培养了学生归纳总结的能力。

任务三：破译坐标密码

【小组讨论】特工们经过不断努力终于确认了大部分元素的身份，请你帮助元素王国的国王，结合 9 种元素的原子结构示意图（图 9-5）对其进行分类规划。

【学生】①分类：按元素形成单质时的状态分组；按金属元素和非金属元素分组；按原子具有相同的最外层电子数进行分组。②排序：一字长蛇阵型简单元素表；表格型简单元素表。

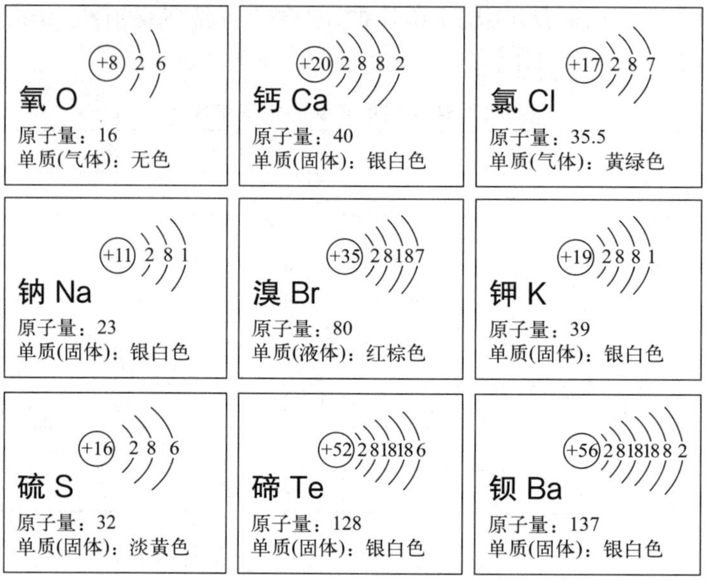

图 9-5　九种元素

【教师】曾经也有一位伟大的“特工”门捷列夫对元素王国的元素进行编排。他将元素按照核电荷数递增顺序从左到右排列；将电子层数相同的元素排列成一个横行；将最外层电子数相同的元素，按电子层数递增的顺序从上到下排列。

【展示】具体如图 9-6 所示。

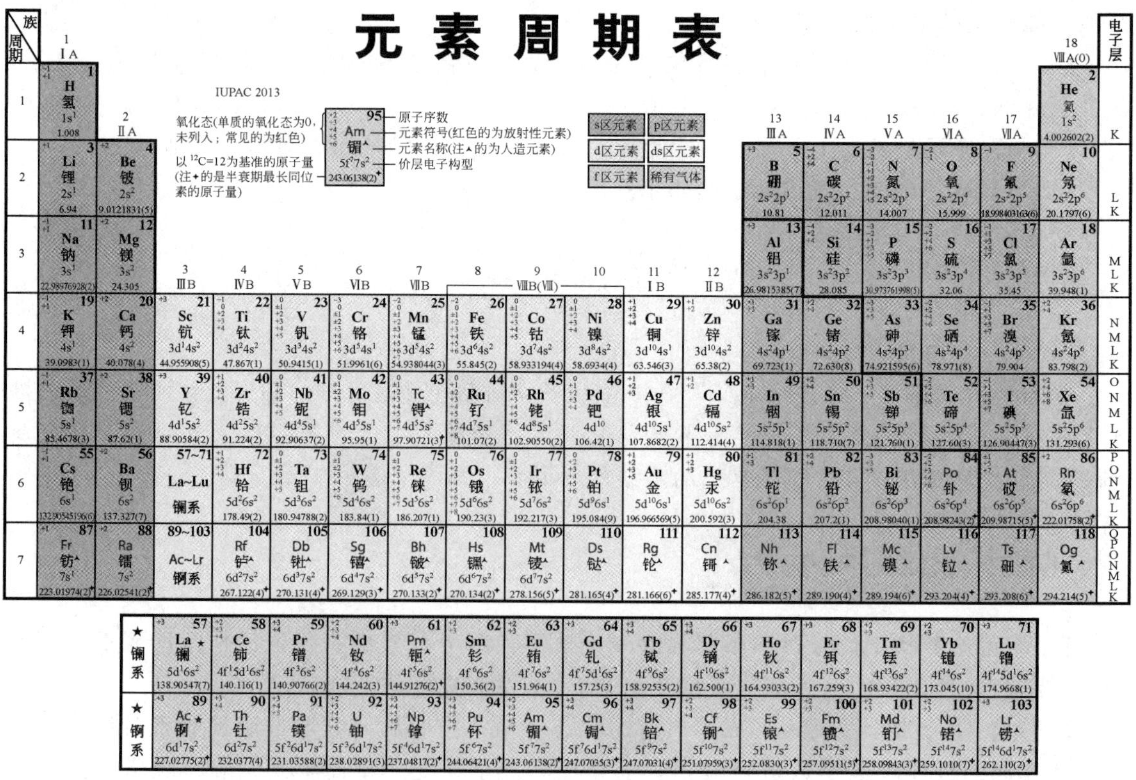

图 9-6　元素周期表

【教师】结合课本，思考元素周期表有几个横行，构成几个周期，周期分为几类，分类依据是什么。

【学生】7 个横行，构成七个周期，分为两类，前三周期为短周期，后四周期为长周期。

【教师】每周期有几种元素？分类依据是什么？

【学生】不同周期元素种类分别为：2、8、8、18、18、32、32。按照电子层数进行分类，周期序数＝电子层数。

【教师】元素周期表有几个纵列？构成几个族？族分为几类？分类依据是什么？

【学生】18 纵列，16 族，分为主族、副族和 0 族；按照最外层电子数进行分类，主族序数＝最外层电子数。

【教师】元素王国正在积极重建，各位特工是否有更好的元素编排方式，能够对 118 种元素进行合理重整？

【资料展示】具体如图 9-7 所示。

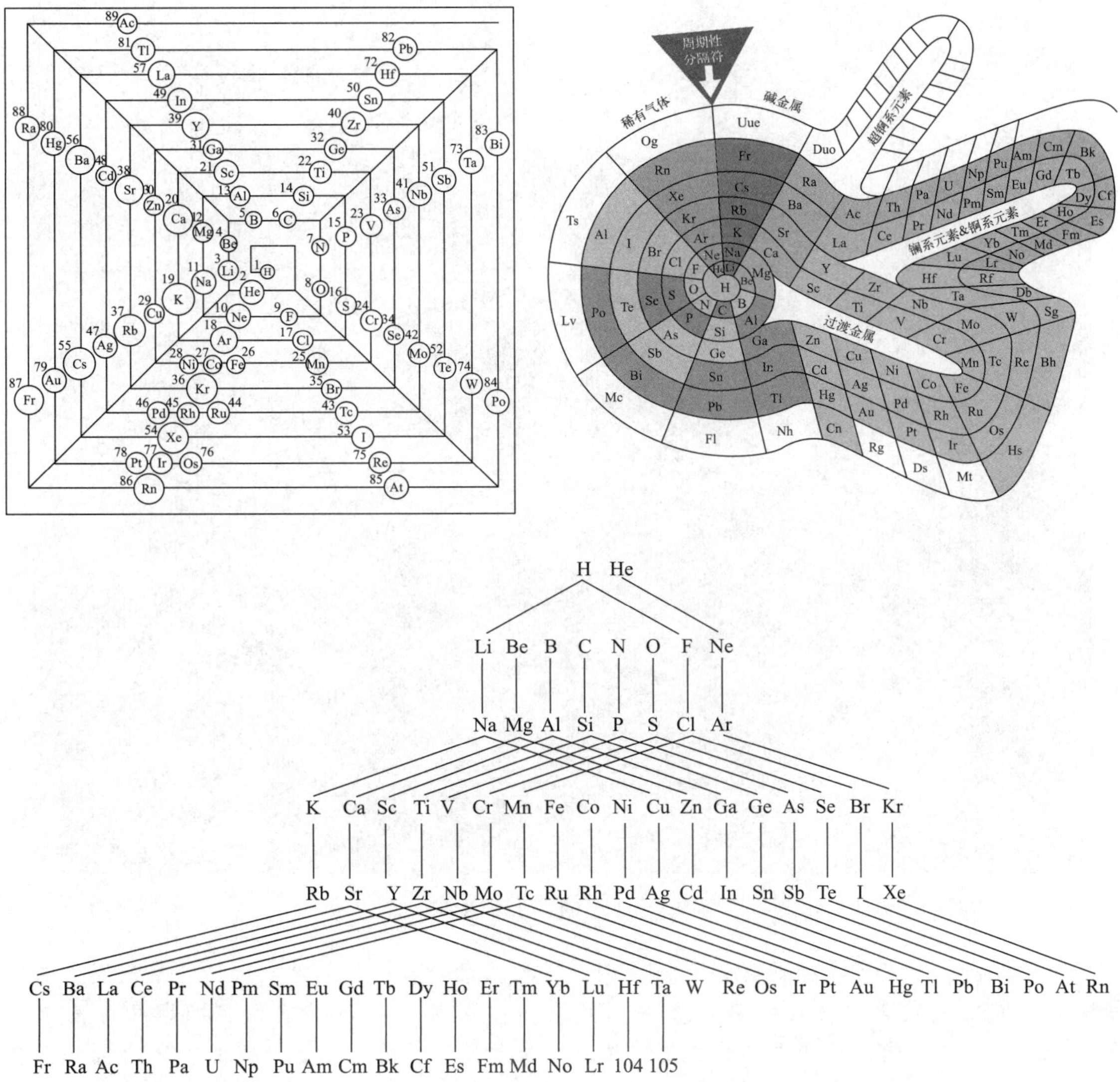

图 9-7　不同设计的元素周期表

【学生】课后作业展示：手绘创意元素周期表（图 9-8）。

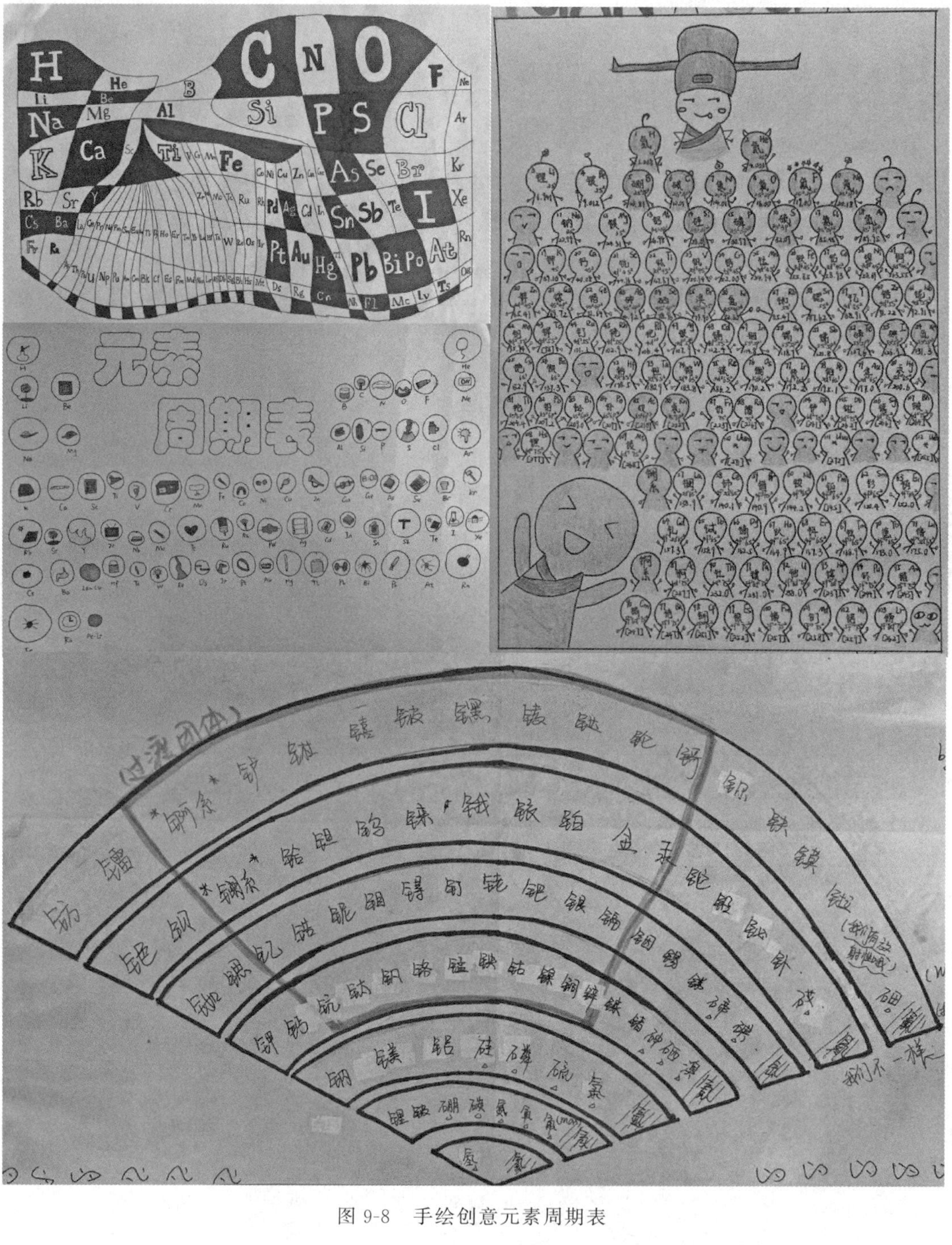

图 9-8 手绘创意元素周期表

学习评价：在“破译坐标密码”任务中，通过元素分类，帮助学生归纳元素周期表的编排规则，完成小组合作设计元素地图并展示交流。多数学生能够主动参与其中，发展了 A1、A2、B2 学科能力及建立“结构决定位置，位置反映性质”的认识思路。也有部分学生创新意识不足，有待提升。

【总结】在各位特工的齐心协力下，元素王国的元素们已被定位，但同族元素和同周期元素性质混乱，需要破解其中的元素周期律恢复秩序。请特工们做好准备，迎接下一次的挑战！

四、板书设计

板书设计如图 9-9 所示。

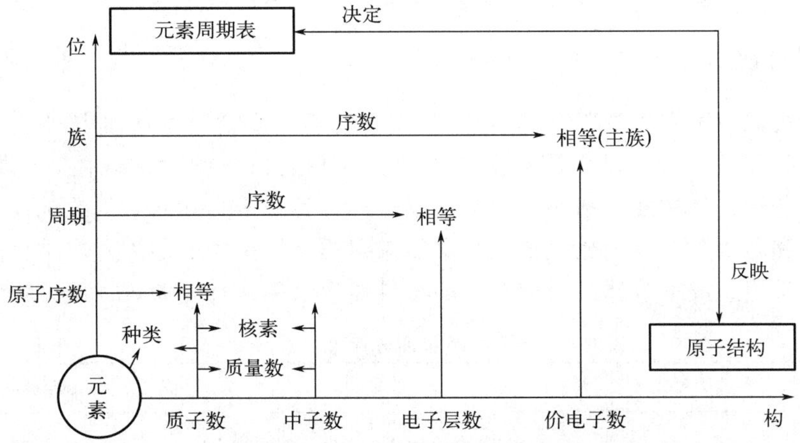

图 9-9 “原子结构与元素周期表”第一课时教学板书设计

教学评价

一、教学效果

（一）测评试题

“十四五”规划开展以来，我国在航空航天领域取得了丰硕的成果。请回答以下问题：

1.【单选题】中国“嫦娥号”月球探测器首先发现并命名了嫦娥石，它的化学组成为 $(Ca_8Y)Fe(PO_4)_7$。该物质所含元素属于第二周期的是（　　）。

A. Ca　　B. Fe　　C. P　　D. O

2.【简答题】“神舟十九号”乘组于 2024 年 12 月 17 日进行了首次出舱活动，连续出舱活动时间长达 9 时 6 分，刷新了世界单次出舱活动时长纪录。

（1）空间站制造过程中使用了大量的钛合金，图 9-10 是钛元素（Ti）的原子结构示意图，则图中 n 的值为________。

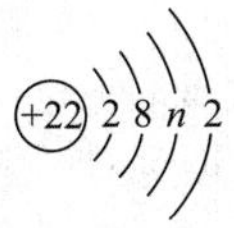

图 9-10 钛元素的原子结构示意图

（2）钛金属的冶炼中，需要精四氯化钛与金属镁在还原蒸馏炉中进行还原蒸馏，从原子结构角度分析该反应可以发生的原因是____________。

（3）锗（Ge）及其化合物应用于航空航天测控等领域，已知 Ge 位于第四周期ⅣA 族，预测 GeO_2 的化学性质并设计实验验证：

____。

3.【拓展题】20 世纪 80 年代，美国发射了“旅行者号”探测器，上面携带了一张特殊的镀金唱片“地球之音”，展示地球和人类的信息。如果未来发射的探测器上需要展示人类科技成果，请你结合资料，设计一份元素周期表用于展示。

（二）设计说明

以“宏观辨识与微观探析”“科学探究与创新意识”及“科学态度与社会责任”的化学学科核心素养为测试宗旨，以中国航空航天项目的真实情境为测试载体，设置矿物材料分析、火箭材料分析、物质性质预测和元素周期表设计等基于实际问题的测试任务，要求学生运用原子结构和元素周期表等相关知识解决相应问题。每一个试题均对应学科能力表现性目标，旨在评价学生完成本节课学习后相应的学科能力水平。具体如表 9-8 所示。

表 9-8　评价说明和评分标准（总分 20 分）

试题编号	学科能力要素	认识能力	分值	标准答案及评分标准
1	A1 辨识记忆：能画出 1～20 号元素的原子、离子结构示意图；能描述元素周期表的结构	2 分：能从元素中判断其在元素周期表的位置（系统水平） 0 分：无法从元素中判断其在元素周期表的位置（孤立水平）	2 分	2 分：D 0 分：其他答案
2(1)	A2 概括关联：能概括原子核外电子排布规律	2 分：能够根据原子核外电子排布规律写出次外层电子数（系统水平） 0 分：无法根据原子核外电子排布规律写出次外层电子数（孤立水平）	2 分	2 分：10 0 分：次外层电子数错误
2(2)	B1 分析解释：能根据原子结构分析、解释元素的性质	2 分：能够根据原子结构解释元素的金属性强弱（宏观—微观） 0 分：无法根据原子结构解释元素的金属性强弱（欠缺）	2 分	2 分：Mg 原子半径小，对核外电子束缚力弱，更容易失电子被氧化 0 分：无法解释原因
2(3)	B2 推理预测：能根据原子结构、元素在元素周期表中的位置和元素性质中任意一个信息，推测出其他两者的信息 C1 复杂推理：能根据陌生元素在元素周期表的位置、陌生元素的性质和原子结构中的任意一个信息，推测出其他两者的信息 C2 系统探究：能对同一主族元素的性质进行系统探究	4 分：通过锗在元素周期表的位置，预测 GeO_2 与同主族最高价氧化物性质的相似性和递变性（宏观—微观，系统水平） 2 分：通过锗在元素周期表的位置，预测 GeO_2 与同主族最高价氧化物性质的相似性，但是无法判断递变性（宏观—微观，孤立水平） 0 分：无法回答（欠缺）	4 分	4 分：GeO_2 具有两性氧化物的性质，取少量 GeO_2 加入浓盐酸中，另取一份加入 NaOH 溶液中，若两份均溶解，则说明 GeO_2 有两性 2 分：GeO_2 具有酸性氧化物的性质，取少量 GeO_2 加入 NaOH 溶液中，若溶解，则说明 GeO_2 有酸性氧化物的性质 0 分：无法预测性质并设计实验

续表

试题编号	学科能力要素	认识能力	分值	标准答案及评分标准
3	A3 说明论证：能以 1～20 号元素的原子结构为例，说明原子核外电子排布的规律 B3 简单设计：能设计实验方案验证同主族元素性质的相似性 C3 创新思维：能根据原子结构和元素性质，设计出有创新性的元素周期表	8～10 分：可以设计完整的元素周期表方案，能够体现元素周期律，具有较好的创新性（宏观—微观；结构—性质—应用；系统水平） 5～7 分：可以设计元素周期表，能体现基本的元素周期律，具有一定的设计创新性（性质—应用；孤立水平） 1～4 分：可以基本设计元素周期表方案，仅能体现一定的元素周期律，无法体现设计创新性（孤立水平） 0 分：无法设计方案（欠缺）	10 分	10 分：螺旋周期表等新形式的元素周期表 7 分：维纳尔长式周期表及其变种 4 分：三角形周期表或宝塔式周期表 建议：需要结合科学性和创新性评判

（三）效果分析

收集答卷 50 份，能力对应的平均得分情况如表 9-9 所示。

表 9-9　评分结果

学科能力	试题编号	分值	平均分	得分率
A1	1	2	1.88	94.0%
A2	2(1)	2	1.96	98.0%
A3	3	2	1.80	90.0%
B1	2(2)	2	1.42	71.0%
B2	2(3)	1	0.26	26.0%
B3	3	3	2.40	80.0%
C1	2(3)	1	0.32	32.0%
C2	2(3)	2	0.50	25.0%
C3	3	5	2.73	54.6%

通过数据分析可见，学生的学习理解能力（A1、A2）水平较高，主要原因是此处学科内容较为直观，且在初中学习中有一定的基础，掌握起来相对容易。而针对陌生情境的延伸和推理能力（B1、B2）仍有欠缺，这可能与学生在日常学习过程中逻辑推理的应用较少有关，另一个原因可能是由于学生对元素周期表内容不熟悉，尚不能深刻了解其内涵。这说明教师在日后教学过程中，要重视规律的总结和学生逻辑推理能力的发展。

二、教学反思

本课例依据学科能力理论，通过“目标制定—策略选择—情境创设—活动设计”的流程展开教学设计。围绕“元素王国的求救信”这一情境主题，遵循“位—构—性”的思路，引导学生归纳总结核外电子排布规律、元素周期表的编排规则。教学实践表明，多数学生 A1、

A2、A3 学习理解能力，B1 应用实践能力较好，部分 B2、B3 应用实践能力以及 C1 能力尚有欠缺。在开放性问题中，学生多依赖模仿，缺乏创新性推测，但在教师引导和小组合作中获得了不同程度的提升。总体而言，本节课通过情境驱动、探究实践与价值观渗透的三维策略，将原子结构与元素周期表知识转化为学生主动建构的化学世界观，实现知识习得、能力发展与品格塑造的有机统一。

本课例的设计思路对相似微观主题的教学，如“元素周期律”“化学键”以及人教版高中化学教材选择性必修二物质结构与性质中的内容等具有一定的参考价值。在本节课的实践教学中，发现部分学生对抽象的电子运动等概念较难理解，若能在技术工具上有所提升，让学生亲眼看到其运动模式，可以增强学生的体验感并让课堂教学更为顺利。建议教师对技术工具的功能进行充分的挖掘，适当补充相关素材。本次教学通过“元素王国”大情境，有效实现了知识结构化与素养可视化，但在高阶思维培养、技术工具增效、差异化教学上仍有提升空间。

参考文献

[1] 中华人民共和国教育部．普通高中化学课程标准（2017 年版 2020 年修订）[S]．北京：人民教育出版社，2020：15-20，23-27，65-67.

[2] 王晶，毕华林．普通高中教科书·化学（必修）第一册 [M]．北京：人民教育出版社，2019：19-24.

[3] 王磊．基于学生核心素养的化学学科能力研究 [M]．北京：北京师范大学出版社，2017：13-14，17-19.

[4] 唐旭杰．核心素养下基于化学史的任务驱动式教学设计与实践 [J]．中学化学教学参考，2024（7）：65-69.

[5] 张娟，姜建文．基于化学史的“元素周期表”教学设计 [J]．化学教育（中英文），2017（17）：75-81.

[6] 孟献华，倪娟．基于化学史的教学设计模型与应用 [J]．化学教育，2016（1）：74-81.

裘倍蕾（宁波市北仑中学　浙江宁波）

陈思源（杭州市高级中学　浙江杭州）

第 10 单元

元素周期律

目标研制

一、课标研读

（一）内容要求和学业要求

“元素周期律”教学单元为《普通高中化学课程标准（2017 年版 2020 年修订）》必修课程主题 3 中的内容，课标相应内容要求和学业要求如表 10-1 所示。

表 10-1 “元素周期律”教学单元的课标内容要求和学业要求[1]

内容要求	学业要求
3.1 原子结构与元素周期律 结合有关数据和实验事实认识原子结构、元素性质呈周期性变化的规律，建构元素周期律。知道元素周期表的结构，以第三周期的钠、镁、铝、硅、磷、硫、氯，以及碱金属和卤族元素为例，了解同周期和主族元素性质的递变规律。体会元素周期律(表)在学习元素化合物知识与科学研究中的重要作用 3.5 学生必做实验 同周期、同主族元素性质的递变	1. 能画出 1～20 号元素的原子结构示意图，能用原子结构解释元素性质及其递变规律，并能结合实验及事实进行说明 2. 能利用元素在元素周期表中的位置和原子结构，分析、预测、比较元素及其化合物的性质 6. 能结合有关资料说明元素周期律(表)对合成新物质、制造新材料的指导作用

注：数字序号即课标中相应序号。

可见，课标中对“元素周期律”的内容要求侧重于通过有关数据和实验事实构建元素周期律和应用元素周期律。学业要求则从“解释”“说明”“分析”“预测”“比较”等能力表现角度提出了具体的要求。通过直接摘录、删繁就简等方法，可以得到该教学单元课标优化后的要求，如表 10-2 所示。

表 10-2 "元素周期律"教学单元课标优化后的要求[1]

优化后的要求
(原内容要求 3.1)能结合有关数据和实验事实认识原子结构、元素性质呈周期性变化的规律,建构元素周期律。以第三周期的钠、镁、铝、硅、磷、硫、氯为例,说出同周期元素性质的递变规律。举例说明元素周期律(表)在学习元素化合物知识与科学研究中的重要作用(删繁就简) (原内容要求 3.5)学生必做实验:同周期、同主族元素性质的递变(直接摘录)
(原学业要求 1)能用原子结构解释元素性质及其递变规律,并能结合实验及事实进行说明(删繁就简) (原学业要求 2)能利用元素在元素周期表中的位置和原子结构,分析、预测、比较元素及其化合物的性质(直接摘录) (原学业要求 6)能结合有关资料说明元素周期律(表)对合成新物质、制造新材料的指导作用(直接摘录)

(二)学业质量水平

课标学业质量水平与"元素周期律"教学单元的相关要求对应关系如表 10-3 所示。

表 10-3 "元素周期律"教学单元的学业质量水平

学业质量水平描述[1]	针对本教学单元内容的具体表现
1-1 能运用原子结构模型说明典型金属和非金属元素的性质 2-1 能从原子结构视角说明元素的性质递变规律	1-1、2-1 能从原子核外电子排布角度解释同周期元素原子半径、主要化合价、金属性和非金属性递变的规律
1-3 能依据化学问题解决的需要,选择常见的实验仪器、装置和试剂,完成简单的物质性质、物质制备、物质检验等实验;能与同伴合作进行实验探究,如实观察、记录实验现象,能根据实验现象形成初步结论 2-3 能通过实验探究物质的性质和变化规律,能提出有意义的实验探究问题,根据已有经验和资料作出预测和假设,能设计简单实验方案,能运用适当的方法控制反应条件并顺利完成实验;能收集和表述实验证据,基于实验事实得出结论	1-3、2-3 设置评价任务一"设计实验方案探究钠、镁、铝元素金属性的变化规律"和评价任务二"根据已有经验和资料探究硅、磷、硫、氯非金属性的变化规律",从方案设计、实验操作、证据推理、方案评价等角度评估学业质量水平的达成程度
3-3 能收集并用数据、图表等多种方式描述实验证据,能基于现象和数据进行分析推理得出合理结论 4-3 能用数据、图表、符号等描述实验证据并据此进行分析推理形成结论	3-3、4-3 能根据短周期元素原子结构示意图绘制同周期元素最外层电子数、主要化合价折线图,并根据图像分析其变化规律;能利用短周期元素原子半径的数据绘制同周期元素原子半径折线图,并根据图像分析其变化规律;构建元素周期律
3-1 能采用模型、符号等多种方式对物质的结构及其变化进行综合表征	3-1 能根据元素周期律(表)构建"位置—结构—性质"模型,并能应用模型推测或比较陌生物质的性质等
1-4 能将化学知识与生产、生活实际结合,能主动关心并参与有关的社会性议题的讨论,赞赏化学对人类生活和生产所作的贡献	1-4 设置评价任务"探究元素周期律(表)的实际应用",从指导化学学习、科学研究、工业农业、生产生活等方面的阐述中评估学业质量水平的达成程度

二、教材解读

在人教版高中化学必修教材(2019 年版)第四章第二节"元素周期律"中,通过对元素原子核外电子排布、原子半径、主要化合价、元素的金属性和非金属性呈现周期性变化等显性知识的介绍,建立"宏观—微观"的认识角度,体现"位置—结构—性质"之间的关联[2],落实课标中内容要求的构建元素周期律和应用元素周期律。借助实验探究,建立"预测—实验—推理—结论"的认识思路,同时落实学业要求中"解释""说明""分析""预测”“比较”等能力表现的具体要求。教材中“元素周期表和元素周期律的应用”展示了元素周期表（律）在实际研究中的指导作用，有利于发展学生利用元素周期律（表）在陌生情境中解决实际问题的能力。本节课应注重“位—构—性”模型的建构和实验探究的过程，培养学生的模型认识能力、实验探究能力和严谨的科学态度。具体见图10-1。

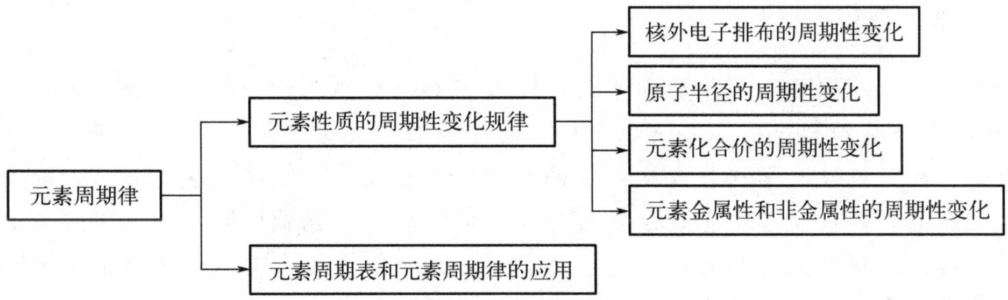

图10-1　“元素周期律”教学单元内容

三、能力模型建构

通过课标研读和教材分析，可以确立相关主题的知识基础、研究对象和化学问题、学科认识方式，从而构建该教学单元的学科能力模型（图10-2）[3]。例如，该教学单元的核心知识为元素性质的周期性变化；认识角度为宏观与微观的视角，认识思路为“预测—实验—推理—结论”，学科思想为“结构决定位置和性质，位置反映结构和性质”。研究对象和化学问题主要包括：元素原子核外电子排布、元素主要化合价、原子半径、元素金属性和非金属性的周期性变化；元素周期律（表）的应用。

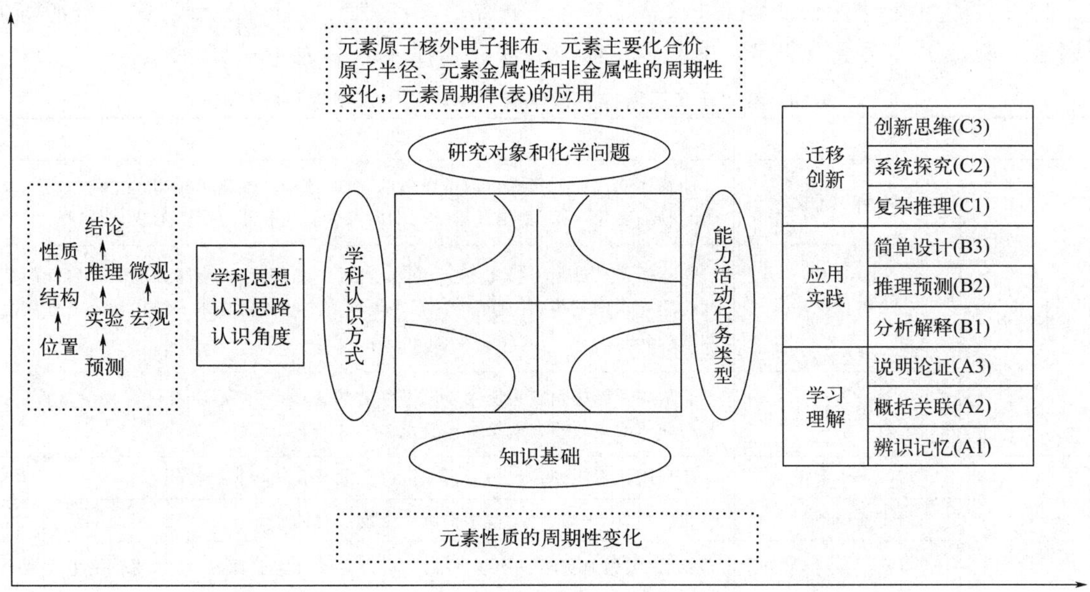

图10-2　“元素周期律”教学单元能力模型[4]

四、课程资源分析

在实际教学过程中，能力目标的实现还受到授课类型、学生学情、教学资源等客观因素的影响[3]。

（一）授课类型

本节课的授课类型为新授课。

（二）学情分析

已有基础：从知识层面来看，学生已经学习了部分金属元素（如钠、铁）和非金属元素（如氯）及其化合物的知识，氧化还原反应和离子反应等基本理论，为本节课实验方案设计提供了理论基础；经过元素周期表这一节的学习，学生初步认识了同主族元素（碱金属和卤族元素）性质的实验探究思路和方法：预测—实验—推理—结论。从能力层面来看，学生具备一定的实验基础操作能力和归纳总结能力。从心理层面上看，虽然学生的抽象思维较为薄弱，但有着强烈的好奇心和探索欲，对本节课的学习有着正面意义。

潜在困难：学生设计实验探究方案的能力和构建模型的能力有所欠缺，需要教师合理设计问题，给学生逐步搭建思维台阶。

（三）教学资源

本节课实验探究中所需实验仪器和药品有：砂纸、试管若干、酒精灯、镁条、蒸馏水、酚酞、1mol/L 的 $AlCl_3$ 溶液、氨水、2mol/L 的盐酸、2mol/L 的 NaOH 溶液、1mol/L 的 $MgCl_2$ 溶液。

五、表现性目标制定

将学科能力模型中 4 个维度进行连接组合，再结合学生学情、授课类型、教学资源等客观因素，制定了“元素周期律”主题学科能力表现性目标[4]，如表 10-4 所示。

表 10-4　“元素周期律”教学单元学科能力表现性目标

能力要素		表现性目标
A 学习理解能力	A1 辨识记忆	能描述同周期元素随着原子序数的递增，原子核外电子排布、主要化合价、原子半径的变化规律；能描述第三周期元素金属性和非金属性的变化规律
	A2 概括关联	能从原子核外电子排布、主要化合价、原子半径、元素金属性和非金属性的角度构建元素周期律，并能说出元素在周期表中的位置与原子结构和元素性质之间的关联
	A3 说明论证	能从原子结构角度说明随着原子序数的递增，元素性质及其递变的规律（元素周期律的本质），并能结合实验及事实进行说明论证
B 应用实践能力	B1 分析解释	能利用元素周期律（表）分析或解释元素及其化合物的性质
	B2 推理预测	能应用“位—构—性”模型推测陌生物质的性质等
	B3 简单设计	能以“预测—实验—推理—结论”为思路设计实验探究方案，比较陌生元素金属性或非金属性的强弱
C 迁移创新能力	C1 复杂推理	能利用元素周期律（表）在陌生情境中解决实际问题
	C2 系统探究	—（新授课暂不要求）
	C3 创新思维	—（新授课暂不要求）

教学设计

一、教学现状

本课时为人教版高中化学必修教材（2019 年版）第四章第二节“元素周期律”的新授课[2]。本节课内容属于概念原理知识，是高中学习元素化合物知识的重要工具，它将零散的元素汇聚成一张有着内在联系的元素周期表，学生可以体会到集零为整之美。目前关于元素周期律的现有教学设计主要分为两部分：一是围绕“位—构—性”三者之间的关系展开，二是通过实验探究推出第三周期元素金属性和非金属性的强弱规律[5-6]。而在此基础上，如何适时地引入真实情境，让学生主动参与学习过程，充分发挥该主题的能力培养价值和情感培养价值，值得思考。

二、教学思路

（一）创设真实问题情境

课标在基本理念中明确指出“倡导真实问题情境的创设”[1]。本节课选择“我也来当预言家”为真实情境主题，主要原因有两点。①串联起整个教学过程：从门捷列夫的预言和预测，到预测第三周期元素的性质，最后像门捷列夫一样利用元素周期律预测陌生物质的性质，使课堂线索明晰，主题鲜明，始于对预测的新奇，终于利用预测进行展望；②呼应元素周期律的用途：元素周期律的用途之一就是预测新物质的存在或性质，让学生体会到本节课的学习是真正的学而有用。教学流程见图 10-3。

情境线索	任务线索	问题线索	活动线索	知识线索	能力线索
我也来当预言家	史实阅读：预言未知元素	猜测门捷列夫是依据什么预言的？	思考、作答	周期的含义	—
	数据分析：走近元素周期律	随着原子序数的递增，元素原子的核外电子排布、原子半径、化合价呈现什么规律性的变化？	绘制图像并分析数据，找出规律	原子的核外电子排布、原子半径、化合价的周期性变化	A1、A2
	实验探究：探索元素周期律	Na、Mg、Al、Si、P、S、Cl元素金属性和非金属性强弱有什么变化规律？	设计实验方案或研究方案，探究Na、Mg、Al、Si、P、S、Cl元素金属性和非金属性的变化规律	元素金属性和非金属性呈现周期性变化	A3、B2、B3
	当一回预言家：预测陌生物质的性质	H_2SeO_4用途广泛，你能做个预言家，预测它的性质吗？	预测H_2SeO_4的性质，并说明你的预测依据	“位—构—性”模型	B1、B2、C1

图 10-3　教学流程

（二）设计能力评价任务

依据上述确立的学科能力表现性目标，精心设计了多样化、梯度化的能力发展评价任务，从“元素周期律规律的探寻”到“元素周期律本质的探索”，再到“预测陌生物质的性质”，让学生思维连续上台阶，学科能力得到发展。具体见表 10-5 所示。

表 10-5　“元素周期律”教学单元能力发展评价

序列	教学环节	评价任务	评价活动	能力要素	素养价值
1	数据分析：走近元素周期律	通过数据分析，描述同周期元素随着原子序数的递增，元素的各性质（原子核外电子排布、主要化合价、原子半径）的变化规律	【提问】如何描述随着原子序数的递增，原子核外电子排布、主要化合价、原子半径的变化规律？ 【活动】请在坐标纸上用折线图画出上述变化规律	A1	初步建立起周期性变化规律的概念；直观感受化学元素的周期性之美
		从原子核外电子排布视角说明同周期元素原子半径、主要化合价递变的规律	【提问】为什么同周期元素原子半径、主要化合价呈现周期性变化？	A2	进一步形成“结构—性质”的思想观念。发展宏观辨识与微观探析的学科核心素养
2	实验探究：探索元素周期律	预测 Na、Mg、Al 的金属性强弱，并设计实验方案探究钠、镁、铝元素金属性的变化规律	【活动】根据已学知识预测 Na、Mg、Al 的金属性强弱，并根据元素金属性强弱的判断依据，设计一个可行的实验方案，验证 Na、Mg、Al 的金属性强弱，并说明理论依据	B3	构建“预测—实验—推理—结论”研究模型，发展“科学探究”“证据推理”的学科核心素养
		根据已有经验和资料探究硅、磷、硫、氯非金属性的变化规律	【活动】请你根据已有经验和资料设计探究方案，探究 Si、P、S、Cl 的非金属性强弱，说明需要搜集哪些资料	A3、B3	提升问题探究能力，发展“证据推理”的学科核心素养
		从结构角度解释元素周期表中元素的金属性和非金属性的周期性变化规律	【提问】根据原子结构，说明元素周期表中元素的金属性和非金属性的递变规律	A3、B2	进一步强化元素周期性变化规律的概念，并建立“位—构—性”模型
3	当一回预言家：预测陌生物质的性质	预测陌生物质 H_2SeO_4 的性质	【活动】预测 H_2SeO_4 的性质，并说明你的预测依据	B1、B2、C1	运用“位—构—性”的认知模型解决实际问题

（三）选择教学策略

根据教学目标和教学内容，选择合适的教学策略。针对原子的核外电子排布、原子半径、化合价的周期性变化这一内容，采取作图分析、概括关联的教学策略。例如，随着原子序数的递增，将原子的最外层电子数、原子半径的周期性变化规律用折线图表示，使学生更加直观地感受元素周期律。通过对原子结构的分析，将原子结构和性质进行关联，强化“结构决定性质”的科学观念；针对元素金属性和非金属性的周期性变化这一内容，借鉴 POE（预测—观察—解释）教学策略[7]。本教学设计通过“预测—实验—推理—结论”的问题研究模型，探究元素金属性和非金属性，提升实验探究能力，发展“证据推理”和“宏观辨识与微观探析”的学科核心素养。

三、教学实录

【引入】门捷列夫制作元素周期表时，预言了包括“类铝”“类硅”在内的11种元素的存在，并对“类铝”“类硅”的性质做了大胆而又细致的预测。而在多年后镓（类铝）、锗（类硅）分别被布瓦博德朗和文克勒发现，其性质与门捷列夫的预测也是惊人的一致。那么，同学们能猜到门捷列夫是依据什么预言的吗？又是如何预测尚未发现的“类铝”“类硅”元素的性质的？

【学生】可能是依据元素周期律预言和预测的。

【教师】学习过本节课以后，你们也可以像门捷列夫那样预测陌生物质的性质，让我们走近元素周期律，先了解一下何为周期。

这是从月初到月末的月相变化（图10-4），后面的每个月都是这样变化的。像这种某一现象在演变过程中，其显著特征规律性重现的时间间隔或空间间隔叫“周期”。那么在元素周期表中，元素的性质呈现怎样的变化规律呢？

图10-4　从月初到月末的月相变化

任务一　数据分析：走近元素周期律

【教师】请书写前18号元素的原子结构示意图，并描述它们的原子最外层电子数呈现什么规律性的变化。注意描述时使用这样的表达方式：随着原子序数的递增……如何变化。

【PPT】如图10-5所示。

> **方法导引**
>
> **如何构建变量关系模型**
>
> 研究变量之间的关系和变化规律时，可以借鉴数学中研究函数的思路，寻找自变量和因变量的关系，具体包括：
>
> 1. 确定自变量：本活动中，以原子序数为自变量。
> 2. 选取因变量：寻找自变量和因变量之间的关系。
> 3. 选择表达形式：确定用哪种形式呈现变化规律。人们常常借助柱状图或折线图来表示自变量与因变量之间的关系。
> 4. 描述规律：表达自变量和因变量之间的关系。例如，可用“随着温度的升高，硝酸钾的溶解度增大”来描述温度与硝酸钾的溶解度之间的关系，其中，温度是自变量，硝酸钾的溶解度是因变量。

图10-5　构建变量关系模型的方法

【学生】除第一周期特殊外，随着原子序数的递增，最外层电子数重复出现 1～8 的周期性变化规律。

【教师】请在坐标纸上用折线图画出上述变化规律。通过图像直观感受核外电子排布的周期性变化。

【学生】折线图如图 10-6 所示。

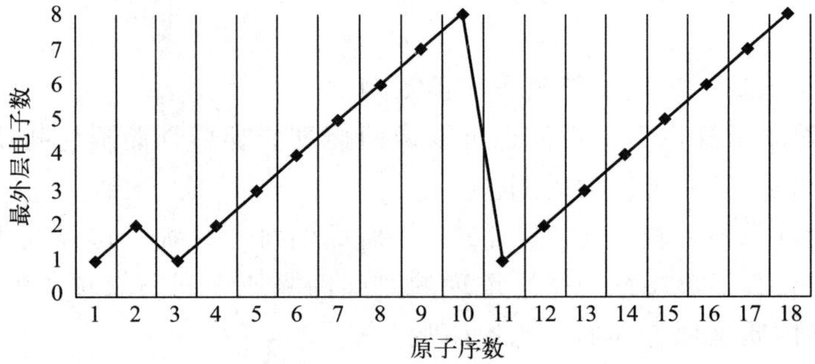

图 10-6 “最外层电子数-原子序数”折线图

【教师】观察课本中关于原子半径的数据，描述原子半径呈现什么规律性的变化。

【学生】除氢外，随着原子序数的递增，原子半径重复出现从大到小的周期性变化规律。

【教师】请在坐标纸上用折线图画出上述变化规律。

【学生】折线图如图 10-7 所示。

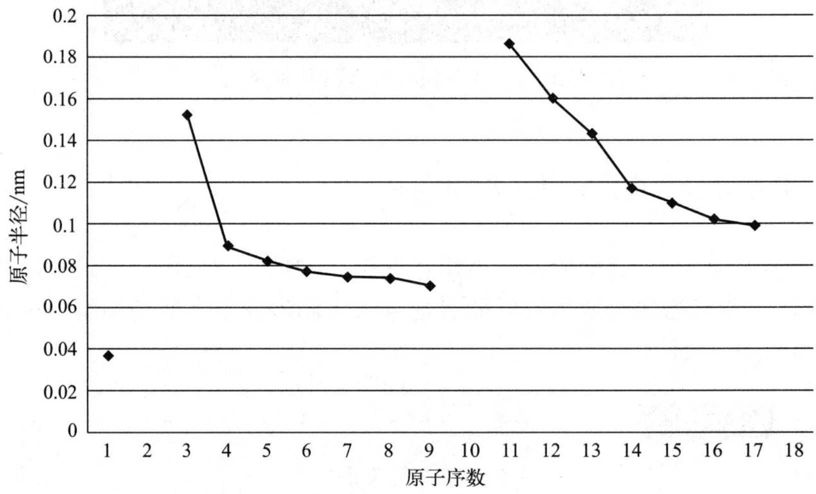

图 10-7 “原子半径-原子序数”折线图

【提问】为什么同周期元素的原子半径逐渐减小？

【学生】同周期元素的原子，电子层数相同，核电荷数和核外电子数都逐渐增大，原子核对电子的吸引力逐渐增大，所以原子半径逐渐减小。

【提问】随着原子序数的递增，原子半径呈现周期性变化的本质原因是什么？

【学生】本质是随着原子序数的递增，原子核外电子排布呈现周期性变化。

【提问】如何比较 Na^+、Mg^{2+}、Al^{3+} 的半径大小？

【学生】Na^+、Mg^{2+}、Al^{3+} 核外电子排布相同，核电荷数逐渐增大，原子核对电子的吸引力逐渐增大，所以离子半径大小为 $Na^{+}>Mg^{2+}>Al^{3+}$。

【教师】你能预测第四周期主族元素的原子半径的递变规律吗？

【学生】第四周期主族元素原子半径从左到右逐渐变小。

【教师】观察课本中关于化合价的数据，描述元素的最高正价和最低负价呈现什么规律性的变化？

【学生】除氢、氧、氟外，随着原子序数的递增，最高正价从+1 价到+7 价，最低负价从−4 价到−1 价，化合价呈现周期性变化。

【提问】为什么随着原子序数的递增，化合价呈现周期性变化？

【学生】元素显正价是因为最外层电子失去或偏离，显负价是因为得到电子或有电子偏向，对于主族元素来说，最高正价和原子最外层电子数在数值上相等，元素最低负价的绝对值数值上等于 8 减去原子最外层电子数。化合价呈现周期性变化的原因是最外层电子数呈现周期性变化。

【提问】从原子半径角度分析，为什么通常情况下 O 元素和 F 元素没有正价？

【学生】O 原子和 F 原子的半径很小，原子核对电子的吸引力比较强，一般只容易得到电子，不容易失去电子，所以通常情况下二者只有负价，没有正价。

【提问】举一反三：为什么金属元素一般不显负价？

【学生】金属元素原子半径在同一周期中比较大，原子核对电子的吸引力比较弱，且最外层电子数较少，一般容易失去电子，很难得到电子，所以显正价。

学习评价：绝大多数学生通过观察已知数据能够得出，随着原子序数的递增，原子最外层电子排布、原子半径、元素主要化合价呈现周期性变化，具备 A1 学科能力。通过引导，多数学生能通过对原子结构的分析，发现原子半径、元素主要化合价呈现周期性变化的本质原因是原子核外电子排布呈现周期性变化，发展了 A2 学科能力。但仍有少数学生不能从结构角度认识元素的性质，需要进一步强化结构决定性质的科学观念。

任务二　实验探究：探索元素周期律

【教师】你能根据已学过的知识预测 Na、Mg、Al 元素金属性的强弱吗？依据是什么？

【学生】根据金属活动性顺序表，预测元素金属性 Na>Mg>Al。

【教师】请你根据元素金属性强弱的判断依据，设计一个可行的实验方案，验证 Na、Mg、Al 的金属性强弱，并说明理论依据。

【学生 1】取 Na、Mg、Al 分别与滴加酚酞的水反应，观察反应的快慢。依据为元素单质越容易从水或酸中置换出氢气，元素金属性越强。

【学生 2】比较 NaOH、$Mg(OH)_2$、$Al(OH)_3$ 的碱性强弱。依据为元素最高价氧化物的水化物碱性越强，金属性越强。

【教师】请完成以下实验，观察并描述实验现象。

【实验 1】分别用镊子夹取一小段除去氧化膜的镁条和铝条，分别放到两支盛有少量酚酞溶液和适量水的试管中，观察现象。

【学生】实验 1 现象：镁与水缓慢反应，溶液变成浅红色，铝与水常温下不反应。

【教师】与钠和水的反应现象相比较，能得出什么结论？

【学生】钠与水剧烈反应，滴加的酚酞溶液变红。钠、镁、铝与水反应由易到难，可以推出结论：金属性 Na>Mg>Al。

【实验 2】(教材第 109 页“探究”栏目)

向试管中加入 2mL 1mol/L $AlCl_3$ 溶液，然后滴加氨水，直到不再产生白色絮状 $Al(OH)_3$ 沉淀为止。将 $Al(OH)_3$ 沉淀分装在两支试管中，向一支试管中滴加 2mol/L 盐酸，向另一支试管中滴加 2mol/L NaOH 溶液。边滴加边振荡，观察现象。

用 2mL 1mol/L $MgCl_2$ 溶液代替 $AlCl_3$ 溶液做上述实验，观察现象，并进行比较[2]。

【学生】实验 2 现象：氢氧化铝白色沉淀既溶于盐酸，又溶于氢氧化钠。

【教师】结合信息：氢氧化钠为强碱、氢氧化镁为中强碱，能得出什么结论？

【学生】氢氧化钠为强碱、氢氧化镁为中强碱，而氢氧化铝体现出酸碱两性，碱性依次减弱，可以推出结论：金属性 Na>Mg>Al。

【总结】设计实验探究方案的思路：预测—实验—推理—结论。

【提问】从原子结构角度分析，为什么 Na、Mg、Al 的金属性逐渐减弱？

【学生】Na、Mg、Al 元素原子核外电子层数相同，核电荷数依次增大，原子半径依次减小，原子核对最外层电子的吸引力依次增大，原子的失电子能力依次减小，元素的金属性依次减小[6]。

【提问】根据原子的结构，你能预测 Si、P、S、Cl 元素的非金属性强弱吗？

【学生】Si、P、S、Cl 元素原子核外电子层数相同，核电荷数依次增大，原子半径依次减小，原子核对最外层电子的吸引力依次增大，原子的得电子能力依次增强，元素的非金属性依次增强[6]。

【教师】进行问题探究不一定用实验的方法，也可以搜集已有的可靠信息资料，加以推理论证，最后得出结论。请你设计探究方案，探究 Si、P、S、Cl 的非金属性强弱，并说明依据。

【学生 1】搜集资料，比较 Si、P、S、Cl 的单质与氢气化合的难易程度。依据为非金属单质越容易与氢气化合，元素的非金属性越强。

【学生 2】搜集资料，比较 SiH_4、PH_3、H_2S、HCl 的稳定性。依据为非金属的最简单气态氢化物越稳定，元素的非金属性越强。

【学生 3】搜集资料，比较 H_2SiO_3、H_3PO_4、H_2SO_4、$HClO_4$ 的酸性强弱。依据为非金属的最高价氧化物的水化物酸性越强，元素的非金属性越强。

【教师】根据信息 1 和信息 2，可以推理出什么结论？

【信息 1】如表 10-6 所示。

表 10-6　硅、磷、硫、氯的气态氢化物的性质[8]

元素	$_{14}Si$	$_{15}P$	$_{16}S$	$_{17}Cl$
单质与氢气的反应条件	高温下反应	磷蒸气与氢气能反应	加热时反应	光照或点燃时发生爆炸而化合
气态氢化物的化学式	SiH_4	PH_3	H_2S	HCl
气态氢化物的热稳定性	不稳定	不稳定	受热分解	稳定

【信息 2】如表 10-7 所示。

表 10-7　硅、磷、硫、氯的最高价含氧酸的酸性[2]

元素	Si	P	S	Cl
最高价氧化物对应的水化物(含氧酸)的酸性强弱	H_2SiO_3 (硅酸) 弱酸	H_3PO_4 (磷酸) 中强酸	H_2SO_4 (硫酸) 强酸	$HClO_4$ (高氯酸) 强酸(酸性比 H_2SO_4 强)

【学生】Si、P、S、Cl 对应的单质与氢气化合越来越容易，其最简单气态氢化物的稳定性依次增强，其最高价氧化物的水化物酸性依次增强，所以非金属性 Si<P<S<Cl。

【教师】总结第三周期元素 Na、Mg、Al、Si、P、S、Cl 的金属性和非金属性递变规律。并根据原子结构，说明随着原子序数的递增，元素周期表中元素的金属性和非金属性的递变规律。

【PPT】如图 10-8 所示。

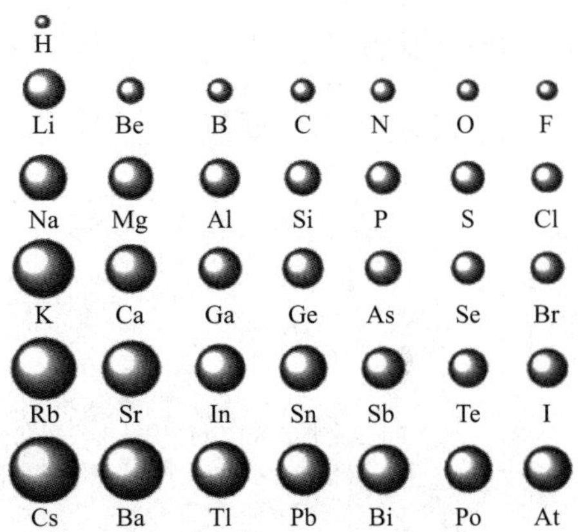

图 10-8　原子半径的周期性变化

【学生 1】第三周期元素 Na、Mg、Al、Si、P、S、Cl 的金属性依次减弱，非金属性依次增强。

【学生 2】除稀有气体外，随着原子序数的递增，原子半径呈现由大到小的周期性变化，原子失电子能力呈现由强到弱的周期性变化，得电子能力呈现由弱到强的周期性变化，所以元素的金属性呈现由强到弱的周期性变化，非金属性呈现由弱到强的周期性变化。

学习评价：通过教师设置问题启发引导，部分学生能通过“预测—实验—推理—结论”的问题探究模型，得出第三周期金属元素金属性的递变规律，具备 A3、B3 学科能力，同时发展了“证据推理”和“宏观辨识与微观探析”的学科核心素养，提升了实验探究能力。但仍有部分学生需要强化应用问题探究模型。很少有学生能够从原子结构角度分析出 Na、Mg、Al 的金属性逐渐减弱的原因， B2 学科能力尚有不足。通过利用金属性问题探究模型来演绎非金属性递变规律这一环节，进一步发展了 B2 学科能力。

任务三　当一回预言家：预测陌生物质的性质

【教师】学习了元素周期律，我们也可以当“预言家”了。

已知：H_2SeO_4（硒酸）的用途非常广泛，可以做金属提取液、制作合金、制备硒盐，也可用于有机合成。请预测 H_2SeO_4 的性质，并说明你的预测依据。

【学生 1】H_2SeO_4 是酸类物质，显酸性。

【学生 2】H_2SeO_4 中 Se 的化合价为+6，可能有氧化性。

【学生 3】根据 Se 在元素周期表中的位置可知，H_2SeO_4 酸性比 H_2SO_4 和 $HBrO_4$ 弱，比 H_3AsO_4 强。

学习评价：通过学习元素周期律，多数学生能够顺利预测陌生物质 H_2SeO_4 的性质，扩展了研究物质性质的视角，即不仅可以从物质类别角度、化合价角度认识物质，还可以从元素周期律的视角预测和分析物质的性质，学会了运用“位—构—性”的认知模型解决实际问题，具备 B1、 B2、 C1 学科能力。但很少有学生能全面地预测物质的性质，还需在后续学习中加强练习。

【课堂小结】如果说化学元素是个巨大的宝藏，那么元素周期表就是藏宝图，而元素周期律就是破译藏宝图的密码。希望同学们能够带着这张藏宝图和科学家的探究精神继续探索化学的奥秘。

四、板书设计

板书设计如图 10-9 所示。

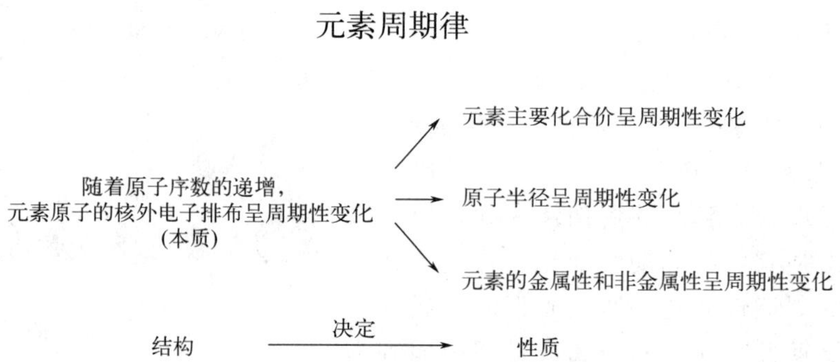

图 10-9 “元素周期律”教学板书设计

教学评价

一、教学效果

（一）测评试题

由于锂离子电池储能具有绿色环保的优势，在新能源、电子市场等领域中应用广泛。但是，随着锂离子电池的需求量逐渐增大，锂资源短缺以及成本等问题的出现影响了锂离子电池的发展。而钠离子电池近年来发展迅速，有望成为替代锂离子电池的新储能材料。

1.【单选题】锂、钠分别为第二、三周期元素，下列关于第二、三周期元素的相关性质说法正确的是（　　）。

A. 离子半径：$Li^{+}<Be^{2+}$　　B. 最高化合价：O 元素＞N 元素

C. 碱性：$NaOH>Mg(OH)_2$　　D. 稳定性：$H_2S>HCl$

2.【简答题】钠离子电池正极材料常选用层状过渡金属氧化物（如 $NaCoO_2$），而锂离子电池对应材料为 $LiCoO_2$。试从结构角度分析，为何钠离子电池需要设计更大的层间距？

3.【简答题】钠硫电池是一种高温二次电池，主要由固态硫作为正极材料和液态钠作为

负极材料组成。该电池在工作时，钠离子从负极释放到电解液中，并与正极的硫发生化学反应。其总反应为：$2Na + xS \xlongequal{} Na_2S_x$。这一反应能够释放大量的能量，从而驱动电动汽车或为其他设备供电。

（1）原子半径的大小：钠______硫（填“>”或“<”）。

（2）利用元素周期表说明钠与硫之间易发生电子转移的原因：

____。

（3）已知一般情况下，氧化还原反应越容易进行，电池电压越大。若用硒替代硫，会导致电池的电压变________。请设计实验方案比较硒和硫的非金属性：

____。

（二）设计说明

以发展学生的“宏观辨识与微观探析”“证据推理与模型认知”“科学探究与创新意识”的化学学科核心素养为测试宗旨，以钠离子电池为情境载体，设置微粒半径的判断、元素金属性与非金属性的判断、钠和硫容易发生电子转移的原因、钠硫电池中用硒代替硫后电池电压的变化情况、实验方案设计验证硒和硫的非金属性等测试任务，要求学生运用“位—构—性”模型推测陌生物质的性质，能以“预测—实验—推理—结论”为思路设计实验探究方案解决相关问题。每个问题均对应学科表现性目标，旨在检测学生本节课学习后具备的能力水平。具体如表 10-8 所示。

表 10-8　评价说明和评分标准（总分 20 分）

试题编号	学科能力要素	认识能力	分值	标准答案及评分标准
1	A1 辨识记忆：能描述同周期元素随着原子序数的递增，主要化合价、原子半径的变化规律；能描述第三周期元素金属性和非金属性的变化规律 A2 概括关联：能从原子核外电子排布、主要化合价、原子半径、元素金属性和非金属性的角度构建元素周期律	2 分：能描述第二、三周期元素性质的变化规律，并与最高价氧化物水化物的碱性、气态氢化物的稳定性等性质相关联（位置—性质，系统水平） 0 分：不能描述同周期元素性质的变化规律，也不能与最高价氧化物水化物的碱性、气态氢化物的稳定性等性质相关联（孤立水平）	2 分	2 分：C 0 分：其他选项
2	A3 说明论证：能从原子结构角度说明随着原子序数的递增，元素性质及其递变的规律（元素周期律的本质），并能结合实验及事实进行说明论证	4 分：能根据信息准确比较离子半径大小，同时能从核外电子排布角度比较离子半径的大小（结构—性质） 2 分：能根据信息准确比较离子半径大小，但不能从核外电子排布角度比较离子半径（宏观性质，孤立水平） 0 分：不能回答（欠缺）	4 分	4 分：Na^+ 的电子层数为 2，Li^+ 的电子层数为 1，二者最外层电子数相同，Na^+ 的离子半径大于 Li^+，故 Na^+ 需要设计更大的层间距 2 分：Na^+ 的离子半径大于 Li^+，故 Na^+ 需要设计更大的层间距 0 分：其他答案
3(1)	A1 辨识记忆：能描述同周期元素随着原子序数的递增，原子半径的变化规律	2 分：能根据钠元素和硫元素在元素周期表中的位置，比较原子半径的大小（位置—性质，系统水平） 0 分：不能回答（欠缺）	2 分	2 分：> 0 分：其他答案

续表

试题编号	学科能力要素	认识能力	分值	标准答案及评分标准
3(2)	B1 分析解释：能利用元素周期律(表)分析或解释元素及其化合物的性质 B2 推理预测：能应用“位—构—性”模型推测陌生物质的性质等	2 分：能通过钠和硫元素在元素周期表中的位置，推出钠和硫有较强的金属性和非金属性，再与得失电子能力联系起来，说明反应的难易程度（位置—结构—性质，系统水平） 0 分：不能回答（欠缺）	2 分	2 分：钠为第ⅠA 族元素，金属性较强，容易失去电子；硫为第ⅥA 族元素，非金属性较强，容易得到电子，所以钠与硫之间易发生电子转移 0 分：其他答案
3(3)第一空	B2 推理预测：能应用“位—构—性”模型推测陌生物质的性质等。	2 分：能从陌生情境中提取有用信息，并应用“位—构—性”模型推测陌生物质硒的性质（位置—结构—性质，系统水平） 0 分：不能从陌生情境中提取有用信息，也不能应用“位—构—性”模型推测陌生物质硒的性质（孤立水平）	2 分	2 分：小 0 分：其他答案
3(3)第二空	B3 简单设计：能以“预测—实验—推理—结论”为思路设计实验探究方案，比较陌生元素金属性或非金属性的强弱 C1 复杂推理：能利用元素周期律(表)在陌生情境中解决实际问题	5～8 分：能设计完整的方案，详细说出具体的实验原理、实验操作过程、实验现象，从而推理出“硫的非金属性强于硒”的实验结论（预测—实验—推理—结论，系统水平） 1～4 分：能设计出实验方案，简单地描述实验操作过程、实验现象，得出“硫的非金属性强于硒”的实验结论（实验—结论，孤立水平） 0 分：不能设计出实验方案（欠缺）	8 分	根据单质与氢气化合的难易程度、气态氢化物的稳定性、单质的氧化性、最高价氧化物水化物的酸性等来设计实验方案，由实验方案设计的完整程度和准确性计分

（三）效果分析

收集答卷 85 份，能力对应的平均得分情况如表 10-9 所示。

表 10-9 评分结果

学科能力	试题编号	分值	平均分	得分率
A1	1、3(1)	3(1+2)	2.66	88.7%
A2	1	1	0.80	80.0%
A3	2	4	1.52	38.0%
B1	3(2)	1	0.75	75.0%
B2	3(2)、3(3)第一空	3(1+2)	2.12	70.7%
B3	3(3)第二空	4	1.73	43.3%
C1	3(3)第二空	4	1.65	41.3%

通过数据分析可见，学生学习理解能力（A1、A2）和应用实践能力（B1、B2）水平普

遍较高，这是由于这部分试题难度较低，通过课堂针对性学习（元素性质归纳等），学生掌握情况较好；而针对说明论证能力（A3）、简单设计能力（B3）和复杂推理能力（C1）的试题得分率不高，个体差异非常明显。这些试题开放程度大，对学生综合能力要求高，得分情况与学生对这部分试题的熟悉程度及答题策略的差异有关。建议教师多组织学生进行相关内容的练习实践。

二、教学反思

针对能力发展目标，本节课在零散的化学元素中找到内在联系，不仅找到了规律，更是探寻到了元素周期律的本质。学生从单个元素的认识，到同周期元素有递变规律的认识，再到整个元素周期表中周期性变化的认识，元素化合物的知识逐渐结构化和系统化。教学实践表明，多数学生 A1、A2 学习理解能力和 B1、B2 应用实践能力较好，但从结构角度认识物质的性质和独立设计实验方案能力有欠缺，A3 说明论证能力、B3 简单设计能力和 C1 复杂推理能力不足。通过老师的引导，学生的能力表现得到了不同程度的发展。总体来说，本节课的教学设计不仅落实了元素周期律的知识内容，也发展了学生的学科能力，更使学生感受到科学家的探索精神带来的无穷力量，培养了科学态度与社会责任的核心素养。

在完成教学设计后笔者也做了其他思考，例如探究第三周期非金属元素非金属性的递变规律时，没有用到实验探究的方法，而化学是一门以实验为基础的学科，所以在之后的教学实践中，可以尝试把实验教学作为教学设计的主线，进一步发展 B3 能力，更好地体现学科特色。另外，课后发现学生对元素周期律的具体应用非常感兴趣，可以适时地引导学生利用书籍、网络等资源拓宽关于元素周期律应用的知识面。

参考文献

[1] 中华人民共和国教育部．普通高中化学课程标准（2017 年版 2020 年修订）[S]．北京：人民教育出版社，2020：2，18，20-21，65-67.

[2] 王晶，华毕林．普通高中教科书·化学（必修）第一册 [M]．北京：人民教育出版社，2019：107-111，109.

[3] 王磊．基于学生核心素养的化学学科能力研究 [M]．北京：北京师范大学出版社，2017：13-14，17-19.

[4] 王星乔，王仕杰，李晶，等．化学学科能力表现性目标的研制路径与应用——以人教版选择性必修“配合物”为例 [J]．化学教学，2024（9）：31-35.

[5] 郁玲．元素周期律教学实践 [J]．中学化学教学参考，2024，5：17-18.

[6] 马娟娟．基于证据推理视角下的教学实践与思考*——以“元素周期律”为例 [J]．化学教与学，2024，6：3-6，65.

[7] 王强．核心素养视域下融合 POE 教学策略的概念教学——以“化学反应速率”为例 [J]．中学化学教学参考，2023（5）：22-26.

[8] 王祖浩．普通高中教科书：化学（必修第一册）[M]．南京：江苏凤凰教育出版社，2019：118.

邓　杨（宁波华茂高级中学　浙江宁波）

张　浩（余姚市第四中学　浙江余姚）

第 11 单元

化学键

目标研制

一、课标研读

（一）内容要求和学业要求

“化学键”教学单元为《普通高中化学课程标准（2017 年版 2020 年修订）》必修课程主题 3 中的内容，课标相应内容要求和学业要求如表 11-1 所示。

表 11-1　“化学键”教学单元的课标内容要求和学业要求[1]

内容要求	学业要求
3.2　化学键 认识构成物质的微粒之间存在相互作用，结合典型实例认识离子键和共价键的形成，建立化学键概念。知道分子存在一定的空间结构。认识化学键的断裂和形成是化学反应中物质变化的实质及能量变化的主要原因	3. 能判断简单离子化合物和共价化合物中的化学键类型，能基于化学键解释某些化学反应的热效应

注：数字序号即课标中相应序号。

可见，课标中对“化学键”的内容要求侧重于从微观层面认识化学键的形成与断裂的本质，学业要求则从“判断”“解释”等能力表现角度提出了具体的要求。通过增补解构、删繁就简等方法，可以得到该教学单元课标优化后的要求，如表 11-2 所示。

表 11-2　“化学键”教学单元课标优化后的要求[1]

优化后的要求
（原内容要求 3.2）认识构成物质的微粒之间存在相互作用，结合典型实例认识离子键和共价键的形成，建立化学键概念。知道分子存在一定的空间结构。认识非极性共价键和极性共价键，明确化学键的断裂和形成是化学反应中物质变化的实质及能量变化的主要原因（增补解构）
（原学业要求 3）能判断简单离子化合物和共价化合物中的化学键类型，能用电子式对离子键和共价键进行表征（删繁就简、增补解构）

（二）学业质量水平

课标学业质量水平与“化学键”教学单元的相关要求对应关系如表 11-3 所示。

表 11-3 “化学键”教学单元的学业质量水平

学业质量水平描述[1]	针对本教学单元内容的具体表现
1-1 能根据物质组成和性质对物质进行分类；能对常见物质及其变化进行描述和符号表征	1-1 能认识构成物质的微粒之间存在相互作用，能从化学键角度辨识物质的构成，对物质进行分类
2-1 能从构成物质的微粒、化学键、官能团等方面说明常见物质的主要性质，能分析物质性质与用途的关系	2-1 能说出化学键类型与离子化合物、共价化合物的关系
3-1 能从物质的组成、性质、官能团、构成微粒和微粒间作用力等多个视角对物质进行分类；能采用模型、符号等多种方式对物质的结构及其变化进行综合表征	3-1 能用电子式表示常见物质及其形成过程
4-1 能根据物质的类别、组成、微粒的结构、微粒间作用力等说明或预测物质的性质，评估所做说明或预测的合理性	4-1 能根据物质的类别、组成预测化学键类型，说明或预测物质的性质，例如说明熔融状态是否导电等

注：数字序号即课标中相应序号。

二、教材解读

在人教版高中化学必修教材（2019 年版）第四章第三节“化学键”中，通过对化学键的类型、形成过程、成键本质及符号表征等显性知识介绍，建立“宏观辨识与微观探析”“证据推理与模型认知”的认识视角和“化学事实—模型建构—运用模型”的认识思路，落实课标内容要求从微观层面认识化学键形成与断裂的本质及“位置—结构—性质—应用”的学科观念。借助大量文字、图片帮助学生从感性和理性层面学习相关内容，掌握模型法、构性观等认识方法，结合“资料卡片”“小提示”等栏目，实现学业要求和学业质量水平中有关“判断”“解释”等能力表现的具体要求。本节课内容对物质中化学键的判断要求较高，需要对知识进行概括、综合，并从理论上进一步认识物质的性质和化学反应的本质，从感性认识上升到理性认识，教学可以借助多种教具，将原本抽象的问题具体化、形象化，发展学生宏观辨识与微观探析、证据推理与模型认知等素养。具体教学单元内容见图 11-1。

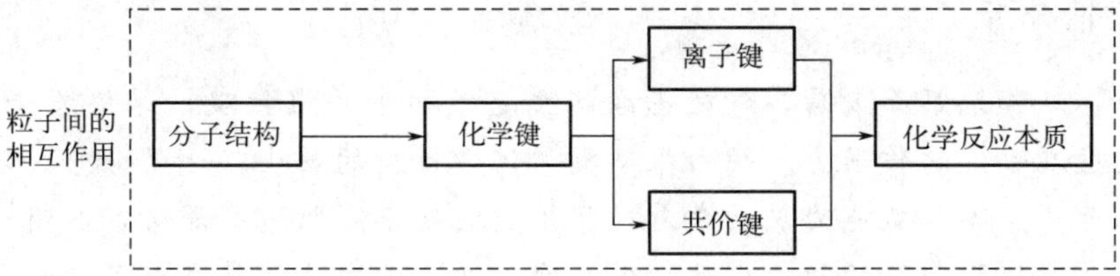

图 11-1 “化学键”教学单元内容

三、能力模型建构

通过课标研读和教材分析，可以确立相关教学单元的知识基础、研究对象和化学问题、学科认识方式，从而构建该教学单元的学科能力模型（图 11-2）[2]。例如，该教学单元核心知识是离子键和共价键等。认识角度是“宏观辨识与微观探析”“证据推理与模型认知”。认识思路是根据化学事实了解微粒间存在的相互作用，建立化学键的概念，结合典型实例认识离子键和共价键的形成过程，建构分析模型，并运用模型对陌生物质微粒间的相互作用进行预测。学科思想为“结构决定性质，性质决定应用”。研究对象和化学问题主要包括化学键的类型、形成过程、成键本质及符号表征，以及离子化合物和共价化合物的判断等。

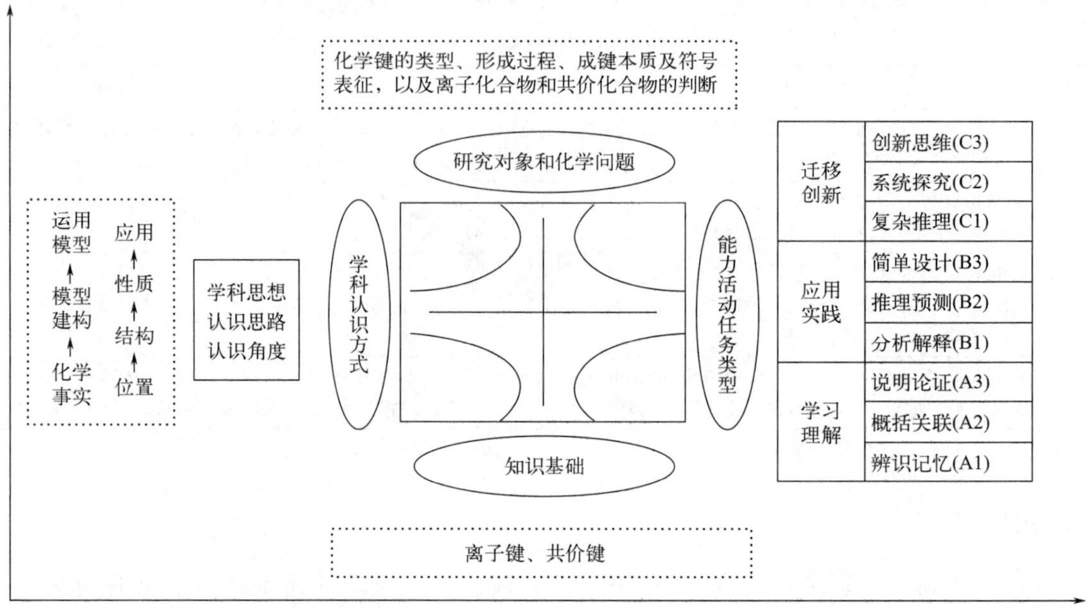

图 11-2 “化学键”教学单元能力模型

四、课程资源分析

在实际教学过程中，能力目标的实现还受到授课类型、学生学情、教学资源等客观因素的影响[2]。

（一）授课类型

本节课的授课类型为新授课。

（二）学情分析

已有基础：从知识层面来看，学生已经建立起了初步的微粒观，掌握原子的基本结构，知道微粒之间存在一定的作用力，明白维持物质化学性质的最小粒子是分子，理解化学反应中的最小微粒为原子等；从能力层面来看，学生能对复杂事物进行思考，具有一定的运用化学知识分析和解决实际问题的能力；从心理层面上看，学生已经建立起了“原子核外电子排布对元素性质会产生影响”的基本认知，形成了“结构决定性质”的基本观念。

潜在困难：学生尚未建立起微粒之间的作用和变化、微粒的结构与化学性质的关联等认识，仍然局限于性质的宏观认知层面，尚未深入理解原子、离子如何形成新物质的过程。

（三）教学资源

学科能力目标的实现还有赖于学校资源的支持。本节课的学科能力表现性目标制定要求授课学校提供原子核外电子层演示盘，用于表征化学键的形成方式和本质。除此之外，在分子的空间结构教学中，可利用球棍模型等帮助学生更直观地理解。

五、表现性目标制定

将学科能力模型中 4 个维度进行连接组合，再结合学生学情、授课类型、教学资源等客观因素，制定了“化学键”教学单元学科能力表现性目标，如表 11-4 所示[2]。

表 11-4　“化学键”教学单元学科能力表现性目标

能力要素		表现性目标
A 学习理解能力	A1 辨识记忆	能指出构成物质的微粒之间存在相互作用，分子存在一定的空间结构；能判断简单离子化合物和共价化合物中的化学键类型，根据组成判断极性共价键和非极性共价键；可以从化学键角度对化合物进行分类；能用电子式表示简单离子化合物和共价化合物
	A2 概括关联	能建立化学键类型、形成条件、成键粒子和成键实质之间的关联
	A3 说明论证	能说明离子化合物和共价化合物中成键微粒和化学键类型的区别，并用熔融状态是否导电的现象进行论证
B 应用实践能力	B1 分析解释	能用电子式分析离子化合物和共价化合物的形成过程。能基于化学键解释某些化学反应的热效应，解释物质的性质
	B2 推理预测	能根据实验现象、元素组成等推测简单陌生物质中化学键的类型；能从离子键概念模型迁移类比共价键概念模型，并应用模型对新物质的性质进行预测
	B3 简单设计	能根据用途选择合适的物质，能根据性质选择测定物质组成和结构的实验方法
C 迁移创新能力	C1 复杂推理	能在复杂陌生情境中判断陌生物质的化学键类型，说明或预测其性质
	C2 系统探究	—（新授课暂不要求）
	C3 创新思维	—（新授课暂不要求）

教学设计

一、教学现状

本课时为人教版高中化学必修教材（2019 年版）第四章第三节“化学键”的新授课[3]。化学键的教学是建立在元素化合物的基础之上进行深化、概括，从微观视角探索物质的组成、微粒间的相互作用和化学反应的本质，实现从宏观到微观，从感性到理性的认识提升，发展微粒观、变化观、守恒观等学科观念，同时建立“结构决定性质、性质决定应用”的学科思想，为后续元素化合物的学习打下理论基础。化学键教学设计主要有三种策略，一是模型建构策略，通过挖掘概念间上下位关系及组合关系，建立化学核心概念的认知结构[4]；二是类比教学策略，用磁铁之间的引力类比静电力，帮助学生理解“化学键”与“化学能量”的关系[5-6]；三是计算机辅助策略，利用原子空间坐标探析微观世界，体会通过键长判断共价键类型的方法，帮助学生建立化学键的微观世界与宏观世界的联系[7]。

二、教学思路

（一）创设真实问题情境

课标指出，真实、具体的问题情境是学生化学学科核心素养形成和发展的重要平台。本课例选择“海盐晒制”这一真实情境主题，主要原因有两点。①关联相关教学内容：可以通过盐、水、晒盐这三个环节将本单元离子键、共价键、分子间作用力三部分连贯地整合在一起。②激发学生学习兴趣：这一主题与生活密切相关，能够充分调动学生学习的积极性，使抽象枯燥的知识充满趣味，提高学习效率（详见图 11-3）。

情境线索	任务线索	问题线索	活动线索	知识线索	能力线索	
非物质文化遗产——海盐晒制技艺	任务一：走近海盐晒制技艺	不同元素的原子通过什么作用形成如此丰富的物质呢？我们怎么知道原子间是这样结合的？	讨论物质结合方式	物质的分类	A1	课时一
	任务二：探究NaCl的聚集方式	Na^+和Cl^-间的静电作用力有哪些？Na^+和Cl^-是否可以无限靠近？	分析Na^+和Cl^-之间的作用力	成键本质	A3、B1	
	任务三：构建离子键的认知模型	是不是所有的金属和非金属元素之间都能形成离子键？是否只有金属与非金属之间才能形成离子键？	离子键、离子化合物的判断	离子键、离子化合物	A2、B2	
	任务四：表征离子化合物的形成过程	化学反应中，一般是原子哪一层上的电子发生变化？是否有更简单明了的方法表示？	电子式的书写	电子式	A1、B1	
	任务五：应用模型解决问题	粗盐提纯后可用于冶炼金属钠，工业冶炼钠、铝两种金属的原料选择为何不同？结合资料分析	离子化合物的应用	离子化合物的应用	B3、C1	
	任务一：讨论H_2O的聚集方式	根据氢和氧的原子结构示意图，思考H_2O是如何形成的？	分析H、O之间的作用力	成键本质	A3、B1	课时二
	任务二：构建共价键的认知模型	还能说出哪些存在共价键的化合物？	共价键、共价化合物的判断	共价键、共价化合物、极性键、非极性键、分子的空间结构	A2、A3、B2	
	任务三：表征共价化合物及形成过程	如何用电子式表示？	电子式的书写	电子式	A1、B1	
	任务四：辨析晒盐过程	海水蒸发克服什么样的作用力？作用力大小如何？	分子间作用力的讨论	分子间作用力、分子的空间结构	A2	

图 11-3　教学流程

（二）设计能力评价任务

依据上述确立的学科能力发展目标，精心设计了多样化、梯度化的能力发展评价任务，体现对学科思维、学科认识视角和认识思路等的建立、诊断和发展。具体如表 11-5 所示。

表 11-5 “化学键”教学单元能力发展评价

序列	教学环节	评价任务	评价活动	能力要素	素养价值
1	走近海盐晒制技艺	判断物质结合方式的差异	根据性质分析不同物质结合方式的不同	A1	建立结构决定性质的学科观念
2	探究 NaCl 的聚集方式	归纳离子键的形成过程及能量变化	根据能量关系图更好地理解静电作用的本质	A3、B1	诊断并建构化学键本质的认识进阶
3	构建离子键的认知模型	离子键、离子化合物的判断	讨论含离子键的化合物类别，推导离子化合物的物理性质	A2、B2	完善认识思路：化学事实→模型建构→运用模型
4	表征离子化合物的形成过程	书写电子式	练习：电子式的书写，形成过程的表示	A1、B1	符号表征，将抽象问题具体化、形象化
5	应用模型解决问题	探讨离子键的应用	小组讨论工业冶炼钠、铝两种金属的原料选择	B3、C1	迁移应用学科认识思路
6	讨论 H_2O 的聚集方式	归纳共价键的形成过程及能量变化	根据能量关系图更好地理解静电作用的本质	A3、B1	诊断并建构化学键本质的认识进阶
7	构建共价键的认知模型	共价键、共价单质、共价化合物的判断	讨论含共价键的物质类别，区分极性共价键和非极性共价键	A2、A3、B2	完善认识思路：化学事实→模型建构→运用模型
8	表征共价化合物及形成过程	书写电子式	练习：电子式的书写，形成过程的表示	A1、B1	符号表征，将抽象问题具体化、形象化
9	辨析晒盐过程	讨论分子间作用力	分析海水蒸发克服什么样的作用力，大小如何	A2	完善认识思路：化学事实→模型建构→运用模型

（三）选择教学策略

根据教学目标和教学内容，选择合适的教学策略。针对化学键这部分内容，采取情境创设、图表分析、模型建构、迁移应用等教学策略。例如，采用动画、模型、图片等手段从微观角度进行呈现，实现思维的可视化；从原子结构和能量变化两个角度分析氯化钠的形成过程，凸显“证据—推理—模型”的教学思路，构建离子键和共价键的认知模型，从而实现认知的突破、能力的提升、素养的落实。通过探究 NaCl 和 H_2O 的形成过程，实现由化学式到电子式的转变，感受化学语言的魅力，做到宏观、微观、符号三者融合，体现化学学科的特点；从海盐晒制到工业冶炼，由生活中来到生活中去，将事实和理论解释相结合，进一步深化“结构—性质—应用”的学科思想。

三、教学实录（第一课时）

任务一：走近海盐晒制技艺

【视频】国家级非物质文化遗产——象山县传统的海盐晒制技艺。

【教师】海盐晒制过程中涉及的氯化钠中原子和水中原子分别是怎样结合的？我们今天就从微观角度认识物质世界。

【PPT】如表 11-6 所示。

表 11-6　盐和水的性质

性质	NaCl	H_2O
导电性	熔融状态导电	液态不导电
熔沸点	高（熔点 801℃、沸点 1465℃）	低（熔点 0℃、沸点 100℃）

【教师】海盐晒制得到的盐和水，请根据信息思考原子的结合方式是否一样。

【学生】根据 NaCl 熔融状态能导电、液态水不导电和 NaCl 的熔沸点远高于水，可以判断出它们的结合方式不同。

学习评价：在“走近海盐晒制技艺”的任务中，多数学生能通过分析盐和水导电性、熔沸点差异等信息认识微粒间结合方式的不同，具备 A1 学科能力，教师在引导过程中可以不断渗透“结构决定性质、性质决定用途”的学科思想。

任务二：探究 NaCl 的聚集方式

【教师】自然界有没有“不需要结合”就能稳定存在的原子？

【学生】稀有气体原子最外层满足 8 电子稳定结构（He 为 2 电子稳定）。

【追问】自然界中原子相互结合的可能原因是什么？

【学生】结构：从不稳定到稳定。

【练习】请同学们写出 Na 原子与 Cl 原子的原子结构示意图，讨论如何使 Na 原子与 Cl 原子达到稳定结构。

【动画播放】氯化钠的形成过程。

【视频展示】钠在氯气中燃烧产生白烟。

【思考】自然界中原子相互结合的原因。

【资料卡片】如图 11-4 所示。

【推理】从结构角度分析，此过程由不稳定到稳定，Na^+ 和 Cl^- 由于静电作用，相互靠近时放出大量的热；从能量变化角度分析，此过程由高能量到低能量。

【教师】它们之间的静电作用力有哪些？

【学生】静电吸引力和静电斥力。

【追问】Na^+ 和 Cl^- 是否可以无限靠近？可参考图 11-5。

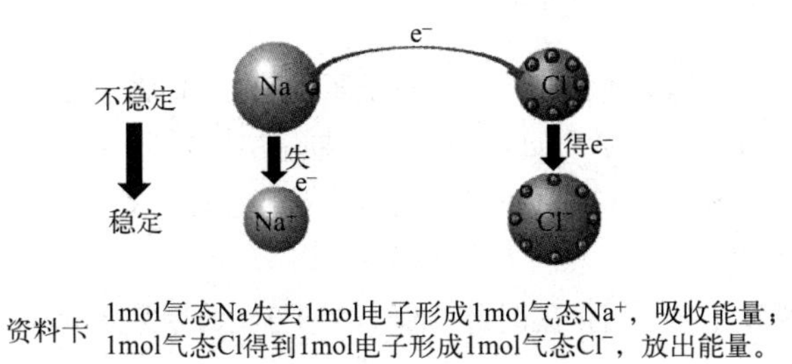

图 11-4　氯化钠形成过程中的能量变化

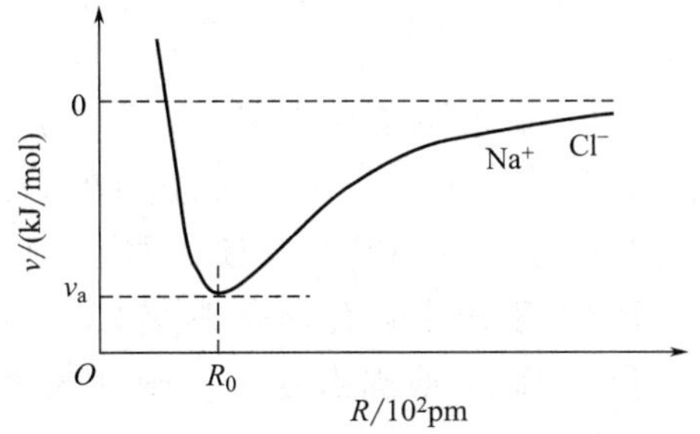

图 11-5　Na^+、Cl^- 能量与离子间距离的关系

【学生】不能无限靠近，当 Na^+ 和 Cl^- 之间的距离小于 R_0 时，静电斥力会急剧增大，体系能量就会迅速增大。

【总结】当 Na^+、Cl^- 之间的距离为图 11-6 中 R_0 时，静电吸引力和静电斥力达到平衡，此时 Na^+、Cl^- 能量最低，即 Na^+、Cl^- 形成了稳定的离子键，于是就形成了固体 NaCl[8]。

【图片展示】如图 11-6 所示。

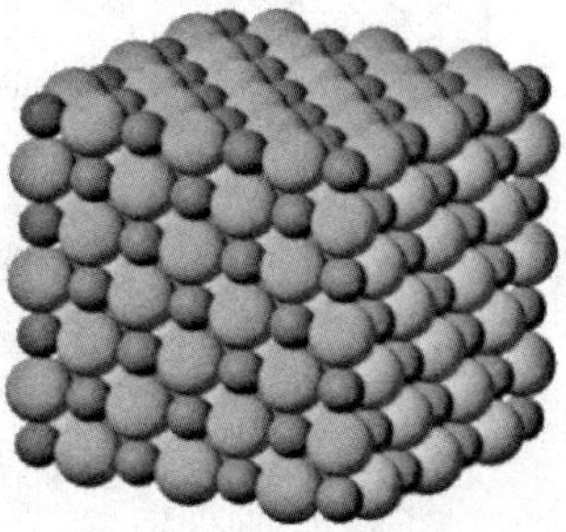

图 11-6　NaCl 微观示意图

【教师】X 射线衍射实验已证实 Na^+ 和 Cl^- 在空间上的排列。

【教师】已知氯化钠熔点为 801℃。根据信息，从固体 NaCl 到熔融 NaCl 这个过程体现出作用力的强度如何？

【学生】很强，因为要克服离子之间的静电作用，拉大 Na^+ 和 Cl^- 之间的距离，把它们变成自由移动的离子，才能导电。根据常识，氯化钠的熔点很高，所以这个作用力比较大。

【追问】在水溶液中氯化钠又是如何实现导电呢？

【学生】在水溶液中，氯化钠受到水分子的作用，同时也克服了离子之间的静电作用，所以能导电。

学习评价：在“探究 NaCl 的聚集方式”的任务中，多数学生能提取信息，运用证据推理思维，从结构稳定性和能量变化两大视角理解静电作用的本质，部分学生总结不全面。实践表明学生 A3、B1 学科能力得到了显著发展，能从宏观和微观视角认识 NaCl，实现了思维的外显。

任务三：构建离子键的认知模型

【模型建构】离子键：带相反电荷离子之间的强烈相互作用。

成键粒子：阴离子、阳离子。

成键方式：得失电子。

成键本质：静电作用(静电吸引和静电排斥的平衡)。

成键结果：从原子结构角度，由不稳定到稳定；

从能量变化角度，由高能量到低能量。

离子化合物：由离子键构成的化合物叫离子化合物。

【展示元素周期表】哪些元素容易形成离子化合物？你能归纳出这些元素在周期表中的位置吗？

【学生】容易形成离子化合物的元素主要是活泼金属和活泼非金属。活泼金属主要位于周期表第ⅠA族［如钠（Na）、钾（K）］和第ⅡA族［如钙（Ca）、镁（Mg）］，活泼非金属主要位于周期表第ⅥA族［如氧（O）、硫（S）］和第ⅦA族［如氟（F）、氯（Cl）］。

【提问】离子化合物有哪些物理性质呢？

【学生】①熔沸点较高、硬度较大；②导电性：固态时不导电，溶于水或受热熔化后导电。

【提问】1. 是不是所有的金属和非金属元素之间都能形成离子键？为什么？

2. 是否只有金属与非金属之间才能形成离子键？

3. 哪些类别的物质属于离子化合物呢？

【总结】1. 不是。如 $AlCl_3$ 中存在共价键而非离子键。

2. 不是。如 NH_4Cl、NH_4NO_3 中也存在离子键。

3. ①大多数金属氧化物；②强碱；③大多数盐；④活泼金属氢化物。

【模型建构】如图 11-7 所示。

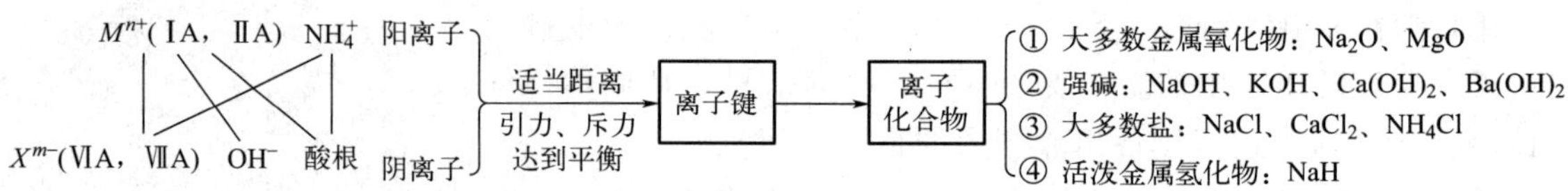

图 11-7　离子键和离子化合物认知模型

【练习】判断离子化合物。

学习评价：在“构建离子键的认知模型”的任务中，通过教师的引导，大部分学生能构建出离子键和离子化合物的认知模型，具备了 A2 学科能力。但由于知识储备尚不足，B2 学科能力还有欠缺，需要进一步发展“化学事实→模型建构→运用模型”的认识思路。

任务四：表征离子化合物的形成过程

【教师】化学反应中，一般是原子哪一层上的电子发生变化？是否有更简单明了的方法表示？

【学生】最外层。

【PPT】电子式：在元素符号周围用“·”或“×”来表示该原子最外层电子的式子。

【讨论总结】

（1）原子的电子式

元素符号周围标明元素原子的最外层电子，每个方向不能超过 2 个电子。当最外层电子数小于或等于 4 时以单电子分布，多于 4 时，多出部分以电子对分布。如：

镁原子：·Mg·；碳原子：$\cdot\dot{\underset{\cdot}{C}}\cdot$；氧原子：$\cdot\ddot{\underset{\cdot\cdot}{O}}\cdot$

（2）简单离子的电子式

简单阳离子的电子式就是其离子符号，如：Na^+、Mg^{2+}。

简单阴离子的电子式因其原子最外层上有电子，所以要用［ ］把元素符号及最外层电子括起来形成一个整体，［ ］外表示出所带电荷数。如：

氯离子：$[:\ddot{\underset{..}{Cl}}:]^-$；硫离子：$[:\ddot{\underset{..}{S}}:]^{2-}$

（3）离子化合物的电子式

把构成离子化合物的阴离子和阳离子的电子式合在一起，但同种离子的电子式不合并。

（4）用电子式表示由原子形成离子化合物的过程，如：

NaCl：

$MgBr_2$：

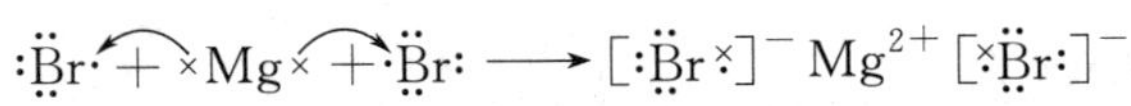

【练习】书写钾原子、氧原子、镁离子、氟离子、氧化钾的电子式，并用电子式表示氧化钾的形成过程。

学习评价：在“表征离子化合物的形成过程”的任务中，大部分学生能通过寻找更科学、简洁的符号表示 NaCl 的形成过程，实现由化学式到电子式的转变，做到宏观、微观、符号三者融合，学生 A1、B1 学科能力得到发展。个别学生对于原子结构的认识还存在欠缺，需要及时回顾旧知识，做到温故而知新。

任务五：应用模型解决问题

【教师】粗盐提纯后可用于冶炼金属钠，工业冶炼钠、铝两种金属的原料选择为何不同？结合资料（表 11-7）分析。

表 11-7　工业冶炼钠、铝的方式

工业冶炼金属	冶炼原理	氯化物熔点/℃	氧化物熔点/℃
工业冶炼钠	$2NaCl(熔融)\xlongequal{电解}2Na+Cl_2\uparrow$	801	1275
工业冶炼铝	$2Al_2O_3(熔融)\xlongequal{电解}4Al+3O_2\uparrow$	190	2054

【学生】氧化钠和氯化钠都是离子化合物，氯化钠的熔点低于氧化钠，从能耗角度考虑，选氯化钠进行冶炼；氧化铝是离子化合物，氯化铝中不存在离子键，不是离子化合物，熔融状态下无法导电，所以只能选氧化铝作为原料。

学习评价：在“应用模型解决问题”的任务中，通过分析工业上冶炼钠、铝金属单质原料选择的原因，将事实和理论解释相结合，充分体现“离子键”的功能价值。多数同学能积极参与其中，发展了 B3、C1 学科能力。也有一部分学生存在一定困难，需进一步强化“结构决定性质、性质体现结构”的学科思想。

四、板书设计

板书设计如图 11-8 所示。

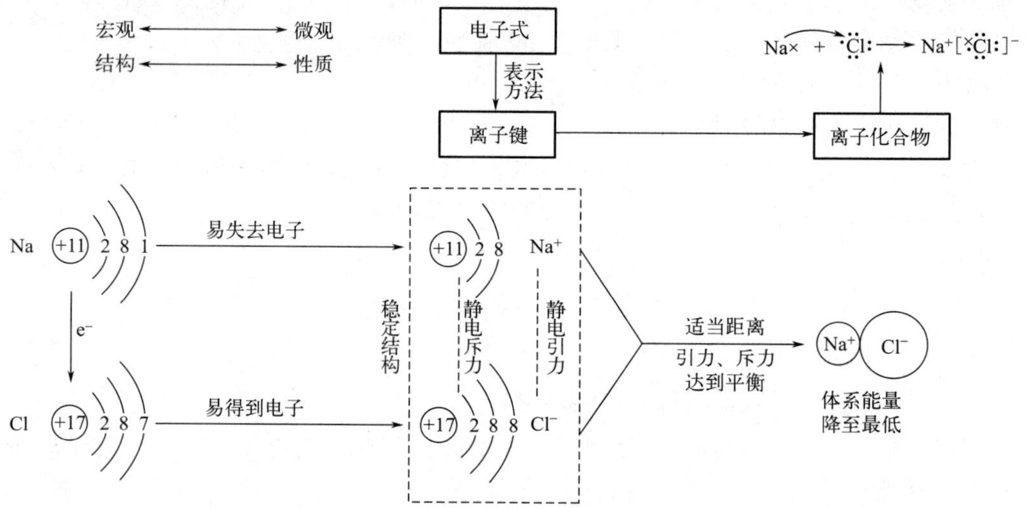

图 11-8 “化学键”教学板书设计

教学评价

一、教学效果

（一）测评试题

“神舟”飞天、“北斗”组网、“嫦娥”探月、“天眼”巡空……2024 年是中国航天事业的重要里程碑之年。化学燃料的研究是航天工业中的重要课题，常见的火箭推进剂可以分为液态和固态两种。

1.【简答题】肼（N_2H_4）是一种常用的液态燃料，“神舟十号”飞船的运载火箭燃料用的正是肼，在与氧化剂 N_2O_4 反应过程中，生成的高温气体高速喷出促使火箭升空，反应方程式为：$2N_2H_4+N_2O_4 = 3N_2+4H_2O$。

请写出反应过程涉及的下列物质的电子式并指出所含化学键类型。

物质	电子式	化学键类型(需要区分极性或非极性)
H_2O		
N_2		
N_2H_4		

2.【单选题】由 NH_3 制备 N_2H_4 的常用方法是 NaClO 氧化法，反应方程式为：$2NH_3+NaClO = N_2H_4+NaCl+H_2O$。下列说法正确的是（　　）。

A. 反应过程中，只有共价键的断裂与形成，没有离子键的断裂与形成

B. H_2O 的形成过程可以表示为：$H\times+\cdot\ddot{\underset{\cdot\cdot}{O}}\cdot+\times H \longrightarrow H\times\ddot{\underset{\cdot\cdot}{O}}\times H$

C. 氨气和水都是 V 形结构

D. 液氨和水受热变成气体克服的粒子间相互作用相同

3.【拓展题】硼氢化钠（$NaBH_4$）可用作复合固体火箭燃料。请预测 $NaBH_4$ 化合物类型（离子化合物或共价化合物），用电子式表示硼氢化钠，并设计实验验证其类型。

（二）设计说明

以“宏观辨识与微观探析”“证据推理与模型认知”“科学探究与创新意识”及“科学态度与社会责任”等化学学科核心素养为测试宗旨，以火箭推进剂这一真实情境为测试载体，设置变化分析、化合物类型、固体火箭燃料硼氢化钠结构的预测等基于实际问题的测试任务，要求学生运用化学键的成键微粒、成键过程、成键结果等相关知识解决相应问题。每一个试题均对应学科能力表现性目标，旨在评价学生完成本节课学习后相应的学科能力水平。具体如表 11-8 所示。

表 11-8　评价说明和评分标准（总分 15 分）

试题编号	学科能力要素	认识能力	分值	标准答案及评分标准
1 （电子式）	A1 辨识记忆：能用电子式表示简单离子化合物和共价化合物	3 分：能准确写出三种物质的电子式（宏观—微观） 2 分：能准确写出两种物质的电子式（欠缺） 1 分：能准确写出一种物质的电子式（欠缺）	3 分	H_2O：$H:\overset{\cdot\cdot}{\underset{\cdot\cdot}{O}}:H$； N_2：$:N\vdots\vdots N:$； N_2H_4：$H:\overset{\cdot\cdot}{\underset{H}{N}}:\overset{\cdot\cdot}{\underset{H}{N}}:H$； 各 1 分
1 （化学键类型）	A1 辨识记忆：能判断简单离子化合物和共价化合物中的化学键类型	3 分：能准确判断出三种物质的化学键类型（宏观—微观） 2 分：能准确判断出两种物质的化学键类型（欠缺） 1 分：能准确判断出一种物质的化学键类型（欠缺）	3 分	H_2O：极性共价键； N_2：非极性共价键； N_2H_4：极性共价键、非极性共价键； 各 1 分
2	A1 辨识记忆：能指出构成物质的微粒之间存在相互作用，分子存在一定的空间结构 A2 概括关联：能建立化学键类型、形成条件、成键粒子和成键实质之间的关联 B1 分析解释：能用电子式分析离子化合物和共价化合物的形成过程	3 分：能辨识构成物质的微粒之间存在相互作用，能判断物质的空间结构（系统水平） 0 分：无法辨识构成物质的微粒之间存在相互作用，无法判断结构（孤立水平）	3 分	3 分：D 0 分：其他选项
3 （判断类型）	B2 推理预测：能根据实验现象、元素组成等推测简单陌生物质中化学键的类型	2 分：能准确判断出物质的化合物类型（宏观—微观） 0 分：不能判断出物质的化合物类型（欠缺）	2 分	离子化合物
3 （电子式）	C1 复杂推理：能在复杂陌生情境中判断陌生物质的化学键类型，说明或预测其性质	2 分：能准确表示出物质的电子式（宏观—微观） 0 分：不能表示出物质的电子式（欠缺）	2 分	$Na^+[H:\overset{H}{\underset{H}{\overset{\cdot\cdot}{\underset{\cdot\cdot}{B}}}}:H]^-$
3 （实验设计）	B3 简单设计：能根据用途选择合适的物质，能根据性质选择测定物质组成和结构的实验方法	2 分：能准确表示出测定熔融状态是否导电（结构—性质） 0 分：无法设计方案或设计错误	2 分	测定熔融状态的硼氢化钠是否导电，若导电则为离子化合物，否则为共价化合物

（三）效果分析

收集答卷 100 份，能力对应的平均得分情况如表 11-9 所示。

表 11-9 评分结果

学科能力	试题编号	分值	平均分	得分率
A1	1;2	7(6+1)	6.51	93%
A2	2	1	0.65	65%
B1	2	1	0.65	65%
B2	3(判断类型)	2	1.23	62%
B3	3(实验设计)	2	1.02	51%
C1	3(电子式)	2	0.94	47%

通过数据分析可见，学生学习理解能力（A1）水平普遍较高，这是由于这部分试题难度较低，通过课堂学习学生能较好地掌握；而应用实践能力（B1、B2、B3）和迁移创新能力（C1）的试题得分率一般，学生的个体差异较大，部分学生得分率接近满分，也有部分学生有所欠缺。这部分试题有一定的开放程度，对学生综合运用所学知识要求较高，得分情况与学生基础有关，比如有学生在答题过程中不知道 B 最外层电子数。教师在教学过程中需要帮助学生及时回顾上一单元中原子结构和周期表等相关内容。

二、教学反思

本课例依据学科能力理论，通过“目标制定—策略选择—情境创设—活动设计”的流程展开教学设计[9]。围绕“海盐晒制”这一非物质文化遗产，遵循“位置→结构→性质→应用”的思路，诊断并建构学生对化学键本质的认识进阶，从微观到符号表征，发展学生对于典型物质微粒间相互作用的认识水平。教学实践表明，多数学生 A1、A2 学习理解能力，B1、B2 应用实践能力较好，部分学生 B3、C1 能力尚有欠缺，不过在教师引导和同学合作下获得了不同程度的提升。总体而言，本节课的教学设计与实践不仅落实了知识学习、提升了学科能力，还加深了对化学学科价值的理解。

在抽象概念的教学过程中，教师可以在充分挖掘教学内容的能力培养价值和育人价值的基础上，通过制定学科能力导向的教学目标，选择合适的教学策略，创设真实情境，设计丰富的能力活动进行教学设计与实践。在本节课的教学实践中，建议教师充分借助实物模型、图片、动画、视频等模拟方式，加强学生对微观世界的了解，实现思维的可视化，在微粒观的引导下，逐步帮助学生构建起“位置—结构—性质—应用”的学科观念，从而深刻理解化学反应的本质，把握概念的深层内涵。

参考文献

[1] 中华人民共和国教育部．普通高中化学课程标准（2017 年版 2020 年修订）[S]．北京：人民教育出版社，2020：15-20，23-27，65-67.

[2] 王星乔，王仕杰，李晶，等．化学学科能力表现性目标的研制路径与应用——以人教版选择性必修“配合物”为例 [J]．化学教学，2024 (09)：31-35.

[3] 王晶，毕华林．普通高中教科书·化学（必修）第一册 [M]．北京：人民教育出版社，2019：19-24.

[4] 吴晗清，孟博研，苏鑫．高中生对化学核心概念掌握情况的测查分析——以“电解质、离子反应、化学键”概念群为例 [J]．化学教育（中英文），2020，41（15）：34-38.
[5] 肖路．基于化学学科核心素养的初高中贯通教学研究——以“化学键”为例 [J]．化学教育（中英），2021，42（07）：32.
[6] 马欣怡，沈甸．从静电作用探讨化学键的本质及其教学实践 [J]．化学教育（中英文），2019，40（05）：37-39.
[7] 王全，陈颖，沈煜新，等．基于复杂分子结构模型建构的项目教学案例——探秘血红素 [J]．化学教育（中英文），2020，41（17）：35-42.
[8] 应化德．指向学科思维发展的“离子键”教学设计 [J]．中学化学教学参考，2024（19）：22-27.
[9] 李晶，王星乔，王仕杰，等．学科能力导向的化学教学设计与实践——以“无机非金属材料”为例 [J]．化学教学，2025（01）：38-43.

乐立莹（宁波市北仑中学　浙江宁波）

第 12 单元

硫及其化合物

目标研制

一、课标研读

（一）内容要求和学业要求

“硫及其化合物”教学单元为《普通高中化学课程标准（2017 年版 2020 年修订）》必修课程主题 2 中的内容，课标相应内容要求和学业要求如表 12-1 所示。

表 12-1 “硫及其化合物”教学单元的课标内容要求和学业要求[1]

内容要求	学业要求
2.1 元素与物质 认识元素可以组成不同种类的物质，根据物质的组成和性质可以对物质进行分类；同类物质具有相似的性质，一定条件下各类物质可以相互转化；认识元素在物质中可以具有不同价态，可通过氧化还原反应实现含有不同价态同种元素的物质的相互转化。认识胶体是一种常见的分散系 2.5 非金属及其化合物 结合真实情境中的应用实例或通过实验探究，了解氯、氮、硫及其重要化合物的主要性质，认识这些物质在生产中的应用和对生态环境的影响 2.6 物质性质及物质转化的价值 结合实例认识金属、非金属及其化合物的多样性，了解通过化学反应可以探索物质性质、实现物质转化，认识物质及其转化在自然资源综合利用和环境保护中的重要价值。 2.7 学生必做实验 不同价态含硫物质的转化	1. 能依据物质类别和元素价态列举某种元素的典型代表物。能利用电离、离子反应、氧化还原反应等概念对常见的反应进行分类和分析说明。能用电离方程式表示某些酸、碱、盐的电离。能举例说明胶体的典型特征 2. 能列举、描述、辨识典型物质重要的物理和化学性质及实验现象。能用化学方程式、离子方程式正确表示典型物质的主要化学性质 3. 能从物质类别、元素价态的角度，依据复分解反应和氧化还原反应原理，预测物质的化学性质和变化，设计实验进行初步验证，并能分析、解释有关实验现象 4. 能利用典型代表物的性质和反应，设计常见物质制备、分离、提纯、检验等简单任务的方案。能从物质类别和元素价态变化的视角说明物质的转化路径 5. 能根据物质的性质分析实验室、生产、生活及环境中的某些常见问题，说明妥善保存、合理使用化学品的常见方法 6. 能说明常见元素及其化合物的应用（如金属冶炼、合成氨等）对社会发展的价值、对环境的影响。能有意识运用所学的知识或寻求相关证据参与社会性议题的讨论（如酸雨和雾霾防治、水体保护、食品安全等）

注：数字序号即课标中相应序号。

可见，课标中对“硫及其化合物”的内容要求侧重于硫及其化合物的组成、性质与应用，以及硫及其化合物的相互转化。学业要求则从“分析解释”“举例说明”“分类”“列举”“描述”“辨识”“预测”“合理使用”等能力表现角度提出了具体的要求。通过研读课标并用直接摘录、增补解构、删繁就简等方法进行优化，可以得到该教学单元课标优化后的要求，如表 12-2 所示。

表 12-2 “硫及其化合物”教学单元课标优化后的要求[1]

优化后的要求
（原内容要求 2.1）能举例常见的含硫物质；能说出硫及其化合物的性质；能根据硫及其化合物的组成和性质对其进行分类；能说出硫元素在物质中的不同价态，能通过氧化还原反应实现含有不同价态硫元素物质的相互转化（删繁就简、增补解构） （原内容要求 2.5）结合真实情境中的应用实例或通过实验探究，了解硫及其重要化合物的主要性质，认识这些物质在生产中的应用和对生态环境的影响（删繁就简） （原内容要求 2.6）结合实例认识硫及其化合物的多样性；通过化学反应探究硫及其化合物的性质并实现其相互转化；举例说明硫及其化合物的转化在自然资源综合利用和环境保护中有重要价值（增补解构） （原内容要求 2.7）学生必做实验：不同价态含硫物质的转化（直接摘录）
（原学业要求 1）能依据物质类别价态列举硫元素的典型代表物（删繁就简） （原学业要求 2）能列举、描述、辨识硫及其化合物重要的物理和化学性质及实验现象。能用化学方程式、离子方程式正确表示硫及其化合物的主要化学性质（直接摘录） （原学业要求 3）能从物质类别、元素价态的角度，依据氧化还原反应原理，预测硫及其化合物的化学性质和变化，设计实验初步验证硫及其化合物的转化关系，并能分析、解释有关实验现象（直接摘录） （原学业要求 4）能利用硫及其化合物的性质和反应，设计硫及其化合物相互转化的实验、硫酸根的检验实验，能从物质类别和元素价态变化的视角说明转化路径（增补解构） （原学业要求 5）能根据硫及其化合物的性质，分析环境中硫酸型酸雨的形成和防治，说明含硫元素物质在实验室中安全使用的注意事项（浓硫酸的事故处理、浓硫酸的稀释、尾气处理）（增补解构） （原学业要求 6）能说明硫及其化合物的应用，如工业制硫酸等对社会发展的价值、对环境的影响。能有意识运用所学的知识或寻求相关证据参与社会性议题的讨论，如酸雨、食品安全等（删繁就简）

（二）学业质量水平

课标学业质量水平与本教学单元的相关要求对应关系如表 12-3 所示。

表 12-3 “硫及其化合物”教学单元的学业质量水平

学业质量水平描述[1]	针对本教学单元内容的具体表现
1-1 能根据物质组成和性质对物质进行分类，形成物质是由元素组成和化学变化中元素不变的观点；能运用原子结构模型说明典型金属和非金属元素的性质；能对常见物质及其变化进行描述和符号表征；能说明常见物质的性质与应用的关系 2-1 能从不同视角对典型的物质及其主要变化进行分类 3-2 能运用宏观、微观、符号等方式描述、说明物质转化的本质和规律；能根据解决问题的需要设计无机化合物的转化与制备 4-2 能选择简明、合理的表征方式描述和说明化学变化的本质和规律，能根据化学反应原理预测物质转化的产物，确定检验所做预测的证据	1-1、2-1、3-2、4-2 能根据硫及其化合物的组成和性质对其进行分类；能依据物质类别和价态列举硫元素的典型代表物；能列举、描述、辨识硫及其化合物重要的物理和化学性质及实验现象；能用化学方程式、离子方程式正确表示硫及其化合物的主要化学性质
1-3 能依据化学问题解决的需要，选择常见的实验仪器、装置和试剂，完成简单的物质性质、物质制备、物质检验等实验	1-3 能通过硫及其化合物相关实验现象的分析推测相关性质，形成基于物质类别和价态对物质性质进行预测和检验的认知模型

续表

学业质量水平描述[1]	针对本教学单元内容的具体表现
2-2 能设计物质转化的方案，能运用化学符号表征物质的转化，能说明化学变化的本质特征和变化规律 2-3 能通过实验探究物质的性质和变化规律，能提出有意义的实验探究问题，根据已有经验和资料作出预测和假设，能设计简单实验方案，能运用适当的方法控制反应条件并顺利完成实验	2-2、2-3 能从物质类别、组成、元素价态的角度，依据氧化还原反应原理，预测或说明硫及其化合物的化学性质和变化，设计实验初步验证硫及其化合物的转化关系，并能分析、解释有关实验现象
4-1 能在物质及其变化的情境中，依据需要选择不同方法，从不同角度对物质及其变化进行分析和推断；能基于物质性质提出物质在生产、生活和科学技术等方面应用的建议和意见	4-1 能通过自然界中硫的转化，从物质的转化层面建立"物质的变化和运动是永恒的"观念；能总结、建构硫及其化合物的价类二维图，树立转化观；能通过学习硫及其化合物，归纳分析元素化合物知识的一般思路与方法
1-4 能运用所学的化学知识和方法分析讨论生产、生活中简单的化学问题（如酸雨防治、环境保护、食品安全等），认识化学科学对社会可持续发展的贡献 4-4 能说明化学科学发展在自然资源利用、材料合成、环境保护、保障人类健康、促进科学技术发展等方面的重要作用	1-4、4-4 能通过应用实例和实验探究硫及其化合物的性质及转化；能在运用化学知识、技能和方法，在研究、利用、创造新物质的过程中，自觉遵循科学伦理，具备社会可持续发展的观念和绿色化学思想

注：数字序号即课标中相应序号。

二、教材解读

在人教版高中化学必修教材（2019 年版）第五章第一节"硫及其化合物"中，通过对硫单质的性质、二氧化硫的性质与用途、浓硫酸的特性等显性知识的学习，建立"物质类别和元素价态"的认识视角和"结构—性质—应用""预测—实验—推理—结论"的认识思路，培养宏观辨识和微观探析能力，落实课标内容要求的硫及其化合物的性质及转化内容[2]。基于实验，探究、认识并解释硫及其化合物重要的物理和化学性质及实验现象，帮助学生从感性和理性层次学习相关内容，结合思考与讨论等栏目，实现学业要求和学业质量水平中有关"分析解释""举例说明""分类""列举""描述""辨识""预测"等能力表现的具体要求。教学单元内容见图 12-1。

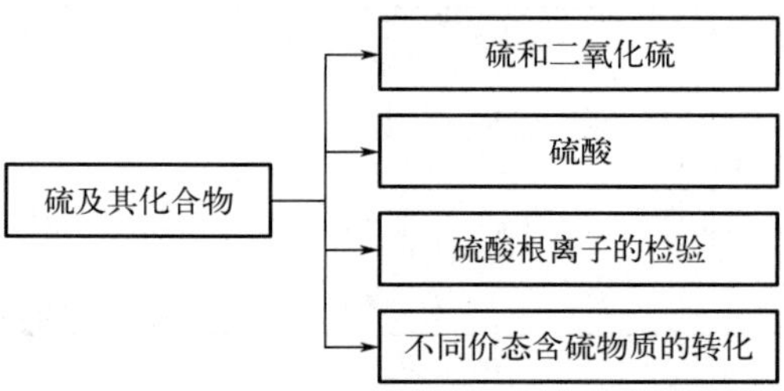

图 12-1 "硫及其化合物"教学单元内容

三、能力模型建构

通过课标研读和教材分析，可以确立相关主题的知识基础、研究对象和化学问题、学科认识方式，从而构建该教学单元的学科能力模型（图 12-2）[3]。例如，该教学单元核心知识是硫及其化合物；认识角度是物质类别与元素价态、宏观辨识与微观探析，认识思路是"预测—实验—推理—结论"；研究对象和化学问题主要包括硫及其化合物的性质、转化，以及在环境保护、物质制备保存等领域的应用。针对典型含硫元素物质的结构和物理性质，可侧重发展学习理解能力；针对其化学性质，可结合实验侧重发展学生的应用实践能力；针对不同价态含硫物质的相互转化，可侧重发展迁移创新能力。

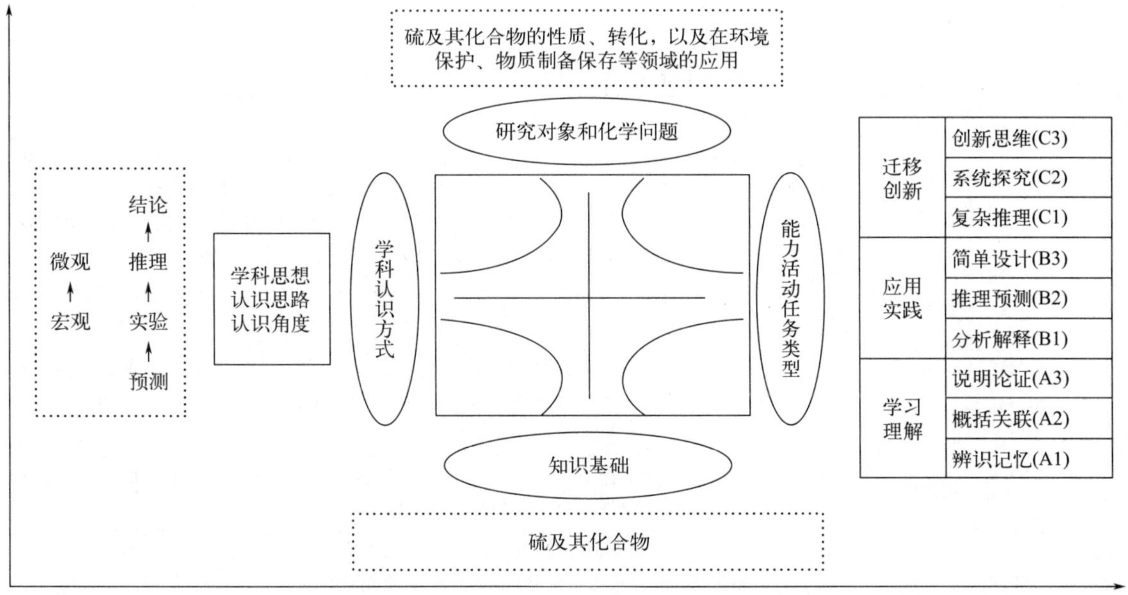

图 12-2 “硫及其化合物”教学单元能力模型

四、课程资源分析

在实际教学过程中，能力目标的实现还受到学生学情、授课类型、教学资源等客观因素的影响。

（一）授课类型

本节课的授课类型为新授课。

（二）学情分析

已有基础：从知识层面来看，学生学习了氧化还原、离子反应、原子结构与元素周期律，以及钠、铁、氯等元素及其化合物的性质，已初步构建了研究元素及其化合物的学习模型；从能力层面来看，高一学生具备一定的分析和探究能力，掌握了分类法和实验探究法，可以主动地进行学习方法的浅层构建；从心理层面上看，学生有着强烈的好奇心和探索欲。

潜在困难：前阶段所学的研究元素及其化合物的学习方法还处于经验阶段，是片面、单一的固化认识或不成体系的灵感式的学习方式，认知角度和思维还不全面。

（三）教学资源

学科能力目标的实现还有赖于学校资源的支持，学科能力目标的制定需考虑教学资源因素。本节课的学科能力表现性目标制定要求授课学校提供硬件设施包括：试管若干、水槽、酒精灯、pH 试纸、品红溶液、二氧化硫、浓硫酸、铜丝、蒸馏水、硫酸铜晶体、蔗糖、稀硫酸、硫酸钠溶液、碳酸钠溶液、氯化钡溶液、稀盐酸。

五、表现性目标制定

将学科能力模型中 4 个维度进行连接组合，再结合学生学情、授课类型、教学资源等客观因素，制定了“硫及其化合物”教学单元学科能力表现性目标，如表 12-4 所示。

表 12-4 “硫及其化合物”教学单元学科能力表现性目标

能力要素		表现性目标
A 学习理解能力	A1 辨识记忆	能根据含硫元素物质的组成和性质，对其进行分类；能依据物质类别和价态列举硫元素的典型代表物；能列举、描述、辨识硫及其化合物重要的物理和化学性质及实验现象；能用化学方程式、离子方程式正确表示硫及其化合物的主要化学性质；可以指出含硫元素物质在实验室中安全使用的注意事项（浓硫酸的事故处理、浓硫酸的稀释、尾气处理）
	A2 概括关联	建立硫及其化合物性质之间的关联；从硫元素价态、物质类别角度构建硫及其化合物的转化关系
	A3 说明论证	能通过理论分析（化合价、物质类别）和事实证据论证二氧化硫或浓硫酸的性质；能说明论证科学合理使用含有硫元素的物质的重要性；能通过硫及其化合物的性质和相互转化关系说明自然资源利用和环境保护的相关问题
B 应用实践能力	B1 分析解释	能运用硫及其化合物的性质及转化关系，分析、解释实验现象或生产、生活中的现象；能够从类别、价态、氧化还原视角分析、解释含硫物质的性质和转化规律
	B2 推理预测	能从物质类别、元素价态的角度，依据氧化还原反应原理，预测硫及其化合物的化学性质和变化；预测陌生的含有硫元素的物质的性质、实验现象并书写陌生方程式等
	B3 简单设计	能利用硫及其化合物的性质和反应，设计硫及其化合物相互转化的实验；利用含有硫元素的物质的性质及转化关系，设计简单实验实现含有硫元素的物质的制备、检验等；根据研究无机物性质的一般思路和方法，设计实验研究简单陌生的含有硫元素的物质的性质
C 迁移创新能力	C1 复杂推理	能在复杂情境中，主动从价态、类别、位构性等角度，分析陌生反应或陌生含硫物质的性质
	C2 系统探究	能基于含硫的价态、类别、位构性等角度完成对陌生含硫物质性质的完整探究，并根据实验现象验证相关联系
	C3 创新思维	能举例说明硫及其化合物的转化在自然资源综合利用和环境保护中有重要价值；能结合硫及其化合物性质与转化关系对有关饮食、健康、环境等实际问题进行分析、讨论和评价；通过对社会环境问题的讨论，如硫酸型酸雨的形成与防治，用化学的眼光看待问题，遵循绿色化学可持续发展原则，做出正确的价值判断

教学设计

一、教学现状

本课时为人教版高中化学必修教材（2019 年版）第五章第一节“硫及其化合物”的新授课[2]。硫及其化合物的教学内容编排在钠元素、氯元素及元素周期律之后，通过系统学习可提升学生从物质类别、价态及元素周期律三个维度认识物质转化的能力，发展元素观和转化观，培养学生的可持续发展理念与环境保护意识。经文献查阅可知，目前该章节的教学主要有三种思路：一是以核心素养为导向，通过表现性评价量表测评学生素养，把握学生认知特征，构建评价反馈机制，落实素养为本的课堂教学[4]；二是创设真实情境，以社会性科学议题为背景，引导学生运用化学知识解决实际问题[5]；三是设计跨学科的项目式学习活动，构建任务群和问题链，驱动学生深度学习[6]。但目前的教学仍存在评价工具模糊、情境适切性不足、任务设计碎片化、缺乏主线逻辑等缺陷。

二、教学思路

（一）创设真实问题情境

本节课选择“工业制硫酸”为真实情境主题，主要原因有：①不同价态含硫物质的转化能通过工业硫酸制备工艺体现；②浓硫酸的化学性质能通过其储存及运输体现；③硫酸根的检验方法和绿色环境理念能通过含硫废水的处理体现；④真实的情境可以激发学生兴趣，培养学生用化学的眼光看待问题，遵循绿色化学可持续发展原则，做出正确的价值判断。具体教学流程见图 12-3。

情境线索	任务线索	问题线索	活动线索	知识线索	能力线索	
工业制硫酸	探究硫的性质	工业制硫酸的主要原料是什么?有什么化学性质?	绘制硫原子结构示意图，推测其性质	硫的原子结构及其性质	A1、B2	课时一
	预测二氧化硫的化学性质	二氧化硫能被催化氧化成三氧化硫，说明它有什么性质?	从物质类别和元素价态角度预测二氧化硫的化学性质	二氧化硫的化学性质	A3、B2	
	检验二氧化硫的氧化性和还原性	如何设计实验检验二氧化硫的氧化性和还原性?	从价态的角度设计实验检验二氧化硫的氧化性和还原性	二氧化硫的氧化性和还原性	B2、B3	
	探析二氧化硫的漂白性	二氧化硫的漂白性是什么原理?有什么应用?	进行二氧化硫漂白品红实验	二氧化硫的漂白性	A3	
	回忆稀硫酸的性质	稀硫酸有什么性质?	从物质类别角度说明硫酸的性质	稀硫酸的性质	A1	课时二
	预测并检验浓硫酸的性质	浓硫酸能用铁罐车运输，它有什么特殊的性质?	从元素价态的角度预测浓硫酸的性质并设计实验验证	浓硫酸的强氧化性	B2、B3	
	探究浓硫酸的吸水性和脱水性	浓硫酸为什么能使草木变黑?它有什么性质?	通过黑面包实验，探究浓硫酸的吸水性和脱水性	浓硫酸的吸水性和脱水性	B1、A3、C2	
	归纳硫酸根的检验方法	如何检验硫酸厂废水中是否有硫酸根?	设计实验检验硫酸根的存在	硫酸根的检验	B3	
	绘制硫元素价类二维图	从物质类别和元素价态两个角度，硫及其化合物可以如何分类?	绘制硫元素价类二维图	硫元素价类二维图	A1	课时三
	归纳含硫尾气处理的转化途径	根据价类二维图，含硫尾气可以如何转化处理?	归纳含硫尾气处理的转化途径，并书写化学方程式	含硫尾气处理的转化途径	A2、B2	
	设计实验室中不同价态含硫物质转化实验	硫酸工业实现了硫从0价到+6价的转化，实验室中含硫物质可以如何转化?	设计实验室不同价态含硫物质转化途径，书写方程式并设计实验	实验室不同价态含硫物质转化实验	B3	
	认识自然界中不同价态含硫物质的转化及酸雨的防治	自然界中不同价态含硫物质如何转化?酸雨是什么?如何防治?	学习自然界中不同价态含硫物质的转化及酸雨的防治	自然界中不同价态含硫物质的转化及酸雨的防治	A3、B1、C3	

图 12-3　教学流程

（二）设计能力评价任务

依据上述确立的学科能力发展目标，精心设计了多样化、梯度化的能力发展评价任务，体现对学科思维、学科认识视角和认识思路等的建立、诊断和发展。具体见表 12-5。

表 12-5 "硫及其化合物"教学单元能力发展评价

序列	教学环节	评价任务	评价活动	能力要素	素养价值
1	探究硫的性质	绘制硫原子结构示意图，推测其性质	从原子结构角度出发，推测硫单质的化学性质，分析、解释工业制硫酸中硫单质体现的化学性质	A1、B2	培养"结构—性质—应用"的学科思维
2	预测二氧化硫的化学性质	从不同角度预测二氧化硫的化学性质	小组讨论，从物质类别和元素价态两个角度，预测二氧化硫的化学性质	A3、B2	形成"化合价—物质分类—物质转化"的认识思路
3	检验二氧化硫的氧化性和还原性	设计实验检验二氧化硫的氧化性和还原性	小组合作，设计实验探究并检验二氧化硫的氧化性和还原性，组间互评，选择正确的方法进行实验并书写方程式	B2、B3	提升证据推理与模型认知的核心素养，建立科学探究与创新意识
4	探析二氧化硫的漂白性	探析二氧化硫的漂白性是什么原理	观察二氧化硫漂白品红实验，说明其在生活中的应用	A3	迁移应用学科知识于实际生活
5	回忆稀硫酸的性质	说明稀硫酸的性质	从物质类别角度说明硫酸的性质，学生互评	A1	诊断"化合价—物质分类—物质性质"的认识思路
6	预测并检验浓硫酸的性质	预测浓硫酸的性质并设计实验验证	小组合作，从元素价态的角度预测浓硫酸的强氧化性，设计实验检验，组间互评，教师点评	B2、B3	培养证据推理与模型认知能力，建立科学探究与创新意识
7	探究浓硫酸的吸水性和脱水性	通过实验探究浓硫酸的吸水性和脱水性	观察黑面包实验，通过引导完成对浓硫酸吸水性和脱水性的完整探究，分析、解释实验室内浓硫酸干燥气体时的选择性	B1、A3、C2	培养证据推理与模型认知能力，建立科学探究与创新意识
8	归纳硫酸根的检验方法	设计含硫废水的检验方法	设计检验含硫废水的检验方法，组间互评，教师点评，并选择正确的方法进行实验	B3	树立变化观念与平衡思想
9	绘制硫元素价类二维图	对硫及其化合物进行分类，绘制硫元素"价态—类别"二维坐标体系图	从物质类别和元素价态两个角度，对硫及其化合物进行分类，并绘制硫元素价类二维图	A1	运用"价—类"观认识硫及其化合物
10	归纳含硫尾气处理的转化途径	归纳含硫废气中化合物定向转化的反应路径，并书写化学方程式	根据价类二维图，归纳含硫尾气 H_2S、SO_2 处理的转化途径，并书写化学方程式	A2、B2	树立变化观念与平衡思想
11	设计实验室中不同价态含硫物质转化实验	设计实验实现实验室不同价态含硫物质的转化	小组合作，设计不同价态含硫物质转化途径实验并书写化学方程式，组间互评，教师点评，并选择合适的方法进行实验	B3	树立变化观念与平衡思想，建立科学探究与创新意识

续表

序列	教学环节	评价任务	评价活动	能力要素	素养价值
12	认识自然界中不同价态含硫物质的转化及酸雨的防治	归纳总结自然界中硫的转化和酸雨的防治	小组讨论，通过文献学习，归纳总结自然界中不同价态含硫物质的转化	A3、B1、C3	培养学生可持续发展观和绿色化学思想，形成环境友好型化学研究创新思维

（三）选择教学策略

根据教学目标和教学内容，选择合适的教学策略。针对课时一内容，采取情境创设、猜想论证、问题驱动等教学策略，例如创设硫酸工业制法及尾气处理的情境，通过提出“硫单质有什么性质”“二氧化硫有什么性质”等一系列问题线索，引导学生绘制硫原子结构示意图并推测其性质，从物质类别和元素价态的角度预测二氧化硫的性质，再设计实验进行探究检验；针对课时二内容，主要采取自主合作、问题解决、展示交流等教学策略，如组织学生开展自主合作学习，设计实验检验浓硫酸的强氧化性、吸水性和脱水性等性质，提升学生分析、解释、解决问题的能力；针对课时三内容，则主要采取辨识记忆、概况关联、猜想论证等教学策略，如用“从物质类别和元素价态两个角度，含硫物质可以如何分类”问题，引导学生绘制硫元素价类二维图，设计并实施不同价态含硫物质转化的实验。

三、教学实录（第二课时）

【引入】亲爱的同学们，欢迎来到今天的化学课堂！如今，可持续发展理念深入人心，在环保科技领域，硫酸正悄然发挥着独特且关键的作用。比如，在一些前沿的工业废气处理技术中，硫酸可以作为重要的反应试剂，参与到去除有害气体的过程中，助力我们净化空气。而且在智能响应型干燥材料的研发里，硫酸也能大显身手。那么，硫酸究竟具备哪些神奇的性质呢？带着这份好奇，让我们开启今天关于硫酸的探索之旅。

任务一：回忆稀硫酸的性质

【教师】上节课我们学习了工业制备硫酸，那么我们一般是如何运输制备的硫酸的呢？请同学们看图片。

【PPT】展示运输硫酸的铁罐车（图 12-4）。

图 12-4　运输硫酸的铁罐车

【学生】用铁罐车运输，为什么铁不会和硫酸反应？这和我们之前学的知识有冲突！

【教师】是的，同学们，我们都知道，在化学的学习中，物质的类别就像是一把钥匙，能帮我们初步打开认识物质性质的大门。硫酸，从物质分类来看，它属于酸这个大家族。请大家根据所学，说出稀硫酸可能具有的性质？

【学生】稀硫酸能使紫色石蕊溶液变红，能与某些金属、金属氧化物、碱、盐发生反应。

【教师】非常好，这些都是稀硫酸所具备的酸的通性。

学习评价：在"回忆稀硫酸的性质"的任务中，多数学生能够列举、描述稀硫酸的化学性质，具备 A1 学科能力。

任务二：预测并检验浓硫酸的性质

【教师】铁罐车装硫酸与我们的认识产生了冲突，其实铁罐车里运输的是浓硫酸，那么在运输的过程中浓硫酸与铁能发生反应吗？

【学生】不反应。

【教师】是的，这是因为在稀硫酸中水分子充足，H_2SO_4 分子几乎完全电离，以 SO_4^{2-} 和 H^+ 的形式存在；而浓硫酸的浓度高达百分之九十多，H_2SO_4 分子电离被抑制，分子形式成为主要存在状态，浓硫酸这样的组成结构决定它具有特殊的性质。从元素价态来看，浓硫酸中的硫元素是多少价？

【学生】+6 价，是硫元素的最高价态。

【教师】根据氧化还原化学原理，同学们不妨大胆预测一下，浓硫酸可能具有怎样的性质呢？

【学生】处于高价态的硫元素有得到电子的趋势，所以浓硫酸很可能具有强氧化性。

【教师】这个预测是否准确呢？需要用实验来验证。同学们，稀硫酸能与铜反应吗？

【学生】不能。

【教师】老师给大家展示一个浓硫酸与铜反应的实验，请同学们观察实验现象。

【演示实验】将一小块铜片放入试管中，加入 2mL 浓硫酸，用试管夹夹住试管，用酒精灯外焰加热试管底部。

【学生】溶液开始冒泡，铜片溶解了！浓硫酸与铜片在加热的条件下能发生反应。

【教师】这个实验能否体现浓硫酸的强氧化性呢？请同学们设计实验检验。

【学生】如果浓硫酸体现强氧化性，还原产物可能是降价后的二氧化硫，氧化产物可能是二价铜离子，用品红检验生成的气体，并观察生成溶液的颜色是否为蓝色的硫酸铜。

【学生实验】在带导管的橡胶塞侧面挖一个凹槽，并嵌入下端卷成螺旋状的铜丝。在试管中加入 2mL 浓硫酸，塞好橡胶塞，使铜丝与浓硫酸接触。加热，将产生的气体通入品红溶液，观察实验现象。向外拉铜丝，终止反应[2]。实验装置如图 12-5 所示。

【学生】品红褪色，说明生成了二氧化硫。溶液的颜色为灰绿色。

【教师】为什么把铜片换成了可抽拉的铜丝？

【学生】方便随时控制反应的发生与结束。

【教师】二氧化硫有污染性，可否进行优化？

【学生】可在试管口放蘸有氢氧化钠溶液的棉花，吸收尾气。

【教师】溶液颜色并非蓝色，如何检验铜离子？

【学生】待反应液冷却至室温，将试管里的物质慢慢倒入盛有少量水的另一支试管里，观察溶液的颜色[2]。若溶液颜色为蓝色，则产物为二价铜，证明了浓硫酸的强氧化性。优化后的实验装置如图 12-6 所示。

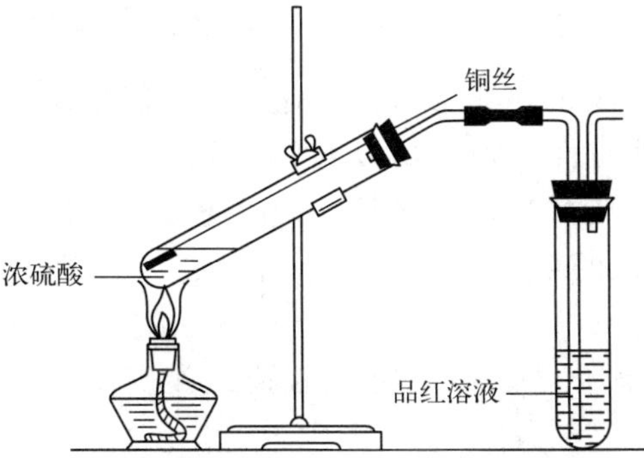

图 12-5　浓硫酸与铜丝反应的实验装置

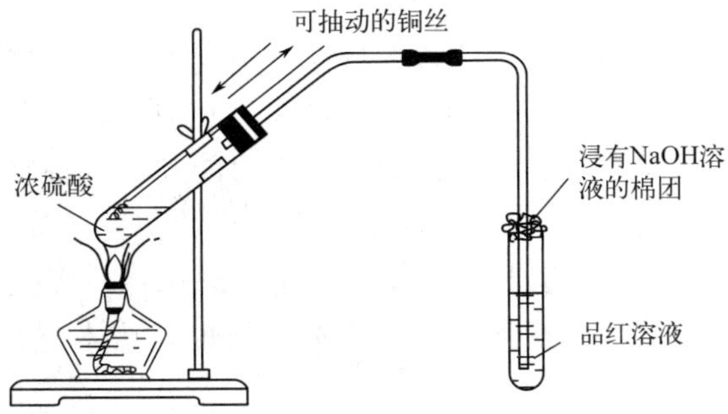

图 12-6　浓硫酸与铜反应优化后的实验装置

【教师】非常好，根据检验所得产物，书写反应方程式。

【学生】$Cu+2H_2SO_4(浓) \xlongequal{\triangle} CuSO_4+SO_2\uparrow+2H_2O$

【教师】同学们，回顾我们刚刚留下的问题，铁罐为什么能运输硫酸？铁能和浓硫酸反应吗？

【学生】铁可能也和浓硫酸发生和铜一样的反应。

【教师】是的，铁能与浓硫酸反应。但是常温下，浓硫酸将铁外层氧化成了致密的氧化膜，这一现象称为“钝化”，对铁罐起到了保护作用，防止浓硫酸与之进一步反应。除了铁以外，铝也一样。

【学生】所以工业上常用铁罐车或铝罐车运输浓硫酸。

【教师】是的，实验室内常用的小型储存容器为钢瓶或玻璃瓶。浓硫酸具有强腐蚀性等特性，在使用、运输和存放时必须格外谨慎，运输时要使用专门的耐腐蚀容器，并且要做好密封措施。

学习评价：在“预测并检验浓硫酸的性质”的任务中，多数学生能够从物质类别、元素价态的角度，依据氧化还原反应原理，预测浓硫酸的强氧化性，具备 B2 的学科能力，通过引导可以设计简单实验探究浓硫酸的性质，发展了 B3 学科能力。

任务三：探究浓硫酸的吸水性和脱水性

【教师】除此之外，浓硫酸还有别的特性，在如今的食品加工和保存领域，干燥技术十分关键，而浓硫酸的吸水性在干燥中就常有应用。我们来做一个有趣的实验直观感受浓硫酸的吸水性。

【演示实验】取少量 $CuSO_4 \cdot 5H_2O$ 晶体于研钵中研磨成粉末。将研磨好的 $CuSO_4 \cdot 5H_2O$ 粉末小心地转移到试管中，用滴管向试管中加入少量浓硫酸，用玻璃棒轻轻搅拌试管中的混合物使其充分接触。

【学生】蓝色的 $CuSO_4 \cdot 5H_2O$ 粉末逐渐变为白色。

【教师】这就是浓硫酸的吸水性，在实验室中我们可以如何应用呢？

【学生】可以用来干燥气体。

【教师】非常好，那么基于我们刚刚学习过的硫酸的性质，浓硫酸可以干燥哪些气体？不能干燥哪些气体？

【学生】浓硫酸有酸性，不能干燥碱性气体，如 NH_3；浓硫酸有强氧化性，不能干燥强还原性气体，如 H_2S、HI 等；可以干燥常见的中性或酸性气体，如 O_2、Cl_2 等。

【教师】同学们对刚刚学习的知识掌握得非常好。硫酸虽然浑身是宝，用途颇多，但是如果泄漏，将会给环境造成不小的伤害，被浓硫酸腐蚀的草木会干枯发黑（图 12-7）。

【教师】为什么草木被浓硫酸腐蚀后会发黑呢？

【学生】黑色是碳单质的颜色，草木发黑可能是碳化了，有机物里的碳元素变成了碳单质。

【教师】接下来老师展示一个与之类似的实验，这个实验有一个有趣的名称：黑面包实验。请同学们观察并思考自己的猜测是否正确。

【演示实验】在烧杯中放入少量蔗糖，用少量水调成糊状，注入浓硫酸，用玻棒搅拌，如图 12-8 所示。

图 12-7　浓硫酸腐蚀后发黑的草木

图 12-8　黑面包实验

【学生】哇，蔗糖由白色迅速变成棕黄色，最后变黑，体积膨胀起来，形成疏松多孔的"黑面包"！还会放出有刺激性气味的气体，放置一会儿用手触摸杯壁，杯壁是热的。

【教师】蔗糖变黑是变成了什么？

【学生】蔗糖变成了黑色的碳单质，被浓硫酸碳化了。

【教师】是的，硫酸能够将蔗糖中的氢和氧以 2∶1 的比例脱去，使蔗糖变成黑色的碳单质，这个是浓硫酸的脱水性，这个过程是物理变化还是化学变化？

【学生】化学变化，因为蔗糖的结构被破坏，生成了新的物质。

【教师】很好，那我们为什么要用水把蔗糖调成糊状呢？

【学生】按照刚刚所学，浓硫酸遇水放出大量的热，能促进反应的进行。

【教师】是的。浓硫酸既有吸水性又有脱水性，在这个实验中吸收蔗糖糊中的水分。这个过程是什么变化？

【学生】物理变化，因为浓硫酸只是吸收了蔗糖糊中的水分，而没有改变蔗糖的化学结构。

【教师】从元素价态的角度分析，还体现了浓硫酸的什么性质？我们可以怎么检验？

【学生】在实验过程中，浓硫酸与蔗糖反应生成了有刺激性气味的气体。将实验转移至试管中进行，再将产生的气体通入品红溶液后褪色，证明气体是 SO_2。硫元素的化合价从 +6 价降到 +4 价，蔗糖中的碳元素降低到了 0 价，这体现了浓硫酸的强氧化性。

【教师】那么既然浓硫酸有强氧化性，碳单质是否也能被氧化呢？如何证明？

【学生】将生成的气体先通入过量酸性高锰酸钾溶液，将 SO_2 除尽，再通入澄清石灰水，溶液变浑浊，则有 CO_2 生成，证明能氧化碳单质。

【教师】请书写反应方程式。

【学生】$C+2H_2SO_4(浓) \xlongequal{\triangle} CO_2\uparrow+2SO_2\uparrow+2H_2O$

学习评价：在“探究浓硫酸的吸水性和脱水性”的任务中，多数学生能运用浓硫酸的性质，分析解释实验室内浓硫酸干燥气体时的选择性，具备 B1 学科能力；能根据实验现象书写陌生方程式，具备 A3 学科能力；通过引导能完成对浓硫酸吸水性和脱水性的完整探究，并根据实验现象验证相关联系，发展了 C2 学科能力。

任务四：归纳硫酸根的检验方法

【教师】在硫酸工业中还有非常重要的一环就是废水处理，若废水中的硫酸未有效去除，可能导致水体酸化、土壤污染及生态系统失衡。请问同学们有没有什么好方法可以处理废水呢？

【学生】可以用生石灰或熟石灰与酸性废水反应，硫酸根离子与钙离子结合会生成硫酸钙沉淀，同时调节废水 pH 至中性。

【教师】非常好！在当今的环保监测领域，对于水质的检测十分重要，所以检验处理后的废水中是否含有硫酸根离子至关重要。老师为大家提供了氯化钡溶液、稀盐酸等试剂，大家思考一下，如何利用这些试剂来检验硫酸根离子呢？

【学生】先向待检测溶液中加入稀盐酸，若无明显现象，再加入氯化钡溶液，如果产生白色沉淀，就说明溶液中含有硫酸根离子。

【教师】为什么要先加入稀盐酸呢？

【学生】为了排除碳酸根离子、亚硫酸根离子等的干扰。

【教师】同学们，今天我们紧密结合当下的科技和环保等热门领域，通过一系列有趣的任务，深入探究了浓硫酸的性质特点，浓硫酸在使用、运输和存放过程中的安全注意事项，以及硫酸根离子的检验方法。通过今天所学，你能解释硫酸为什么能处理工业废气、研发智能响应型干燥材料吗？

【学生】硫酸可以用来吸收碱性废气（如氨气），生成硫酸铵固体，实现废气无害化处理；智能响应型干燥材料主要是利用了浓硫酸的吸水性。

【教师】是的，浓硫酸结合纳米技术可设计可调控湿度的响应型干燥材料。希望大家课后能够认真复习今天所学的内容，将这些知识巩固扎实，在未来的学习和生活中，能够用化学知识更好地理解和解决实际问题。

学习评价：在“归纳硫酸根的检验方法”的任务中，多数学生能利用硫及其化合物的性质和反应，设计硫酸根的检验实验，具备 B3 学科能力。

四、板书设计

板书设计如图 12-9 所示。

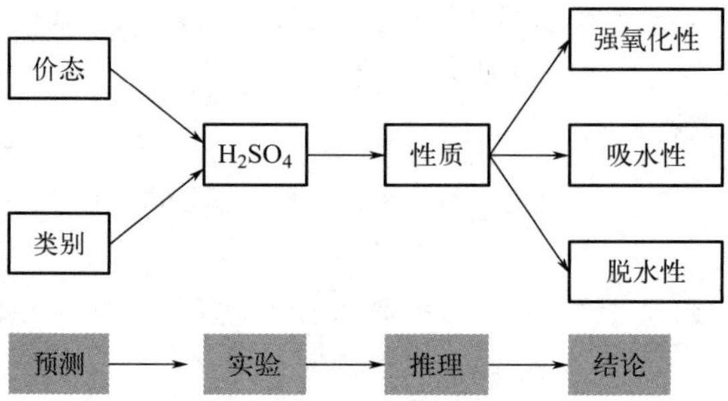

图 12-9　“硫及其化合物”第二课时教学板书设计

教学评价

一、教学效果

（一）测评试题

在美丽的海滨城市，有一家历史悠久的硫酸生产厂。该厂不仅为周边的化工、医药、造纸等众多行业提供重要的化工原料硫酸，还积极承担社会责任，对生产过程中产生的废气、废水进行处理，以减少对环境的影响。某中学化学兴趣小组的同学们听闻后，决定前往该厂进行参观学习，并展开一系列与硫及其化合物相关的探究活动。

1.【单选题】参观初印象：在工厂技术人员的带领下，同学们首先参观了原料仓库，里面存放着用于生产硫酸的硫铁矿等原料；随后又看到了一些硫及其化合物的样品。下列关于现场看到的硫及其化合物样品性质的描述，正确的是（　　）。

A. S 在足量的 O_2 中燃烧可生成 SO_3

B. 生石膏与水混合迅速凝固，可被用来调节水泥的硬化速率

C. SO_2 有毒，作为食品添加剂使用时，可根据国家规定适量使用

D. 浓硫酸使纸张变黑，体现了吸水性

2.【简答题】生产大揭秘：接着，同学们来到了硫酸生产车间，了解到生产硫酸主要经过硫铁矿（FeS_2）的煅烧、二氧化硫的催化氧化、三氧化硫的吸收等几个重要环节。

（1）从元素价态的角度，依据氧化还原反应原理，推测在硫铁矿煅烧生成二氧化硫的化学方程式：____________________________。在二氧化硫被催化氧化为三氧化硫的反应中，二氧化硫体现了________________性。

（2）工厂将生产的硫酸广泛应用于周边的化工企业，用于制造化肥、农药等产品。请运用硫及其化合物的性质及转化关系，试写出用硫酸和氨气制造氮肥硫酸铵的化学反应原理：

________________________________。

3.【简答题】环保新思考：工厂排放的废气中含有二氧化硫，为了检验废气中二氧化硫的存在并测定其含量，设计一个简单实验。（提供的试剂有：品红溶液、酸性高锰酸钾溶液、氢氧化钠溶液、浓硫酸，仪器任选。）____。

4.【拓展题】假设你是该硫酸生产厂的技术顾问，为了进一步实现绿色生产，减少对环境的影响，请你从硫及其化合物的转化和利用方面，提出至少三种硫酸工业中创新性的改进措施或方案，并对每个方案的原理、预期效果以及可能面临的挑战进行详细阐述。

（二）设计说明

以发展学生的“宏观辨识与微观探析”“证据推理与模型认知”“科学探究与创新意识”的化学学科核心素养为测试宗旨，以硫酸的工业制法、使用安全和运输存放及含硫废水的检验为情境载体，设置硫及其化合物的分类判断、从价态和物质类别角度分析二氧化硫性质、检验废气中二氧化硫并测定其含量的实验设计等测试任务，要求学生分析硫及其化合物的性质；能依据实验现象和化学原理进行证据推理，构建硫及其化合物转化的认知模型；以“提出假设—设计实验—收集证据—得出结论”为思路，设计实验探究方案解决工业生产和环保中的实际问题。每个问题均对应学科表现性目标，旨在检测学生在学习硫及其化合物相关知识后具备的能力水平。具体如表 12-6 所示。

表 12-6　评价说明和评分标准（总分 16 分）

试题编号	学科能力要素	认识能力	分值	标准答案及评分标准
1	A1 辨识记忆：能列举、描述、辨识硫及其化合物重要的物理和化学性质及实验现象	2 分：能列举、描述、辨识硫及其化合物重要的物理和化学性质（系统水平） 0 分：不能列举、描述、辨识硫及其化合物重要的物理和化学性质（孤立水平）	2 分	2 分：C 0 分：其他选项
2(1)	A2 概括关联：建立硫及其化合物性质之间的关联；从硫元素价态、物质类别角度构建硫及其化合物的转化关系 B2 推理预测：能从物质类别、元素价态的角度，依据氧化还原反应原理，预测硫及其化合物的化学性质和变化；预测陌生的含有硫元素的物质的性质、实验现象并书写陌生方程式等	4 分：能从物质类别、元素价态的角度，依据氧化还原反应原理，预测硫及其化合物的化学性质和变化，书写陌生方程式（系统水平） 0 分：不能从物质类别、元素价态的角度，依据氧化还原反应原理，预测硫及其化合物的化学性质和变化，书写陌生方程式（孤立水平）	4 分	4 分：$4FeS_2+11O_2 \xlongequal{} 2Fe_2O_3+8SO_2\uparrow$ 2 分：还原性 0 分：其他答案
2(2)	B1 分析解释：能运用硫及其化合物的性质及转化关系，分析、解释实验现象或生产、生活中的现象；能够从类别、价态、氧化还原视角分析、解释含硫物质的性质和转化规律	2 分：能够从类别、价态、氧化还原视角，分析、解释含硫物质的性质和转化规律。（系统水平） 0 分：不能够从类别、价态、氧化还原视角，分析、解释含硫物质的性质和转化规律。（孤立水平）	2 分	2 分：$2NH_3+H_2SO_4 \xlongequal{} (NH_4)_2SO_4$ 0 分：其他答案

续表

试题编号	学科能力要素	认识能力	分值	标准答案及评分标准
3	B3简单设计：能利用硫及其化合物的性质和反应，设计硫及其化合物相互转化的实验；利用含有硫元素的物质的性质及转化关系，设计简单实验实现含有硫元素的物质的制备、检验等 C2系统探究：能基于含硫物质的价态、类别、位构性等角度完成对陌生含硫物质性质的完整探究，并根据实验现象验证相关联系	2分：能利用含有硫元素物质的性质及转化关系，设计简单实验实现含硫物质的制备、检验。(系统水平) 0分：不能利用含有硫元素物质的性质及转化关系，设计简单实验实现含硫物质的制备、检验。(孤立水平)	2分	2分：取一定量的废气，通过盛有品红溶液的洗气瓶，若品红溶液褪色，说明废气中可能含有二氧化硫。取一定量的废气，缓慢通过已知浓度和体积的酸性高锰酸钾溶液，根据酸性高锰酸钾溶液颜色变化情况，利用化学方程式计算二氧化硫的含量 0分：其他答案
4	A3说明论证：能通过理论分析(化合价、物质类别)和事实证据论证二氧化硫或浓硫酸的性质；能说明并论证科学合理使用含有硫元素的物质的重要性；能通过硫及其化合物的性质和相互转化关系说明自然资源利用和环境保护的相关问题 C3创新思维：能结合硫及其化合物性质与转化关系对有关饮食、健康、环境等实际问题进行分析、讨论和评价；通过社会环境问题的讨论，如硫酸型酸雨的形成与防治，用化学的眼光看待问题，遵循绿色化学可持续发展原则，做出正确的价值判断	6分：能结合硫及其化合物性质与转化关系对有关饮食、健康、环境等实际问题进行分析、讨论和评价；通过社会环境问题的讨论，如硫酸型酸雨的形成与防治，用化学的眼光看待问题，遵循绿色化学可持续发展原则，做出正确的价值判断(系统水平) 3～5分：可以设计方案并简单描述，能够简单预测效果，无法列举可能面临的挑战，无法从绿色化学可持续发展原则，做出正确的价值判断(孤立水平) 1～2分：可以设计简略方案并简单描述，方案欠妥，不能体现绿色化学可持续发展原则，设计没有创新性(孤立水平) 0分：无法回答(欠缺)	6分	6分： 方案一：改进二氧化硫催化氧化工艺原理，如研究新型的高效催化剂。 预期效果：降低生产过程中的能源消耗，提高硫酸的产量和质量，减少环境污染 面临挑战：研发新型催化剂需要大量的资金和时间投入；在工业生产中应用新催化剂可能需要对现有设备进行改造 方案二：硫铁矿资源的综合利用，即对硫铁矿中的其他元素(如铁等)进行综合提取和利用 预期效果：提高硫铁矿资源的利用率，减少废渣的排放，降低生产成本，同时实现资源的最大化利用，符合绿色化学的理念 面临挑战：技术要求较高；提取过程中可能会产生新的污染物 方案三：构建硫及其化合物的循环利用体系。如将尾气处理过程中产生的亚硫酸盐，通过氧化等方法转化为硫酸盐，重新用于硫酸的生产 预期效果：减少废弃物的排放，降低对环境的影响，同时节约原材料，降低生产成本，提高企业的经济效益和环境效益 面临挑战：建立完善的回收和处理系统，涉及多个环节和复杂的技术，投资成本较高。(一个方案2分) 0分：其他答案

（三）效果分析

收集答卷100份，能力对应的平均得分情况如表12-7所示。

表 12-7 评分结果

学科能力	试题编号	分值	平均分	得分率
A1	1	2	1.7	85%
A2	2(1)	2	1.78	89%
A3	4	2	0.96	48%
B1	2(2)	2	1.46	73%
B2	2(1)	2	1.34	67%
B3	3	1	0.56	56%
C2	3	1	0.56	56%
C3	4	4	1.48	37%

通过数据分析可见，学生在学习理解能力（A1、A2）和应用实践能力（B1、B2）方面表现较好，表明学生对基础概念和简单应用类知识的掌握较为扎实；而针对 A3 学科能力和迁移创新能力（C2、C3）的试题得分率较差，存在个体差异大的情况，可能与试题综合性较强、涉及高阶创新思维和开放性表述要求有关。此外，B3 能力和 C2 能力的试题得分虽略高于 C3 能力，但仍存在较大提升空间，暴露出学生在知识迁移和跨情境解决问题能力上的不足，建议教师通过分层教学强化重难点解析，同时设计阶梯式探究任务，提升学生复杂问题的分析能力。

二、教学反思

本课例依据学科能力理论，通过“预测—实验—推理—结论”的流程展开教学设计。围绕硫酸的工业制法、使用安全和运输存放及含硫废水的检验等真实情境，遵循“物质类别—元素价态—转化规律”的化学认知路径，引导学生根据含硫元素物质中硫元素的化合价和所属物质类别，分析不同价态含硫元素物质之间的转化。教学实践表明，多数学生 A1、A2 学习理解能力及 B1、B2 应用实践能力表现较好，部分学生的 A3 学习理解能力、B3 应用实践能力和 C2、C3 迁移创新能力仍有提升空间，通过实验探究和小组协作，学生在浓硫酸特性分析、硫酸根检验方案设计等任务中逐步完善认知模型。总体而言，本单元通过工业情境与环保议题的深度融合，不仅强化了硫元素知识体系建构，更培养了学生基于“价—类”二维视角解决复杂问题的能力，深化了绿色化学理念与社会责任意识。

本教学思路对必修课程中金属及其化合物（如铁、铜）或非金属元素（如氮、硅）等同类主题具有示范价值。教师可借鉴“工业生产链＋环境治理”的双主线情境设计，通过实验探究与数字化资源结合，构建“宏观现象—微观机理—符号表征”的三重表征教学模式。在教学实践中发现，部分学生缺乏对工业制酸流程的直观认知，后续可组织虚拟仿真实验或工厂云参观，通过浸入式体验增强学生对化工生产的具象理解，促进学生化学思维与社会认知的协同发展。学科能力导向下的单元教学促进了学生的知识结构和化学观念，学生从整体上构建了“硫及其化合物”的知识体系，树立了元素观及转化观，并能运用所学知识绘制硫元素的价类二维图，实现知识向能力的转化。

参考文献

[1] 中华人民共和国教育部．普通高中化学课程标准（2017年版2020年修订）[S]．北京：人民教育出版社，2020：2，18，20-21，65-67．

[2] 王晶，毕华林．普通高中教科书·化学（必修）第二册 [M]．北京，人民教育出版社，2019：2-10．

[3] 王磊．基于学生核心素养的化学学科能力研究 [M]．北京：北京师范大学出版社，2017：13-14，17-19．

[4] 万莉，李雪，胡家钰，等．"素养＋知识"视野下的化学教材习题比较研究——以"硫及其化合物"为例 [J]．化学教育（中英文），2023，44（19）：28-35．

[5] 朱成东，夏建华，袁天祥．从三维视角认识元素化合物的单元教学设计及实施——以"硫及其化合物"为例 [J]．化学教学，2022（07）：37-42．

[6] 姚娟娟，王后雄，李猛．改革开放以来高中化学教材习题编写变化研究——硫和氮元素及其化合物内容 [J]．化学教育（中英文），2024，45（19）：18-24．

戚博闻（宁波市鄞州中学　浙江宁波）

李雯昕（宁波市科创中学　浙江宁波）

第 13 单元
氮及其化合物

目标研制

一、课标研读

（一）内容要求和学业要求

“氮及其化合物”教学单元为《普通高中化学课程标准（2017 年版 2020 年修订）》必修课程主题 2 中的内容，课标相应内容要求和学业要求如表 13-1 所示。

表 13-1 “氮及其化合物”教学单元的课标内容要求和学业要求[1]

内容要求	学业要求
2.1 元素与物质 根据物质的组成和性质可以对物质进行分类；同类物质具有相似的性质，一定条件下各类物质可以相互转化；认识元素在物质中可以具有不同价态，可通过氧化还原反应实现不同价态同种元素的物质的相互转化 2.5 非金属及其化合物 结合真实情境中的应用实例或通过实验探究，了解氯、氮、硫及其重要化合物的主要性质，认识这些物质在生产中的应用和对生态环境的影响 2.6 物质性质及物质转化的价值 结合实例认识金属、非金属及其化合物的多样性，了解通过化学反应可以探索物质性质、实现物质转化，认识物质及其转化在促进社会文明进步、自然资源综合利用和环境保护中的重要价值	2. 能列举、描述、辨识典型物质重要的物理和化学性质及实验现象。能用化学方程式、离子方程式正确表示典型物质的主要化学性质 3. 能从物质类别、元素价态的角度，依据复分解反应和氧化还原反应原理，预测物质的化学性质和变化，设计实验进行初步验证，并能分析、解释有关实验现象 4. 能利用典型代表物的性质和反应，设计常见物质制备、分离、提纯、检验等简单任务的方案。能从物质类别和元素价态变化的视角说明物质的转化路径 6. 能说明常见元素及其化合物的应用（如金属冶炼、合成氨等）对社会发展的价值、对环境的影响。能有意识运用所学的知识或寻求相关证据参与社会性议题的讨论（如酸雨和雾霾防治、水体保护、食品安全等）

注：数字序号即课标中相应序号。

可见，课标中对“氮及其化合物”的内容要求侧重于氮及其化合物的性质、含氮物质对人类和环境的影响；学业要求则从“列举说明”“分析解释”“设计方案”“实验验证”等能力表现角度提出了具体的要求。通过删繁就简、直接摘录、关联合并、增补解构等方法，可以得到该教学单元课标优化后的要求，如表 13-2 所示。

表 13-2 “氮及其化合物”教学单元课标优化后的要求[1]

优化后的要求
（原内容要求 2.1）能对氮及含氮化合物进行分类，并从“价—类”观的角度说明含氮元素物质的性质，能基于氧化还原反应实现不同价态含氮元素物质的相互转化（增补解构） （原内容要求 2.5）能通过实验探究，了解氮及其重要化合物的主要性质；能通过真实情境，关注氮及其化合物在生产中的应用和对生态环境的影响（删繁就简） （原内容要求 2.6）能结合实例认识氮及其化合物的多样性，知道化学反应可以探索物质性质、实现物质转化，能体会物质及其转化在促进社会文明进步、自然资源综合利用和环境保护中的重要价值（关联合并）
（原学业要求 2）能列举、辨识典型含氮元素重要的物理、化学性质，并能描述实验现象。能用化学方程式、离子方程式正确表示典型物质的主要化学性质（直接摘录） （原学业要求 3、4）能依据复分解反应和氧化还原反应原理，从“价—类”观的角度预测含氮物质化学性质和变化，设计实验进行初步验证，并能分析、解释有关实验现象（删繁就简） （原学业要求 6）能根据典型含氮元质的性质分析实验、生产、环境问题，说明这类物质的应用对社会发展的价值、对环境的影响（删繁就简）

（二）学业质量水平

课标学业质量水平与“氮及其化合物”教学单元的相关要求对应关系如表 13-3 所示。

表 13-3 “氮及其化合物”教学单元的学业质量水平

学业质量水平描述[1]	针对本教学单元内容的具体表现
1-1　能运用原子结构模型说明典型金属和非金属元素的性质；能说明常见物质的性质与应用的关系	1-1　能运用氮原子结构模型说明典型含氮元素物质的性质及其与应用的关系
1-4　赞赏化学对人类生活和生产中所作的贡献；能运用所学的化学知识和方法分析讨论生产、生活中简单的化学问题；能运用所学的化学知识和方法分析讨论生产、生活中简单的化学问题（如酸雨防治、环境保护、食品安全等），认识化学科学对社会可持续发展的贡献	1-4　能说出含氮元素物质转化对人类生产和生活所产生的影响
2-1　能从不同视角对典型的物质及其主要变化进行分类	2-1　能从“价—类”观的角度分析含氮元素物质的性质
2-3　能通过实验探究物质的性质和变化规律，能提出有意义的实验探究问题，根据已有经验和资料作出预测和假设，能设计简单实验方案，能运用适当的方法控制反应条件并顺利完成实验；能收集和表述实验证据，基于实验事实得出结论	2-3　能预测含氮元素物质的性质，能提出有意义的实验探究问题，并能设计简单实验方案进行实验探究，收集实验证据，基于实验事实得出实验结论
3-4　能运用化学原理和方法解释或解决生产、生活中与化学相关的一些实际问题	3-4　能分析固氮过程中氮元素的转化，能解决硝酸工业中的化学问题，能运用铵盐性质解释氮肥使用注意事项，能解释酸雨的来源并提出防治方法

注：数字序号即课标中相应序号。

二、教材解读

在人教版高中化学必修教材（2019 年版）第五章第二节“氮及其化合物”中，通过对固氮过程，氮气、氮氧化物、氨和铵盐、硝酸的性质和应用，酸雨防治等显性知识（图 13-1）的介绍，建立“化合价—物质类别”和“性质决定应用”的认识思路。隐性知识则渗透科学思维（如推理、模型认知）、科学态度（探究精神、环保意识）和社会责任（化工、环境问题分析），落实核心素养要求。例如，通过氮循环讨论人类活动对环境的影响，引导学生理解化学与可持续发展的关系。教材内容注重知识与应用结合，既夯实基础知识，又通过实际问题（如化肥使用、硝酸工业、酸雨防治）培养解决问题的能力，最终实现发展学生学习理解、应用实践、迁移创新的学科能力。

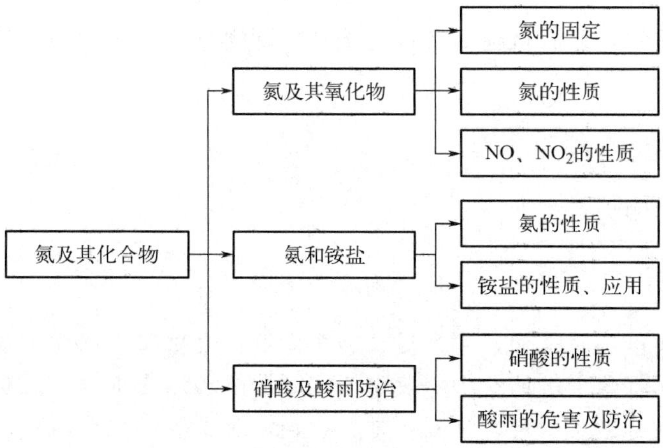

图 13-1 “氮及其化合物”教学单元内容

三、能力模型建构

通过研读课标和分析教材，结合王磊教授的学科能力模型[3]，确立了“氮及其化合物”的学科能力模型（图 13-2）。例如，该教学单元的核心知识是氮及其化合物；认识角度是“化合价—物质类别”，认识思路是通过判断含氮物质所属物质类别及氮元素化合价进而预测

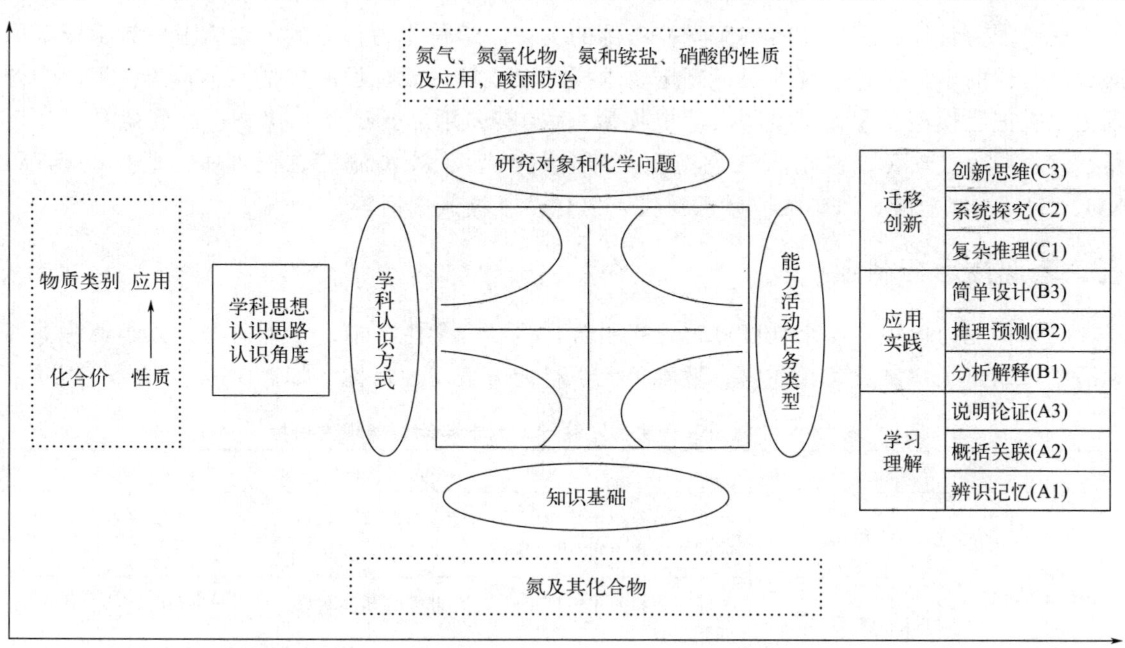

图 13-2 “氮及其化合物”教学单元能力模型

该含氮物质性质，学科思想是“性质决定应用，应用反映性质”。研究对象和化学问题主要包括氮气、氮氧化物、氨和铵盐、硝酸的性质及应用，酸雨的防治等。针对典型含氮元素物质的物理性质，可侧重发展学习理解能力；针对其化学性质，可结合实验侧重发展学生的应用实践能力；针对其应用及酸雨的防治，可侧重发展迁移创新能力。

四、课程资源分析

在实际教学过程中，能力目标的实现还受到授课类型、学生学情、教学资源等客观因素的影响。

（一）授课类型

本节课的授课类型为新授课。

（二）学情分析

已有基础：从知识层面来看，学生通过初中学习，对氮肥的化学本质以及作用效果、酸雨的产生有一定了解；学生通过前一阶段学习，具备了物质分类以及氧化还原知识基础。从能力层面来看，学生通过前期对其他无机元素（钠、氯、铁、铝、硫）及其化合物知识的学习，已经具备从多角度对物质进行分类的能力，能简单预测氮及其化合物的性质及转化。从心理层面来看，氮及其化合物与社会发展密不可分，与生产、生活情境密切联系，学生对此有着好奇心和求知欲。

潜在困难：学生对氮及其化合物相互转化关系的建立存在困难；解决真实生产、生活情境中的物质转化及计算问题尚有困难。

（三）教学资源

学科能力目标的实现还有赖于学校资源的支持，学科能力目标的制定需考虑教学资源因素。本节课的学科能力表现性目标制定要求授课学校提供硬件设施包括：①希沃白板；②合成氨工艺流程模型；③教学模型（球棍模型）；④实验用品：试管、烧杯、圆底烧瓶、注射器、塑料瓶、玻璃杯、镊子、红色石蕊试纸、橡胶管、胶头滴管、铜丝等；⑤实验药品：NO、NH_3、浓盐酸、浓硝酸、碳酸氢铵、氯化铵、氢氧化钙等。

五、表现性目标制定

将学科能力模型中 4 个维度进行连接组合，再结合学生学情、授课类型、教学资源等客观因素，制定了“氮及其化合物”教学单元学科能力表现性目标，如表 13-4 所示。

表 13-4 “氮及其化合物”教学单元学科能力表现性目标

能力要素		表现性目标
A 学习理解能力	A1 辨识记忆	能画出氮原子结构示意图；能说出氮及其化合物的物理、化学性质并描述反应的相关现象，指出反应类型并书写相关方程式
	A2 概括关联	能对含氮元素物质正确分类，并结合氮元素价态将不同类别的含氮元素物质联系起来
	A3 说明论证	能用已有知识经验说明含氮物质性质，基于实验证据说明这类物质性质

续表

能力要素		表现性目标
B应用实践能力	B1 分析解释	能分析、解释含氮元素物质在具体的实验、生产、生活和环境的重要应用
	B2 推理预测	能从“价—类”观的角度预测含氮元素物质性质
	B3 简单设计	能结合含氮元素物质性质合理设计简单的实验方案，对涉及的实验仪器与操作流程有合理决策
C迁移创新能力	C1 复杂推理	能运用氮元素物质性质和反应原理等核心知识，多角度分析、多步系统推理解决情境陌生、综合度高的复杂问题
	C2 系统探究	能基于本单元建立的学习认知思路进行远迁移，对实际生活、化工、环境等问题的解决进行系统探究，包括提出假设、设计并实施方案、获取证据、得出结论、开展评价反思等
	C3 创新思维	—（必修阶段不做要求）

教学设计

一、教学现状

本课时为人教版高中化学必修教材（2019 年版）第五章第二节“氮及其化合物”的新授课[2]。氮及其化合物在生产生活方面具有重要地位，氮元素是继钠元素、氯元素和铁元素之后，学生运用“价—类”观学习的又一类元素；也是继硫元素之后运用物质结构和元素周期律知识讨论和学习的又一类元素，因此学生已经有了一定的方法经验。经过文献调研发现，多数教师或采用知识点式教学，或采用实验探究与多媒体辅助结合的方式[4]，但受实验条件限制，部分学校难以开展硝酸相关实验，影响教学效果；现有教学缺乏对“氮的转化”逻辑关系的梳理，对含氮工业和环境保护等情境资源的利用有待于进一步加强[4-5]。所以，建议加强情境教学和数字化实验资源开发，以提升学生高阶思维。

二、教学思路

（一）创设真实问题情境

本节课选择城市大气污染防治与解决养鸡场氨味重为真实情境主题，主要原因有：①本设计通过农业-城市污染复合情境，将含氮元素物质在自然界中的存在、含氮物质的性质与酸雨防治融入真实产业链分析，突出“性质决定用途，用途反映性质”的学科思维，实现知识迁移与社会问题解决的无缝对接；②本情境与生活密切相关，能够调动学生学习的积极性和激发学生的学习兴趣。具体见图 13-3。

（二）设计能力评价任务

依据上述确立的学科能力表现性目标，精心设计了多样化、梯度化的能力发展评价任务，体现对学科思维、学科认识视角和认识思路等的建立、诊断和发展。具体见表 13-5。

图 13-3 教学流程

表 13-5 “氮及其化合物”教学单元能力发展评价

序列	教学环节	评价任务	评价活动	能力要素	素养价值
1	初识氮循环——解密雷雨肥田	展示交流固氮过程中氮元素转化	观察、思考并讨论闪电视频中闪电颜色变化	A1、A2	诊断“结构—性质—应用”学科思维
2	再识氮循环——探秘氮气性质	从价态角度预测氮气性质	小组实验：“针筒放电模拟实验”(N_2+O_2 混合气体)，构建动态思维导图(自然/人工固氮路径)	A3、B1、B2	建立“价—类”观认识氮氧化物
3	建构转化链——从氮气到氮氧化物	列表对比 NO 和 NO_2 性质	结合实验(对比实验：NO 遇到氧气的颜色变化；数字化实验：NO_2 溶于水 pH 传感器数据采集)对比 NO 和 NO_2 性质	B3、C1、C2	迁移应用氮循环知识，发展“化合价—物质分类”认识思路

续表

序列	教学环节	评价任务	评价活动	能力要素	素养价值
4	提出方案——构建氮元素的“价类”图	从氮元素化合价角度预测氨气性质	结合情境，从氨气中氮元素化合价及氨气所属物质类别的角度，提出除氨方案	A1、B2	诊断并发展“价—类”角度认识氮元素及化合物视角
5	验证方案——实验探究氨气性质	实验验证除氨方案，讨论说明现象	小组合作，完成除氨方案实验验证，讨论实验现象	B2、B3	培养证据推理与模型认知的核心素养
6	评价方案——辩证看待理论实际	辩证评价除氨方案	开放性讨论除氨方案的真实可行性	C1	多角度分析综合度高的复杂问题
7	迁移实践——探究铵盐的性质	实验探究铵盐性质	结合信息推测铵盐性质，简单设计实验方案验证并探究铵盐性质	C1、C2	迁移应用学科知识于实际生活生产
8	解密硝酸生成——从氨到酸雨的化学桥梁	解密硝酸工业流程	小组合作，完成从氨气到硝酸的合成路线	B1、B2	诊断并发展“化合价—物质分类”认识思路
9	诊断酸雨来源——养鸡场周边的硝酸盐	分析酸雨来源	根据情境信息，分析酸雨产生及危害	A3、B3	发展“性质—应用”学科思维
10	协同防治方案——生态农场改造计划	提出改造生态农场方案	综合氮及其化合物知识，设计生态农场改造方案并展示交流	C1、C2	诊断并发展学生迁移创新的学科能力

（三）选择教学策略

根据教学目标和教学内容，选择合适的教学策略。课时二中针对氨的性质内容（侧重发展学习理解和应用实践能力），采取情境创设、推理预测、简单设计等教学策略。例如通过创设养鸡场氨味重的情境，为解决该问题让学生预测氨气性质，简单设计除氨实验方案，引导学生用“价—类”观认识元素及其化合物；针对铵盐的性质内容，采取复杂推理、系统探究、自主合作等教学策略，例如结合信息探究铵盐性质，再通过小组合作实验探究铵盐性质并展示交流。

三、教学实录（第二课时）

【引入】信息：鸡群每天都会排泄大量的粪便，如果鸡舍湿度较高，就会促使粪便发酵产生大量的氨气等有害气体，给鸡体带来巨大的伤害，严重影响鸡群的健康状况和生产性能。

任务一：提出方案——构建氮元素的“价—类”图

【教师】要想解决养鸡场氨味重的问题，我们就得从氨的性质角度提出去除氨气的解决方案。

【学生活动】结合课前构建的氮元素“价—类”二维图，完成任务一（提出方案）并进行小组讨论。

【教师】有哪个小组愿意分享你们设计的除氨方案？

【学生方案展示】如图 13-4 所示。

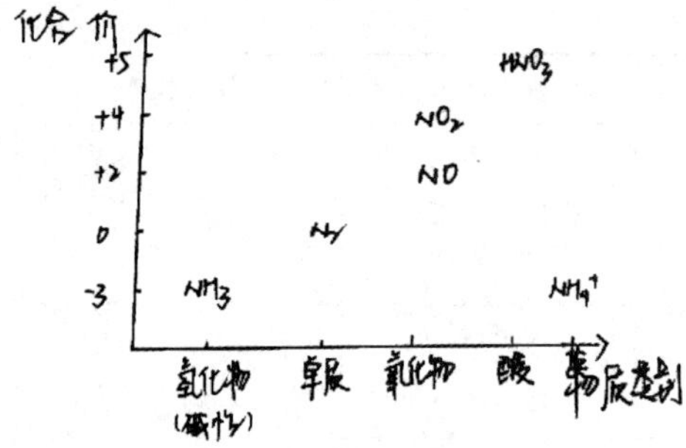

图 13-4 学生的除氨方案

【学生】小组①：从氨的物理性质角度，让氨气溶于水。因为氨气分子和水分子可以形成分子间氢键，所以预测氨气应该易溶于水。

【学生】小组②：从氨气的化学性质角度，让氨气和酸反应。因为氨气属于碱性气体，所以可以和酸反应生成盐。

【学生】小组③：让氨气和氧气反应。氨气中氮元素为－3 价，处于氮元素最低价态，所以氨气可以被氧化。

学习评价：在“提出方案——构建氮元素的‘价—类’图”的任务中，以“走进养鸡场”为情境，为解决养鸡场氨味重的问题，多数学生通过前期所学的其他元素及化合物的性质所建立的“价—类”观认知角度，去预测氨气的性质；部分学生能够依据性质设计简单方案，具备 A1、B2 学科能力；极少数学生能够设计出科学、可行性的方案，这表明大部分学生的迁移创新能力有待提高。

任务二：验证方案——实验探究氨气性质

【教师】接下来，我们验证一下这三种方案所涉及的实验（方案一：氨气溶于水；方案二：氨气和酸反应；方案三：氨气和氧气反应）是否真的可以发生。

【实验演示】喷泉实验。

【教师】为什么会产生喷泉？

【学生】因为氨气极易溶于水，使烧瓶内外形成较大的压强差。

【教师】氨气是一种有刺激性气味的无色气体，极易溶于水，沸点低，易液化。

【追问】那溶液为什么变为红色？

【学生】氨气溶于水并且和水反应生成弱碱一水合氨。

【教师】氨是一种碱性气体，能使酚酞溶液显红色，能使湿润的红色石蕊试纸显蓝色。

【教师】通过喷泉实验，我们对方案一进行了验证，接下来请同学们通过分组实验对方案二进行探究。

【学生实验】空瓶生烟：滴加 10 滴浓氨水于一侧脱脂棉球，滴加 10 滴浓盐酸于另一侧棉球，迅速将橡胶手套套于瓶底，打开瓶盖，多次弹击瓶底气球鼓膜，观察现象。

【教师】你观察到了什么现象？能否验证方案二呢？

【学生】有白色烟圈产生，说明氨气可以和酸反应，可以验证方案二。

【教师】浓氨水具有挥发性，挥发出的氨气和氯化氢气体反应后生成氯化铵固体小颗粒。

【学生活动】书写 NH_3 和 H_2SO_4、HNO_3 反应的化学方程式。

【追问】浓氨水遇到浓硫酸和浓硝酸是否也会产生白烟呢？

【学生】浓硫酸没有挥发性，而浓硝酸有挥发性，所以浓氨水遇到浓硫酸不会产生白烟，遇到浓硝酸会产生白烟。

【教师】通过小组实验我们验证了氨气可以和酸反应，那么接下来我们通过一则资料来了解一下氨气是否可以和氧气反应。

【PPT】资料：用氨作为能源的一种补充，既安全又清洁，通过等离子体技术增加氨的燃烧特性，掺多少的氨，基本上就能降多少的碳，对实现“碳中和”具有重要意义。（来自合肥综合性国家科学中心能源研究院氢能源和氨应用研究中心）

【教师】这则资料说明氨气具有什么性质？

【学生】通过资料取证，说明氨气可以和氧气反应，具有还原性。

【教师】氨气在氧气中燃烧生成氮气和水。

【追问】如果采用催化剂和加热条件，氨气和氧气还会生成氮气和水吗？

【学生】不会。

【追问】不是的话可能是什么？

【学生】推测产物可能是氮氧化物和水。

【教师】很好，你的思考很有逻辑。在催化剂和加热条件下发生氨的催化氧化反应，生成一氧化氮和水，该反应也是工业制硝酸的基础。

【小结】通过实验和信息资料，我们对氨气的性质进行了验证，知道氨气是一种可以和酸反应、具有还原性、水溶解性极好的碱性气体。

学习评价：在“验证方案——实验探究氨气性质”的任务中，多数学生能够通过小组合作实验完成对除氨方案一、二的验证，并且能够在教师引导下对方案三完成资料取证。基于以上学习活动，学生能从“价—类”的角度说明氨气的性质，强化了学生的证据推理意识，发展了B2、B3学科能力。

任务三：评价方案——辩证看待理论实际

【教师】在真实养鸡场中，大家思考一下这三种方案是否具有可行性呢？

【学生】如果方案一在养鸡场中执行的话，可以选择在地上放几盆水，但氨气的密度比空气小，吸收效果预计不太好，所以不具有可行性。

【学生】方案三中氨气和氧气反应需要催化剂和加热，而且产生的一氧化氮有毒，因此不具有可行性。

【学生】方案二可能具有可行性。用酸性物质吸收氨气会产生铵盐，说不定可以作为肥料再利用。

【信息】养鸡场真实除氨方案之一：布撒过磷酸钙（每亩地20～30kg）或硫酸铝，与氨气反应生成稳定盐类。

【教师】鸡粪虽臭，但也是个宝。将鸡粪用作有机氮肥可以提高作物生产品质，除此之外氮肥还包括铵盐，例如碳酸氢铵、氯化铵、硝酸铵、硫酸铵等。

学习评价：在“评价方案——辩证看待理论实际”的任务中，学生通过小组讨论，多数学生能对除氨方案的真实可行性进行判断，具备C1学科能力；只有少数学生能对可行性方案进一步思考、讨论和评价，需要在教学过程中进一步发展学生C2学科能力。

任务四：迁移实践——探究铵盐的性质

【PPT】信息：农用肥料碳酸氢铵的产品参数。

【教师】你可以从产品参数得出碳酸氢铵的哪些物理性质？

【学生】碳酸氢铵是一种白色晶体，可溶于水。

【教师】铵盐是由铵根离子和酸根离子构成的化合物，绝大多数的铵盐为白色或无色晶体，易溶于水。

【教师】请你结合碳酸氢铵的产品说明书和热分解温度（表13-6），设计实验方案来探究铵盐（碳酸氢铵、氯化铵）的化学性质。

表13-6 产品说明书和热分解温度

碳酸氢铵说明书	
应避开高温施用。温度在20℃以下时碳铵比较稳定，温度稍高则易分解为氨气逸散在空气中，造成氮素的肥效损失。冬种作物施碳铵比尿素更好。	
热分解温度	
碳酸氢铵	36℃
氯化铵	337.8℃

【PPT】结合信息利用以下实验用品设计实验方案探究铵盐的不稳定性。

实验用品：碳酸氢铵、氯化铵、蒸馏水、红色石蕊试纸、镊子。

【学生活动】讨论、设计、展示探究铵盐不稳定性的实验方案并进行实验。

【学生】打开装有碳酸氢铵的试剂瓶，用镊子夹片红色石蕊试纸于瓶口，观察到试纸变蓝色，说明有氨气产生。

【资料】铵态氮肥不宜与钾肥混合。因为钾肥是碱性肥料，在混合的过程中会相互中和，从而降低肥效，影响作物的生长发育。

【教师】为什么铵态氮肥和钾肥混合会降低肥效？

【学生】铵盐可以和碱反应，可能会产生氨气导致肥效降低。

【教师】如何证明产生了氨气？请用实验进行验证。

【学生实验】取一空试剂瓶，加入适量NH_4Cl和$Ca(OH)_2$，盖上瓶塞，用手捂着该试剂瓶并上下晃动。打开瓶塞，用手扇动闻气味，再将湿润的红色石蕊试纸靠近瓶口，盖上瓶塞。

【教师】有什么实验现象？说明了什么？

【学生】有氨味，红色石蕊试纸变蓝，说明生成了氨气。

【教师】本质上是铵根离子和氢氧根离子反应生成了氨气和水。实验室也利用铵盐与强碱反应产生氨这一性质来制取NH_3。工业上则利用合成氨的反应来制取NH_3。

【教师】利用铵根离子和强碱反应，还有什么用途？

【学生】可以检验铵根离子的存在。

【追问】如何检验？

【学生】取铵盐固体或少量铵盐溶液于试管中，加入浓氢氧化钠溶液，微热，在试管口放湿润的红色石蕊试纸，会观察到试纸变蓝；或在试管口放沾有浓盐酸的玻璃杯，会观察到有白烟产生。

学习评价：在“迁移实践——探究铵盐的性质”的任务中，学生通过操作简单但现象明显的分组实验，学习了铵盐的性质和铵根离子的检验。多数学生能够在信息引导下进行小组实验，部分学生利用实验材料可以简单设计实验方案，具备C1、C2学科能力；但仍有少数学生在教师引导下也无法完成学生活动内容，动手实验能力及创新意识有待提升。

【课堂小结】今天我们针对养鸡场氨气臭味问题，借助价类二维图设计处理方案，通过实验探究验证方案，而后进行迁移实践，将氨气转化为铵盐类氮肥投入农田，帮助农民们建设生态农场，实现科学生产。

四、板书设计

板书设计如图13-5所示。

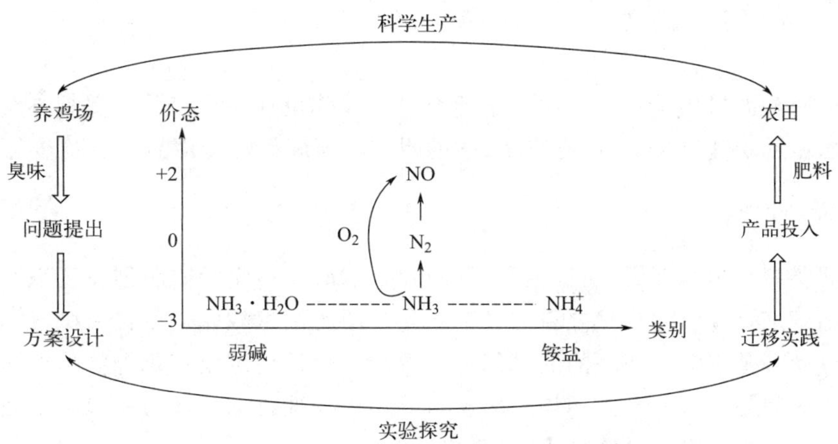

图13-5 “氮及其化合物”教学板书设计

教学评价

一、教学效果

（一）测评试题

海洋中，硝化、反硝化和固氮等微生物驱动的无机氮循环过程，持续转化硝酸盐、铵盐等无机氮形态的物质，这一过程成为整个海洋生态系统的基础和关键，过程如图13-6所示。请回答以下问题：

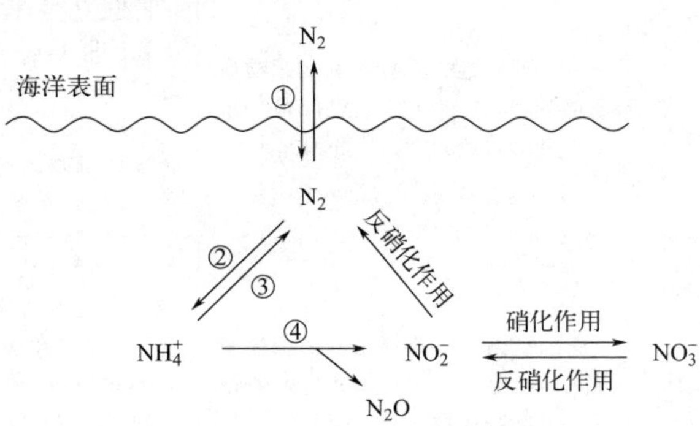

图13-6 无机氮循环过程

1.【单选题】下列关于海洋氮循环的说法正确的是（　　）。

A. 海洋中的氮循环起始于氮的氧化

B. 海洋中不存在游离态的氮

C. 在海洋底层缺氧区域，硝化细菌将铵盐（NH_4^+）转化为硝酸盐（NO_3^-）

D. 向海洋中排放含 NO_2^- 的废水会影响海洋中 NH_4^+ 的含量

2.【简答题】含氮物质通过生物、化学和物理过程在海洋中循环，维持着海洋生态系统的平衡。

（1）图中在氮的固定过程中氮元素被________（填氧化或还原）。

（2）N_2O 是硝酸生产中氨催化氧化的副产物，用特种催化剂能使 N_2O 分解。请写出 NH_3 转化为副产物 N_2O 的化学方程式：

____。

（3）海洋中的氮主要以硝酸盐（NO_3^-）、亚硝酸盐（NO_2^-）和铵盐（NH_4^+）等形式存在。①既能在酸性条件下表现氧化性，又能使酸性高锰酸钾溶液褪色的是________，理由是____。

②硝酸铵用途广泛，请列举它的应用和使用注意事项：

____。

3.【拓展题】如果你是一名海洋化学研究员，请你设计一个简单的实验方案，来测定某海域表层海水中硝酸盐（NO_3^-）的浓度。（说明实验原理、实验用品和实验步骤）

（二）设计说明

以“宏观辨识与微观探析”“证据推理与模型认知”“科学探究与创新意识”的化学学科核心素养为测试宗旨，以“自然界氮循环”真实情境为测试载体，设置无机氮循环、离子浓度测定方案设计等基于实际问题的测试任务，要求学生运用氮及其化合物的性质、应用等相关知识解决相应问题。每一个试题均对应学科能力表现性目标，旨在评价学生完成本节课学习后相应的学科能力水平。具体见表13-7。

表 13-7　评价说明和评分标准（总分 22 分）

试题编号	学科能力要素	认识能力	分值	标准答案及评分标准
1	A2 概括关联：能对含氮元素物质正确分类，并结合氮元素价态将不同类别的含氮元素物质联系起来	2分：能结合情境将不同价态含氮物质联系起来并准确分析转化过程（系统水平） 0分：无法结合情境将不同价态含氮物质联系起来并准确分析转化过程（孤立水平）	2分	2分：D 0分：其他答案
2(1)	A3 说明论证：能用已有知识经验说明含氮物质性质，基于实验证据说明这类物质性质	2分：能理解“氮的固定”概念并结合情境判断出在过程②中氮元素化合价降低，被还原（系统水平） 0分：能理解“氮的固定”概念但无法判断转化过程中氮元素被还原（欠缺）；无法理解“氮的固定”概念（孤立水平）	2分	2分：还原 0分：其他答案

续表

试题编号	学科能力要素	认识能力	分值	标准答案及评分标准
2(2)	A1 辨识记忆：能说出氮及其化合物的物理、化学性质并描述反应的相关现象，指出反应类型并书写相关方程式 B1 分析解释：能分析、解释含氮元素物质在具体的实验、生产、生活和环境的重要应用	2 分：能结合信息准确写出 NH_3 转化为 N_2O 的化学方程式（系统水平） 1 分：能判断出反应物和产物，但无法配平方程式（欠缺） 0 分：无法写出 NH_3 转化为 N_2O 的化学方程式（孤立水平）	2 分	$2NH_3+2O_2 \xlongequal[\triangle]{催化剂} N_2O+3H_2O$（2 分，条件写△或高温亦可。配平错误得 1 分，条件漏写得 1 分）
2(3)①	A2 概括关联：能对含氮元素物质正确分类，并结合氮元素价态将不同类别的含氮元素物质联系起来 B2 推理预测：能从“价—类”观的角度预测含氮元素物质性质	4 分：能通过分析微粒中氮元素化合价去解释物质的氧化性、还原性（系统水平） 2 分：能够判断出是 NO_2^- 但无法从化合价角度解释原因（欠缺） 0 分：不能判断出是 NO_2^-（孤立水平）	4 分	NO_2^-（2 分）；NO_2^- 中氮元素化合价为+3 价，处于氮元素中间价态，故 NO_2^- 既具有氧化性又具有还原性（2 分）
2(3)②	B1 分析解释：能分析、解释含氮元素物质在具体的实验、生产、生活和环境的重要应用	4 分：能够说出硝酸铵在农业、化工等领域的应用，并结合硝酸铵性质说明使用注意事项（系统水平） 2 分：不能完整说出硝酸铵的应用和使用注意事项（欠缺） 0 分：无法说出硝酸铵的应用及使用注意事项（孤立水平）	4 分	硝酸铵可作氮肥，也可作建筑爆破等合理答案均可（2 分）；使用时要远离火源防止爆炸，避免与还原剂接触等合理答案均可（2 分）
3	B3 简单设计：能结合含氮元素物质性质合理设计简单的实验方案，对涉及的实验仪器与操作流程有合理决策 C1 复杂推理：能运用氮元素物质性质和反应原理等核心知识，多角度分析、多步系统推理解决情境陌生、综合度高的复杂问题 C2 系统探究：能基于本单元建立的学习认知思路进行远迁移，对实际生活、化工、环境等问题的解决进行系统探究，包括提出假设、设计并实施方案、获取证据、得出结论、开展评价反思等	6～8 分：能结合具体情境，运用 NO_3^- 性质知识，合理选择实验用品，设计简单测定 NO_3^- 浓度的完整实验方案（系统水平） 1～5 分：能设计出方案，但不完整或缺乏科学性、逻辑性（欠缺） 0 分：无法设计实验方案（孤立水平）	8 分	（答案合理即可，要求有实验原理、实验用品和实验步骤） 例如： 实验原理：酸性环境中 NO_3^- 的强氧化性，NO_3^- 被还原为 NO 实验用品：NO 传感器、烧杯、量筒、酒精灯、试管、稀盐酸、铜片 实验步骤：用量筒量取一定体积的海水，加热浓缩冷却后加入稀盐酸酸化，将铜片放入浓缩海水后利用 NO 传感器进行数字化测定

（三）效果分析

收集答卷 100 份，能力对应的平均得分情况如表 13-8 所示。

表 13-8 评分结果

学科能力	试题编号	分值	平均分	得分率
A1	2(2)	1	0.75	75%
A2	1、2(3)①	4(2+2)	3.2	80%
A3	2(1)	2	1.8	90%
B1	2(2)、2(3)②	5(1+4)	3.05	61%
B2	2(3)①	2	1.36	68%
B3	3	2	0.92	46%
C1	3	3	1.14	38%
C2	3	3	1.02	34%

通过数据分析可见，学生学习理解能力（A1、A2、A3）和应用实践能力（B1、B2）水平较高，学生对含氮物质的重点性质及在自然界中的存在、应用掌握情况较好；而针对应用实践能力（B3）和迁移创新能力（C1、C2）的试题得分率较差，存在个体差异大的情况，原因可能是部分答案涉及文字性表述，学生尚有欠缺。以上分析提示教师对于综合应用能力不足的学生，应诊断其薄弱环节的成因，将学习任务拆分，逐步增强其解决问题的能力。

二、教学反思

本课例依据学科能力理论，通过“目标制定—策略选择—情境创设—活动设计”的流程展开教学设计，围绕“城市大气污染防治”和“解决养鸡场氨味重”的情境主题，遵循“化合价—物质类别”的化学认知思路，引导学生根据含氮元素物质中氮元素的化合价和所属物质类别，分析不同价态含氮元素物质之间的转化。教学实践表明多数学生 A1、A2、A3 学习理解能力，B1 应用实践能力较好，部分 B2、B3 应用实践能力和 C1、C2 迁移创新能力仍有欠缺，不过在教师引导和同学合作中获得了不同程度的提升。总体而言，本节课的教学设计与实践不仅落实了知识学习，提升了学科能力，加深了对化学学科价值的理解，而且发展了科学态度与社会责任素养。

本课例的教学思路对必修阶段其他金属或非金属元素及其化合物等相似的主题教学具有一定的参考价值。教师可以通过创设真实情境，设计以学生为主体的丰富的教学活动，由浅入深建立思维模型进行教学实践。在本课例的实践过程中发现，部分学生缺乏对城市大气环境和养鸡场环境的感性认知，所以在后续教学实践中也需注意对学生生活常识的培养。

参考文献

[1] 中华人民共和国教育部．普通高中化学课程标准（2017 年版 2020 年修订）[S]．北京：人民教育出版社，2020：2，18，20-21，65-67.

[2] 王晶，毕华林．普通高中教科书·化学（必修）第二册 [M]．北京，人民教育出版社，2019：11-17.

[3] 王磊，魏锐．学科核心素养发展导向的高中化学课程内容和学业要求——《普通高中化学课程标准（2017 年版）》解读 [J]．化学教育，2018，39（9）：48-53.

[4] 刘伟星．大概念视域下“氮及其化合物”教学 [J]．中学化学教学参考，2024（17）：13-17.

[5] 贺春芳．促进学生深度学习的教学实践——以“氮及其化合物”复习为例 [J]．中学化学教学参考，2023（03）：64-68.

王馨远（宁波市北仑区大榭中学　浙江宁波）

第14单元
无机非金属材料

目标研制

一、课标研读

（一）内容要求和学业要求

“无机非金属材料”教学单元为《普通高中化学课程标准（2017年版2020年修订）》必修课程主题5中的内容，课标相应内容要求和学业要求如表14-1所示。

表14-1 “无机非金属材料”教学单元的课标内容要求和学业要求[1]

内容要求	学业要求
5.1 化学促进可持续发展 认识化学科学与技术的不断创新和发展是解决人类社会发展中遇到的问题、实现可持续发展的有效途径。树立“绿色化学”的观念，形成资源全面节约、物能循环利用的意识 5.2 化学科学在材料科学、人类健康等方面的重要作用 知道金属材料、无机非金属材料、高分子材料等常见材料类型，结合实例认识材料组成、性能与应用的联系	1. 能列举事实说明化学科学在生产、生活中的应用价值，以及对人类文明的伟大贡献 2. 能从材料组成的角度对生活中常见的材料进行分类，根据使用需求选择适当的材料，能解释使用注意事项，并能科学合理使用 5. 能主动运用所学的化学知识和方法解决生产、生活中简单的化学问题 6. 具有节约资源、保护环境的可持续发展意识

注：数字序号即课标中相应序号。

可见，课标中对“无机非金属材料”的内容要求侧重于无机非金属材料在人类社会发展中的应用价值，以及无机非金属材料的“组成、性质与应用”的学科观念。学业要求则从“举例说明”“分类”“合理使用”“主动运用”等能力表现角度提出了具体的要求。通过关联合并、删繁就简、增补解构等方法，可以得到该教学单元课标优化后的要求，如表14-2所示。

表 14-2 “无机非金属材料”教学单元课标优化后的要求[1]

优化后的要求
（原内容要求 5.1）能够结合无机非金属材料的发展历史认识到材料科学的不断创新和发展是解决人类社会发展中遇到的问题、实现可持续发展的有效途径，对我国生产发展、生活富裕、生态良好的文明发展道路将发挥重要作用；能树立“绿色化学”的观念（关联合并） （原内容要求 5.2）知道无机非金属材料，结合实例认识材料组成、性能与应用的联系（删繁就简）
（原学业要求 1）能列举事实说明无机非金属材料在生产、生活中的应用价值，以及对人类文明的伟大贡献；能从无机非金属材料组成的角度对生活中常见的材料进行分类，根据使用需求选择适当的无机非金属材料，能解释使用注意事项，并能科学合理使用（增补解构） （原学业要求 5）能主动运用所学的化学知识和方法解决生产、生活中与无机非金属材料相关的简单化学问题（增补解构） （原学业要求 6）具有节约资源、保护环境的可持续发展意识（直接摘录）

（二）学业质量水平

课标学业质量水平与“无机非金属材料”教学单元的相关要求对应关系如表 14-3 所示。

表 14-3 “无机非金属材料”教学单元的学业质量水平

学业质量水平描述[1]	针对本教学单元内容的具体表现
1-1 能根据物质组成和性质对物质进行分类；能说明常见物质的性质与应用的关系	1-1 能根据物质组成和性质对生活中常见的无机非金属材料进行分类，能说明无机非金属材料性质与应用的关系
2-2 能设计物质转化的方案，能运用化学符号表征物质的转化	2-2 能书写硅的制备等主要反应方程式
3-1 能采用模型、符号等多种方式对物质的结构及其变化进行综合表征	3-1 能结合模型说明传统硅酸盐材料的稳定性
4-1 能根据物质的类别、组成、微粒的结构、微粒间作用力等说明或预测物质的性质，评估所做说明或预测的合理性	4-1 能根据石墨、石墨烯、碳纳米管的组成和结构说明或预测各自性质，评估说明或预测的合理性
1-4 具有安全意识，能将化学知识与生产、生活实际结合；赞赏化学对人类生活和生产所作的贡献；能运用所学的化学知识和方法分析讨论生产、生活中简单的化学问题，认识化学科学对社会可持续发展的贡献 2-4 能分析化学科学在开发利用自然资源、合成新物质、保护环境、保障人类健康、促进科技发展和社会文明等方面的价值和贡献；了解在化工生产中遵循“绿色化学”思想的重要性 3-4 能运用化学原理和方法解释或解决生产、生活中与化学相关的一些实际问题 4-4 能说明化学科学发展在自然资源利用、材料合成、环境保护、保障人类健康、促进科学技术发展等方面的重要作用；能运用化学原理和方法对解决生产和生活中的热点问题提出创造性的建议，能对化学技术推广应用和化学品使用进行分析和风险评估	1-4、2-4、3-4、4-4 设置方案设计的评价任务，从需求提出、材料选择、安全意识、环保意识、创新思维等方面评估学生达到了哪一层次的学业质量水平

注：数字序号即课标中相应序号。

二、教材解读

在人教版高中化学必修教材（2019 年版）第五章第三节“无机非金属材料”中，通过对传统硅酸盐材料（玻璃、水泥、陶瓷）和新型无机非金属材料（硅、二氧化硅、新型陶瓷、碳纳米材料）组成（结构）、原料、性质和应用等显性知识（图 14-1）的介绍，建立“宏观—微观”的认识视角和“组成（结构）—性质—应用”“需求—选择—优化—创造”的认识思路，落实课标内容要求的无机非金属材料应用价值及“组成、性质与应用”的学科观念[2]。借助大量文字与图片和硅酸盐结构模型图，帮助学生从感性和理性层次学习相关内容，掌握实例法和模型法等认识方法，结合“资料卡片”“科学·技术·社会”等栏目，实现学业要求和学业质量水平中有关“说明”“分类”“使用”“运用”等能力表现的具体要求。本节课内容知识要求不高，注重体验丰富的材料世界以及科技与文明的发展，教学中需要注重培养学生的科学态度、社会责任感和创新意识等。

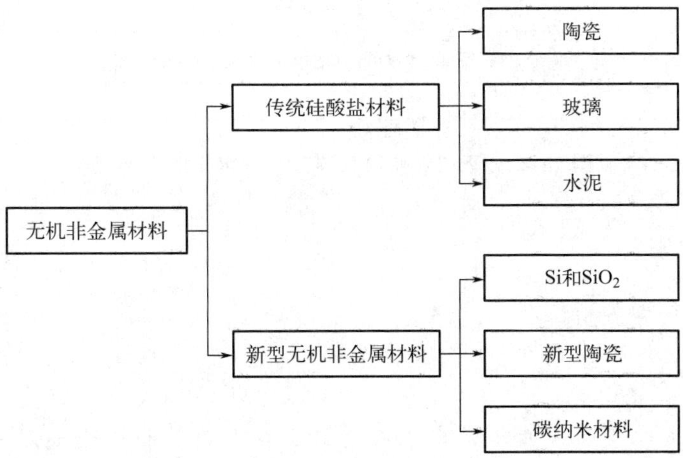

图 14-1 “无机非金属材料”教学单元内容

三、能力模型建构

通过课标研读和教材分析，可以确立相关主题的知识基础、研究对象和化学问题、学科认识方式，从而构建该教学单元的学科能力模型（图 14-2）[3]。例如，对于该教学单元核心知识是典型无机非金属材料的组成、性质和应用；认识角度是“组成（结构）—性质—应用”，认识思路是“提出需求—选择材料—创造材料”，学科思想为“结构决定性质，性质决定应用”。研究对象和化学问题主要包括传统硅酸盐材料和新型无机非金属材料的组成、结构和性质等。针对传统硅酸盐内容，可侧重发展学习理解能力；针对新型无机非金属材料内容，可侧重发展应用实践和迁移创新能力。

四、课程资源分析

在实际教学过程中，能力目标的实现还受到授课类型、学生学情、教学资源等客观因素的影响。

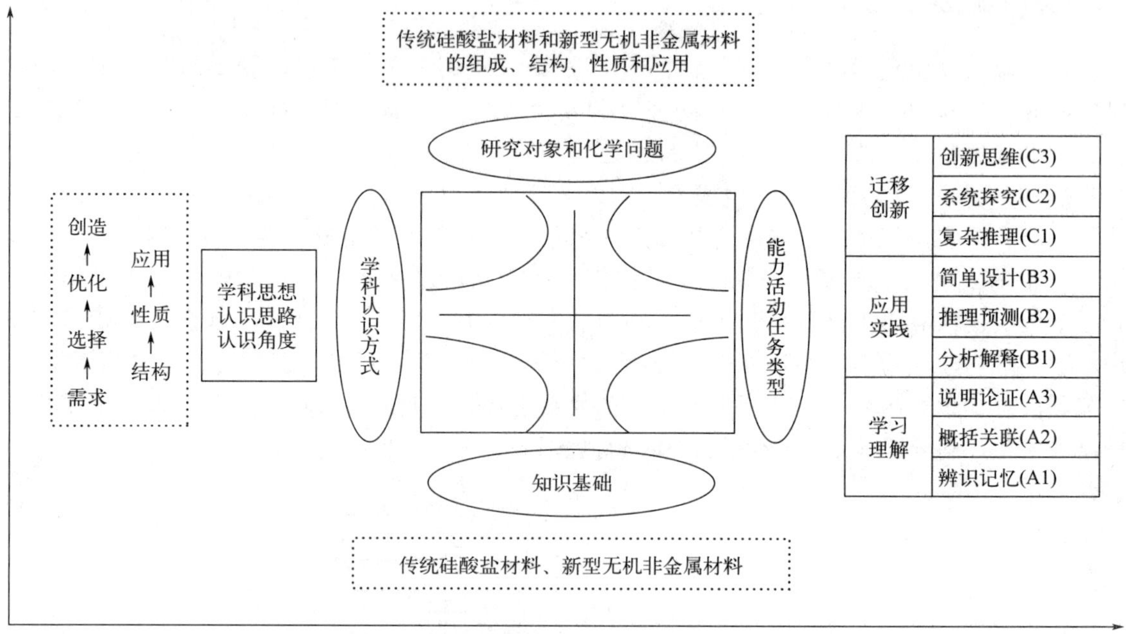

图 14-2 “无机非金属材料”教学单元能力模型

（一）授课类型

本节课的授课类型为新授课。

（二）学情分析

已有基础：从知识层面来看，学生已经掌握了典型金属和非金属元素及化合物相关知识、离子键和共价键、元素周期表和元素周期律等内容；从能力层面来看，通过一个多学期的高中学习，学生具有一定的运用化学知识解决问题的能力；从心理层面上看，学生对实际生活和前沿科技相关的内容具有浓厚的兴趣。

潜在困难：学生可能普遍缺乏生活实践经验；解决真实复杂问题的能力尚有不足；设计、评价创新型的方案具有一定的挑战性。

（三）教学资源

学科能力目标的实现还有赖于学校资源的支持，学科能力目标的制定需考虑教学资源因素。本节课的学科能力表现性目标制定要求授课学校需要提供相应教学模型（球棍模型）、各类材料（陶瓷、水泥、玻璃、光导纤维等）实物以及投影设备等。

五、表现性目标制定

将学科能力模型中 4 个维度进行连接组合，再结合学生学情、授课类型、教学资源等客观因素，制定了“无机非金属材料”教学单元学科能力表现性目标，如表 14-4 所示。

表 14-4 “无机非金属材料”教学单元学科能力表现性目标

能力要素		表现性目标
A 学习理解能力	A1 辨识记忆	能根据物质组成和性质辨识典型无机非金属材料，能列举传统硅酸盐材料和新型无机非金属材料类型；能书写制粗硅的化学方程式
	A2 概括关联	能概括传统硅酸盐材料的制造设备、原料、成分和功能，建立元素“位—构—性”、物质“组成(结构)—性质—应用”之间的关联
	A3 说明论证	能列举事实说明无机非金属材料在生产、生活中的应用价值和对人类发展的重要作用
B 应用实践能力	B1 分析解释	能结合实例，从性质角度分析无机非金属材料在生活、生产上的应用
	B2 推理预测	能结合结构模型，预测碳纳米管等新型无机非金属材料的性能和应用，评估说明或预测的合理性
	B3 简单设计	能根据需求提出材料的选择和改造方案，树立绿色化学和环保意识
C 创新迁移能力	C1 复杂推理	—(新授课暂不要求)
	C2 系统探究	—(新授课暂不要求)
	C3 创新思维	能提出对未来材料的展望和设计，感受科学技术对国家建设和人类发展的重要作用，增强社会责任感

教学设计

一、教学现状

本课时为人教版高中化学必修教材（2019 年版）第五章第三节“无机非金属材料”的新授课[2]。作为人教版新教材的特色内容，“无机非金属材料”虽以科普性内容为主，但与生活、生产紧密相关，具有重要的学科能力培养价值和育人价值[4-5]。经过文献分析发现，目前关于这一主题的教学设计类文献较少，主要集中于以人文背景为情境主题的教学设计，以及针对硅和硅酸盐的教学设计[6-7]。而在教学实践中，教师通常会以简单的阅读课形式或传统的硅元素知识传授形式展开教学。如何围绕真实情境进行本节课的教学设计并发挥其学科能力培养价值和育人价值，值得探讨。

二、教学思路

（一）创设真实问题情境

本课例创设了“我爱我家——建造理想之家”这一情境主题，主要原因有三点。①体现学科育人价值：这一主题既贴近真实生活又能融合最新科技，也可由小家引申到国家，激发学生爱国热情；②串联教学相关内容：通过对家装材料的学习和讨论，可以串联无机非金属材料的相关教学内容；③承载学科能力活动：在“建造传统之家”“建造环保之家”“建造智能之家”和“建造宇宙之家”四个教学任务中可以参考教学策略，设计有助于实现学科能力导向教学目标的具体能力活动（详见图 14-3）。

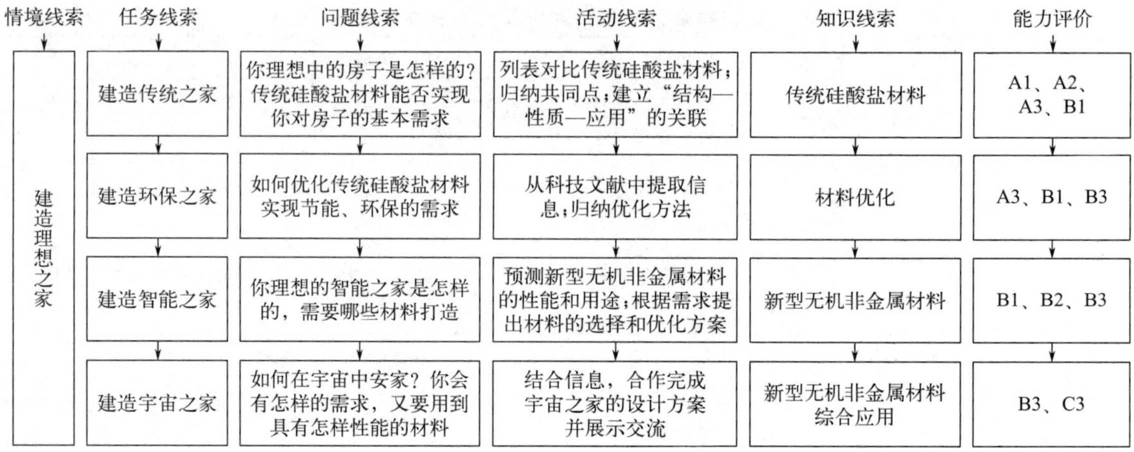

图 14-3 教学流程

（二）设计能力评价任务

依据上述确立的学科能力发展目标，精心设计了多样化、梯度化的能力发展评价任务，体现对学科思维、学科认识视角和认识思路等的建立、诊断和发展。具体见表 14-5。

表 14-5 “无机非金属材料”教学单元能力发展评价

序列	教学环节	评价任务	评价活动	能力要素	素养价值
1	建造传统之家	列表对比三种传统硅酸盐材料	学生分组完成后展示，根据学生列表内容进行组间互评和教师点评	A1、A2、A3、B1	培养“结构(组成)—性质—应用”的学科思维；建立“需求—选择”的认识思路
2	建造环保之家	归纳优化方法	从科技文献中提取信息，归纳优化材料的方法	A3、B1、B3	建立“需求—选择—优化—创造”的认识思路，学习认识方法(文献调研)
3	建造智能之家	设计“智能之家”	小组合作，根据需求选择、优化材料，设计智能之家	B1、B2、B3	诊断并发展“需求—选择—优化—创造”的认识思路
		预测材料性能和应用	根据结构特点和相关信息，预测碳纳米管等新型无机非金属材料的性能和应用		诊断并发展“需求—选择—优化—创造”的认识思路；诊断并发展“结构—性质—应用”的学科思维
4	建造宇宙之家	设计“宇宙之家”	小组合作，完成宇宙之家的设计方案并展示交流	B3、C3	迁移应用认识思路；诊断并发展“结构—性质—应用”的学科思维和认识方法(文献调研)

（三）选择教学策略

根据教学目标和教学内容，选择合适的教学策略。针对传统硅酸盐内容（侧重发展学习理解能力），采取情境创设、列表对比、概括关联等教学策略，例如通过列表，对比三种硅酸盐的组成、性能和应用，建立“组成（结构）—性质—应用”之间的关联；针对新型无机非金属材料内容（侧重发展应用实践和创新迁移能力），采取推理预测、简单设计、自主合作、展示交流等教学策略，例如通过信息预测新型材料性能，根据需求选择或设计材料并展示交流，深化“结构决定性质，性质决定用途”的认知。

三、教学实录

【引入】家不仅是栖身之地，更是心灵的港湾。房子是家的实体，你理想中的房子是怎样的？请你用几个形容词描述。

【学生讨论】安全、牢固、美观、温馨、通透、节能、环保、智能等。

【教师】今天我们就一起来建造理想之家。

任务一：建造传统之家

【教师】安全、牢固、通透和一定程度的美观等是传统之家的基本需求。水泥、陶瓷、玻璃这三种传统硅酸盐材料能否实现你对房子的基本需求？请你结合教材信息和日常生活经验完成学习任务单上的表格（表 14-6，其中斜体部分由学生填写完成）。

表 14-6　三种传统硅酸盐材料对比

名称	主要成分	原料	性能	主要用途	可实现的建筑需求
陶瓷	*硅酸盐*	*黏土*	*坚硬、稳定*	*作地砖、墙砖；装饰*	*安全、美观*
玻璃		*纯碱、石灰石、石英砂*	*透光、坚硬*	*做窗户*	*美观、通透*
水泥		*黏土、石灰石*	*硬化后牢固*	*做地基等*	*安全、牢固*

【学生活动】讨论并完成表 14-6，汇报分享。

【教师】水泥可以将砖瓦黏接在一起，这是由于水泥的水硬性。水泥的硬化速率可以通过在制造过程中加入适量石膏进行调节。老师给大家准备了速干水泥粉，请将袋子中的水泥粉全部倒入纸杯中，用筷子搅拌后静置观察，感受水硬性。

【学生实验】水泥的水硬性实验。

【教师】你观察到了怎样的现象？

【学生 1】放热，逐渐变硬。

【教师】水泥、玻璃和陶瓷有何共同的特性？你能猜测其中的原因吗？

【学生 2】质地坚硬、性质稳定、耐高温等。它们都是硅酸盐材料，可能硅酸盐结构稳定。

【小结】很好。在硅酸盐中，Si 和 O 构成了硅氧四面体，四面体可以相互连接成链状或环状结构（图 14-4）。四面体是比较稳定的结构，硅氧四面体结构的特殊性，决定了硅酸盐材料大多数具有硬度高、耐高温、耐腐蚀、难溶于水等特点，这也是水泥、玻璃、陶瓷的共同点所在。可见，组成和结构决定性质，性质决定应用。

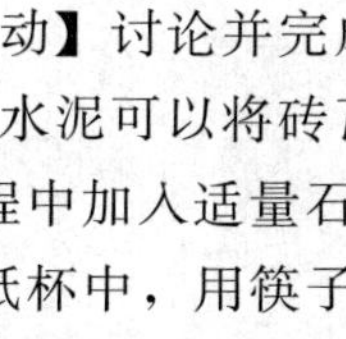

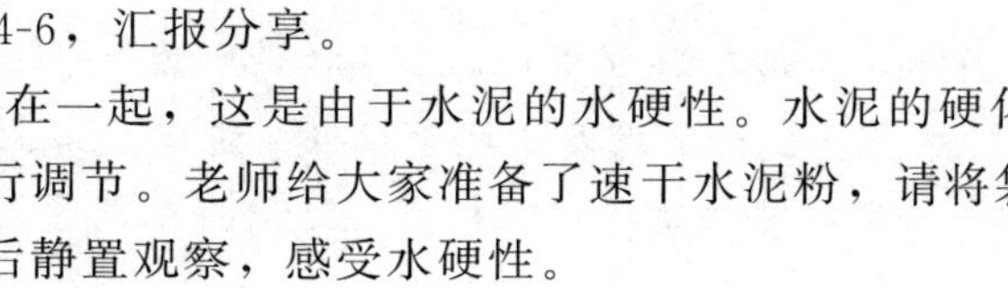

图 14-4　硅酸盐结构

【教师】你知道玻璃的主要组成成分是什么吗?

【学生 3】硅酸钠、硅酸钙和二氧化硅。

【教师】玻璃是由纯碱、石灰石和石英砂(二氧化硅)制得，你能书写制造玻璃的主要反应方程式吗?

【学生书写】

$$Na_2CO_3 + SiO_2 \xlongequal{高温} Na_2SiO_3 + CO_2\uparrow \quad CaCO_3 + SiO_2 \xlongequal{高温} CaSiO_3 + CO_2\uparrow$$

学习评价：在“建造传统之家”的任务中，多数学生能够从结构（组成）—性质—应用三方面对比三种传统硅酸盐材料的异同，具备 A1、A2、A3 学科能力；通过引导可以从硅酸盐结构特点解释硅酸盐材料的稳定性，发展了 B1 学科能力。

任务二：建造环保之家

【过渡】传统之家可以满足人类的基本需求，而人类需要与大自然和谐相处。如何优化传统硅酸盐材料，实现节能、环保的需求呢？请你结合信息说明。

【展示信息】不同材料的优化方法。

① 发泡陶瓷：发泡陶瓷材料可以粉煤灰为原料，通过添加不同发泡剂（如氮化硅、碳酸钙、硅酸钠及碳化硅等）制备而成。发泡陶瓷材料因大量封闭气孔的存在而具有热传导率低、抗热震性能优良等特性，是一种理想的保温、隔热材料[8]。

② 自洁玻璃：自洁玻璃的表面浸涂了一层纳米 TiO_2-SiO_2。该涂层能够在光催化下有效去除有机污染物。自洁玻璃可用于制作太阳能电池板、建筑玻璃和光学器件等[9]。

③“生态”水泥：生态水泥是以城市垃圾焚烧灰、工业废料、废渣、尾矿以及污泥等各种废弃物为主要原料，经过处理、配料，通过严格生产管理制成的水泥。该方法可降低水泥生产的能耗[10]。

【学生】可以改变材料结构达到隔热效果，降低能耗；在玻璃表层涂纳米 TiO_2-SiO_2 涂层分解污染物；利用废弃物制造水泥等。

【追问】那么你能归纳材料优化的方法吗?

【学生 4】可以从原料优化，也可以从组成结构上改变，还可以对其表面进行改造。

学习评价：在“建造环保之家”的任务中，多数学生学会了提炼关键信息，总结学习优化材料的方式，部分学生总结尚不全面，此处诊断并发展了学生 A3、B1、B3 学科能力，培养了学生绿色环保意识，形成“需求—选择—优化—创造”的认识思路。

任务三：建造智能之家

【过渡】步入信息时代后，很多人希望能够建造智能之家。你理想的智能之家是怎样的？需要哪些材料打造呢?

【学生讨论】需要有网络、机器人……

【教师】智能之家需要联网，宽带通信需要什么材料呢?

【学生 5】光导纤维。

【追问】它通常由什么制造？具有怎样的性能？

【学生 6】二氧化硅，抗干扰性好，能够有效提高通信效率。

【演示】可见光信号可以高效地传输到光导纤维的另一端。

【教师】大家刚才也提到了半导体材料。单晶硅是重要的半导体材料，但自然界的硅主要以硅酸盐或硅的氧化物形式存在。如何得到单质硅呢？请结合信息书写反应方程式。

【学生书写】$2C+SiO_2 \xlongequal{高温} Si+2CO\uparrow$

【追问】但这样得到的硅单质可以直接做半导体材料吗？请结合信息猜测。

【学生 7】不可以，含有杂质。

【过渡】这样只能得到粗硅，我们需要进一步提纯，例如，将粗硅转化为三氯硅烷，再经过氢气还原可以得到高纯硅。

【教师】硅是目前应用最广泛的半导体材料，但研究表明，当硅芯片制程达到 5nm 时，出现量子隧穿效应使得电子不受控制[11]。我们需要寻找新的半导体材料。C 和 Si 原子结构相近，能否用 C 来替代 Si？导电的碳材料让你想到了什么？

【学生 8】石墨。

【教师】很好，石墨是层状结构，其水平方向具有良好的导电性，但它的宏观尺寸太大，科学家用胶带撕下薄薄的一层，得到了石墨烯（模型），这是一种良好的导体材料[12]。如何降低其导电性，变成半导体呢？我们可以将石墨烯卷起来，结构的卷曲改变了导电性，这就是碳纳米管（模型和实物展示），可作为半导体材料。再进一步卷曲可以得到富勒烯，例如 C_{60}，富勒烯具有特殊的光电性能，可以用来制作太阳能电池等。这些都属于碳纳米材料，是一类备受关注的新型无机非金属材料（图 14-5）。可见，我们可以通过制造新材料来满足新需求。

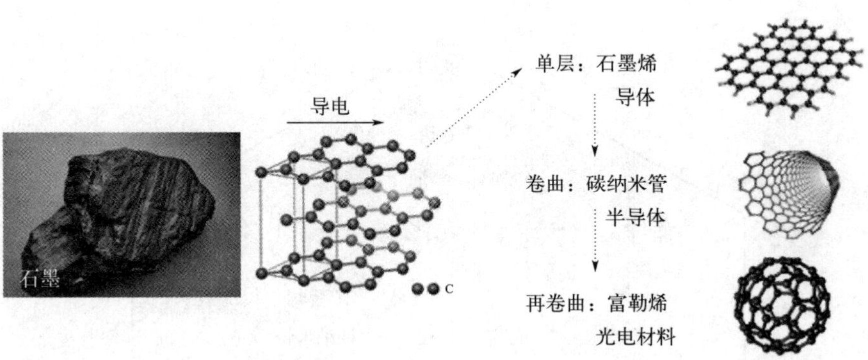

图 14-5　碳纳米材料

学习评价：在“建造智能之家”的任务中，学生学习了硅和二氧化硅相关知识。多数学生能够在教师引导下想到替代硅的材料，部分学生可以由碳纳米材料的结构推测其性质和应用，具备了“结构决定性质，性质决定用途”的学科思想和 B1、B2 学科能力。但由于知识储备尚不足，B3 学科能力还有欠缺，创新意识也有待提高，需要进一步发展“需求—选择—优化—创造”的认识思路。

任务四：建造宇宙之家

【过渡】碳纳米管不仅有良好的电学性能，而且强度高，科学家设想用它来制造太空电梯。太空电梯可以让人类离开地球，走向宇宙。如何在宇宙中安家？你会有怎样的需求，又要用到具有怎样性能的材料？联系宇宙环境，请大家展开讨论，提出设想，绘制示意图。

【学生展示】在宇宙中建房子需要高强度的材料，可以用碳纳米管建造房子的主体；也需要耐极端温度的材料，可以用碳化硅包裹在房子墙外……

【小结】碳化硅是新型陶瓷材料的一种，新型陶瓷已经不局限于传统硅酸盐材料，因其组成结构不同，拥有很多不同的性能。大家已经可以根据需求来选择、优化甚至设计研制材料了。感兴趣的同学可以课后进一步调研讨论，设计你理想的宇宙之家。

学习评价：在“建造宇宙之家”的任务中，学生通过合作，结合教材信息，提出需求并选择或设想合适材料，完成了宇宙之家的设计方案并展示交流。多数学生能主动参与其中，发展了B3、C3学科能力及“结构—性质—应用”和“需求—选择—优化—创造”的认识思路。也有部分学生创新意识不足，有待继续提升。

【总结】今天，我们从需求出发，从选择到优化再到创造，用传统和新型的无机非金属材料建造了理想的家。家是最小国，国是千万家。我爱我的国，我爱我的家。今天的学习是为了打好地基，相信未来你的手能撑起小家，而你的心能永远装着大家。

四、板书设计

板书设计如图 14-6 所示。

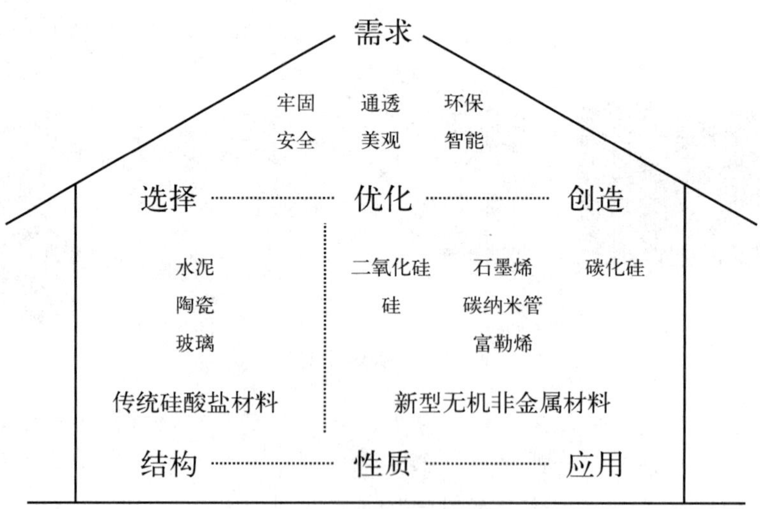

图 14-6 “无机非金属材料”教学板书设计

教学评价

一、教学效果

（一）测评试题

2022 年第 19 届亚运会在杭州成功举行。杭州亚运村总占地面积 1.13 平方千米，建筑面积 241 万平方米。请你回答如下问题：

1.【单选题】亚运村博物馆内的以下展览品属于传统硅酸盐材料的是（　　）。

A. 中国非物质文化遗产萧山花边制作技艺传承人王丽华创作的《亚运吉祥物》

B. 中国陶瓷艺术大师卢伟孙和铜雕技艺大师朱炳仁打造的《中国瓷·亚运莲花尊》

C. 国际奥委会副主席胡安·安东尼奥·萨马兰奇捐赠的纪念青铜雕塑《千禧门》

D. 临安昌化竹编作品《涟漪》《蝶变》《晨星》《山河》等

2.【简答题】在杭州亚运村内，中国移动对重点区域进行了 5G-A 网络的覆盖，让亚运村的智能管理更安全、更高效。

（1）宽带通信需要的光导纤维化学组成是________（填化学式）；

（2）现代通信离不开半导体硅，请书写制粗硅的方程式：

____；

该方程式可否说明非金属性 C>Si？说明原因：

____；

（3）碳化硅（SiC）是第三代半导体材料，有望应用于 5G 通信中。碳化硅（俗称金刚砂）还可以作为新型陶瓷材料，请指出其与传统陶瓷的区别，并列举它的性能和应用：

____。

3.【拓展题】杭州亚运会秉持“绿色、智能、节俭、文明”的办会理念，如果你是亚运村的设计师，你会选用（改造、设计）哪些材料来满足运动员的需求，并体现亚运会办会理念？请完成方案设计。

（二）设计说明

以“宏观辨识与微观探析”“科学探究与创新意识”及“科学态度与社会责任”的化学学科核心素养为测试宗旨，以杭州亚运村建设的真实情境为测试载体，设置展品材料分析、通信材料分析和场馆设计等基于实际问题的测试任务，要求学生运用无机非金属材料类型、组成、结构、性能等相关知识解决相应问题。每一个试题均对应学科能力表现性目标，旨在评价学生完成本节课学习后相应的学科能力水平。具体如表 14-7 所示。

表 14-7　评价说明和评分标准（总分 20 分）

试题编号	学科能力要素	认识能力	分值	标准答案及评分标准
1	A1 辨识记忆：能根据物质组成和性质辨识典型无机非金属材料（传统硅酸盐材料）	2 分：能根据信息辨识传统硅酸盐材料（系统水平） 0 分：无法根据信息辨识传统硅酸盐材料（孤立水平）	2 分	2 分：B 0 分：其他选项

续表

试题编号	学科能力要素	认识能力	分值	标准答案及评分标准
2(1)	A3 说明论证：能列举事实说明无机非金属材料在生产、生活中的应用价值和对人类发展的重要作用	2 分：能准确指出光导纤维材料并写出二氧化硅化学式（宏观—微观） 0 分：无法判断光导纤维材料并写出二氧化硅化学式（欠缺）	2 分	2 分：SiO_2 0 分：其他答案
2(2)	A1 辨识记忆：能书写制粗硅的化学方程式 A2 概括关联：能建立元素"位—构—性"之间的关联	4 分：能够准确书写制粗硅方程式，并从元素"位—构—性"关系说明非金属性 C<Si（宏观—微观—系统） 2 分：能够准确书写制粗硅方程式，无法说明非金属性 C<Si（宏观—微观；孤立） 0 分：无法准确书写制粗硅方程式，无法说明非金属性 C<Si（欠缺）	4 分	4 分：$2C+SiO_2 \xlongequal{高温} Si+2CO\uparrow$；否；C 和 Si 是同一主族元素，Si 位于 C 下一周期，原子层数增加，原子核对外层电子吸引能力减弱，Si 非金属性大于 C，该反应能够发生是因为产生了气体 2 分：$2C+SiO_2 \xlongequal{高温} Si+2CO\uparrow$；无法判断并合理解释原因 0 分：方程式错误，如写成二氧化碳等，无法判断并解释原因
2(3)	B2 推理预测：能结合结构模型，预测碳纳米管等新型无机非金属材料的性能和应用，评估说明或预测的合理性	4 分：能够指出碳化硅陶瓷和传统陶瓷的区别，并列举性能和应用（宏观—微观；结构—性质—应用） 2 分：无法准确指出碳化硅陶瓷和传统陶瓷的区别，可以列举其性能或应用，无法完整回答（性质—应用） 1 分：可以列举碳化硅陶瓷性能（性质） 0 分：无法回答（欠缺）	4 分	4 分：传统陶瓷成分是硅酸盐，而碳化硅陶瓷成分不是硅酸盐；碳化硅陶瓷具有耐高温性能，可以作为耐高温材料 2 分：耐高温，可以作为耐高温材料 1 分：耐高温 0：无法回答
3	B1 分析解释：能结合实例，从性质角度分析无机非金属材料在生活、生产上的应用 B3 简单设计：能根据需求提出材料的选择和改造方案，树立绿色化学和环保意识 C3 创新思维：能提出对未来材料的展望和设计，感受科学技术对国家建设和人类发展的重要作用，培养社会责任感	7～8 分：可以设计完整方案并详细描述，从材料结构和性能的角度合理选择、优化、设计材料，满足需求，体现办会理念（宏观—微观；结构—性质—应用；系统水平） 5～6 分：可以设计方案并简单描述，能够选择并简单优化材料满足需求并基本体现办会理念，但设计不具备创新性（性质—应用；孤立水平） 1～4 分：可以设计简略方案并简单描述，选择材料考虑欠妥，不能体现办会理念，无法体现设计创新性（孤立水平） 0 分：无法设计方案（欠缺）	8 分	建议：可调查参考亚运村建设资料 （评分标准参考认识能力）

（三）效果分析

收集答卷 100 份，能力对应的平均得分情况如表 14-8 所示。

表 14-8　评分结果

学科能力	试题编号	分值	平均分	得分率
A1	1、2(2)	4(2+2)	3.55	88.8%
A2	2(2)	2	1.15	57.6%
A3	2(1)	2	1.98	99.0%
B1	3	2	1.34	67.0%
B2	2(3)	4	2.21	55.3%
B3	3	3	1.32	44.0%
C3	3	3	1.03	34.3%

通过数据分析可见，学生学习理解能力（A1、A3）水平普遍较高，这是由于这部分试题难度较低，通过课堂针对性学习（表格归纳等），学生掌握情况较好；而针对应用实践能力（B1、B2、B3）和迁移创新能力（C3）的试题得分率不高，个体差异较大，部分学生达到了较高水平，也有部分学生尚有欠缺。这部分试题开放程度大，对学生能力要求较高，得分情况与学生基础及课堂活动参与情况差异有关。值得注意的是，对应 A2 能力的试题得分率较低，原因可能是此题涉及元素周期律相关知识，学生有所遗忘，提示教师在教学中需要进一步帮助学生建立不同单元之间的知识关联体系。

二、教学反思

本课例依据学科能力理论，通过“目标制定—策略选择—情境创设—活动设计”的流程展开教学设计。围绕“建造理想之家”的情境主题，遵循“结构—性质—应用”的思路，引导学生根据需求选择材料，以及学习优化和创造材料的方法。教学实践表明，多数学生 A1、A2、A3 学习理解能力，B1、B2 应用实践能力较好，部分 B3 应用实践能力以及 C1、C2 尚有欠缺，但在教师引导和同学合作中获得了不同程度的提升。总体而言，本节课的教学设计与实践不仅落实了知识学习，提升了学科能力，加深了对化学学科价值的理解，而且激发了学生的爱国热情和社会责任感，发展了科学态度与社会责任素养。

本课例的设计思路对相似主题的教学，如“金属材料”“高分子材料”“化学与可持续发展”等，具有一定的参考价值。教师可以在充分挖掘教学内容的能力培养价值和育人价值的基础上，通过制定学科能力导向的教学目标，选择合适的教学策略（例如列表对比、自主合作等），创设真实情境（例如“冶金工业的发展史”“寻找理想航天材料”等），设计丰富的能力活动（例如方案设计、实验探究等）进行教学设计与实践。在本节课的教学实践中发现，部分学生对于家装材料比较陌生，建议教师在教学设计时充分考虑当代学生的特点，可以适当布置课前任务、准备丰富的实物或模型，以增强学生体验感并保证课堂教学顺利进行。此外，学生对前沿科技兴趣浓厚，建议教师可以补充相关素材、设计课后拓展任务，进一步挖掘并延伸该主题的能力培养价值[13]。

参考文献

[1] 中华人民共和国教育部．普通高中化学课程标准（2017 年版 2020 年修订）[S]．北京：人民教育出版社，2020：15-20，23-27，65-67.

[2] 王晶，毕华林．普通高中教科书·化学（必修）第二册 [M]．北京：人民教育出版社，2019：19-24.

[3] 王磊．基于学生核心素养的化学学科能力研究［M］．北京：北京师范大学出版社，2017：13-14，17-19.

[4] 王晶，周业虹．普通高中教科书教师教学用书：化学（必修 第二册）［M］．北京：人民教育出版社，2019：98-100.

[5] 郝都婷，陈小莉，贺湫瑄，等．新人教版必修第二册教材功能分析——以“无机非金属材料”为例［J］．中学化学教学参考，2023（35）：46-48.

[6] 邵传强．基于人文背景融合学科核心素养的化学教学设计与实践——以“含硅矿物与信息材料”教学为例［J］．化学教学，2020（12）：41-45，51.

[7] 黄毓展，钱扬义，蔡立媚．基于翻转课堂的元素化合物教学研究——以“无机非金属材料的主角——硅”为例［J］．化学教育（中英文），2019，40（21）：56-61.

[8] 王治聪，解文圣，李爱民．碳酸钙为发泡剂的粉煤灰发泡陶瓷制备［J］．大连理工大学学报，2024，64（02）：118-126.

[9] Y R，W L，Z C，et al. Robust TiO_2 nanorods-SiO_2 core-shell coating with high-performance self-cleaning properties under visible light［J］．Applied Surface Science，2020（509）：145377.

[10] 李泽，马翠英．工业废弃物在生态水泥中的应用进展研究［J］．耐火材料，2015，49（06）：470-474.

[11] Lin Y，Cao Y，Ding S，et al. Scaling aligned carbon nanotube transistors to a sub-10nm node［J］．Nat. Electron.，2023（6）：506-515.

[12] 杨伏勇，武衍杰，江合佩．促进学生认识角度建构的项目式复习教学——以“探析石墨烯”进行“物质结构与性质”模块复习为例［J］．化学教学，2022（11）：37-42.

[13] 李晶，王星乔，王仕杰，等．学科能力导向的化学教学设计与实践——以“无机非金属材料”为例［J］．化学教学，2025（01）：38-43.

李晶、王仕杰（宁波市鄞州中学　浙江宁波）

第 15 单元
化学反应与能量变化

目标研制

一、课标研读

（一）内容要求和学业要求

“化学反应与能量变化”教学单元为《普通高中化学课程标准（2017 年版 2020 年修订）》必修课程主题 3 中的内容，课标相应内容要求和学业要求如表 15-1 所示。

表 15-1 “化学反应与能量变化”教学单元的课标内容要求和学业要求[1]

内容要求	学业要求
3.4 化学反应与能量转化 认识物质具有能量，认识吸热反应与放热反应，了解化学反应体系能量改变与化学键的断裂和形成有关。知道化学反应可以实现化学能与其他能量形式的转化，以原电池为例认识化学能可以转化为电能，从氧化还原反应的角度初步认识原电池的工作原理。体会提高燃料的燃烧效率、开发高能清洁燃料和研制新型电池的重要性	3. 能基于化学键解释某些化学反应的热效应 5. 能举出化学能转化为电能的实例，能辨识简单原电池的构成要素，并能分析简单原电池的工作原理 6. 能从物质及能量变化的角度评价燃料的使用价值。能举例说明化学电源对提高生活质量的重要意义

注：数字序号即课标中相应序号。

可见，课标中对“化学反应与能量变化”的内容要求侧重于能量变化的本质、原电池的工作原理，以及能量变化对人类社会发展的价值。学业要求则从“解释”“辨识”“分析”“评价”“举例说明”等能力表现角度提出了具体的要求。通过直接摘录、增补解构等方法，可以得到该教学单元课标优化后的要求，如表 15-2 所示。

（二）学业质量水平

课标学业质量水平和“化学反应与能量变化”教学单元的相关要求对应关系如表 15-3 所示。

表 15-2 "化学反应与能量变化"教学单元课标优化后的要求[1]

优化后的要求
(原内容要求 3.4)能列举典型的吸热反应和放热反应,能说明化学反应中能量变化的微观实质。能列举化学能转化为电能的实例,能说明原电池装置能够产生电流的原因。体会提高燃料的燃烧效率、开发高能清洁燃料和研制新型电池的重要性(增补解构、直接摘录)
(原学业要求 3)能从化学键和物质能量的角度分析化学反应的热效应(增补解构) (原学业要求 5)能举出化学能转化为电能的实例,能辨识简单原电池的构成要素;能从氧化还原反应角度分析原电池的电极反应,能从电子转移角度解释原电池中的现象(增补解构) (原学业要求 6)能从物质变化和能量变化的角度,分析化学反应实现能量储存和释放的实用价值;能举例说明化学电源在生产、生活和科学技术等方面的重要作用(增补解构)

表 15-3 "化学反应与能量变化"教学单元的学业质量水平

学业质量水平描述[1]	针对本教学单元内容的具体表现
1-2 认识化学变化是有条件的,能说明化学变化中的质量关系和能量转化	1-2 能认识常见的放热反应和吸热反应,认识原电池是一种将化学能转化为电能的装置
2-2 能分析化学变化中能量吸收或释放的原因;能设计物质转化的方案,能运用化学符号表征物质的转化,能说明化学变化的本质特征和变化规律	2-2 能分析化学变化中能量吸收或释放的原因,能书写电极反应方程式,能说明原电池的工作原理
3-2 能定量分析化学变化的热效应,分析化学能与电能相互转化的原理及其在生产和生活中的应用	3-2 能从总能量和键能的角度定量分析化学反应的热量变化,分析原电池的工作原理及其在生活和生产中的应用
4-1 能从宏观和微观、定性与定量等角度对物质变化中的能量转化进行分析和表征	4-1 能说明化学反应中能量变化的微观实质,能说明原电池装置能够产生电流的原因
4-2 能依据化学变化中能量转化的原理,提出利用化学变化实现能量储存和释放的有实用价值的建议	4-2 能依据原电池的工作原理,利用原电池装置来解决生产生活中的问题,实现社会价值
1-3 能与同伴合作进行实验探究,如实观察、记录实验现象,能根据实验现象形成初步结论 2-3 能通过实验探究物质的性质和变化规律,能提出有意义的实验探究问题,根据已有经验和资料作出预测和假设,能设计简单实验方案,能运用适当的方法控制反应条件并顺利完成实验;能收集和表述实验证据,基于实验事实得出结论 3-3 能设计实验方案探究物质和能量的转化;能选择合适的实验试剂和仪器装置,控制实验条件,安全、顺利地完成实验 4-3 能对实验方案、实验过程和实验结论进行评价,提出进一步探究的设想	1-3、2-3、3-3、4-3 设置评价任务"探究原电池的工作原理""设计简单的原电池装置",从实验设计、实验实施、结论分析、方案评价等角度评估学生达到了哪一层次的学业质量水平
1-4 具有安全意识,能将化学知识与生产、生活实际结合,能主动关心并参与有关的社会性议题的讨论,赞赏化学对人类生活和生产所作的贡献;能运用所学的化学知识和方法分析讨论生产、生活中简单的化学问题(如酸雨防治、环境保护、食品安全等),认识化学科学对社会可持续发展的贡献 2-4 能分析化学科学在开发利用自然资源、合成新物质、保护环境、保障人类健康、促进科技发展和社会文明等方面的价值和贡献 3-4 能结合生产和生活实际问题情境说明化学变化中能量转化的重要应用 4-4 能说明化学科学发展在自然资源利用、材料合成、环境保护、保障人类健康、促进科学技术发展等方面的重要作用	1-4、2-4、3-4、4-4 设置评价任务"探讨燃料对社会发展的重要作用和局限""探讨研发新型电池的意义",从安全意识、环保意识、创新思维等方面评估学生达到了哪一层次的学业质量水平

注:数字序号即课标中相应序号。

二、教材解读

在人教版高中化学必修教材（2019 年版）第六章第一节“化学反应与能量变化”中，通过对反应类型（吸热反应、放热反应）、能量变化的原因、原电池的工作原理及构成要素等显性知识（图 15-1）的介绍，建立“宏观—微观”的认识视角、“实验→分析→建模→应用”的认识思路，从而构建能量变化模型和原电池认知模型，实现认知平衡，最终落实课标内容。借助图像、实验以及模型，帮助学生从感性和理性层次学习相关内容，掌握实例法和模型法等认识方法，结合“实验”“资料卡片”“探究”“科学·技术·社会”等栏目，实现学业要求和学业质量水平中有关“辨识”“分析”“评价”“举例”等能力表现的具体要求。本节课内容知识理论性强，注重模型的建构和问题的解决，教学时需要注重培养学生的科学态度、社会责任感和创新意识等。

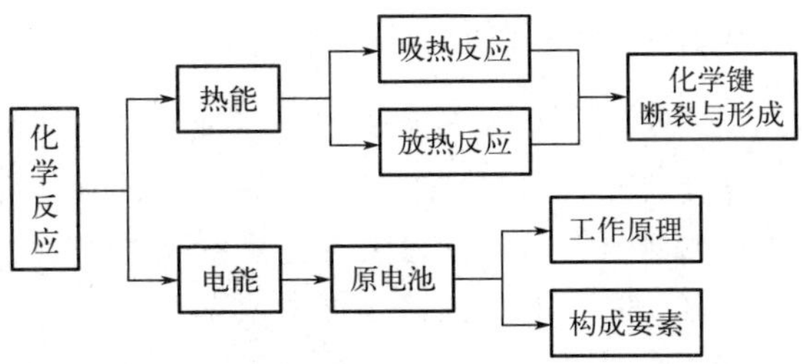

图 15-1 “化学反应与能量变化”教学单元内容

三、能力模型建构

通过课标研读和教材分析，可以确立相关主题的知识基础、研究对象和化学问题、学科认识方式，从而构建该教学单元的学科能力模型（图 15-2）[3]。例如，对于该教学单元核心知识是化学反应中物质变化和能量变化；认识角度是“宏观→微观”，认识思路是“实验→分析→建模→应用”，学科思想为“宏观辨识与微观探析”。研究对象和化学问题主要包括化学反应能量变化的本质、原电池的工作原理及构成要素等。

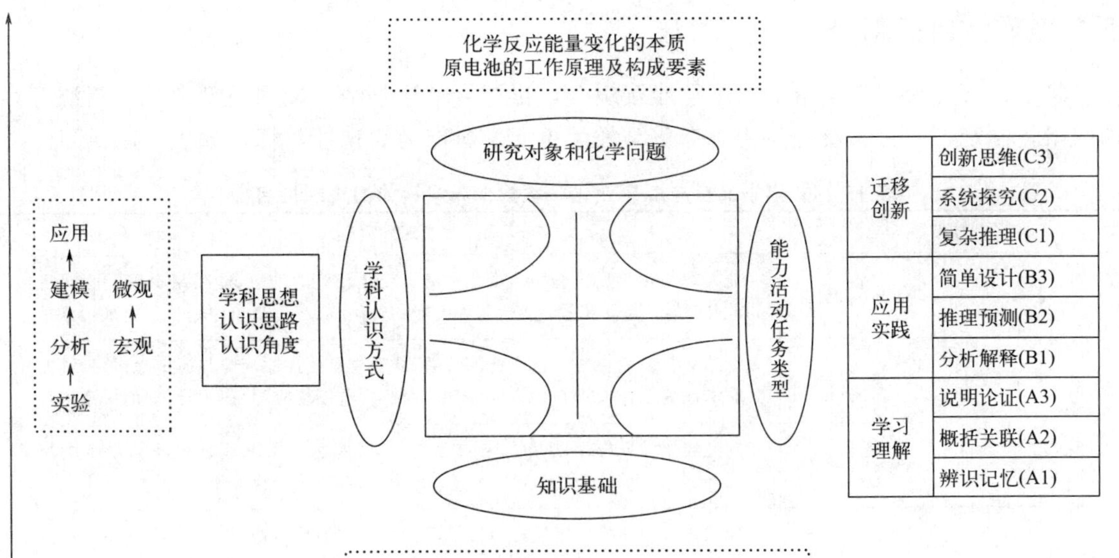

图 15-2 “化学反应与能量变化”教学单元能力模型

四、课程资源分析

在实际教学过程中，能力目标的实现还受到授课类型、学生学情、教学资源等客观因素的影响。

（一）授课类型

本节课的授课类型为新授课。

（二）学情分析

已有基础：从知识层面来看，学生已经学习了化学键、化学反应类型，认识化学反应中存在能量变化；从能力层面来看，学生在逻辑思维、分析能力上有一定基础，具备了一定的实验探究能力；从心理层面上看，学生对化学反应现象充满好奇，对热和电有着丰富而又强烈的感性认识，具有浓厚的学习兴趣。

潜在困难：学生对于理解化学反应中能量变化的本质和存在有一定的难度；抽象思维和实验探索能力尚有不足。

（三）教学资源

学科能力目标的实现还有赖于学校资源的支持，学科能力目标的制定需考虑教学资源因素。本节课的学科能力表现性目标制定要求授课学校提供热能和电能相关的实验器材（试管、温度计、烧杯、玻璃棒、玻璃片、木片、小车、小风扇、电流表、导线、电池、井穴板、滴管等）和药品［稀盐酸、镁条、$Ba(OH)_2 \cdot 8H_2O$、NH_4Cl、铜片、锌片、稀硫酸、石墨、无水乙醇、硫酸铜溶液、蔗糖溶液、硝酸银溶液等］以及投影设备等。

五、表现性目标制定

将学科能力模型中 4 个维度进行连接组合，再结合学生学情、授课类型、教学资源等客观因素，制定了“化学反应与能量变化”教学单元学科能力表现性目标，如表 15-4 所示。

表 15-4 “化学反应与能量变化”教学单元学科能力表现性目标

能力要素		表现性目标
A 学习理解能力	A1 辨识记忆	能提取与化学反应的物质变化和能量变化相关的信息，能列举典型的吸热反应和放热反应；能列举化学能转化为电能的实例，能辨识简单原电池的构成要素
	A2 概括关联	能建立物质变化与能量变化的关系，能建立氧化还原反应与原电池的关系，能建立原电池的工作原理与构成要素（电极材料、电极反应物、离子导体）的关系
	A3 说明论证	能说明化学反应中能量变化的微观实质；能说明原电池装置能够产生电流的原因
B 应用实践能力	B1 分析解释	能从化学键和物质能量的角度分析化学反应的热效应；能从氧化还原反应角度分析原电池的电极反应；能从电子转移角度解释原电池中的现象
	B2 推理预测	能依据反应物、生成物中化学键的键能推断化学反应的热效应；能通过电极反应预测原电池装置中的现象；能书写陌生原电池的电极反应式
	B3 简单设计	能利用氧化还原反应设计简单的原电池装置

续表

能力要素		表现性目标
C 迁移创新能力	C1 复杂推理	能利用原电池模型对复杂原电池装置进行分析
	C2 系统探究	能设计实验方案并实施，能设计复杂的原电池装置（新授课暂不要求）
	C3 创新思维	能从物质变化和能量变化的角度，分析化学反应实现能量储存和释放的实用价值；能举例说明化学电源在生产、生活和科学技术等方面的重要作用

教学设计

一、教学现状

本课时为人教版高中化学必修教材（2019 年版）第六章第一节“化学反应与能量变化”的新授课[2]。本节课涵盖了“热能”与“电能”的两部分内容，知识理论性强，微观分析多，较为抽象，需要学生将宏观现象作为证据在微观层面进行推理解释，通过问题解决让学生体会所学知识的应用价值。文献调研显示，“化学反应与热能”教学设计主要有两种思路：一是以“自热米饭”“暖贴”等生活中常见的自热现象为情境线索，串联热能的相关知识[4-5]；二是以能源危机为主题，分析能源利用过程中能量的转化和合理利用能源的意义[6]。“化学反应与电能”教学设计主要有两种思路：一是以伏特电池的发现为背景，设计实验探究原电池的本质[7]；二是从火力发电的原理和弊端引出原电池，构建原电池工作模型[8]。如何依托真实问题情境开展教学设计以充分实现学科能力培养价值和育人价值，值得进一步探讨。

二、教学思路

（一）创设真实问题情境

本课例创设了“传统燃油汽车到新能源汽车的发展”这一情境主题，主要原因有三点。①体现学科育人价值：通过这一主题感受化学学科对人类社会发展的重要价值，体会化学研究对生活、生产的重要作用，培养社会责任感；②关联相关教学内容：通过分析燃油汽车和电动汽车的动力来源，串联化学反应与能量的相关教学内容；③承载学科能力活动：通过设计六个教学任务，选择合适的教学策略，开展有助于实现学科能力导向教学目标的具体能力活动（详见图 15-3）。

（二）设计能力评价任务

依据上述确立的学科能力表现性目标，精心设计了多样化、梯度化的能力发展评价任务，体现对学科思维、学科认识视角和认识思路等的建立、诊断和发展。具体见表 15-5。

图 15-3　教学流程

表 15-5　"化学反应与能量变化"教学单元能力发展评价

序列	教学环节	评价任务	评价活动	能力要素	素养价值
1	分析燃油汽车的动力来源	思考能量转化形式	实验探究分析反应过程中的物质变化和能量变化	A1	学习认识方法（实验法）
2	探究能量变化的本质原因	归纳能量变化的原因	根据键能数据判断化学反应的热效应，利用图像表示反应过程中的能量变化	A2、A3、B1、B2	建立"宏观—微观"的认识视角
3	探讨燃料的作用和局限	思考能源的合理使用	思考如何解决能源需求与能源危机的矛盾，探讨如何改善由化石能源引发的大气环境污染	C3	迁移应用学科认识思路
4	分析原电池的工作原理	归纳原电池的工作原理	实验探究原电池电流产生的原因、原电池的正负极和离子的运动方向	A1、A2、A3、B1	学习认识方法（模型法）
5	设计简单的原电池装置	归纳原电池的构成要素	小组合作，设计实验让小车跑起来	B2、B3	巩固认识方法（实验）
6	探讨研发电池的重要性	思考新型电池的价值	结合资料分析如何提升国产新能源汽车的性能，思考能否把反应 $2H_2+O_2 = 2H_2O$ 设计成电池并使用在汽车上	C1、C3	迁移应用学科认识思路

（三）选择教学策略

根据教学目标和教学内容，选择合适的教学策略。针对化学反应与热能内容，采取情境创设、数据处理、图形分析等教学策略，例如，根据键能数据计算化学反应的热效应，并利用图像分析反应过程中的热量变化，建立“宏观—微观”的认识视角；针对化学反应与电能内容，采取实验探究、简单设计、自主合作、交流归纳等教学策略，例如，通过小组合作实验，设计简单原电池装置并归纳原电池的构成要素，深化“实验→分析→建模→应用”的认识思路。

三、教学实录（第二课时）

【引入】播放新能源汽车零百加速视频。这辆新能源汽车，零百加速仅需 2.78s，最高速度达 265km/h，相当于超跑级别，但它的动力来源不是发动机，你知道是什么吗？我们今天一起来探寻新能源汽车电池的奥秘。

【教师】小车的内部包含铜片和锌片，两片材料连接两根导线串联了一个小马达，往杯子中加入少量稀硫酸，可以看到小车跑动起来。小车跑起来的原理是什么？

【PPT】小车的内部结构如图 15-4 所示。

【学生】化学能转化为电能，电能又转化为机械能。

【教师】这种将化学能转化为电能的装置称为原电池。

图 15-4　小车的内部结构

任务一：分析原电池的工作原理

【过渡】那么在原电池中电流是如何产生的？

【教师】将锌片和铜片插入盛有稀硫酸的烧杯中，再用导线连接锌片和铜片，如图 15-5 所示，请观察、比较导线连接前后的现象并分析可能的原因。

图 15-5　原电池实验 1 示意图

【学生】一开始锌片上产生气泡，因为锌失去电子，锌表面的 H^+ 得电子变成 H_2，而铜片上无气泡。用导线相连后，铜片上产生气泡，因为锌失去的电子转移到了铜片上，H^+ 在铜片表面得电子变成 H_2，原电池中电子的定向移动产生了电流。

【教师】既然是电池，必定有正极和负极，那么如何判断原电池的正负极？

【教师】用导线将锌片和铜片连接起来插入稀硫酸溶液中，并在它们之间串联一个电流表；另用导线将干电池的正、负两极连接起来，并串联电流表，如图 15-6 所示。请你对比两次指针偏转情况并分析原电池的正负极。

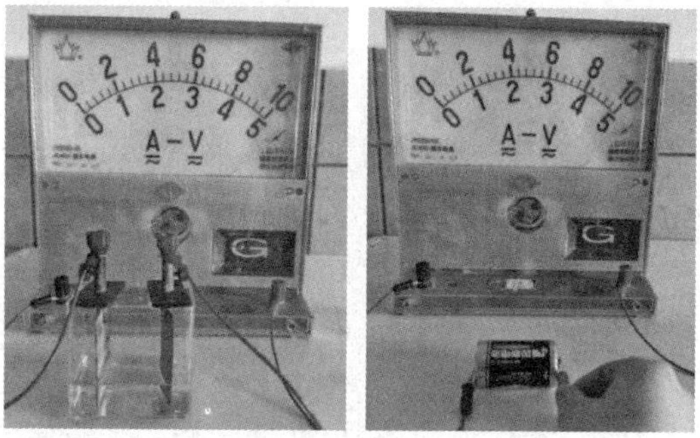

图 15-6　原电池实验 2 示意图

【学生】在铜锌原电池中，指针偏向铜片；干电池中指针偏向干电池的正极。说明铜为正极，锌为负极。

【追问】正、负极分别发生了什么反应？

【学生】锌作负极，失去电子变为锌离子，说明负极发生氧化反应；铜作正极，溶液中的 H^+ 在铜表面得到电子变为 H_2，说明正极发生还原反应。

【教师】我们可以用电极反应方程式来表示两极发生的反应。负极：$Zn-2e^- = Zn^{2+}$，正极：$2H^+ + 2e^- = H_2\uparrow$。若将正、负两极发生的反应相加可得 $Zn + 2H^+ = Zn^{2+} + H_2\uparrow$，这就是铜锌原电池的总反应。

【追问】溶液中离子又是如何定向移动的？

【教师】取一张蘸有稀硫酸的滤纸，将铜片和锌片用导线连接放在滤纸上，在两极中间滴加一滴高锰酸钾溶液，如图 15-7 所示，请你观察实验现象并分析离子的移动方向。

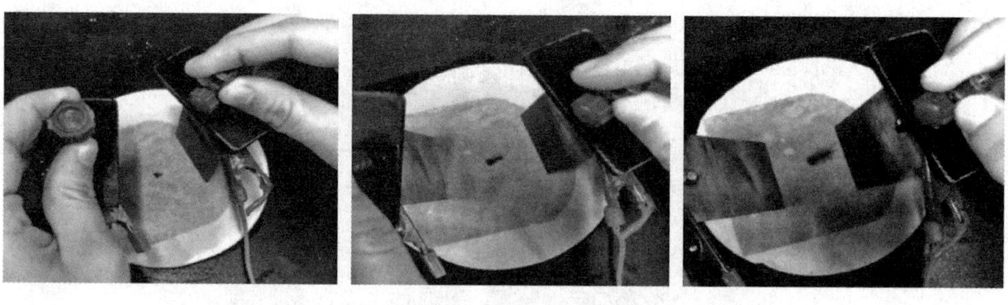

图 15-7　原电池实验 3 示意图

【学生】紫红色向锌片移动，说明阴离子移向负极，则阳离子移向正极。

【教师】在原电池中，电子和离子的定向移动使得整个电路构成了一个闭合回路，因此产生了电流使得小车跑了起来。

【PPT】原电池工作原理认知模型如图 15-8 所示。

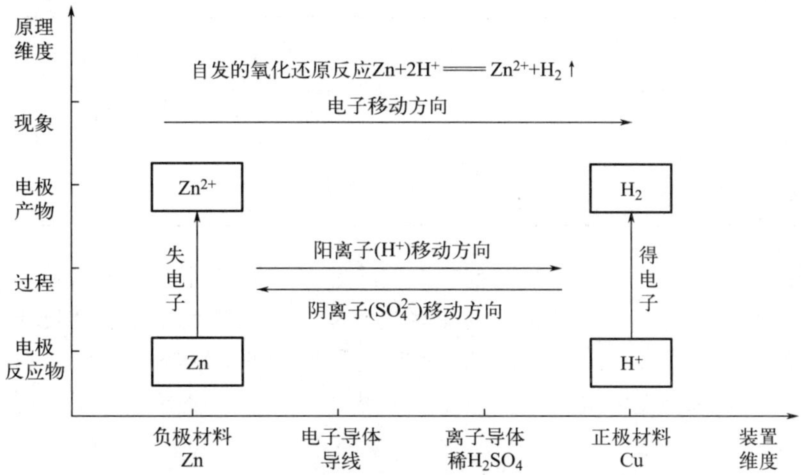

图 15-8　原电池工作原理认知模型[3]

学习评价：在“分析原电池的工作原理”任务中，多数学生能够通过一系列的探究实验推理得出原电池的工作原理，具备 A1、A2、A3 学科能力，通过引导能从电极反应物角度分析电极反应，并从电子转移角度解释实验现象，发展了 B1 学科能力，建立“宏观—微观”的认识视角。

任务二：设计简单的原电池装置

【过渡】小车跑起来需要哪些工作要素？根据你的猜想设计实验方案，任选电极和溶液自主搭建微型原电池装置（尝试连接小风扇），如图 15-9 所示，完成实验探究，结合实验现象分析并得出结论。

【学生】设计并完成实验，记录现象和结论，如表 15-6 所示。

【教师】根据上述实验分析，请你归纳原电池的构成要素。

【学生】构成原电池一般需要两个活泼性不同的电极、电解质溶液或熔融电解质、自发的氧化还原反应和构成闭合回路。

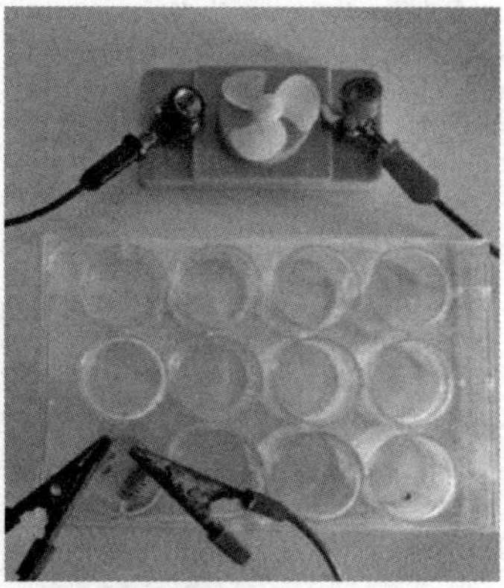

图 15-9　微型原电池实验装置

表 15-6　“设计简单的原电池装置”实验

构成要素	实验	现象	结论
电极材料	①Zn-Cu-稀硫酸 ②Zn-石墨-稀硫酸 ③Zn-Zn-稀硫酸	①②能使小风扇转动 ③不能转动	原电池工作一般需要两个活泼性不同的电极
离子导体	④Zn-Cu-无水乙醇 ⑤Zn-Cu-蔗糖溶液 ⑥Zn-Cu-硫酸铜溶液	④⑤不能使小风扇转动 ⑥能够转动	原电池工作需要电解质溶液，要能够实现离子的定向移动

续表

构成要素	实验	现象	结论
反应类型	⑦Cu-石墨-稀硫酸 ⑧Cu-石墨-硝酸银	⑦不能使小风扇转动 ⑧能够转动	原电池工作需要自发的氧化还原反应
闭合电路	⑨将锌片和铜片用导线连接后各自伸入两格稀硫酸中	⑨不能使小风扇转动	原电池工作需要构成闭合回路

学习评价：在“设计简单的原电池装置”任务中，多数学生能够通过以学生为主体的探究实验活动，采用控制变量法设计简单的原电池装置，总结原电池的构成要素，部分学生总结不完全，此处诊断并发展了学生 B2、B3 学科能力，形成“实验→分析→建模→应用”的认识思路。实验中采用微型实验，具有用量少、操作简便、现象明显等优点，渗透了绿色化学的观念。

任务三：探讨研发电池的重要性

【教师】结合下列素材，分析电动汽车有哪些优缺点？思考为什么我国大力发展新能源汽车？

素材 1：我国新能源汽车 2023 年产销迈入 950 万辆规模，连续 9 年位居全球第一，市场占有率达到 31.6%，高于上年同期 5.9 个百分点。

素材 2：汽油车与新能源汽车大气污染物排放对比图如图 15-10 所示。

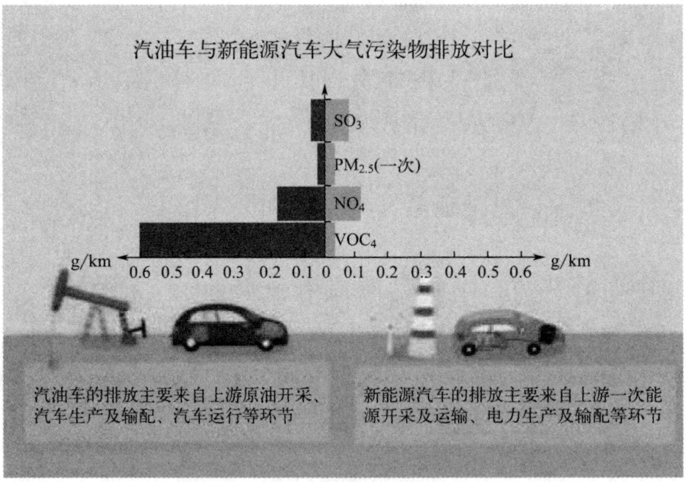

图 15-10 排放对比

素材 3：汽油车与新能源汽车能量利用率对比图如图 15-11 所示。

素材 4：特斯拉采用的是三元锂电池和磷酸铁锂电池，比亚迪采用的是自主研发的刀片电池，对这三种电池进行针刺测试（模拟异物刺入电池内部导致电池发生短路），实验结果对比如图 15-12 所示。

【学生】新能源汽车的优点在于比汽油车更加节能环保，缺点在于目前的锂离子电池技术还不够完善，在安全、续航、寿命、成本等方面都存在不足。发展新能源汽车能够有效解

图 15-11　能量利用率对比

图 15-12　实验结果对比

决大气污染，缓解能源依赖等问题，同时也能促进我国汽车产业的升级和发展。

【教师】如何提升国产新能源汽车的性能，增强新能源汽车的竞争力？

【学生】新能源汽车的竞争其实就是电池的竞争，需要我们不断实现技术创新，打破国外的技术垄断，研发新型电池，优化电池性能。

【教师】可否把反应 $2H_2+O_2 \xlongequal{} 2H_2O$ 设计成电池并使用在汽车上？

【学生】可以。氢气作负极，失去电子；氧气作正极，得到电子。

【教师】这就是氢氧燃料电池汽车。目前氢氧燃料电池汽车还未能大规模推广，请你分析可能的原因并提出解决的策略。

【学生】氢气的运输和存储成本比较高，同时能提供加氢服务的站点太少。可以通过不断优化燃料电池，实现电池的重整以弥补存在的不足，最终实现燃料电池汽车的推广。

学习评价：在“探讨研发电池的重要性”任务中，学生通过合作，结合素材对我国新能源汽车的现状和未来展开交流，并对氢氧燃料电池进行讨论，感受化学电源的价值。多数学生能够主动参与其中，体会化学学科对生产、生活和社会的价值，发展了 C1、C3 学科能力。也有部分学生创新意识不足，有待继续提升。

【总结】电池的发展离不开科技的进步，我们的生活也离不开电池，希望未来电池技术能实现新突破，为我们带来更大的惊喜。

四、板书设计

板书设计如图 15-13 所示。

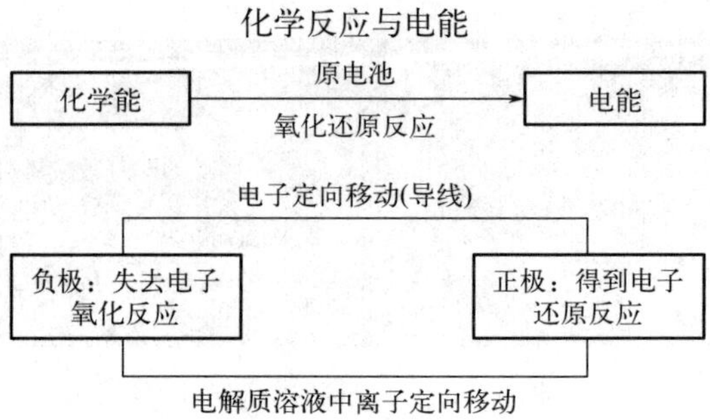

图 15-13 “化学反应与能量变化”教学板书设计

教学评价

一、教学效果

（一）测评试题

2024 年第 33 届奥运会在法国巴黎成功举行。巴黎奥运会主打绿色、环保与可持续理念，成功创造了一届“最绿色奥运”。请你回答如下问题：

1.【单选题】2024 年巴黎奥运会火炬采用了轻质、高效、安全的生物丙烷燃料，其燃烧时发生反应的化学方程式为 $C_3H_8+5O_2 \xlongequal{} 3CO_2+4H_2O$。下列说法中不正确的是（　　）。

A. 化学反应一定伴随能量变化，有能量变化的不一定是化学反应

B. 巴黎奥运火炬燃烧时主要是将化学能转化为热能和光能

C. 1mol C_3H_8 和 5mol O_2 所具有的能量小于 3mol CO_2 和 4mol H_2O 所具有的能量

D. 丙烷完全燃烧产物对环境无污染，属于清洁能源

2.【简答题】在巴黎奥运会上，清洁能源氢能的利用成了一大亮点，氢燃料电池汽车承担了此届奥运会的绿色交通任务，某氢燃料电池工作示意图（图 15-14）如下：

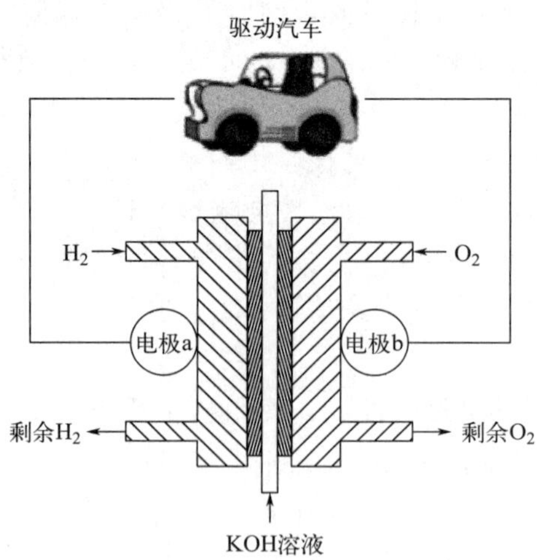

图 15-14 某氢燃料电池工作示意图

（1）电极 a 做电池的________极（填正或负）；

（2）写出电极 b 发生的电极反应式：________________；

（3）若将该电池中的 KOH 溶液改成 C_2H_5OH，能否驱动汽车，请说明理由：________；

（4）请仿照氢燃料电池设计甲烷燃料电池，画出装置示意图，并写出负极的电极反应式；

负极：________________。

3.【简答题】巴黎奥运会官方用车选用氢燃料电池汽车曾经引发争议，部分专家和学者不赞同使用氢燃料。请你从来源、环保、能量、成本、储存等多角度谈一谈氢燃料电池汽车的利与弊。

（二）设计说明

以“宏观辨识与微观探析”“证据推理与模型认知”和“科学态度与社会责任”的化学学科核心素养为测试宗旨，以巴黎奥运会的真实情境为测试载体，设置火炬燃料分析、氢燃料电车分析、氢燃料的利弊分析等基于实际问题的测试任务，要求学生运用热能和电能的相关知识解决相应问题。每一个试题均对应学科能力表现性目标，旨在评价学生完成本节课学习后相应的学科能力水平。具体如表 15-7 所示。

表 15-7　评价说明和评分标准（总分 20 分）

试题编号	学科能力要素	认识能力	分值	标准答案及评分标准
1	A1 辨识记忆：能提取与化学反应的物质变化和能量变化相关的信息 A2 概括关联：能建立物质变化与能量变化的关系	2 分：能辨识并建立物质变化与能量变化的关系（系统水平） 0 分：无法辨识并建立物质变化与能量变化的关系（孤立水平）	2 分	2 分：C 0 分：其他选项
2(1)	B1 分析解释：能从氧化还原反应角度分析原电池的电极反应	2 分：能根据装置判断原电池的正负极（系统水平） 0 分：无法判断原电池的正负极（孤立水平）	2 分	2 分：负 0 分：其他答案
2(2)	B2 推理预测：能书写陌生原电池的电极反应式	2 分：能够准确书写氢氧燃料电池正极的电极反应式（宏观—微观） 0 分：无法准确书写氢氧燃料电池正极反应式（欠缺）	2 分	2 分：$O_2+4e^-+2H_2O=\!=\!=4OH^-$ 0 分：其他答案
2(3)	A3 说明论证：能说明原电池装置能够产生电流的原因	2 分：能够正确判断并说明该装置无法构成原电池的原因（宏观—微观，系统水平） 1 分：只能正确判断但不能说明该装置无法构成原电池的原因（宏观—微观，孤立水平） 0 分：不能判断和说明该装置无法构成原电池的原因（欠缺）	2 分	2 分：不能，因为乙醇为非电解质，无法导电形成电流 1 分：仅答出不能，无法说明理由 0 分：其他答案

续表

试题编号	学科能力要素	认识能力	分值	标准答案及评分标准
2(4)	B3 简单设计：能利用氧化还原反应设计简单的原电池装置 C1 复杂推理：能利用原电池模型对复杂原电池装置进行分析	4 分：能够设计甲烷燃料电池装置并准确书写甲烷燃料电池负极反应式(宏观—微观，系统水平) 2 分：能够设计甲烷燃料电池装置但无法写出负极反应式(宏观—微观，孤立水平)；不能设计甲烷燃料电池装置但能够写出负极反应式(宏观—微观，孤立水平) 0 分：不能设计甲烷燃料电池装置且无法写出负极反应式(欠缺)	4 分	甲烷燃料电池装置合理给分； 负极方程式： 酸性： $CH_4+2H_2O-8e^-=\!=\!=CO_2+8H^+$； 碱性： $CH_4+10OH^--8e^-=\!=\!=CO_3^{2-}+7H_2O$； 其他答案合理均给分
3	C3 创新思维：能从物质变化和能量变化的角度，分析化学反应实现能量储存和释放的实用价值；能举例说明化学电源在生产、生活和科学技术等方面的重要作用	6～8 分：可以从 6 个及以上的角度分析氢能源汽车的利与弊(系统水平) 3～5 分：可以从 3～5 个角度分析氢能源汽车的利与弊(孤立水平) 1～2 分：可以从 1～2 个角度分析氢能源汽车的利与弊(孤立水平) 0 分：无法分析氢能源汽车的利与弊(欠缺)	8 分	利：可以从资源丰富、环保、高能量密度、可循环使用等角度分析氢能源汽车的利处 弊：可以从制取成本高、储存和运输困难、基础设施不足、存在安全隐患等角度分析氢能源汽车的弊处

（三）效果分析

收集答卷 88 份，能力对应的平均得分情况如表 15-8 所示。

表 15-8 评分结果

学科能力	试题编号	分值	平均分	得分率
A1	1	1	0.905	90.5%
A2	1	1	0.905	90.5%
A3	2(3)	2	1.63	81.5%
B1	2(1)	2	1.95	97.5%
B2	2(2)	2	1.64	82%
B3	2(4)	2	1.11	55.5%
C1	2(4)	2	1.32	66%
C3	3	8	4.36	54.5%

通过数据分析可见，学生的学习理解能力（A1、A2、A3）和应用实践能力（B1、B2）水平普遍较高，这是由于此题难度较低，通过课堂学习，学生掌握情况较好。而针对迁移创新能力（C1、C3）的试题得分率不高，特别是针对 C3 能力的试题，个体差异较大，部分学生达到较高水平，也有部分学生尚有欠缺。值得注意的是，针对 B3 能力的试题得分率较低，原因可能是学生的设计能力和绘图能力尚有不足，提示教师在教学中需要进一步帮助学生建立原电池认知模型，培养学生设计简单原电池的能力。

二、教学反思

本课例针对学科能力表现目标，围绕“传统燃油汽车到新能源汽车的发展”这一真实情境，展开学科能力导向的教学设计，教学目标与学科能力发展目标相对应，可评可测。教学过程中通过一系列实验探究引导学生展开分析、推理、归纳等思维活动，进而建立认知模型，并运用模型解决真实问题，符合学生的认知发展规律。教学实践表明，多数学生 A1、A2、A3 学习理解能力，B1、B2 应用实践能力较好，部分 B3 应用实践能力以及 C1、C2 能力尚有欠缺，但在老师引导和学生合作中获得了不同程度的提升。

本课例在教学实践过程中也出现了相应问题，例如在任务二“设计简单的原电池装置”实验中发现，经过多次实验后小风扇可能因电流过小或电路内阻较大出现风叶无法转动的情况。为解决这一问题，在后续教学实践中，可以尝试在电路中串联一个灵敏电流表，通过电流表指针的偏转，可以直观地说明电路中产生了电流。

参考文献

[1] 中华人民共和国教育部．普通高中化学课程标准（2017 年版 2020 年修订）[S]. 北京：人民教育出版社，2020：18-21，65-67.

[2] 王晶，毕华林．普通高中教科书·化学（必修）第二册 [M]. 北京：人民教育出版社，2019：32-39.

[3] 王磊．基于学生核心素养的化学学科能力研究 [M]. 北京：北京师范大学出版社，2017：13-14，17-19.

[4] 祁聪，韩慧磊，陈水生．“化学能与热能”的生态化教学 [J]. 中学化学教学参考，2022（18）：22-25.

[5] 刘奇，陈继平．大概念引领下化学结构式教学研究——以“化学反应与能量变化”为例 [J]. 化学教与学，2023（19）：2-6.

[6] 许焕民．“化学反应中的热量”主题式教学 [J]. 中学化学教学参考，2020（14）：31-32.

[7] 夏岩．基于核心素养的“化学能与电能”教学设计 [J]. 中学化学，2023（01）：8-10.

[8] 朱靓，顾琼，易四平．基于元思课堂发展学生化学核心素养——认识原电池的教学设计 [J]. 中学化学，2023（06）：1-5.

郑璐梦（宁波市北仑区泰河中学　浙江宁波）

第 16 单元
化学反应的速率与限度

目标研制

一、课标研读

（一）内容要求和学业要求

“化学反应的速率与限度”教学单元为《普通高中化学课程标准（2017 年版 2020 年修订）》必修课程主题 3 中的内容，课标相应内容要求和学业要求如表 16-1 所示。

表 16-1 “化学反应的速率与限度”教学单元的课标内容要求和学业要求[1]

内容要求	学业要求
3.3 化学反应的限度和快慢 体会从限度和快慢两个方面去认识和调控化学反应的重要性。了解可逆反应的含义，知道可逆反应在一定条件下能达到化学平衡。知道化学反应平均速率的表示方法，通过实验探究影响化学反应速率的因素。认识化学变化是有条件的，学习运用变量控制方法研究化学反应，了解控制反应条件在生产和科学研究中的作用	4. 能从化学反应限度和快慢的角度解释生产、生活中简单的化学现象。能描述化学平衡状态，判断化学反应是否达到平衡。能运用变量控制的方法探究影响化学反应速率的因素，能初步解释化学实验和化工生产中反应条件的选择问题

注：数字序号即课标中相应序号。

可见，课标中对“化学反应的速率与限度”的内容要求侧重于通过实验探究影响化学反应速率的因素，建立理论模型，让学生认识到化学反应速率与限度在生产、生活、科研中的重要性。学业要求则从“解释”“描述”“运用”等能力表现角度提出了具体的要求。通过增补解构、直接摘录、删繁就简等方法，可以得到该教学单元课标优化后的要求，如表 16-2 所示。

（二）学业质量水平

课标学业质量水平与“化学反应的速率与限度”教学单元的相关要求对应关系如表 16-3 所示。

表 16-2 “化学反应的速率与限度”教学单元课标优化后的要求[1]

优化后的要求
（原内容要求 3.3）能进行化学反应速率的简单计算；能通过实验探究知道影响化学反应速率的因素，能用一定的理论模型说明外界条件改变对化学反应速率的影响；认识化学变化是有条件的，学习运用变量控制方法研究化学反应，了解控制反应条件在生产和科学研究中的作用（增补解构、直接摘录） （原内容要求 3.3）能了解可逆反应的含义，知道可逆反应在一定条件下能达到化学平衡。能认识化学反应速率和限度的调控在生产、生活和科学研究中的重要作用（增补解构）
（原学业要求 4）能描述和判断化学反应的平衡状态；能运用变量控制的方法探究影响化学反应速率的因素；判断化学反应是否达到平衡（删繁就简、直接摘录） （原学业要求 4）能简单分析、解释生产、生活中的化学现象，能合理选择化学实验和化工生产的反应条件（删繁就简）

表 16-3 “化学反应的速率与限度”教学单元的学业质量水平

学业质量水平描述[1]	针对本教学单元内容的具体表现
2-2 能分析化学反应速率的主要影响因素	2-2 能定性分析影响化学反应速率的内因和外因
4-2 能从调控反应速率、提高反应转化率等方面综合分析反应的条件，提出有效控制反应条件的措施	4-2 能结合具体工业案例，通过实验数据（如转化率-时间曲线）综合分析温度、压强、催化剂等条件对反应速率和限度的影响，结合成本、能耗、产率等数据提出最优反应条件建议
1-3 能与同伴合作进行实验探究，如实观察、记录实验现象，能根据实验现象形成初步结论 2-3 能通过实验探究物质的性质和变化规律，能提出有意义的实验探究问题，根据已有经验和资料作出预测和假设，能设计简单实验方案，能运用适当的方法控制反应条件并顺利完成实验；能收集和表述实验证据，基于实验事实得出结论 3-3 能根据解决问题的需要提出实验探究课题；能设计实验方案探究影响反应速率的因素；能选择合适的实验试剂和仪器装置，控制实验条件，安全、顺利地完成实验；能收集并用数据、图表等多种方式描述实验证据，能基于现象和数据进行分析推理得出合理结论 4-3 能运用变量控制的方法探究并确定合适的反应条件，安全、顺利地完成实验；能用数据、图表、符号等描述实验证据并据此进行分析推理形成结论；能对实验方案、实验过程和实验结论进行评价，提出进一步探究的设想	1-3、2-3、3-3、4-3 设置评价任务“设计实验方案探究化学反应的影响因素”，从实验方案的设计、实验的具体实施、控制变量思想的运用、结论分析、方案评价、作图描述、实验数据等角度评估学业质量水平的达成程度
1-4 具有安全意识，能将化学知识与生产、生活实际结合，能主动关心并参与有关的社会性议题的讨论，赞赏化学对人类生活和生产所作的贡献；能运用所学的化学知识和方法分析讨论生产、生活中简单的化学问题（如酸雨防治、环境保护、食品安全等），认识化学科学对社会可持续发展的贡献 2-4 能分析化学科学在开发利用自然资源、合成新物质、保护环境、保障人类健康、促进科技发展和社会文明等方面的价值和贡献 3-4 能结合生产和生活实际问题情境说明化学变化中调控反应等条件的重要应用；能运用化学原理和方法解释或解决生产、生活中与化学相关的一些实际问题 4-4 能运用化学原理和方法对解决生产和生活中的热点问题提出创造性的建议	1-4、2-4、3-4、4-4 设置评价任务“从化学反应速率和限度两个视角认识和调控化学反应”“认识化学反应的调控在生活、生产和科学研究中的意义”评估学业质量水平的达成程度

注：数字序号即课标中相应序号。

二、教材解读

在人教版高中化学必修教材（2019 年版）第六章第二节“化学反应的速率与限度”中，通过对化学反应速率的概念、化学反应速率的影响因素和化学反应的限度等显性知识（图 16-1）的介绍，建立“宏观—微观、定性—定量”的认识视角和“方案设计—实验探究—数据分析—模型建构”的认识思路，构建基于控制变量法的科学思维方法来解决实际问题，认识该原理在化工生产、新材料合成、环境治理等领域的指导作用，最终落实课标内容要求[2]。借助素材和图片帮助学生从真实情境中学习相关内容，掌握控制变量的方法；结合“科学史话”“科学·技术·社会”等栏目，实现学业要求和学业质量水平中有关“说明”“设计”“运用”“探究”“解决”等能力表现的具体目标。本节课内容作为化学反应调控与优化的理论基础，侧重实验探究与模型的建构。教学中需系统培育：①学科观念维度：动态平衡思想与能量转化观；②科学思维维度：控制变量法、模型认知及定量分析能力；③实践创新维度：实验设计、证据推理与工程优化意识；④价值引领维度：绿色化学理念与社会责任担当。

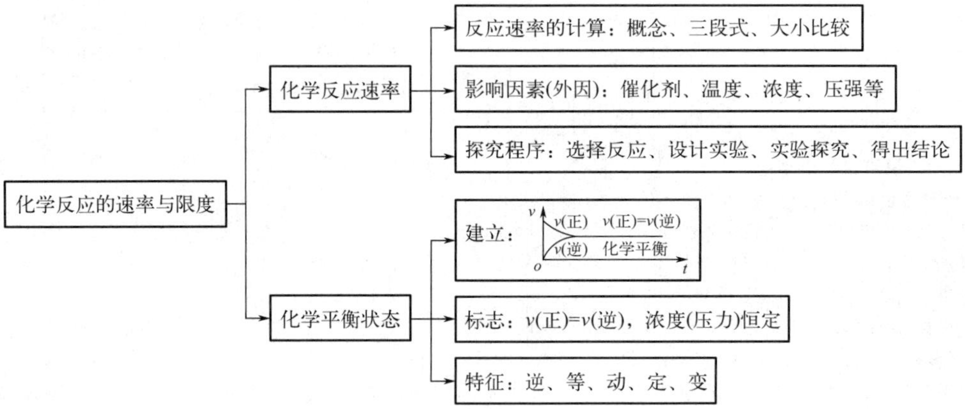

图 16-1 “化学反应的速率与限度”教学单元内容

三、能力模型建构

通过课标研读和教材分析，可以确立相关主题的知识基础、研究对象和化学问题、学科认识方式，从而构建该教学单元的学科能力模型（图 16-2）[3]。例如，该教学单元的核心知识是化学反应速率与限度，认识角度是“宏观—微观、定性—定量”，认识思路是“需求—调控—效果—应用”，学科思想为变化观念与平衡思想。研究对象和化学问题主要包括化学反应速率的概念、影响因素和化学反应限度的概念，以及化学反应条件的控制，可侧重化学反应速率影响因素的探究，发展应用实践和创新迁移能力。

四、课程资源分析

在实际教学过程中，能力目标的实现还受到授课类型、学生学情、教学资源等客观因素的影响。

（一）授课类型

本节课的授课类型为新授课。

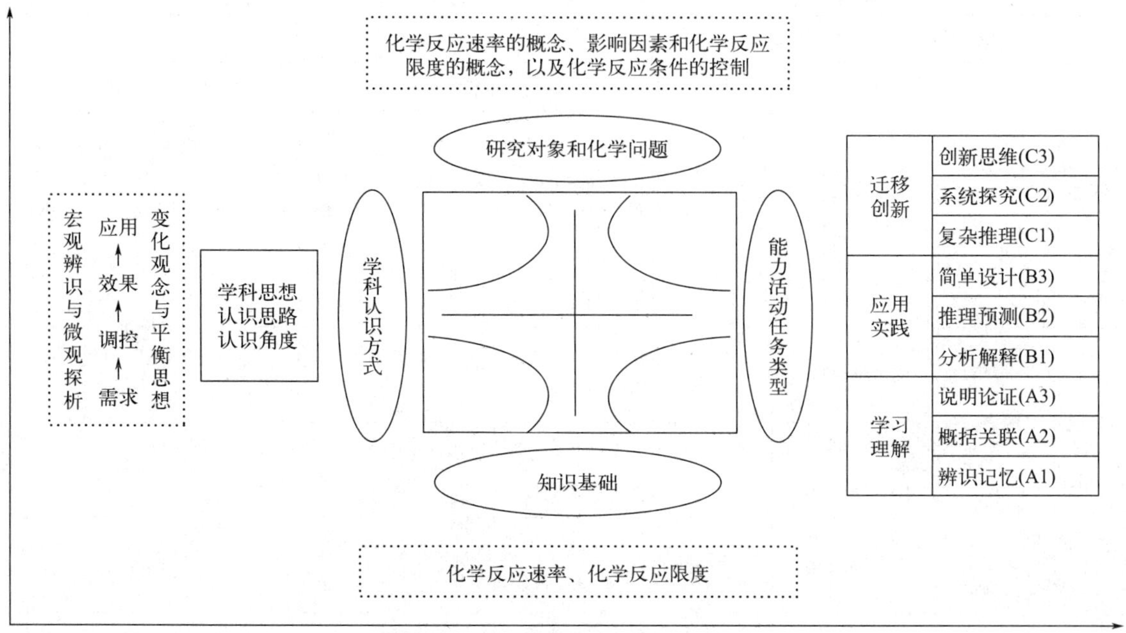

图 16-2 “化学反应的速率与限度”教学单元能力模型

（二）学情分析

已有基础：从知识层面上看，学生已经接触过很多关于化学反应速率的现象。例如，在初中学习过制取氧气时加入 MnO_2 会显著加快反应速率；从能力层面上看，学生学习过元素化合物的知识和一定物质的量浓度溶液的配制，已有一定的实验探究基础，能初步设计简单的实验方案，能对一些实验现象做出合理的解释，具有一定的数据获取和简单处理能力；从心理层面上看，经过高一上学期的化学学习，已经基本适应高中化学的节奏和模式，对于动手实验十分感兴趣，有很强烈的实验探究意识。

潜在困难：学生接触的可逆反应少，而可逆反应、限度、化学平衡状态等概念较抽象，尚未构建动态平衡的认知体系，欠缺多变量关联分析与数据图谱解析能力，系统性实验设计与信息整合具有一定的挑战性。

（三）教学资源

学科能力目标的实现还有赖于学校资源的支持，学科能力目标的制定需考虑教学资源因素。本节课的学科能力表现性目标制定要求授课学校需要提供相关的实验器材（胶头滴管、试管、烧杯、保温壶等）和试剂（3% H_2O_2 溶液、5% H_2O_2 溶液、MnO_2 粉末、1mol/L $FeCl_3$ 溶液、热水、冷水）以及投影设备等。

五、表现性目标制定

将学科能力模型中 4 个维度进行连接组合，再结合学生学情、授课类型、教学资源等客观因素，制定了“化学反应的速率与限度”教学单元学科能力表现性目标，如表 16-4 所示。

表 16-4 “化学反应的速率与限度”教学单元学科能力表现性目标

能力要素		学习表现性目标
A 学习理解能力	A1 辨识记忆	能列举典型的可逆反应，能说出外界条件对化学反应速率的影响规律
	A2 概括关联	能从反应现象中提取信息，建立物质、外界条件与化学反应限度和速率的关系，能认识在特定条件下，单一组分的浓度变化可以反映整个反应体系的平衡趋势，能根据数据概括平衡状态特征，根据实验事实概括外界条件对化学反应速率的影响
	A3 说明论证	能从控制变量角度说明反应规律探究的实验设计
B 应用实践能力	B1 分析解释	能利用外界条件对化学反应速率影响的规律，基于单一因素分析解释生产、生活和实验中的现象
	B2 推理预测	能判断化学平衡状态，能从反应速率的角度进行反应条件的选择
	B3 简单设计	能设计实验研究影响反应速率的因素
C 迁移创新能力	C1 复杂推理	能基于多组分浓度关系认识化学平衡，能对化学反应中各物质的量关系、反应速率、反应限度进行综合分析
	C2 系统探究	能系统探究影响化学反应速率的因素
	C3 创新思维	能从调控反应速率、化学反应限度等方面综合分析反应的条件，提出有效控制反应条件的措施；能对实验方案、实验过程和实验结论进行评价，提出进一步探究的设想；能运用化学反应速率与限度理论对解决生产和生活中的热点问题提出创造性的建议

教学设计

一、教学现状

本课时为人教版高中化学必修教材（2019 年版）第六章第二节“化学反应的速率与限度”的新授课[2]。关于“化学反应的速率”教学内容，学生初中已有涉及，但停留在定性认识化学反应的快慢阶段，对化学反应速率的定量表达和化学反应的限度十分陌生。该节内容与生活联系紧密，能够更好地激发学生兴趣，引起学生共鸣，让学生意识到学科的重要性。文献调研显示，化学反应的速率教学设计主要以实验探究为主题，分为以下三类：①基于手持技术的数字化实验教学[4-6]：利用传感器和数据采集技术（如 pH、温度、浓度传感器）实时监测反应速率变化，通过定量分析加深学生对速率影响因素的理解；②常规实验探究教学[7]：通过传统实验（如硫代硫酸钠与盐酸反应、过氧化氢分解等）观察现象、记录数据，探究浓度、温度、催化剂等因素对反应速率的影响；③真实情境驱动的项目式教学：以工业实际问题为导向（如高炉炼铁的优化工艺），结合反应速率与化学平衡原理，设计大单元教学任务[6] 和结合传统文化（如扎染工艺中的化学反应），让学生在真实情境中应用速率调控知识解决问题[8]。

二、教学思路

（一）创设真实问题情境

本节课选择“高效杀菌消毒剂 H_2O_2 的达标分解到 84 消毒液残留浓度的调控”为真实情境主题，主要原因有三点。①关联教学相关内容：通过“H_2O_2 的分解快慢调控（化学反应速率的调控）到 84 消毒液残留浓度的调控（化学反应限度的判定）”的真实情境链，系统整合化学反应速率与限度教学内容；②发展核心素养：通过实验探究发展学生的科学探究意识，通过解决消毒液浓度变化的快慢和残留浓度的控制过程，培养学生的社会责任感；③承载学科能力活动：通过“定量表征 H_2O_2 分解的快慢”“探究 H_2O_2 分解快慢的影响因素”“调控 H_2O_2 的分解速率”等六个教学活动实现学科能力导向的教学目标（详见图 16-3）。

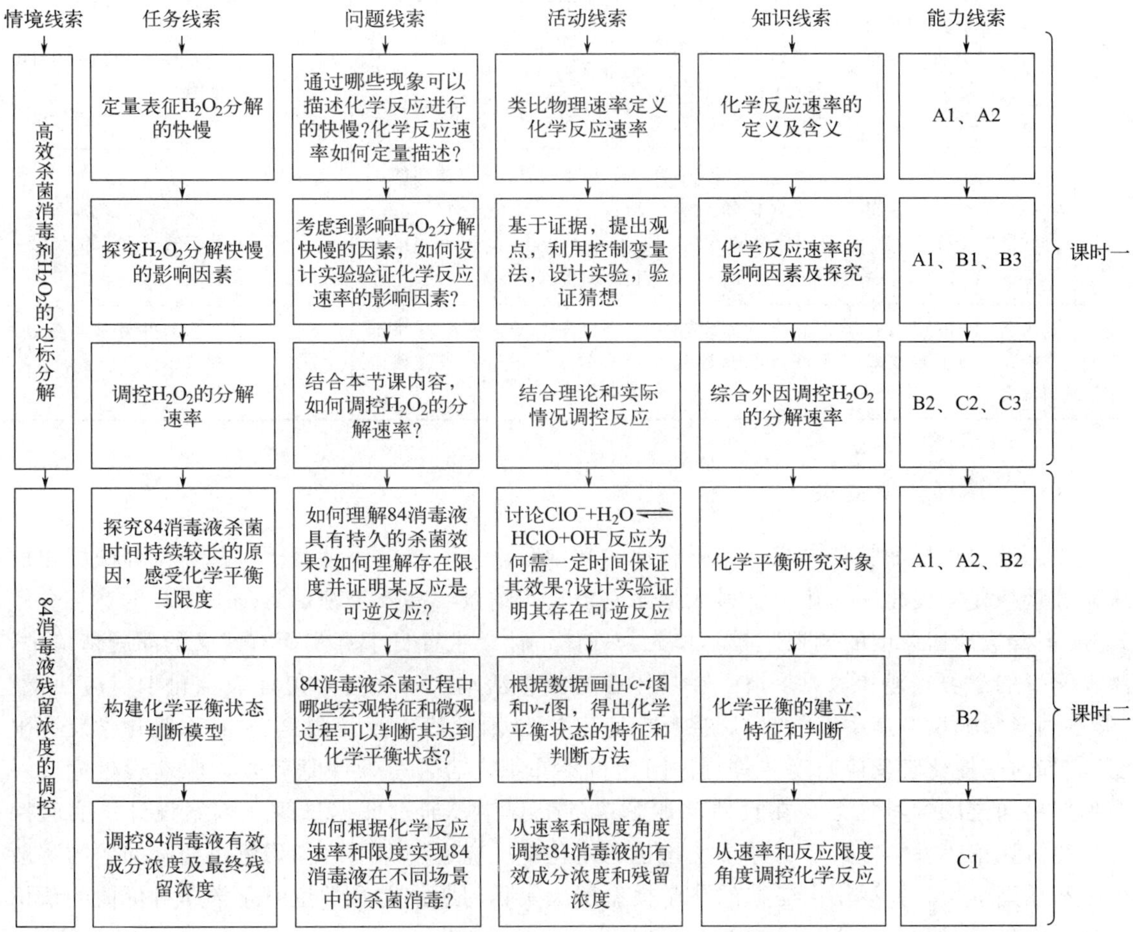

图 16-3　教学流程

（二）设计能力评价任务

依据上述确立的学科能力表现性目标，精心设计了多样化、梯度化的能力发展评价任务，培养学生建立学科思维、学科认识视角和认识思路。具体见表 16-5。

表 16-5 “化学反应的速率与限度”教学单元能力发展评价

序列	教学环节	评价任务	评价活动	能力要素	素养价值
1	定量表征 H_2O_2 分解的快慢	定性判断和定量表示化学反应速率的快慢	说明 H_2O_2 需要分解的原因，类比物理中速率，给化学反应下定义；用所给数据定量计算化学反应速率	A1 A2	构建证据推理意识，发展类比思维
2	探究 H_2O_2 分解快慢的影响因素	归纳总结影响化学反应速率的因素及设计实验进行探究	学生分组实验，设计合理的实验探究化学反应速率的影响因素	A1 B1 B3	发展学生控制变量思想、科学探究意识、证据推理素养、团队合作意识
3	调控 H_2O_2 的分解速率	调控化学反应速率	根据实际情况调控 H_2O_2 的分解速率	B2 C2 C3	诊断并发展证据推理和模型认知核心素养
4	探究 84 消毒液杀菌时间持续较长的原因，感受化学平衡与限度	理解化学反应限度	分析 84 消毒液发挥消毒过程中各组分 c-t 图和 v-t 图有何特征，得出化学平衡的特点	A1 A2 B2	发展推理预测学科能力
5	构建化学平衡状态判断模型	建立化学平衡状态的判断依据	分析 84 消毒液中存在的反应：$ClO^- + H_2O \rightleftharpoons HClO + OH^-$，得出化学平衡状态的直接和间接判断依据	B2	发展构建化学平衡状态的一般思路
6	调控 84 消毒液有效成分浓度及最终残留浓度	思考从速率和限度角度调控化学反应	小组合作，合理调控 84 消毒液有效成分浓度及最终残留浓度	C1	诊断并发展科学精神与社会责任素养、绿色化学观念

（三）选择教学策略

根据教学目标和教学内容，选择合适的教学策略。本教学设计基于“从速率和限度角度认识和调控化学变化”的化学学科大概念，以真实情景“高效杀菌消毒剂 H_2O_2 的达标分解到 84 消毒液残留浓度的调控”教学单元为载体，让学生置身于真实而有意义的问题情境中，激发学生的学习兴趣和探究热情。在具体课时教学活动中，通过“怎样表示化学反应快慢”“哪些因素影响反应速率”“如何调控反应速率”“为什么存在反应限度”“什么是化学反应限度”“如何调控化学反应限度”等具体问题贯穿知识内容，引领课堂教学，驱动学生完成一系列层层递进的学习任务。在具体问题解决的过程中，通过证据推理、方案设计、实验探究、交流讨论等教学方式，引导学生构建运用化学反应速率和限度知识解决实际问题的一般思路和模型框架，并运用已建立的化学模型解决实际问题，提升学生对化学学科价值的认识水平，促进化学学科核心素养的融合发展。

三、教学实录（第一课时）

【情境导入】播放医院使用 5% 的 H_2O_2 喷雾消毒的短视频。

【提问】医院用 H_2O_2 消毒后需在 30min 内将 H_2O_2 分解至安全浓度（$<$1mg/L），否则会对人体不利且腐蚀器械[9]。H_2O_2 分子常温下的分解速率较慢，如何科学调控条件实现

快速分解呢？

【学生】可以改变外界条件加快 H_2O_2 的分解，比如加入催化剂等。

【教师】是的，催化剂可以加快化学反应速率，加快到什么程度可以达标呢？今天我们来详细了解化学反应速率的相关知识。

任务一：定量表征 H_2O_2 分解的快慢

【教师】同学们，在日常生活或化学学习中，你感受过化学反应的快慢吗？

【学生 1】爆炸瞬间产生强光、大量气体、高温；金属钠与水反应，金属熔化成小球快速移动；牛奶变质需要几天，会出现絮状沉淀，产生酸臭味。

【学生 2】钢铁生锈需要几年，表面逐渐形成红褐色、疏松的铁锈；如果在 H_2O_2 的分解中加入催化剂 MnO_2，短时间内会产生大量气泡。

【学生 3】高锰酸钾溶液中通入 SO_2 气体，可以看到溶解颜色慢慢褪去。

【教师】同学们描述的这些明显现象可以定性描述化学反应的快慢，那么医院消毒所用的 H_2O_2 溶液要在限定的时间分解至安全浓度，需要定量的表达，通过类比物理学中速度的定义，讨论如何定量衡量化学反应速率的快慢？

【小组讨论】方案 1：可以计算单位时间内 H_2O_2 物质的量的改变量；方案 2：记录单位时间内收集到的 O_2 的体积；方案 3：计算单位时间内 H_2O_2 浓度的改变量。

【教师】同学们回答的方案都有一定的可行性，化学反应速率有多种表达方式，而大多数反应在水溶液中进行，因此在溶液中化学反应速率用单位时间内反应物浓度的减少量或生成物浓度的增加量来表示更合理[2]，可用 $v=\Delta c/\Delta t$ 表达，单位为 mol/(L · s) 或 mol/(L · min)。

【教师】以反应 $2H_2O_2 \xlongequal{} 2H_2O+O_2\uparrow$ 为例，写出速率的表达式。

【学生】推导速率表达式：$v(H_2O_2)=\Delta c(H_2O_2)/\Delta t=(c_{初始}-c_{剩余})/\Delta t=(n_{初始}-n_{剩余})/(V\ \Delta t)$

【教师】请同学们完成下面计算。

【评价活动 1】医院使用 3%的 H_2O_2（密度为 $1.1g/cm^3$，换算浓度为 0.882mol/L）喷雾消毒，在 30min 内浓度降至 1%，计算其化学反应速率。

【学生】$v(H_2O_2)=(0.882mol/L-0.294mol/L)/30min=0.0196mol/(L\cdot min)$

【教师】计算得很准确，化学反应速率要指明具体物质并且取正值，用不同物质表示同一反应的速率时可能数值不同，但是它们反映的反应进行的快慢程度是相同的。化学反应速率一般指的是平均速率，可以表示气体或溶液的反应速率，不能用于表示固体和纯液体（浓度为常数，$\Delta c=0$）。

学习评价：在“定量表征 H_2O_2 分解的快慢”任务中，多数学生可以通过观察日常生活、生产和学习过的化学反应的实验现象定性描述化学反应的快慢，可以基于物理平均速度定义的经验，自主建构化学反应速率概念，能定量计算化学反应速率，具备 A1、A2 学科能力。

任务二：探究 H_2O_2 分解快慢的影响因素

【教师】基于生活经验列举具体例子，哪些因素可能影响化学反应速率的快慢？

【学生】爆炸、牛奶变质等反应的速度由反应物本身的性质决定，外界因素只起调控作用。常见的外界因素有温度、压强、催化剂、浓度、固体表面积等，如食物从冰箱中拿出容易变质，说明温度影响反应快慢……

【教师】反应本身是决定因素，属于内因，不好调控，但外因可以调控。接下来我们利用实验来探究外界因素对化学反应速率的影响。

【实验探究】通过控制变量法设计影响化学反应速率的实验，师生共同讨论得出实验探究的要素，如表 16-6 所示。

表 16-6　实验探究要素

确定研究对象	$2H_2O_2 \xlongequal{催化剂} 2H_2O+O_2\uparrow$
确定因变量	化学反应的快慢
确定自变量	温度、浓度、催化剂种类
确定观测指标	气泡溢出的快慢
确定设计原则	控制变量法

【教师】首先需要明确研究思路与方法：基于以上问题提出假设，明确思路，设计方案，进行实验验证，再得出结论。请同学们根据提供的试剂和药品设计实验方案。

实验仪器：胶头滴管、试管、烧杯、保温壶等。

实验试剂：3% H_2O_2 溶液、5% H_2O_2 溶液、MnO_2 粉末、1mol/L $FeCl_3$ 溶液、热水、冷水。

【讨论方案】小组 A（浓度为自变量）：两支大小相同的试管中分别加入 2mL 5% H_2O_2 溶液和 2mL 3% H_2O_2 溶液，然后同时滴入 2 滴 1mol/L $FeCl_3$ 溶液，观察产生气泡的快慢并进行对比。

小组 B（温度为自变量）：在两支大小相同的试管中均加入 2mL 5% H_2O_2 溶液，同时滴入 2 滴 1mol/L $FeCl_3$ 溶液。待试管中均有适量气泡出现时，将其中一支试管放入盛有冷水的烧杯中，另一支试管放入盛有热水的烧杯中观察气泡产生的快慢并进行对比[2]。

小组 C（催化剂种类为自变量）：两只大小相同的试管中均加入 2mL 5% H_2O_2 溶液，一支加入一滴勺 MnO_2 粉末，另一支加入 3 滴 1mol/L $FeCl_3$ 溶液，观察产生气泡的快慢并进行对比。

【进行实验】分小组进行实验。

【汇报现象】5%浓度的 H_2O_2 溶液和在热水中的 H_2O_2 溶液产生气泡的速度更快，加入不同的催化剂，H_2O_2 溶液产生气泡的快慢不同。

【得出结论】其他条件一定时，温度升高，反应速率更快；其他条件一定时，浓度越大，反应速率更快；其他条件一定时，不同催化剂对同一反应催化效果不同。

【教师】如何设计实验证明压强对化学反应速率的影响？请同学们观察装置图（图 16-4），预测现象。

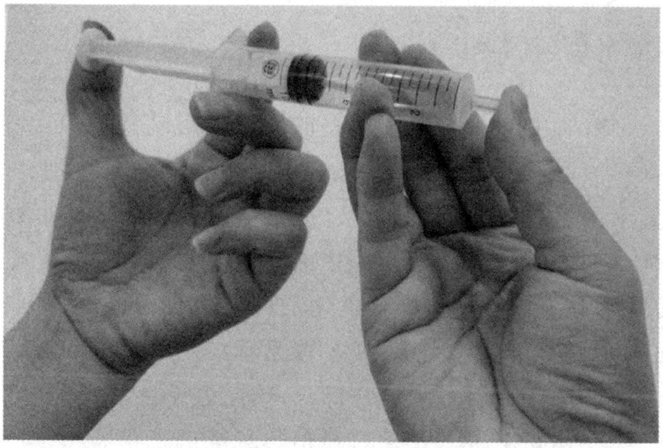

图 16-4　装有氧气和带火星木条的密封注射器

【学生】如果向内推注射器，带火星木条比向外拉燃烧得更剧烈。

【教师】演示实验。和同学们预测的结果一致，那么压强是如何影响化学反应速率的？

【学生】其他条件一定时，压强越大，反应速率越大。

【讲授】这里压强增大一般是通过减小容器体积达到的［图 16-5(a)］，这样，单位体积内气体的分子数越多，相当于气体的浓度越大，加快反应速率。若加入惰性气体，单位体积内参与反应的气体浓度（有效压强）并未改变［图 16-5(b)］，则对反应速率没有影响。

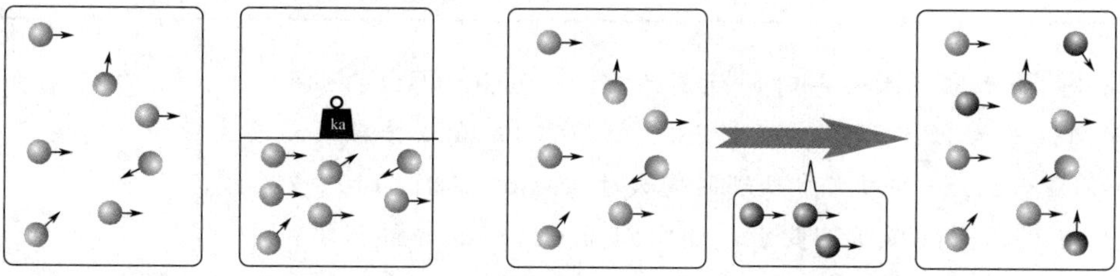

(a) 体积减少，压强增大　　(b) 体积不变，充入惰性气体，有效压强不变

图 16-5　压强与体积关系图

【总结】温度、浓度、催化剂、压强对化学反应速率均有影响，改变不同外因，对化学反应速率影响的程度也有所不同。一般地，温度每升高 10℃，反应速率增大到原来的 2～4 倍，而催化剂的加入可以上万倍地增大反应速率。除此之外，还有固体表面积、光、溶剂、外加电压也可能影响化学反应速率的快慢，同学们可以课后阅读相关材料。

学习评价：在“探究 H_2O_2 分解快慢的影响因素”的任务中，多数学生能说出外界条件对化学反应速率影响的规律，具备 A1 学科能力。通过引导，大多数学生可以采用控制变量的方法自主设计实验和进行实验操作，建立“变量控制—现象观察—数据记录—结论归纳”的实验模型，总结归纳化学反应速率的影响因素，发展了 B1 和 B3 学科能力。部分学生不能很好地掌握控制变量法设计实验，通过引导采用控制变量法设计出浓度、温度、催化的种类对化学反应速率影响的实验方案，强化了 B3 学科能力。

任务三：调控 H_2O_2 的分解速率

【教师】同学们，结合影响 H_2O_2 分解速率的因素，医院用 H_2O_2 消毒后需在 30min 内将其分解至安全浓度（<1mg/L），如何科学调控条件实现快速分解呢？

【学生】升温可能不太适合医院场所，可以加入高效催化剂，如过氧化氢酶。

【教师】MnO_2 是常见的催化剂，但医院实际应用中需要考虑安全性。如果直接撒 MnO_2 粉末，残留物可能污染器械。生物酶催化剂在实际应用过程中很容易失活，因此可以选择紫外线照射、通风、复合催化剂（如负载型 MnO_2 纳米颗粒或铂/碳催化剂）、过氧化氢低温等离子体灭菌器等方法使其在规定的时间分解至安全浓度[9-11]。

【情景展示】展示不同场景下 H_2O_2 消毒后最终浓度的标准[12]，见表 16-7。

表 16-7　不同场所使用 H_2O_2 消毒液终浓度标准汇总

应用场景	使用浓度范围	终浓度标准	依据标准
医疗器械灭菌	50%～59%(液态原液)	≤1mg/L(残留)	GB 28234—2020
食品接触表面消毒	3%～8%	≤0.5mg/L	GB 14930.2—2012
饮用水处理	0.1%～0.5%	≤0.1mg/L	GB 5749—2022
实验室设备消毒	3%～6%(擦拭)	≤1mg/L(表面残留)	WS/T 367—2012
公共场所空气消毒	3%～6%(雾化)	≤1mg/L(空气)	GB 27948—2020

素材 1：手术室终末消毒时间范围为 30～90min（GB 27948—2020）；医疗器械低温灭菌消毒时间范围为 28～75min（GB 28234—2020）；食物接触表面消毒时间范围为 5～10min（GB 14930.2—2012）；饮用水处理时间大于 30min（GB 5749—2022）。

【提问】针对不同场所的要求，如何调控 H_2O_2 的分解速率？

【小组讨论，自由回答】

食品接触表面消毒：5～10min，比较快，可以升高温度；

医疗器械：使用的初始过氧化氢浓度较大，可以加入催化剂加速分解；

……

【教师】同学们已经会使用本节课知识调控化学反应速率，在实际生产生活中，不同场所使用的加速化学反应速率的方法不同，同时我们也需要考虑成本问题（表 16-9）[13-15]。

表 16-8　不同场所使用过氧化氢消毒方法汇总

方法	适用场景	分解时间	成本	注意事项
催化分解	医疗灭菌舱	5～15min	高	需定期维护催化剂
强制通风	开放空间(手术室、车间)	30～60min	低	依赖通风效率，可能有死角
升温分解	密闭小型设备	15～30min	中	避免高温损坏敏感器材
化学中和	局部表面残留	即时	低	需彻底冲洗，防止二次污染
紫外线照射	实验室台面、安全柜	15～30min	中	人员需撤离，避免紫外线暴露

【教师】最后，对不同场所最终残留浓度的监测我们可以采取数字化仪器或试纸法，比如以下方法[13-15]：

素材 2：

方案一（电化学传感器）：实时检测空气中过氧化氢浓度（精度可达 0.1mg/L）。

方案二（分光光度法）：使用钛试剂显色法（参考 GB/T 16031—1995），检测表面残留。

方案三（试纸法）：使用过氧化氢专用试纸，半定量检测（范围 0.5～25mg/L）。

【总结】实际生产、生活中化学反应速率有多个影响因素，在进行科学探究时一般控制单一变量，即控制变量法。化学反应速率的调控通常由单一主导因素或多个因素协同作用实现，具体取决于实际反应条件。可以看出调控速率是工业生产、医疗消毒甚至环境保护的关键技术，未来面对资源短缺、环境污染等问题时，希望同学们能用化学知识为可持续发展贡献力量。

学习评价：在“调控 H_2O_2 的分解速率”的任务中，多数学生能结合所学内容和所给素材，对调控 H_2O_2 分解速率提出了合适的方案，具备了 B2 学科能力；能综合分析调控 H_2O_2 分解速率的方法，使其符合实际需求，发展了 C2 学科能力；但部分学生对调控 H_2O_2 分解速率较难提出合理性建议，C3 能力发展不足，可以在平时的教学中增加真实情景和化学知识的融合教学，进一步发展学生 C3 学科能力。

四、板书设计

板书设计如图 16-6 所示。

图 16-6 “化学反应的速率与限度”教学板书设计

教学评价

一、教学效果

（一）测评试题

汽车尾气中的有害气体可通过三元催化器转化为无害气体，其核心反应为：$2NO(g)+2CO(g) \rightleftharpoons N_2(g)+2CO_2(g)$。某研究小组在密闭容器中模拟三元催化过程，测得实验数据如表16-9所示。

表16-9 三元催化中NO浓度随时间变化的实验数据

时间/s	0	10	20	30
$[NO]/(10^{-3}mol/L)$	8.0	6.2	5.0	4.4

1.【计算题】计算0～20s内CO的平均消耗速率，并说明计算依据。

2.【简答题】为探究催化剂对反应的影响，设计两组实验：

实验Ⅰ：400℃、无催化剂；

实验Ⅱ：400℃、纳米铑催化剂；

实验结果如图16-7所示。

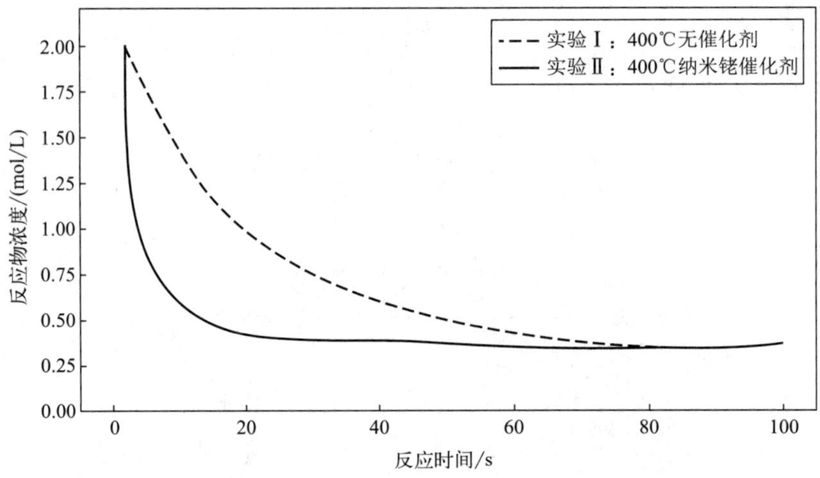

图16-7 有无催化剂作用下的反应物浓度-时间曲线对比图

① 通过对比实验可得出什么结论？

② 若实验Ⅱ中NO转化率随时间变化的曲线出现"平台期"，请说明该现象反映的化学原理。

③ 为探究温度对反应速率的影响，设计两组对比实验并说明预期结果（已知高温可能使催化剂失活）。

3.【拓展题】某厂商对汽车尾气处理器提出两种工艺改进：

方案A：增加尾气预处理装置，反应尾气中存在颗粒物（如未反应的原料或副产物），在反应器出口或尾气循环回路中增设预处理装置（如过滤单元或除尘器），在尾气排放前或重新进入反应器前去除颗粒物；

方案 B：将反应器设计为多级蜂窝结构，蜂窝结构的每个单元为规则排列的小通道；

结合化学反应速率理论，分别说明两种方案的合理性。

4.【发散题】研究发现，催化剂长期使用后表面会吸附硫化物（如 SO_2）导致活性下降。请提出两条改进措施并说明化学原理。

（二）设计说明

以“宏观辨识与微观探析”“变化观念与平衡思想”“科学探究与创新意识”“科学态度与社会责任”的化学学科核心素养为测试宗旨，以“汽车尾气催化转化”这一真实工业问题为测试载体，设置通过浓度-时间数据计算反应速率的任务，考查定量分析能力；结合控制变量法和工程决策，考查变量控制与实际问题解决能力。每一个试题紧密联系环境保护与绿色化学（符合 STSE 理念），体现化学知识在解决社会问题中的价值，激发学生社会责任意识。同时，对应学科能力表现目标，评价学生完成本节课学习后相应的学科能力水平。具体如表 16-10 所示。

表 16-10　评价说明和评分标准（总分 18 分）

试题编号	学科能力要素	认识能力	分值	标准答案及评分标准
1	A2 概括关联：能从反应现象中提取信息，建立物质与化学反应速率的关系	2 分：能建立物质与化学反应速率的关系（定量，系统水平） 1 分：只能从数学关系上建立物质和化学反应速率的关系，不理解其表示的含义（定量，孤立水平） 0 分：无法建立物质与化学反应速率的关系（定性，孤立水平）	2 分	2 分： $v(CO)=\Delta c/\Delta t=(8.0-5.0)\times 10^{-3}\,mol\cdot L^{-1}/20s=1.5\times 10^{-4}\,mol\cdot L^{-1}\cdot s^{-1}$ 1 分：计算正确，但单位出错 0 分：其他答案
2①	B1 分析解释：能利用外界条件对化学反应速率影响的规律，基于单一因素分析解释生产、生活和实验中的现象	2 分：理解催化剂作用原理（系统水平） 0 分：无法回答（能力欠缺）	2 分	2 分：明确“催化剂加快反应速率”即可 0 分：其他答案
2②	B2 推理预测：能判断化学平衡状态，能从反应速率的角度进行反应条件的选择	2 分：理解平衡状态的特征（系统水平） 0 分：无法判断（能力欠缺）	2 分	2 分：指出平台期对应“平衡状态” 0 分：其他答案
2③	B3 简单设计：能设计实验研究影响反应速率的因素	2 分：可以控制变量法设计实验，并考虑高温可能使催化剂失活（系统水平） 1 分：运用控制变量，但未考虑高温使催化剂失活导致速率下降（孤立水平） 0 分：无法进行实验的简单设计（能力欠缺）	2 分	2 分：相同催化剂、不同温度（如 300℃ 和 400℃），在其他条件相同时，温度越高（在催化剂活性范围内），反应速率越快 1 分：相同催化剂、不同温度（未限制温度），在其他条件相同时，温度越高，反应速率越快 0 分：其他答案

续表

试题编号	学科能力要素	认识能力	分值	标准答案及评分标准
3	C1复杂推理：能基于多组分浓度关系认识化学平衡，能对化学反应中各物质的量关系、反应速率、反应限度进行综合分析	4分：能够结合工业实际分析工艺优化的合理性（系统水平） 2分：无法系统分析工业中速率对化学反应的影响，无法完整回答（孤立水平） 0分：在化学反应的调控中没有速率调控的思想（能力欠缺）	4分	4分：完整分析两种方案（方案A保持催化剂的长效活性，通过增加尾气预处理装置可有效去除颗粒物，维持催化剂活性表面的清洁，确保反应物与催化剂的充分接触，进而提升反应速率；方案B增大接触面积加快反应，蜂窝结构内壁可负载催化剂，显著增加单位体积内的有效反应面积；每点2分 2分：分析其中一种方案 0分：无法分析两种方案
4	C3创新思维：能对实验方案、实验过程和实验结论进行评价，提出进一步探究的设想；能运用化学反应速率和限度理论对解决生产和生活中的热点问题提出创造性建议	6分：可以给出完整方案并作出详细描述，可以从工业实际角度综合分析催化剂活性保持的方案，对有毒有害气体在实际工业中的处理比较熟悉，综合提出改进措施并说明原因 3分：可以简单从气体处理方面或者从催化剂的维持方面单一说明问题和改进措施 0分：没有思路提出改进措施（能力欠缺）	6分	6分： 完整给出两条合适建议："定期高温煅烧去除硫化物""增加抗硫涂层"或其他合理答案 3分： 给出一条建议："定期高温煅烧去除硫化物"或"增加抗硫涂层"或其他合理答案 0分：其他答案

（三）效果分析

收集答卷98份，能力对应的平均得分情况如表16-11所示。

表16-11　评分结果

学科能力	试题编号	分值	平均分	得分率
A2	1	2	1.8	90.0%
B1	2①	2	1.62	81.0%
B2	2②	2	1.54	77.0%
B3	2③	2	1.20	60.0%
C1	3	4	2.10	52.5%
C3	4	6	1.58	26.3%

通过数据分析可见，学生基础能力（A2、B1、B2）掌握较好，这是由于这部分试题难度较低，通过课堂练习，学生掌握情况较好。值得关注的是，B3能力的试题得分率较低，原因可能是学生的实验设计能力和语言表达能力尚有不足；高阶能力（B3、C1、C3）存在显著短板且个体差异较大，部分学生达到了较高水平，也有部分学生尚有欠缺，原因可能是学生的设计实验能力和根据图表及信息的推理能力尚有不足，建议教学中加强控制变量思想

在化学实验设计中的应用，培养学生的工程优化设计能力及创新思维能力。

二、教学反思

本课例针对学科能力表现目标，围绕“高效杀菌消毒剂 H_2O_2 的达标分解到84消毒液残留浓度的调控”这一真实情境，展开学科能力导向的教学设计，引导学生定量表征化学反应速率、探究化学反应速率快慢的影响因素、理解化学反应存在限度，进而学会从化学反应速率和限度角度认识反应、调控反应。教学实践表明，多数学生A1、A2学习理解能力，B1、B2应用实践能力较好，部分B3应用实践能力以及C2、C3能力尚有欠缺，但在老师引导和学生合作中获得了不同程度的提升。总体而言，本节课的教学设计与实践通过层层递进的学习任务，学生设计方案、实验探究、交流讨论、得出结论等方式，构建科学探究的一般程序，促进了相应化学学科能力的发展。

不过在设计过程中也出现了一些问题，例如在真正的实验中，学生不规范的实验操作较多，在之后的实验教学实践中，可以建立“操作规范性—方案创新性”双维度实验评价量表。本课程选择“高效杀菌消毒剂 H_2O_2 的达标分解”这一真实情景，可以设计消毒剂发展史以及合理选择消毒剂课程资源库，深化“科学—技术—社会”素养水平的发展。

参考文献

[1] 中华人民共和国教育部．普通高中化学课程标准（2017年版2020年修订）[S]. 北京：人民教育出版社，2020：18-21，65-67.

[2] 王晶，毕华林．普通高中教科书·化学（必修）第二册 [M]. 北京：人民教育出版社，2019：42-48，57-58.

[3] 王磊．基于学生核心素养的化学学科能力研究 [M]. 北京：北京师范大学出版社，2017：13-14，17-19.

[4] 韩晓，张守林．“影响化学反应速率因素”的数字化实验教学设计 [J]. 化学教与学，2023（23）：19-24.

[5] 刘梓荷．基于化学核心素养的“影响化学反应速率的因素”教学设计 [J]. 高考，2021（03）：149-150.

[6] 丁娟娟，丁伟．结合手持技术的“化学反应速率与限度”大单元教学 [J]. 中学化学教学参考，2022（08）：11-14.

[7] 李宁采，包朝龙．改进实验设计，充分发挥实验的教学功能——以“影响化学反应速率的因素”为例 [J]. 中学化学教学参考，2016（23）：30-31.

[8] 郑燕娴，李梅，钱扬义．STEAM教育理念下传统文化与化学教学的融合——以融入扎染工艺的“化学反应速率”教学为例 [J]. 化学教育（中英文），2024，45（03）：81-83.

[9] 王丽，张明，李华．紫外线联合过氧化氢在医疗机构空气消毒中的应用研究 [J]. 中国消毒学杂志，2020，37（5）：321-325.

[10] 张强，王雪，李建军．医院ICU病房过氧化氢消毒后残留控制策略 [J]. 中华医院感染学杂志，2019，29（12）：1872-1875.

[11] Khan S，Qaiser M A，Qureshi W A，et al. Photocatalytic hydrogen peroxide production：Advances，mechanistic insights，and emerging challenges [J]. Journal of Environmental Chemical Engineering，2024：114143.

[12] 空气消毒剂通用要求．GB 27948—2020.

[13] 医疗保健产品灭菌 低温汽化过氧化氢 医疗器械灭菌过程的开发、确认和常规控制要求．ISO 22441：2022.

[14] 过氧化氢气体等离子体低温灭菌器卫生要求．GB 27955—2020.

[15] 医疗机构消毒技术规范．WS/T 367—2012.

刁洪玲（宁波市北仑区大榭中学　浙江宁波）

第 17 单元
认识有机化合物

目标研制

一、课标研读

（一）内容要求和学业要求

“认识有机化合物”教学单元是《普通高中化学课程标准（2017 年版 2020 年修订）》必修课程主题 4 中的内容，课标相应内容要求和学业要求如表 17-1 所示。

表 17-1 “认识有机化合物”教学单元的课标内容要求和学业要求[1]

内容要求	学业要求
4.1　有机化合物的结构特点 知道有机化合物分子是有空间结构的，以甲烷、乙烯、乙炔、苯为例认识碳原子的成键特点。知道有机化合物存在同分异构现象 4.2　典型有机化合物的性质 结合典型实例认识官能团与性质的关系，知道氧化、加成、取代、聚合等有机反应类型	1. 能辨识常见有机化合物分子中的碳骨架和官能团。能概括常见有机化合物中碳原子的成键类型。能描述甲烷的分子结构特征，并能搭建甲烷和乙烷的立体模型。能写出丁烷和戊烷的同分异构体

注：数字序号即课标中相应序号。

可见，课标中对“认识有机化合物”的内容要求侧重于有机化合物的空间结构，碳原子的成键特点，以及烷烃的组成、性质与应用。学业要求则从“辨识”“概括”“描述”“搭建模型”等能力表现角度提出了具体的要求。通过删繁就简、增补解构、直接摘录等方法，可以得到该教学单元课标优化后的要求，如表 17-2 所示。

表 17-2 “认识有机化合物”教学单元的课标优化后的要求[1]

优化后的要求
（原内容要求 4.1）能说出一些简单有机物的空间结构，能从甲烷、乙烯、乙炔结构中概括碳原子的成键特点，能够辨识有机化合物中存在的同分异构现象（增补解构） （原内容要求 4.2）能利用甲烷与氯气的反应认识取代反应的特征（删繁就简）

优化后的要求
(原学业要求 1)能辨识常见有机化合物分子中的碳骨架和官能团(直接摘录) 能概括常见有机化合物中碳原子的成键类型(直接摘录) 能搭建甲烷和乙烷的立体模型，并能结合模型描述甲烷、乙烷的分子结构特征(增补解构) 能写出丁烷和戊烷的同分异构体(直接摘录)

(二)学业质量水平

课标学业质量水平与“认识有机化合物”教学单元的相关要求对应关系如表 17-3 所示。

表 17-3 “认识有机化合物”教学单元的学业质量水平

学业质量水平描述[1]	针对本教学单元内容的具体表现
1-1 能对简单的有机化合物进行描述和符号表征	1-1 能够辨识、列举和描述甲烷、乙烯和乙炔的组成和结构；能够辨识其碳骨架和官能团
3-1 能从组成、结构等方面认识有机化合物的多样性，能从物质的组成、性质、官能团等多个视角对物质进行分类；能说明物质的组成、官能团的差异对物质性质的影响；能采用模型、符号等多种方式对物质的结构及其变化进行综合表征	3-1 能够依据甲烷、乙烷分子中碳骨架和化学键的饱和性对其进行分类，分析解释同系物的概念，找出烷烃参加反应的断键、成键情况；能够依据反应规律判断反应类型，并正确书写相应方程式；能够依据烷烃的碳骨架和分子饱和性特点推理丁烷和戊烷的同分异构体

注：数字序号即课标中相应序号。

二、教材解读

在人教版高中化学必修教材（2019 年版）第七章第一节“认识有机化合物”中，通过对有机化合物中碳原子的成键特点、烷烃的结构与性质等显性知识（图 17-1）的介绍，建立“结构—反应”的认识视角和“结构—性质—应用”的认识思路，落实“分类观、构性观”的学科观念[2]。借助大量文字、图片和有机物结构模型帮助学生从感性和理性层面学习相关内容，掌握实例法和模型法等认识方法，结合思考与讨论、资料卡片等栏目，实现学业要求和学业质量水平中有关“辨识”“概括”“描述”“搭建模型”等能力表现的具体要求。本

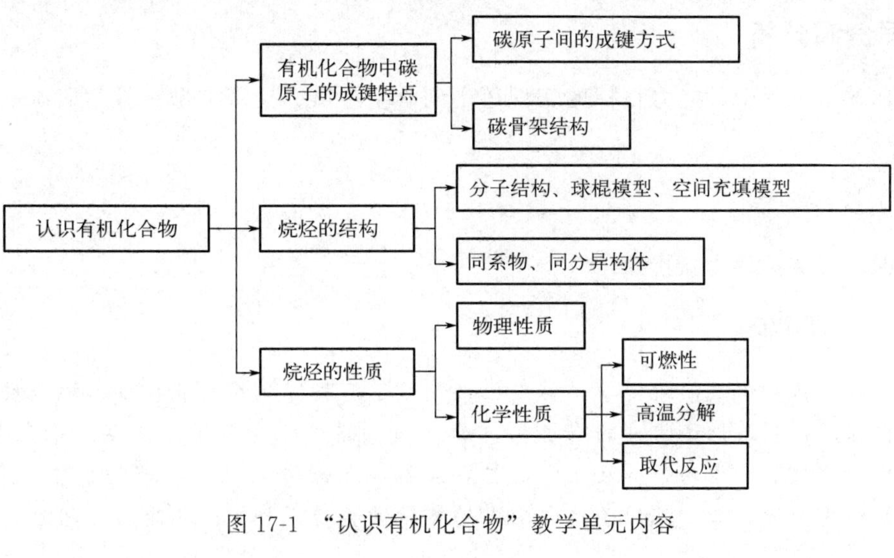

图 17-1 “认识有机化合物”教学单元内容

节课内容知识注重让学生体验有机化合物繁多的种类以及科技与社会的发展，教学时需要注重培养学生的科学态度、社会责任感和创新意识等。

三、能力模型建构

通过课标研读和教材分析，可以确立相关主题的知识基础、研究对象和化学问题、学科认识方式，从而构建该教学单元的学科能力模型（图 17-2）[3]。例如，对于“认识有机化合物”教学单元，核心知识是简单认识有机化合物；认识角度是“结构—反应”，认识思路是“结构—性质—应用”，学科思想是分类观、构性观。研究对象和化学问题主要包括有机化合物中碳原子的成键方式和碳骨架的基本类型、烷烃的结构与性质、同系物和同分异构现象等。针对有机物碳原子之间的成键方式和碳骨架的基本类型，可侧重发展学习理解能力；针对烷烃的结构和性质，可侧重发展学习理解能力和应用实践能力。

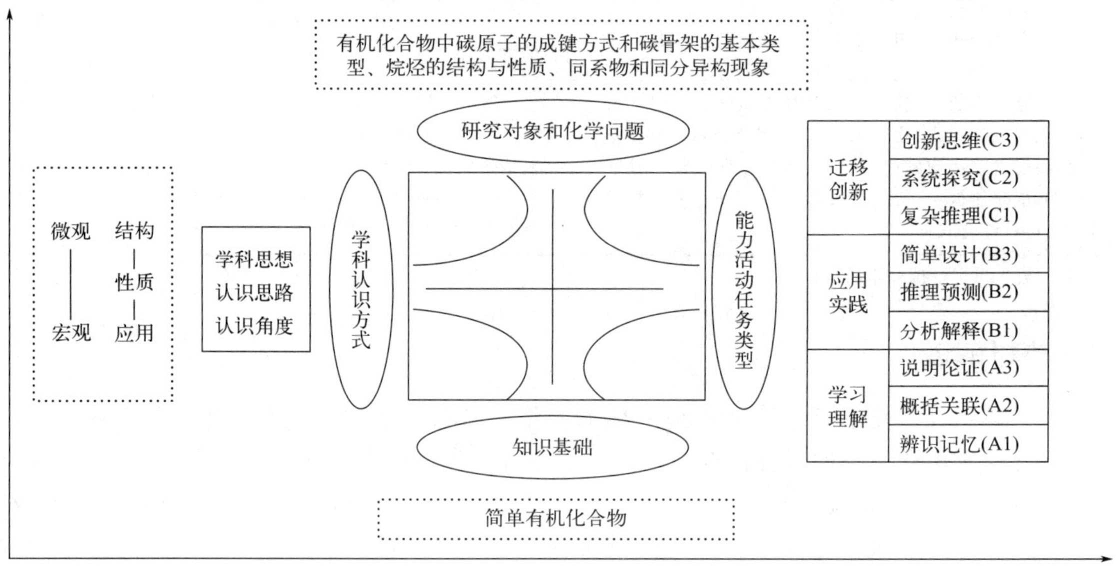

图 17-2 “认识有机化合物”教学单元能力模型

四、课程资源分析

在实际教学过程中，能力目标的实现还受到学生学情、授课类型、教学资源等客观因素的影响。

（一）授课类型

本节课的授课类型为新授课。

（二）学情分析

已有基础：从知识层面看，学生初中已经学习了有关甲烷的物理特性、燃烧反应及其主要应用等内容，初步认识了常见的有机物，如酒精、醋酸、蛋白质、糖类、维生素、石油、沼气等，已经掌握了物质的分类及化学键与物质结构的理论基础，能够写出甲烷的分子式、电子式和结构式，能判断常见原子结合形成的化学键类型及个数；从能力层面看，学生能够依据所给材料和提示信息搭建简单有机化合物的模型；从心理层面看，学生第一次系统认识有机化合物，存在一定的新鲜感，容易调动学习兴趣。

潜在困难：本节课是学生进入高中化学以来第一次正式学习有机化学，可能有少许紧张、畏惧心理。有机化合物的组成、烷烃、同分异构体、同分异构现象、同系物等新概念较多，学生不易掌握，同时大多数学生对于分子的认识只停留在纸面的分子式上，缺少分子空间结构的意识，对空间想象思维能力具有一定的挑战性。

（三）教学资源

学科能力目标的实现还有赖于学校资源的支持，学科能力目标的制定需要考虑教学资源因素。本节课的学科能力表现性目标制定要求授课学校提供白板和投影设备，提供空间结构模型（填充模型、球棍模型）和学生可自制空间模型的材料（彩泥、牙签）等。

五、表现性目标制定

将学科能力模型中 4 个维度进行连接组合，再结合学生学情、授课类型、教学资源等客观因素，制定了“认识有机化合物”教学单元学科能力表现性目标，如表 17-4 所示。

表 17-4　“认识有机化合物”教学单元学科能力表现性目标

能力要素	能力要素	表现性目标
A 学习理解能力	A1 辨识记忆	能辨识有机物中碳原子间的成键方式和碳骨架；能描述烷烃的分子结构特点、物理性质、化学性质及相应性质实验的化学现象，能书写相关化学反应方程式；能描述烷烃的简单命名法
	A2 概括关联	能根据碳骨架对有机物进行分类；能根据碳原子的成键特点归纳烷烃分子式的通式；能建立性质与应用的关系
	A3 说明论证	能根据碳四价理论说明甲烷的空间结构
B 应用实践能力	B1 分析解释	能根据碳原子的成键方式和碳骨架分析、解释有机物种类繁多的原因；能分析数据概括烷烃物理性质的变化规律
	B2 推理预测	能以烷烃为例，判断有机化合物是否互为同系物或同分异构体
	B3 简单设计	能基于理论设计检验甲烷燃烧产物的实验
C 创新迁移能力	C1 复杂推理	能基于空间结构理解同分异构体的概念，能推理得出丁烷、戊烷的同分异构体
	C2 系统探究	—（新授课暂不要求）
	C3 创新思维	—（新授课暂不要求）

教学设计

一、教学现状

本教学单元为人教版高中化学必修教材（2019 年版）第七章第一节“认识有机化合物”的新授课，其内容涵盖了有机化学基本概念和常见有机物在生产、生活中的应用[2]。在“认识有机化合物”“甲烷”“烷烃的结构与性质”的教学实践中，通常通过展示有机物在日常生产、生活中的应用，让学生感受到有机物就在身边，增强学生对有机化学的学习兴趣[3]；通过直观地观察典型有机物分子的三维立体结构模型，让学生形象直观地掌握有机分子的结构规律[4]。基于已有教学，通过进一步地融入化学史，优化教学内容、创新教学方法、加强实验教学与完善评价体系，可以有效提升教学效果，培养学生的化学学科素养和创新能力。

二、教学思路

（一）创设真实问题情境

本教学单元以“有机化合物的‘碳’索之旅”“科学家对烷烃结构的探索历程”和“科学家对烷烃研究的认识历程”为真实情景主题，第三课时以带领同学们走进历史、再现历史和重温历史为主要线索展开教学，主要原因有两点。①关联相关教学内容：可以通过“得出烷烃的物理性质”“探索甲烷的可燃性”“破解商业机密”三个任务关联“烷烃的性质”相关教学内容；②激发学生学习兴趣：像科学家一样探索问题，能够充分调动学生的学习积极性（详见图 17-3）。

情境线索	任务线索	问题线索	活动线索	知识线索	能力线索	
有机化合物的“碳”索之旅	回顾碳原子的结构特点	碳原子处于元素周期表中的哪个位置?最外层电子有几个?	学生板演	碳原子的结构特点	A1	课时一
	分析甲烷分子的成键特点	碳原子如何才能达到8电子稳定结构?每个碳原子与几个氢原子成键?	板演甲烷的分子式、电子式和结构式	碳原子形成甲烷分子的成键特点	A1	
	分析碳原子间的成键特点	碳原子之间的成键方式有哪些?碳骨架的基本类型有哪些?为什么有机物种类繁多?	分组搭建含有五个碳原子的烃分子的球棍模型，写出相对应的分子式、结构式和结构简式	碳原子间的成键方式；碳骨架的基本类型；分子式、结构式、结构简式的书写方法	A1、B1	
科学家对烷烃结构的探索历程	探索甲烷的空间结构	假如你是科学家，能想到几种甲烷的空间结构?	阅读材料，小组合作，搭建甲烷的球棍模型	甲烷的空间结构	A3	课时二
	分析烷烃的结构特点	在甲烷空间结构基础上，说说烷烃的结构有什么规律?	搭建乙烷、丙烷和丁烷的球棍模型，归纳烷烃分子式的通式	烷烃的通式、烷烃的简单命名法、同系物的概念	A1、A2、B2	
	辨析同分异构体的概念	为什么石油分馏出的四个碳的烷烃有两种不同的沸点呢?	小组合作，讨论丁烷球棍模型的搭建方法	同分异构体的概念	B2、C1	
科学家对烷烃研究的认识历程	得出烷烃的物理性质	甲烷有哪些物理性质?	阅读材料，讨论甲烷的物理性质，分析表格数据，归纳烷烃的物理性质	甲烷的物理性质；烷烃的物理性质	A1、B1	课时三
	探索甲烷的可燃性	如何证明甲烷中只含碳、氢两种元素?	设计实验检验甲烷的燃烧产物；讨论烷烃高温分解在化工生产中的应用	甲烷的可燃性及燃烧产物的检验，矿难灾害的预防，烷烃的高温分解	A1、B3	
	破解商业机密	你知道材料中所说的制冷剂是什么吗?甲烷与氯气的反应机理是什么?烷烃在生产、生活中还有哪些应用?	阅读材料，观察演示实验，说出甲烷与氯气的反应机理，查阅资料，了解烷烃在生产、生活中的更多应用	甲烷的取代反应；烷烃的应用	A1、A2	

图 17-3　教学流程

（二）设计能力评价任务

依据上述确立的学科能力发展目标，精心设计了多样化、梯度化的能力发展评价任务，体现对学科思维、学科认识视角和认识思路等的建立、诊断和发展。具体见表 17-5。

表 17-5 “认识有机化合物”教学单元能力发展评价

序列	教学环节	评价任务	评价活动	能力要素	素养价值
1	温故知新，回顾碳原子的结构特点	画出碳原子的原子结构示意图	学生板演和齐答	A1	诊断并发展已有知识
2	宏微结合，分析碳原子形成甲烷分子的成键特点	说出共价键的概念	书写甲烷的分子式、电子式和结构式	A1	建立“宏观—微观”的认识视角
3	搭建模型，分析碳原子间的成键特点，理解有机物种类繁多的原因	观察球棍模型，写出分子式，画出结构式，归纳分类	将含有五个碳原子的烃分子按照成键方式的不同进行分类	A1、B1	建立“宏观—微观”的认识视角
4	搭建模型，探索甲烷的空间结构	阅读材料，搭建模型，探索空间结构	小组合作，搭建甲烷的球棍模型	A3	诊断并发展科学态度与社会责任核心素养
5	搭建模型，分析归纳烷烃的结构特点	阅读材料，辨析烷烃分子式的特点，归纳得出烷烃分子式的通式	小组合作，搭建乙烷、丙烷和丁烷的球棍模型	A1、A2、B2	建立知识是不断更新的认识视角
6	推理预测，辨析同分异构体的概念	认识同分异构现象，再次搭建丁烷的球棍模型	小组合作，画出戊烷的 3 种同分异构体的结构式	B2、C1	建立结构与性质的认识视角
7	处理信息，得出烷烃的物理性质	阅读材料，归纳总结烷烃物理性质	分组讨论，归纳得出结论	A1、B1	诊断并发展数据分析处理能力
8	设计实验，探索甲烷的可燃性	设计实验，写出甲烷燃烧反应方程式，预测丙烷高温分解产物	设计实验检验甲烷燃烧产物，探索烷烃的可燃性和高温分解在生产、生活中的应用	A1、B3	诊断并发展“结构—性质—应用”的学科思维
9	重温历史，破解商业机密	写出乙烷与氯气发生一氯取代的化学方程式	探索反应机理，收集资料，了解烷烃在生产、生活中的更多应用	A1、A2	诊断并发展“结构—性质—应用”的学科思维

（三）选择教学策略

根据教学目标和教学内容，选择合适的教学策略。针对有机物碳原子之间的成键方式和碳骨架的基本类型（侧重发展学习理解能力），采取模型搭建、符号表征、分组讨论等教学策略，例如通过分组搭建含有五个碳原子的烃分子的球棍模型，理解分子式、结构式、结构简式等化学符号的书写方法；针对烷烃的结构与性质（侧重发展学习理解能力和应用实践能力），采取数据计算、小组合作、简单设计、展示交流等教学策略，通过呈现科学家对烷烃认识的发展历史引领同学们置身于历史长河中，感受科学家们对知识的探索过程。

三、教学实录（第三课时）

任务一：得出烷烃的物理性质

【呈现资料】意大利物理学家伏打（Alessandro Volta，1745—1827）在写给友人的信中，叙述了发现甲烷的经过[5]。信中这样写道：我在湖边淤泥中收集到一种无色、无味的气体，用木棒搅动淤泥，让冒出的气泡通入倒扣的、充满水的瓶中。

【提出问题】通过阅读信中内容，你能得出甲烷的哪些物理性质呢？

【学生讨论】甲烷是无色、无味的气体，密度比空气小。

【教师】那么，烷烃有哪些物理性质呢？是否与甲烷相同？

【归纳总结】根据表格（表 17-6）中提供的数据，尝试寻找烷烃的熔点、沸点、密度和溶解度的一般规律。

表 17-6　烷烃的物理性质相关数据

名称	结构简式	状态(25℃)	熔点/℃	沸点/℃	相对密度(水＝1)	水溶性
甲烷	CH_4	气	−182.5	−164	0.424	不溶
乙烷	CH_3CH_3	气	−182.8	−88.6	0.546	不溶
丙烷	$CH_3CH_2CH_3$	气	−187.6	−42.1	0.585	不溶
丁烷	$CH_3(CH_2)_2CH_3$	气	−138.4	−0.5	0.579	不溶
戊烷	$CH_3(CH_2)_3CH_3$	液	−130	36.1	0.626	不溶
十七烷	$CH_3(CH_2)_{15}CH_3$	固	22	301.8	0.778	不溶

【学生讨论】烷烃在常温下的状态由气态变为液态，再到固态；烷烃的熔沸点和密度一般随着分子中碳原子数的增加而升高；烷烃均难溶于水。

学习评价：在“得出甲烷的物理性质”任务中，大多数同学能够通过阅读材料答出甲烷的物理性质，通过分析数据归纳得出烷烃的物理性质，具备 A1 和 B1 学科能力。

任务二：探索甲烷的可燃性

【呈现资料】伏打在信中继续写道：点燃这种气体，火焰呈青蓝色，燃烧较慢，和氢气的燃烧不同[5]。

中国古代典籍《易经》上就有“泽中有火”一说。中国秦代蜀郡守李冰在四川开掘盐井时，也曾利用火井中的沼气熬煮井盐。

1790 年，英国医生奥斯汀（Austin J. H，1761—1823）发表了甲烷的燃烧报告，通过燃烧产物确定甲烷是碳氢化合物[6]。

【提出问题】如何证明甲烷中含有碳、氢两种元素？

【学生讨论】收集甲烷气体，经过验纯后点燃，在火焰上方罩一个洁净、干冷的烧杯，若烧杯中有水雾产生，证明甲烷中含有氢元素；再将燃烧后的产物气体通入装有澄清石灰水的集气瓶中，若出现浑浊，说明甲烷中含有碳元素。

【教师】接下来，我们就按照上述思路一起来设计实验操作。

【设计实验】实验目的：检验甲烷燃烧的产物；实验设备、仪器和试剂（装置图）：甲烷气瓶和减压阀、燃烧器和导管、石灰水、烧杯、防火手套、护目镜和通风橱。

【学生】连接装置图，如图 17-4 所示。

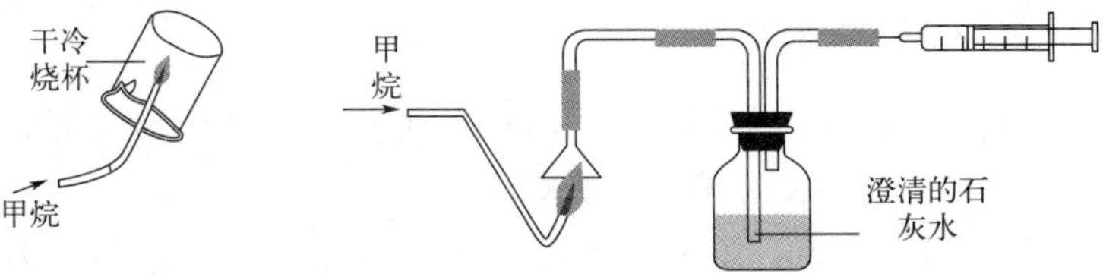

图 17-4 甲烷燃烧产物检验装置图

【教师】课堂演示实验，使用投屏设备将过程投影到白板，提醒学生注意观察实验现象，做好记录，并对实验现象进行分析。

【学生】甲烷在空气中燃烧，产生明亮的蓝色火焰，在火焰上方罩一个干冷的烧杯，烧杯内壁出现水雾，将燃烧后的气体通入装有澄清石灰水的试剂瓶中，澄清石灰水变浑浊。

【教师】分析实验现象，我们可以得出的实验结论是什么？

【学生】甲烷燃烧产物有水和二氧化碳，甲烷中含有的元素是碳和氢。

【呈现资料】煤矿中的爆炸事故多与甲烷气体爆炸有关。1815 年，汉弗里·戴维（Humphry Davy，1778—1829）发明了安全矿灯，有效减少了煤矿瓦斯爆炸事故，并拒绝申请专利，以推广人道主义应用。

【教师】我们还可以采取何种措施预防矿难灾害呢？

【学生讨论】通风，严禁烟火。

【教师】与甲烷类似，其他烷烃也可以在空气中完全燃烧，请同学们写出烷烃（C_nH_{2n+2}）燃烧反应的通式。

【学生】$C_nH_{2n+2} + \frac{3n+1}{2}O_2 \xrightarrow{点燃} nCO_2 + (n+1)H_2O$

【教师】请同学们结合生活经验，预测烷烃的燃烧现象随着碳原子个数的增加会有什么变化规律。

【学生】蜡烛在燃烧时有黑烟，所以我猜测随着碳原子个数的增加会出现黑烟。

【教师】很好，同学们能用化学知识解释这一现象吗？

【学生】随着碳原子个数的增加，烷烃分子的含碳量增加，燃烧越来越不充分。

【阅读材料】1891 年，弗拉基米尔·舒霍夫（Vladimir Shukhov）发明了世界上第一套热裂解装置，通过高温分解重质油生产轻质燃料，标志着烷烃高温分解技术的诞生。1960～1970 年代，裂解技术规模化，乙烯产能迅速增长，推动塑料、合成橡胶等产业的发展。

【提出问题】从材料中，你能得出烷烃的什么化学性质？

【学生】烷烃高温分解。

【提出问题】烷烃高温分解的本质是碳碳单键和碳氢键的断裂，请你猜测丙烷高温分解可能得到什么产物？说说这些产物在化工生产中的应用。

【学生讨论】甲烷、乙烯和氢气等。可作为燃料及化工生产的原料。

学习评价：在“探索甲烷的可燃性”任务中，多数同学能够说出检验甲烷燃烧产物的实验方法并连接实验装置图，通过分析实验现象得出实验结论，具备了 A1 和 B3 学科能力；部分同学在判断丙烷高温分解产物时不全面，教师可先呈现甲烷高温分解的化学方程式。

任务三：破解商业机密

【呈现材料】1930 年，美国杜邦公司与通用汽车成立动力学化学公司，专门用于研发生产氟利昂，成功之后，几乎所有的冰箱、空调都用上了它[7]。

【教师点拨】氟利昂因其无毒、不易燃、化学性质稳定等特性迅速成为主流制冷剂，也成了一棵巨大的摇钱树。氟利昂的主要成分之一是 $CHFCl_2$，它的合成原理是当时的商人们梦寐以求的商业机密！那么，请同学们猜测 $CHFCl_2$ 可以通过什么方法制得呢？

【学生讨论】$CHFCl_2$ 可以看作是 CH_4 分子中一个氢原子被氟原子替代，两个氢原子被氯原子替代。

【演示实验】甲烷与氯气的取代反应，实验装置如图 17-5 所示。请同学们注意观察实验现象并记录。

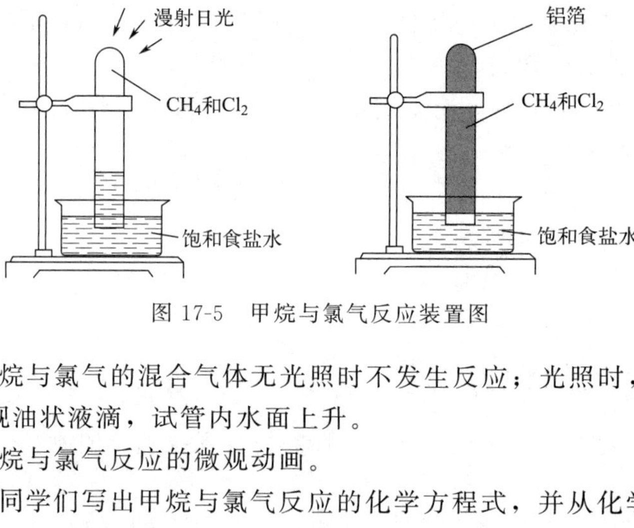

图 17-5　甲烷与氯气反应装置图

【学生讨论】甲烷与氯气的混合气体无光照时不发生反应；光照时，试管内气体颜色逐渐变浅，试管壁出现油状液滴，试管内水面上升。

【播放视频】甲烷与氯气反应的微观动画。

【教师点拨】请同学们写出甲烷与氯气反应的化学方程式，并从化学键和物质组成两个角度介绍反应机理。

【学生讨论】从化学键角度分析，甲烷分子断碳氢键，氯气分子断氯氯键，重新形成碳氯键和氢氯键；从物质组成角度，甲烷分子中的一个氢原子被一个氯原子替代生成了一氯甲烷，同时，被替代的氢原子与另一个氯原子结合生成氯化氢。

【教师】请同学们归纳取代反应的概念。

【学生】有机物分子里的某些原子或原子团被其他原子或原子团所替代的反应叫作取代反应。

【提出问题】请同学们写出乙烷与氯气发生一氯取代的化学方程式。

【学生板演】$CH_3CH_3 + Cl_2 \xrightarrow{光照} CH_3CH_2Cl + HCl$

【呈现材料】氟利昂曾经是广泛使用的制冷剂，但由于对环境和健康的严重危害，现已被逐渐淘汰。氟利昂在大气中可长期存在，并上升至平流层，在紫外线作用下，氟利昂分解出氯原子，与臭氧发生连锁反应，导致臭氧层变薄；1 千克氟利昂可破坏约 7 万千克臭氧，加剧紫外线辐射，增加皮肤癌、白内障等疾病风险。目前的主流替代品包括：异丁烷和丙烷等环保制冷剂。

【教师点拨】同学们，任何物质的发现与研究往往需要经历一个漫长的过程，正是因为有了那么多刻苦钻研的科学家，人们的生活才能越来越美好。科学知识是在探索中不断完善的，任何知识的形成都与当时的社会文化背景息息相关，再加上人类的推理、想象和创造得以发展进步，这就是科学的魅力![8]

【学以致用】请同学们在课后查阅资料，了解烷烃在生产、生活中的更多应用。

学习评价：在“破解商业机密”任务中，多数同学能够通过甲烷与氯气的演示实验，观察得出实验现象和实验结论，能够理解并运用取代反应机理书写乙烷与氯气反应的化学方程式，具备了 A1 和 A2 学科能力，具备了科学探索精神和社会责任感。也有部分同学不能从微观和宏观两个角度理解取代反应的机理，有待后续的巩固提升。

四、板书设计

板书设计如图 17-6 所示。

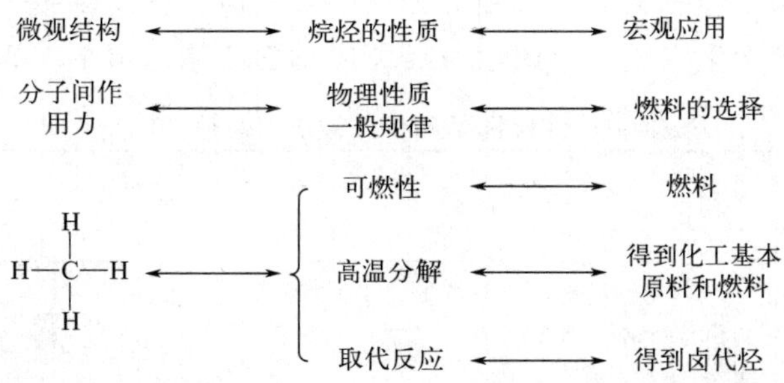

图 17-6 “认识有机化合物”教学板书设计

教学评价

一、教学效果

（一）测评试题

烷烃在生活中的应用十分广泛，天然气、沼气和煤层气的主要成分是甲烷，煤油、凡士林和石蜡的主要成分也都是烷烃。烷烃的分子式可以用通式 C_nH_{2n+2} 表示，随着碳原子数的增加，烷烃的同分异构体数目也增多。烷烃是一类最基本的有机物，其性质在一定程度上体现了有机物的通性。至今，烷烃的高效利用与减排仍是科学界的关键课题。

1.【单选题】能够证明甲烷的空间结构为正四面体的依据是（　　）。

A. 一氯甲烷的结构只有一种　　B. 二氯甲烷的结构只有一种

C. 三氯甲烷的结构只有一种　　D. 四氯化碳的结构只有一种

2.【单选题】在相同条件下，完全燃烧相同质量的下列烷烃，消耗氧气质量最大的是（　　）。

A. CH_4　　B. C_2H_6

C. C_3H_8　　D. C_4H_{10}

3.【简答题】对比水和烷烃的组成与结构，猜测为什么金属钠可以保存在煤油中：____。

4.【简答题】请写出丙烷与氯气第一步反应可能发生的化学方程式：____________________，____________________；并指出两种有机产物之间的关系：____________________。

5.【简答题】某种烷烃的分子量为72，请写出其分子式：__________，并写出可能的结构简式：____。

（二）设计说明

以“宏观辨识与微观探析”“证据推理与模型认知”“科学探究与创新意识”及“科学态度与社会责任”的化学学科核心素养为测试宗旨，以烷烃的“结构—性质—应用”为测试载体，设置结构对比分析、化学方程式的书写和同分异构体物理性质差异分析等测试任务，要求学生运用烷烃的结构、性质和应用等相关知识解决相应问题。每一个试题均对应学科能力表现性目标，旨在评价学生完成本节课学习后相应的学科能力水平。具体如表17-7所示。

表17-7　评价说明和评分标准（总分20分）

试题编号	学科能力要素	认识能力	分值	标准答案及评分标准
1	A3说明论证：能根据碳四价理论说明甲烷的空间结构	2分：能够说明正四面体形与平面四边形两种空间结构的差异，并用二氯代物解释说明（系统水平） 0分：不能辨识正四面体形与平面四边形两种空间结构的差异，也无法用二氯代物准确解释说明（欠缺）	2分	2分：B（如果甲烷是平面四边形结构，则二氯代物有邻位和对位两种不同的结构，因此二氯甲烷的结构只有一种可以证明甲烷是正四面体结构） 0分：其他选项
2	A1辨识记忆：能描述烷烃的化学性质，能书写相关化学反应方程式	2分：能够利用烷烃的通式写出燃烧反应，并进行耗氧量的相关计算，知道等质量的烷烃完全燃烧的耗氧量与烷烃中的氢含量有关，氢含量越高，耗氧量越高 0分：无法分析得出结论（欠缺）	2分	2分：A 0分：其他选项
3	A2概括关联：能根据碳骨架对有机物进行分类；能建立性质与应用的关系	2分：能从化学键角度分析水分子和烷烃的结构差异，理解钠可以保存在煤油中（系统水平） 0分：无法从结构角度分析辨识化学键的差异（欠缺）	2分	2分：煤油的主要成分是烷烃，猜测金属钠可以破坏水分子中的O—H键，不能破坏烷烃中的C—C键和C—H键 0分：未从结构角度推理预测

续表

试题编号	学科能力要素	认识能力	分值	标准答案及评分标准
4	A1 辨识记忆：能描述烷烃的化学性质，能书写相关化学反应方程式 B2 推理预测：能判断有机化合物是否互为同系物或同分异构体	6 分：能辨识丙烷中有两种处于不同环境的氢原子，能写出两个与氯气的取代反应，能根据同分异构体的概念判断出丙烷的两种一氯代物互为同分异构体（系统水平） 4 分：能辨识丙烷中有两种处于不同环境的氢原子，能写出两个与氯气的取代反应，但不能根据同分异构体的概念判断出丙烷的两种一氯代物互为同分异构体（孤立水平） 2 分：不能辨识丙烷中有两种处于不同环境的氢原子，不能写出两个与氯气的取代反应，但能根据同分异构体的概念判断出丙烷的两种一氯代物互为同分异构体（孤立水平）； 0 分：不能写出取代反应，也不能判断两种产物之间的关系（欠缺）	6 分	6 分：$CH_3CH_2CH_3 + Cl_2 \longrightarrow CH_3CH_2CH_2Cl + HCl$，$CH_3CH_2CH_3 + Cl_2 \longrightarrow CH_3CHClCH_3 + HCl$；同分异构体 4 分：$CH_3CH_2CH_3 + Cl_2 \longrightarrow CH_3CH_2CH_2Cl + HCl$，$CH_3CH_2CH_3 + Cl_2 \longrightarrow CH_3CHClCH_3 + HCl$；未写出同分异构体 2 分：方程式有误，写出同分异构体 0 分：方程式有误，未写出同分异构体
5	B1 分析解释：能根据碳原子的成键方式和碳骨架分析、解释有机物种类繁多的原因 C1 复杂推理：能基于空间结构理解同分异构体的概念，能推理得出丁烷、戊烷的同分异构体	第一空 2 分：能运用烷烃的通式计算得出分子式（系统水平） 0 分：无法运用烷烃的通式计算得出分子式（欠缺） 第二空 6 分：能够写出 3 种戊烷的同分异构体的结构简式（系统水平） 4 分：能够写出 2 种戊烷的同分异构体的结构简式（孤立水平） 2 分：能够写出 1 种戊烷的同分异构体的结构简式（孤立水平） 0 分：无法写出戊烷的同分异构体的结构简式（欠缺）	8 分	第一空 2 分：C_5H_{12} 0 分：其他答案 第二空 6 分：$CH_3CH_2CH_2CH_2CH_3$、$CH_3CH(CH_3)CH_2CH_3$、$C(CH_3)_4$，写对一个给 2 分； 0 分：其他答案

（三）效果分析

收集答卷 80 份，能力对应的平均得分情况如表 17-8 所示。

表 17-8　评分结果

学科能力	试题编号	分值	平均分	得分率
A1	2、4	6	4.98	83.00%
A2	3	2	1.24	62.00%
A3	1	2	1.12	56.00%
B1	5	2	1.49	74.50%
B2	4	2	3.12	62.40%
C1	5	6	3.16	52.67%

通过数据分析可见，学生的学习理解能力（A1）水平普遍较高，这是由于学生对于甲

烷与氯气能发生反应的印象比较深刻，题目难度较低；学生在应用实践能力（B1）水平上的表现也较好，说明课堂上对于烷烃结构的分析比较到位，学生能够对烷烃分子的通式进行理解运用。值得注意的是，学生在针对 A2、A3、B2 能力和迁移创新能力（C1）的试题上得分率不高，这类试题的题型以解释说明为主，对学生的能力要求较高，个体差异较大，得分情况与学生的课堂参与度密切相关。

二、教学反思

本教学单元根据学科能力理论，围绕“科学家对烷烃的探索历程”这一真实情境，展开学科能力导向的教学设计，教学目标与学科能力发展目标对应，学生通过阅读历史资料、观察实验过程、分析实验现象、回顾生活经验、解释性质规律等一系列活动展开学习探究，从有机物结构的角度理解性质和用途，建立起“结构决定性质，性质决定应用”的认知模式。教学实践表明，多数学生在 A1（学习理解能力）和 B1（应用实践能力）上表现较好，但部分学生在 A2、A3（学习理解能力）、B2（应用实践能力）和 C1（迁移创新能力）上仍有不足，但在教师引导和同学合作过程中有了不同程度的提升。总体而言，本节课的教学设计与实践，落实了化学知识，提升了学科能力，实现了从化学学科知识向化学学科核心素养的转化。在今后的教学中应多开展以学科能力和真实情境为主题的教学，精心设计驱动性问题和能力发展任务，引导学生在真实情境中运用知识，建构认知模型，促进学科认识方式的发展[9]。

本课例的设计思路对于后续的有机物主题的教学，如“乙烯与有机高分子材料”“乙醇与乙酸”等，具有一定的参考价值。教师可以在充分挖掘教学内容的能力培养价值和育人价值的基础上，通过制定学科能力导向的教学目标，选择合适的教学策略（例如搭建模型、合作交流等），创设真实情境（例如“烷烃的应用”“矿难灾害的预防”等），设计丰富的能力活动（例如实验探究、小组探究等）进行教学设计与实践。在本节课的教学实践中发现，部分学生在小组讨论时发言不够积极，找不到答题的角度，建议教师在组织学生合作学习过程中通过小组成员角色分工的方式提升学生的课堂参与度。

参考文献

[1] 中华人民共和国教育部．普通高中化学课程标准（2017 年版 2020 年修订）[S]．北京：人民教育出版社，2020：21-23，65-67，89-92.

[2] 王晶，毕华林．普通高中教科书・化学（必修）第二册 [M]．北京：人民教育出版社，2019：60-65.

[3] 曹明月．基于学习进阶的高中有机化学教学设计研究——以“认识有机化合物”为例 [D]．新疆：伊犁师范大学，2023：43.

[4] 王磊．基于学生核心素养的化学学科能力研究 [M]．北京：北京师范大学出版社，2017：13-14，17-19.

[5] 燕兴权．开展科学探究，构建高效课堂——《最简单的有机化合物——甲烷》教学设计 [J]．中国校外教育，2014（1）：103-104.

[6] 孟献华，倪娟．基于科学发展历史的教学设计层次分析 [J]．化学教育（中英文），2018，39（4）：33-38.

[7] 刘玉荣，詹利平．融合化学史和生活的二氧化碳教学设计 [J]．化学教育（中英文），2017，38（17）：5-9.

[8] 张四方，武迪迪．基于核心素养的 HPS 教学实践——以“甲烷”为例 [J]．化学教育（中英文），2019，40（13）：33-36.

[9] 滕瑛巧，王星乔，潘妩璠，等．促进学科能力发展的化学教学实践——以“氧化剂和还原剂”为例 [J]．化学教学，2024（8）：55-60.

刘香峰（浙江省余姚市第七中学　浙江余姚）

第 18 单元
乙烯与有机高分子材料

目标研制

一、课标研读

（一）内容要求和学业要求

“乙烯与有机高分子材料”教学单元属于《普通高中化学课程标准（2017 年版 2020 年修订）》必修课程主题 4 中的内容，课标相应内容要求和学业要求如表 18-1 所示。

表 18-1 “乙烯与有机高分子材料”教学单元的课标内容要求和学业要求[1]

内容要求	学业要求
4.1 有机化合物的结构特点 以甲烷、乙烯、乙炔、苯为例认识碳原子的成键特点，以乙烯、乙醇、乙酸、乙酸乙酯为例认识有机化合物中的官能团 4.2 典型有机化合物的性质 认识乙烯的结构及其主要性质与应用；结合典型实例认识官能团与性质的关系，知道氧化、加成、取代、聚合等有机反应类型。知道有机化合物之间在一定条件下是可以转化的 4.3 有机化学研究的价值 结合实例认识高分子在生产、生活中的重要应用	1. 能概括常见有机化合物中碳原子的成键类型。能描述乙烯的分子结构特征 2. 能描述乙烯的主要化学性质及相应性质实验的现象，能书写相关的反应式，能利用物质的主要性质进行鉴别 3. 能列举合成高分子在生产、生活中的重要应用，并结合这些物质的主要性质进行简单说明

注：数字序号即课标中相应序号。

可见，课标中对“乙烯与有机高分子材料”的内容要求侧重于有机化合物“结构决定性质”的学科观念，以及乙烯与有机高分子材料的应用价值。学业要求则从“描述”“书写”“鉴别”“列举”“简单说明”等能力表现角度提出了具体的要求。通过直接摘录、增补解构、删繁就简等方法[2]，可以得到该教学单元课标优化后的要求，如表 18-2 所示。

表 18-2 “乙烯与有机高分子材料”教学单元课标优化后的要求[1]

优化后的要求
（原内容要求 4.1）能说出乙烯分子中碳原子的成键特点，知道乙烯分子中的官能团（删繁就简） （原内容要求 4.2）能够描述乙烯的分子结构，列举其主要性质，说出乙烯在生产、生活中的应用实例。能够结合乙烯认识官能团（碳碳双键）与性质的关系，预测并解释含碳碳双键的有机物的主要化学性质。能够辨识氧化、加成、取代、聚合等有机反应类型，并能书写各类反应的化学方程式（增补解构） （原内容要求 4.3）能够说出常见高分子化合物（如聚乙烯、聚氯乙烯等）在生产、生活中的主要用途（增补解构）
（原学业要求 1）能描述乙烯分子中碳原子的成键特点，以及乙烯分子的结构特征（直接摘录） （原学业要求 2）能列举并描述乙烯的主要化学性质（如加成、氧化反应等）及其实验现象，能书写对应的化学反应方程式，能够利用乙烯的主要性质，设计实验进行物质鉴别（增补解构） （原学业要求 3）能结合合成高分子的主要性质，列举并说出合成高分子的主要用途（删繁就简）

（二）学业质量水平

课标学业质量水平与“乙烯与有机高分子材料”教学单元的相关要求对应关系如表 18-3 所示。

表 18-3 “乙烯与有机高分子材料”教学单元的学业质量水平

学业质量水平描述[1]	针对本教学单元内容的具体表现
1-1 能根据物质组成和性质对物质进行分类；能对常见物质（包括简单的有机化合物）及其变化进行描述和符号表征	1-1 能从有机物组成特点、性质角度对烃进行分类；能对乙烯及其变化进行描述和符号表征
1-3 能依据化学问题解决的需要，选择常见的实验仪器、装置和试剂，完成简单的物质性质实验；能根据实验现象形成初步结论	1-3 能够完成与乙烯化学性质相关的实验，并能够根据实验现象，举例说明乙烯的化学性质
2-1 能从构成物质的官能团方面说明常见物质的主要性质，能分析物质性质与用途的关系	2-1 能够通过分析碳碳双键在有机化合物中的作用，解释含碳碳双键的有机物的主要化学性质，并能说出其与用途的关系
3-1 能说明物质的组成、官能团对物质性质的影响；能采用模型、符号等多种方式对物质的结构及其变化进行综合表征	3-1 能够说明碳碳双键对有机物化学性质的影响，能够用球棍模型、结构简式、化学方程式等多种方式对乙烯的结构及化学性质进行综合表征
4-1 能根据物质的类别、组成、微粒的结构等说明或预测物质的性质	4-1 能基于乙烯的成键特点和化学性质并结合乙炔的结构，预测乙炔的化学性质
1-4 具有安全意识，能将化学知识与生产、生活实际结合，赞赏化学对人类生活和生产所作的贡献；能运用所学的化学知识和方法分析讨论生产、生活中简单的化学问题，认识化学科学对社会可持续发展的贡献 2-4 能分析化学科学在开发利用自然资源、合成新物质、保护环境、保障人类健康、促进科技发展和社会文明等方面的价值和贡献；关注化学产品和技术在生产、生活中应用可能产生的负面影响 3-4 认识有机化合物转化和合成在社会经济可持续发展、提高生活质量等方面的重要贡献 4-4 能说明化学科学发展在自然资源利用、材料合成、环境保护、保障人类健康、促进科学技术发展等方面的重要作用；能对化学技术推广应用和化学品使用进行分析和风险评估	1-4、2-4、3-4、4-4 设置方案设计、化学产品优势意义评价等任务，从材料选择、现象预测、结论表达、环保意识、成本意识、创新思维等方面评估学生达到的学业质量水平

注：数字序号即课标中相应序号。

二、教材解读

在人教版高中化学必修教材（2019 年版）第七章第二节“乙烯与有机高分子材料”中，通过对乙烯分子的结构、乙烯的物理性质和化学性质（氧化反应、加成反应）、烃的分类，以及有机高分子材料的分类等显性知识（图 18-1）的介绍，建立“结构决定性质”的学科思想，发展“结构—反应”的认识角度，深化认识有机化合物的一般思路，落实课标内容要求的“有机化合物的结构特点”“典型有机化合物的性质”“有机化学研究的价值”以及“结构、性质与应用”的学科观念[3]。借助实物模型以及实验探究，帮助学生从“结构—反应”的角度学习乙烯的结构和性质，在“结构决定性质”的指导下进一步学习烃的分类，通过有机高分子材料的学习深化有机化学的应用价值，实现学业要求和学业质量水平中有关“说明”“预测”“分类”等能力表现的具体要求。本节课内容是学生学习有机化学的重要基础，也是选择性必修三教学的重要铺垫，教学中需要不断渗透“结构决定性质”的学科思想，将实物模型、实验探究同理论讲解相结合，培养综合分析能力和创新思维能力，同时注重联系生活生产实际，提升对有机化学应用价值的认识，培养科学态度与社会责任。

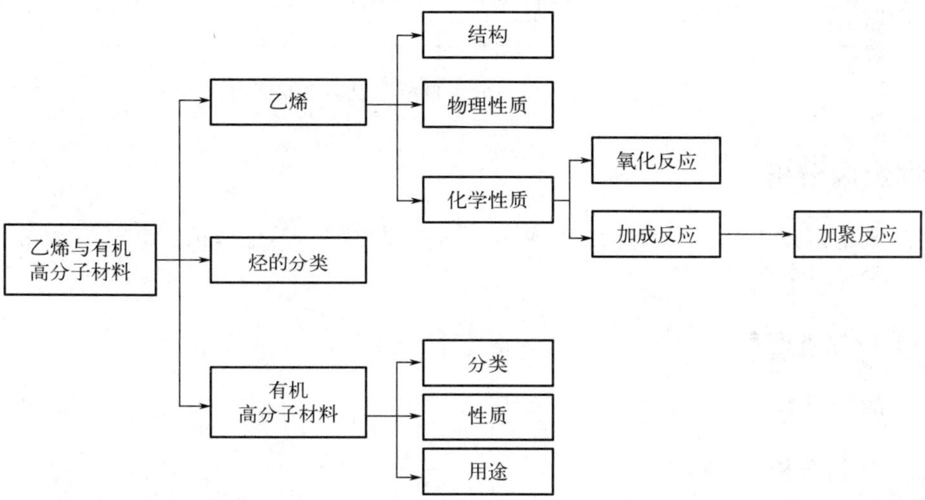

图 18-1 “乙烯与有机高分子材料”教学单元内容

三、能力模型建构

通过课标研读和教材分析，可以确立相关主题的知识基础、研究对象和化学问题、学科认识方式，从而构建该教学单元的学科能力模型（图 18-2）[4]。例如，该教学单元的核心知识是乙烯与有机高分子材料的结构、性质和用途；认识角度是“结构—反应”；认识思路是从分析有机物的分子结构出发，推断其可能具有的化学性质，再根据这些性质预测并验证其可能发生的反应，最终归纳出该类有机物的普遍规律；学科思想为“结构决定性质，性质决定应用”。研究对象和化学问题包括乙烯的结构、性质及应用，有机高分子材料的分类、合成及应用。针对乙烯的教学内容，可在发展学习理解能力的基础上侧重发展简单设计、分析解释、推理预测等应用实践能力；针对有机高分子材料的教学内容，侧重发展学习理解能力以及创新迁移能力。

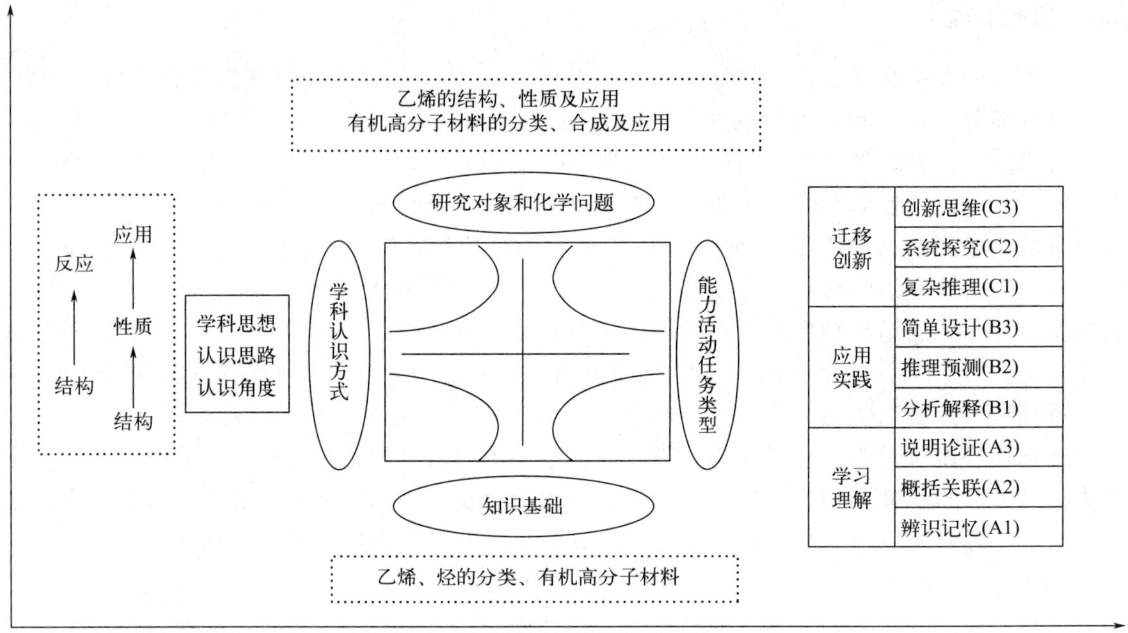

图 18-2 “乙烯与有机高分子材料”教学单元能力模型

四、课程资源分析

在实际教学过程中，能力目标的实现还受到授课类型、学生学情、教学资源等客观因素的影响。

（一）授课类型

本节课的授课类型为新授课。

（二）学情分析

已有基础：从知识层面来看，学生已经学习了甲烷的分子结构、物理性质、化学性质及用途，并对有机物中碳原子的成键特点有一定的认识；从能力层面来看，学生在学习甲烷的过程中，对认识有机物的一般流程已经建立了初步的认知模型；从心理层面上看，乙烯作为继甲烷后的另一类有机物的代表，学生对其内容的学习充满兴趣[5]。

潜在困难：学生学习和认识“碳碳双键”的结构和性质是一个全新的过程，尤其是对于“加成反应”“加聚反应”概念的建构可能存在困难[6]。

（三）教学资源

学科能力目标的实现还有赖于学校资源的支持，学科能力目标的制定需考虑教学资源因素。本节课的学科能力表现性目标制定要求授课学校提供的硬件设施包括：实验器材（试管、胶头滴管、烧杯、集气瓶、细口瓶）、实验试剂（乙烯、酸性高锰酸钾溶液、溴水）、教学模型（球棍模型）、投影设备等；软件设施包括多媒体课件（含动画和 3D 分子模型）。

五、表现性目标制定

将学科能力模型中 4 个维度进行连接组合，再结合学生学情、授课类型、教学资源等客观因素，制定了“乙烯与有机高分子材料”教学单元学科能力表现性目标，如表 18-4 所示。

表 18-4 “乙烯与有机高分子材料”教学单元学科能力表现性目标

能力要素		表现性目标
A 学习理解能力	A1 辨识记忆	能描述乙烯分子中碳原子的成键方式，以及乙烯的分子式、分子结构和物理性质；能举例说明乙烯的用途；能列举常见有机高分子材料的分类、性质和用途；能书写乙烯加成反应、加聚反应的化学方程式
	A2 概括关联	能建立官能团(碳碳双键)与有机物特征性质、有机物类别的关系；能从结构出发对烃进行分类
	A3 说明论证	能通过对比乙烯和乙烷的性质差异，论证碳碳双键对有机化合物性质的影响
B 应用实践能力	B1 分析解释	能结合具体键能数据解释碳碳双键对有机物性质的影响；能结合乙烯分子的结构解释乙烯使酸性高锰酸钾溶液褪色和溴水褪色的原理；能解释乙烯加成反应、加聚反应的原理；能从性质角度分析乙烯及有机高分子材料在生产、生活中的应用
	B2 推理预测	能根据碳原子成键特点，借助球棍模型预测陌生有机物的结构；能基于乙烯的分子结构和性质，推测其他有机化合物(如丙烯、乙炔、聚乙烯)的化学性质
	B3 简单设计	能设计实验方案验证某有机物中是否含有碳碳双键
C 创新迁移能力	C1 复杂推理	—(新授课暂不要求)
	C2 系统探究	—(新授课暂不要求)
	C3 创新思维	能多角度评价说明化学科学发展在自然资源利用、材料合成、环境保护等方面的优势和作用

教学设计

一、教学现状

本教学单元为人教版高中化学必修教材（2019 年版）第七章第二节“乙烯与有机高分子材料”的新授课[3]。学生在学习乙烯的化学性质，如加成反应、聚合反应等的基础上，构建烃的分类体系，了解常见的有机高分子材料，深化“化学服务于生活”的理念。

现有的教学设计往往以乙烯用作水果催熟剂作为引入[7-8]。这种情境创设方式在一定程度上可以激发学生的求知欲，但存在以下两点问题：第一，选取的情境仅在课堂开头处昙花一现，后续的环节均与该情境脱节，因此有必要关注情境创设的连续性以及环节设计的逻辑性，使学生在真实情境中实现“发现问题、获取新知、解决问题”的良性闭环[9]；第二，教学中环节与环节之间连贯性不突出，学生的发现问题、分析问题和解决问题的过程往往处在教师引导下的被动接收状态，难以全面发挥学生的主观能动性，因此应选取适当的教学“任务线索”“问题线索”“活动线索”以及“能力线索”，以充分调动学生思维，发展化学学科能力。

二、教学思路

（一）创设真实问题情境

本教学单元的大情境为“医用材料中的化学”，创设了“探索医用防护服材料组成”和“感受医用有机材料应用”两个真实情境主题，主要原因有：①该真实情境下的主题逻辑清晰，环环相扣、前后呼应，能够有效引导学生深入探索；②通过真实情境下的探讨，学生能够逐步揭示乙烯的结构特征和化学性质，并进一步理解有机化合物特征结构对其化学性质的影响，自然延伸到聚乙烯的合成方法，以及聚丙烯乃至更多有机高分子材料；③该情境主题贴近生活，强调化学知识在生活中的应用，突出“化学服务于生活”的科学态度与社会责任（详见图 18-3）。

图 18-3　教学流程

（二）设计能力评价任务

依据上述确立的学科能力表现性目标，精心设计了多样化、梯度化的能力发展评价任务，体现对学科思维、学科认识视角和认识思路等的建立、诊断和发展。具体见表 18-5。

表 18-5 “乙烯与有机高分子材料”教学单元能力发展评价

序列	教学环节	评价任务	评价活动	能力要素	素养价值
1	明确乙烯分子结构	动手制作乙烯的球棍模型	学生完成拼插后进行展示并给出拼插依据，指出乙烯与乙烷分子结构的差异	A1、B2	应用碳原子成键特点，预测陌生有机物的结构
2	认识乙烯氧化反应	说明论证碳碳双键对有机化合物化学性质的影响	从键能数据中提取信息，推测碳碳双键的存在对有机物化学性质的影响	A3、B1	深化“结构决定性质”的学科思想
3	探究乙烯加成反应	完成乙烯与溴反应的探究性实验	小组合作，从现象观察、结构分析、产物推测、产物验证、符号表征等方面完成乙烯与溴反应的探究性实验设计，验证某有机物中是否存在碳碳双键	A3、B1、B3	发展分析解释的学科能力以及符号表征能力；学习并巩固认识方法（实验）
4	实现防护服材料合成	探索医用防护服熔喷层合成方法	自主选取原料，实现医用防护服熔喷层——聚丙烯的合成，并用化学方程式表示	A1、B1、B2	培养和强化迁移、应用、预测的能力
5	分类有机材料	熟悉有机化合物的分类方法	聚焦各类有机化合物，尝试对有机化合物进行分类	A2	发展和深化化学中的“分类观”
6	解析结构特点	明晰有机化合物名称背后的结构依据	聚焦各类有机化合物，借助球棍模型分析名称背后的结构依据	A1、A2	聚焦各种烃的结构特点，发展概括关联的学科能力
7	调研医用材料	列举有机材料对医学的贡献	列举医学中的有机高分子材料，并与全班同学分享	A1	感受化学对医学乃至社会发展的贡献
8	评价材料优势	感受有机材料应用于医学的独特优势	小组讨论，从轻便、耐用、易加工、环保等角度评价有机高分子材料是如何满足医学中的特定需求的	C3	深化“化学服务于生活”的科学态度与社会责任

（三）选择教学策略

根据教学目标和教学内容，选择合适的教学策略。针对“乙烯”内容，采取情境创设、探究性实验、小组讨论等教学策略，通过拼插球棍模型认识乙烯分子的结构，利用具体键能数据预测乙烯与乙烷性质的差异，并设计实验加以验证，建立“结构决定性质”的学科观念以及“性质指导制备，制备基于性质”的思想；从乙烯加聚合成聚乙烯到丙烯加聚合成聚丙烯，达到迁移应用的目的。针对“烃的分类”“有机高分子材料”的内容，以种类繁多的医用有机材料为情境主题，基于“结构决定性质，性质决定应用”的学科观念，通过感受具体的医用有机材料，着重引导学生关注到有机化合物的共性与多样性，认识有机化学的价值所在。

三、教学实录（第一课时）

【引入】医学与化学联系紧密。在医院中，常常能看到医生穿着医用防护服以阻挡细菌、病毒（图 18-4）。那么医用防护服的材料是什么？

【资料 1】医用防护服通常由防水、防油、防化学物质和细菌渗透的材料制成。常见的医用防护服采用多层复合结构，外层透气膜采用聚乙烯材料，内部熔喷层采用聚丙烯材料。

【资料 2】聚乙烯、聚丙烯分别是乙烯、丙烯通过聚合反应得到的，而乙烷、丙烷无法发生聚合反应。

【问题 1】为什么丙烯、乙烯与丙烷、乙烷性质存在差异？

【学生】丙烯、乙烯的结构可能与丙烷、乙烷不同。

【教师】很好，结构与性质密切相关，结构决定性质，性质反映结构。乙烯、丙烯均属于“烯烃”。

【过渡】这节课我们不妨先从最简单的烯烃——乙烯开始研究，探索医用防护服的材料奥秘。

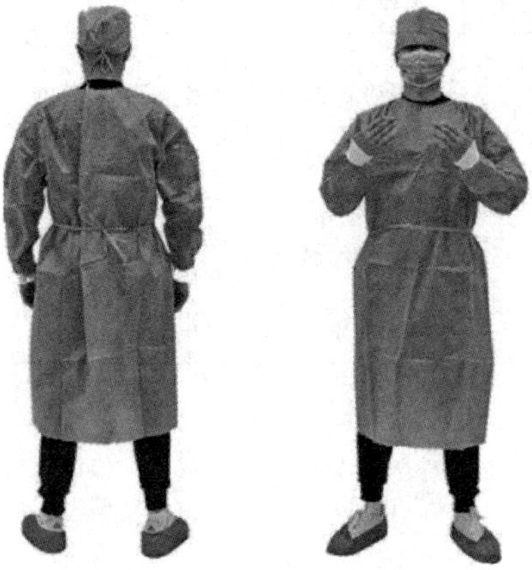

图 18-4　穿着医用防护服的医生

任务一：明确乙烯分子结构

【教师】为什么可以从乙烯出发合成聚乙烯？首先我们来认识一下乙烯。

【教师】乙烯与乙烷不同，乙烯是一种无色、稍有气味的气体，难溶于水，密度比空气略小，其分子式为 C_2H_4。

【活动】请根据乙烯的分子组成，结合有机物中碳原子的成键特点，动手制作乙烯的球棍模型，对比乙烯和乙烷的结构，指出两者的不同之处。

【学生】乙烯中存在碳碳双键，四个碳原子和两个氢原子在同一个平面，而乙烷中各原子之间均以单键相结合，所有原子不在同一平面。

学习评价：在“探索医用防护服材料组成”真实情境的引入下，学生对烯烃的学习兴趣浓厚。绝大部分学生都能够关注到乙烯与乙烷在结构上的差异，基于乙烯的分子式动手拼插乙烯的球棍模型，预测乙烯的结构，具备 A1、B2 学科能力。

任务二：认识乙烯氧化反应

【问题 2】基于乙烯和乙烷结构的不同之处，猜测乙烯和乙烷的化学性质是否相同？为什么？

【学生】不相同，因为乙烯中存在碳碳双键，化学键类型与乙烷不同。

【追问】请根据表 18-6 推测乙烯中的碳碳双键在化学反应中可能会发生怎样的变化。

表 18-6 乙烯断裂 1mol 碳碳双键中各键所需能量数据

断键类型	断裂 1mol 碳碳双键	
	第一个键	第二个键
所需能量	平均约为 264.4kJ	平均约为 345.6kJ

【学生】乙烯分子中碳碳双键的第一个键比第二个键更容易发生断裂。

【教师】因此，你认为碳碳双键的存在对有机物的性质有何影响？

【学生】可能会使有机物性质更为活泼。

【教师】非常好，这可能是乙烯能够作为合成聚乙烯原料的重要原因。我们在学习烷烃的时候接触过，通常情况下，烷烃比较稳定，与强酸、强碱或高锰酸钾等强氧化剂不发生反应。那么乙烯是否如此？

【实验 1】将乙烯通入盛有酸性高锰酸钾溶液的试管中，观察现象。

【学生】酸性高锰酸钾溶液褪色。

【追问】结合高锰酸钾在氧化还原反应中常扮演的角色，猜测这个过程中乙烯发生了哪类化学反应？

【学生】氧化反应。

【小结】与烷烃不同，乙烯能被高锰酸钾等氧化剂氧化，产物为 CO_2。

【问题 3】类比甲烷，思考除了与高锰酸钾反应以外，你认为乙烯还能与哪种常见的物质发生氧化反应？

【学生】氧气。乙烯与甲烷一样，也能发生燃烧反应。

【追问】你认为乙烯燃烧现象与甲烷燃烧现象是否相同？

【实验 2】点燃纯净的乙烯气体，观察燃烧时的现象。

【学生】与甲烷相比，乙烯燃烧火焰明亮且伴有黑烟。

学习评价：根据键能数据，学生在证据推理的过程中自主预测、说明和论证碳碳双键的存在对有机物性质的影响。多数学生能关注到键能数据下碳碳双键在化学反应中可能的变化，具备 A3、B1 学科能力，但少数学生的表达能力欠缺，表述欠清晰、精准，A3 学科能力有待提高。绝大部分学生能够关联旧知，归纳得出乙烯能够发生氧化反应，但极少数学生对氧化反应的概念有所混淆，难以将氧化还原反应的概念迁移至有机化学的学习中。

任务三：探究乙烯加成反应

【设疑】你认为以乙烯为原料制备医用防护服外层材料——聚乙烯，与刚才学习的乙烯的氧化反应有关吗？

【学生】无关，因为无论是乙烯的燃烧反应还是乙烯与酸性高锰酸钾溶液的反应，含碳产物均为 CO_2 而非聚乙烯。

【PPT】展示乙烯的结构简式和聚乙烯（片段）的结构简式。

乙烯：$CH_2=CH_2$；聚乙烯（片段）：$\cdots—CH_2—CH_2—CH_2—CH_2—\cdots$

【问题 4】聚乙烯的结构与乙烯的结构最大的区别是什么？

【学生】聚乙烯结构中没有碳碳双键，而乙烯中含有碳碳双键。

【教师】要把乙烯转化为聚乙烯，就要破坏乙烯中的碳碳双键，同时不破坏碳氢单键。

【探究性实验】探究乙烯与溴的反应

【对比实验】

试管 1：向 10mL 溴水中通入一定量的乙烯气体；

试管 2：向 10mL 溴水中通入一定量的乙烷气体。

【现象观察】试管 1：溶液褪色；试管 2：溶液颜色无明显变化。

【问题思考】两试管的实验现象差异说明了什么?

【得出结论】乙烯能和溴反应，而乙烷不能。

【问题引导】“结构决定性质，性质反映结构”，能否从结构的角度分析乙烯与乙烷反应活性差异?

【数据回顾】从乙烯断裂 1mol 碳碳双键中各键所需能量数据（表 18-6）可见，乙烯分子中碳碳双键的第一个键比第二个键更容易发生断裂，而碳碳单键难以断裂。

【信息提示】乙烯与溴反应从反应类型上看属于化合反应，产物不存在碳碳双键。

【自主尝试】根据刚才的结构分析以及信息提示，小组讨论，猜测可能产物的结构式。

【提出猜测】猜测 1： 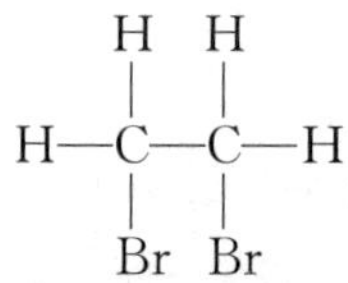 猜测 2： 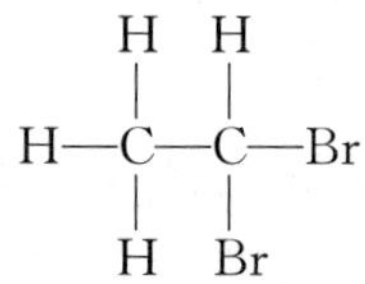

【资料卡片】若对乙烯与溴反应的产物进行分离、提纯，核磁共振氢谱显示该物质只有一种化学环境的 H 原子，即具有良好的对称性。

【得出结论】乙烯与溴反应的产物为 1,2-二溴乙烷 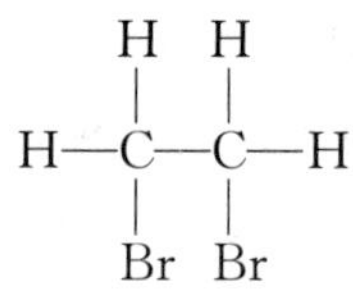 ，即猜测 1 正确。

【深度思考】请结合乙烯和 1,2-二溴乙烷的结构，推测乙烯与溴反应断键和成键的位置。

【学生反馈】反应中反应物断裂一根碳碳双键和 Br—Br 键，形成两根 C—Br 键，两个 Br 原子分别连接在两个碳原子上。

【符号表征】请书写乙烯与溴反应的化学方程式。

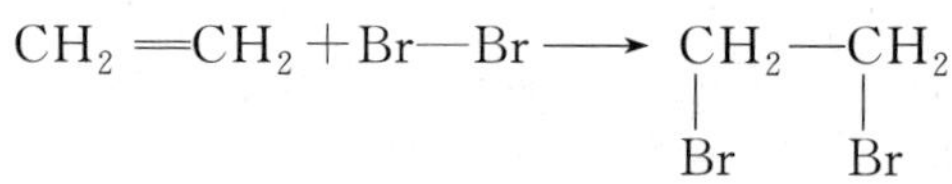

【概念建构】这种有机物分子中的不饱和碳原子与其他原子或原子团直接结合生成新的化合物的反应叫作“加成反应”。

【迁移练习】试写出乙烯与 Cl_2、H_2、HCl、H_2O 发生加成反应的产物。

【小组讨论】根据所学，设计实验方案验证某有机物气体中是否含有碳碳双键。

【学生 1】可将该有机物气体通入溴水中，若溶液褪色，则含有碳碳双键。

【教师追问】很好，还有同学有其他方法吗?

【学生 2】可将该有机物气体通入酸性 $KMnO_4$ 溶液中，若溶液褪色，则含有碳碳双键。

【归纳总结】两种方法常用于验证某有机物气体中是否含有碳碳双键。

学习评价： 该部分以探究性实验活动为主。绝大部分学生能够在认知冲突下进一步探究乙烯如何断裂碳碳双键同时不破坏碳氢单键，理解加成反应的概念，并利用化学方程式进行符号表征，具备 B1 学科能力；学生能够始终注重乙烯与乙烷结构的对比，关注到碳碳双键的存在对有机物化学性质的影响，发展了 A3 学科能力；大部分学生能够在“拓展应用”环节中学以致用，小组讨论设计实验方案验证某有机物中是否含有碳碳双键，具备一定的 B3 学科能力，但部分学生的表达能力仍需加强。

任务四：实现防护服材料合成

【过渡】任务三书写的加成反应，实现了破坏乙烯中的碳碳双键，同时不破坏碳氢单键这样的目标，但是我们得到了类似聚乙烯这样的结构吗？

【学生】没有。

【追问】回忆聚乙烯（片段）的结构简式，思考能否利用加成反应，以乙烯为原料，得到医用防护服外层材料——聚乙烯？

【学生】乙烯分子也许自身能发生加成反应。

【角色扮演】学生上台模拟乙烯分子之间的加成反应，如图 18-5 所示。

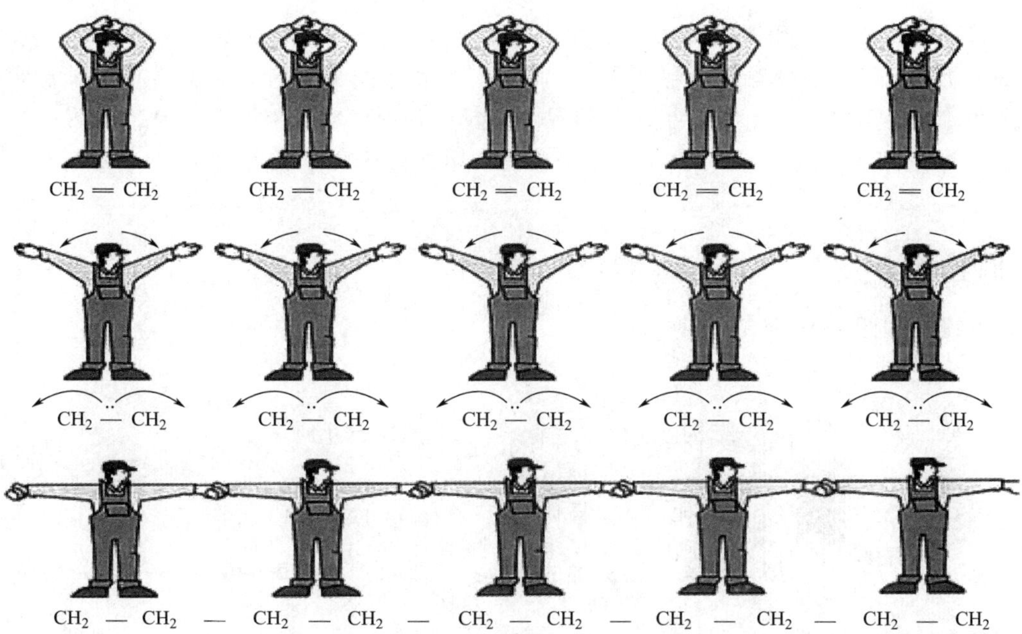

(*b*)

图 18-5　乙烯加成反应模拟示意图

【PPT】

乙烯　　　　　　　　　聚乙烯

$$nCH_2{=}CH_2 \xrightarrow{\text{催化剂}} {+}CH_2{-}CH_2{+}_n \quad -CH_2-CH_2-$$

⇩ 单体　　　　⇩ 聚合度　　　　⇩ 链节

【教师】这种由分子量小的化合物分子互相结合成分子量大的聚合物的反应叫作“聚合反应”。乙烯的聚合反应同时也是加成反应，故又被称为“加成聚合反应”，简称“加聚反应”。

【小结】利用加聚反应，我们实现了从小分子原料，到高分子化合物的转化，也探索揭秘了医用防护服外层材料的合成方法。聚乙烯的制备基于的是乙烯的化学性质，因此物质性质可以指导物质制备，物质制备要始终基于物质性质。

【迁移应用】除了外层聚乙烯外，医用防护服的内部熔喷层为聚丙烯材料。请大家做一回“医用防护服材料合成工程师”，完成下面两个任务：

① 书写医用防护服熔喷层主要成分——聚丙烯的结构简式；

② 自主选取原料，实现医用防护服熔喷层——聚丙烯的合成，并用化学方程式表示。

【总结】这节课我们聚焦医用防护服材料——聚乙烯、聚丙烯，以简单的乙烯为例，探索学习了以乙烯为代表物的烯烃的各类性质，并认识到乙烯和甲烷、乙烷的结构差异所引起的性质差异，对我们合成实际材料提供了指导作用。

【结尾】由此可见，化学能为医学材料的合成做出重要的贡献。医学材料种类繁多，尤以有机高分子材料为多。下节课我们将会来一起感受更多医用有机材料的应用。

学习评价：学生上台模拟乙烯分子之间的加成反应，将抽象过程形象化，学习热情高涨，发展了 A1、B1 学科能力。学生通过“扮演”医用防护服材料合成工程师，探索聚丙烯合成方法，培养了“化学服务于生活”的观念，超半数的学生能够合理迁移，推测丙烯的加聚反应，具备 B2 学科能力；部分学生无法正确表示聚丙烯的结构简式。

四、板书设计

板书设计如图 18-6 所示。

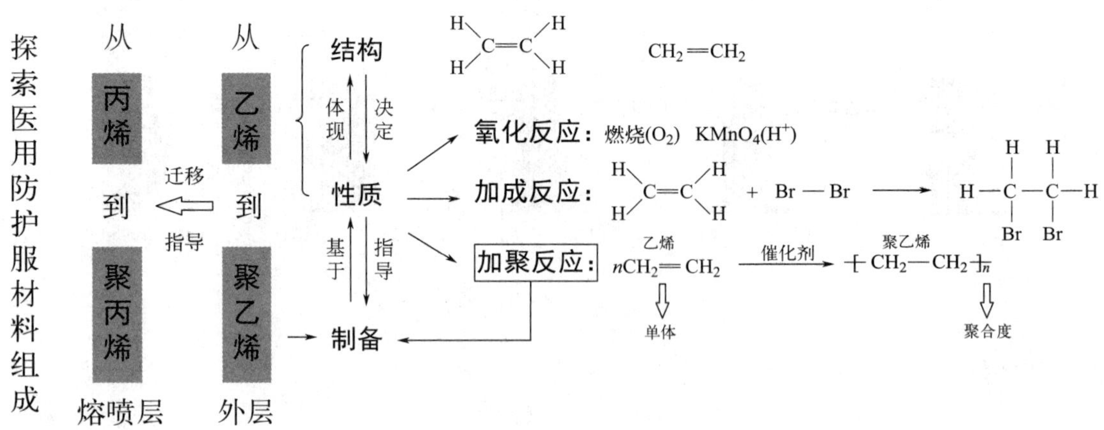

图 18-6 “探索医用防护服材料组成”教学板书设计

教学评价

一、教学效果

（一）测评试题

“石头纸”是一种介于纸张和塑料之间的新型材料，在全国两会得到普及使用，其内层材料为碳酸钙（$CaCO_3$），双外层材料选用聚乙烯等高分子材料，具有优异的抗张力、撕裂度、耐破度和耐折度等物理特性，可用于替代标签纸、包装纸等传统的纸张。

1. “石头纸”之所以具有优异的物理特性，部分原因在于其双外层材料——聚乙烯。乙烯是生产聚乙烯的关键原料。

（1）【多选题】下列关于乙烯的描述正确的是（　　）。

A. 乙烯分子中的碳原子通过碳碳单键连接

B. 乙烯是一种不饱和烃

C. 乙烯的分子式为 C_2H_4

D. 乙烯的物理性质与乙烷完全相同

（2）【填空题】聚乙烯是由乙烯通过________反应得到的有机高分子材料，写出由乙烯生成聚乙烯的化学方程式：________________________。

（3）【简答题】乙烷无法发生题（2）所涉及的此类反应，请结合此类反应的原理解释原因：

____。

2. 【简答题】验证聚乙烯的结构。

请根据乙烯的化学性质，设计一个实验方案，用于验证“石头纸”双外层材料聚乙烯中是否含有碳碳双键，说明预期现象和结论，并解释原因：

____。

3. 【简答题】乙炔分子的分子式为 C_2H_2，其分子中含有碳碳三键，与乙烯的碳碳双键相比，其不饱和程度更高。请推测乙炔与乙烯化学性质上存在的相同点与不同点。

相同点：

____

____

不同点：

____

____

4. 【拓展题】近年来，随着全球环保意识的增强和可持续发展理念的深入人心，“石头纸”作为一种环保新材料，受到了越来越多的关注。请结合“石头纸”的成分、性能特点，从环境保护、原料来源的角度分析并论述“石头纸”的优势。

____

____

（二）设计说明

本题以“宏观辨识与微观探析”“科学探究与创新意识”及“科学态度与社会责任”的化学学科核心素养为测试宗旨，以新型材料“石头纸”真实情境为测试载体，设置了解聚乙烯的形成、验证聚乙烯的结构、预测乙炔的性质、论述“石头纸”的优势和意义等基于实际问题的测试任务，要求学生运用乙烯分子“结构决定性质”的相关知识解决相应问题。每一个试题均对应学科能力表现性目标，旨在评价学生完成本节课学习后相应的学科能力水平。具体如表 18-7 所示。

表 18-7　评价说明和评分标准（总分 24 分）

试题编号	学科能力要素	认识能力	分值	标准答案及评分标准
1(1)	A1 辨识记忆：能描述乙烯分子中碳原子的成键方式，以及乙烯的分子式、分子结构和物理性质	2 分：能描述乙烯分子中碳原子的成键方式，知道乙烯分子的结构、分子式及物理性质（宏观—微观） 0 分：无法描述乙烯分子中碳原子的成键方式，以及乙烯分子的结构、分子式和物理性质（欠缺）	2 分	2 分：B、C 1 分：B 或 C 0 分：不选或错选
1(2)	A1 辨识记忆：能书写乙烯加聚反应的化学方程式 A2 概括关联：能建立官能团（碳碳双键）与有机物特征性质、有机物类别的关系	4 分：能够建立官能团与有机物特征性质的关系，能结合加聚反应原理书写乙烯加聚反应的化学方程式（宏观—微观—符号表征） 3 分：能够建立官能团与有机物特征性质的关系，能结合加聚反应原理书写乙烯加聚反应的化学方程式，但未关注到反应条件对反应的影响（符号表征能力欠完善） 2 分：能够建立官能团与有机物特征性质的关系，不能结合加聚反应原理书写乙烯加聚反应的化学方程式（符号表征能力欠缺） 0 分：无法建立官能团与有机物特征性质的关系，不能结合加聚反应原理书写乙烯加聚反应的化学方程式（宏观—微观—符号表征能力欠缺）	4(2+2) 分	4 分：加聚； $n\mathrm{CH_2}=\mathrm{CH_2}\xrightarrow{\text{催化剂}}\left[\mathrm{CH_2}-\mathrm{CH_2}\right]_n$ 3 分：加聚；方程式未标注“催化剂” 2 分：加聚；方程式反应物或生成物错误 0 分：无法判断反应类型，无法书写化学方程式
1(3)	B1 分析解释：能解释乙烯加聚反应的原理	2 分：能够结合乙烯加聚反应的原理，论证乙烷无法发生加聚反应的原因（结构—性质；系统水平） 0 分：不能论证乙烷无法发生加聚反应的原因（欠缺）	2 分	2 分：乙烯分子具有碳碳双键，分子间可以发生加聚反应相互结合为聚合物；乙烷分子没有碳碳双键，分子间无法相互结合为聚合物，故无法发生加聚反应； 0 分：无法回答
2	A3 说明论证：能论证碳碳双键对有机化合物性质的影响	6 分：能够设计完整的实验方案验证“石头纸”成分中是否含有碳碳双键，给出准确的预期现象和结论，并说明做出此判断的化学依据（结构—性质；系统水平）	6(4+2) 分	6 分： 实验设计：取少量“石头纸”双外层材料，加入适量的溴水（或酸性高锰酸钾溶液），观察溶液颜色的变化，若溴水未褪色（或溶液紫色未褪去），则表明材料中不含有碳碳双键；

续表

试题编号	学科能力要素	认识能力	分值	标准答案及评分标准
2	B3 简单设计：能设计实验方案验证某有机物中是否含有碳碳双键	4～5 分：能够设计实验方案验证"石头纸"成分中是否含有碳碳双键，并给出预期现象和结论，但无法解释背后的化学依据（结构—性质；孤立水平） 1～3 分：能够设计简单的实验方案验证"石头纸"成分中是否含有碳碳双键，但无法给出预期的实验现象和结论，无法给出分析依据（孤立水平） 0 分：无法设计实验方案验证"石头纸"成分中是否含有碳碳双键，也无法给出分析依据（欠缺）		原因：聚乙烯中不存在碳碳双键。 4 分：实验方案、预期现象和结论正确，但分析依据错误 2 分：实验方案正确，预期现象和结论、分析依据均错误 0 分：无法给出合理的实验方案和分析依据
3	B2 推理预测：能基于乙烯的分子结构和性质，推测其他有机化合物（乙炔）的化学性质	5～6 分：能基于乙炔和乙烯的分子结构差异，全面、合理地推测二者性质的"同"与"异"（结构—性质；系统水平） 2～4 分：能基于乙炔和乙烯的分子结构差异，从"同"或"异"角度预测乙炔的部分性质（结构—性质；孤立水平） 0 分：无法基于乙炔和乙烯的分子结构差异，推测二者性质的相同点或不同点（欠缺）	6 分	5～6 分： 相同点：二者均可以发生加成反应；二者均可以使酸性高锰酸钾溶液褪色（每点 2 分） 不同点：等物质的量的乙烯与乙炔和 H_2 完全加成所需要消耗的 H_2 物质的量不同（2 分，合理即可） 2～4 分：答出部分相同点或不同点，评分标准见上 0 分：无法回答
4	C3 创新思维：能多角度评价说明化学科学发展在自然资源利用、材料合成、环境保护等方面的优势和作用	4 分：能从环境、成本等多角度分析说明"石头纸"推广的优势和意义（科学态度与社会责任；系统水平） 2 分：能从单个角度分析说明"石头纸"推广的优势和意义（科学态度与社会责任；孤立水平） 0 分：无法分析说明"石头纸"推广的优势和意义（科学态度与社会责任；缺失）	4 分	4 分： 环境保护："石头纸"的推广能减少对传统纸张和塑料的需求，减小因砍伐树木对环境造成的负担 原料来源："石头纸"的原料之一碳酸钙可源自自然界，成本较低（每点 2 分，合理即可） 2 分：答到环境保护、原料来源中的 1 点 0 分：无法回答

（三）效果分析

收集答卷 68 份，能力对应的平均得分情况如表 18-8 所示。

表 18-8 评分结果

学科能力	试题编号	分值	平均分	得分率
A1	1(1)、1(2)第二空	4(2+2)	3.73	93.3%
A2	1(2)第一空	2	2.00	100.0%
A3	2(分析依据)	2	1.74	86.8%
B1	1(3)	2	1.85	92.6%

续表

学科能力	试题编号	分值	平均分	得分率
B2	3	6	4.29	71.6%
B3	2(方案设计)	4	2.74	45.6%
C3	4	4	1.41	35.3%

通过数据分析可见，学生的学习理解能力（A1、A2、A3）水平整体较高，这是由于该学科能力对应试题难度较低，学生通过课堂学习、小结便能够较好地掌握。应用实践能力（B1、B2、B3）中各能力水平差异较大，学生的B1分析解释能力水平较高，这与大部分学生在课堂上的有效参与有关；B2、B3两种能力本身具有一定的难度，此外，B3简单设计能力还要求学生有较强的表达能力和较高的表述规范性，因此学生在这两个能力上水平不高，这要求教师在教学中应让学生积极参与表达、互动，并强调表述的精准性和规范性。C3创新思维能力对应试题的得分率较低，由于对应的测试题为开放性试题，对学生思维的开放性和创新性提出了较高的要求。

二、教学反思

本单元依据学科能力理论，通过“目标制定—策略选择—情境创设—活动设计”的流程展开教学设计。围绕“医用材料中的化学”这一教学情境，以医用防护服的外层材料、有机高分子材料代表物“聚乙烯”作为切入口，在探究如何从乙烯出发制备聚乙烯的各项任务中逐步明晰乙烯的结构和性质，熟悉烃的分类方法，进而了解有机高分子材料的种类与用途，深化“结构决定性质，性质决定应用，性质指导制备”的思想，引导学生建立认识有机化合物的一般思路。教学实践表明，多数学生A1、A2、A3学习理解能力以及B1分析解释能力水平较高，B2推理预测能力水平尚可，B3、C3能力有待加强。学生通过真实情境下的师生、生生互动交流，各方面能力得到了不同程度的提升。

本课例的设计思路对相似主题的教学，如“乙醇和乙酸”等具有一定的参考价值。教师可基于“结构决定性质，性质决定应用”的学科观念，通过制定学科能力导向的教学目标，选择合适的教学策略（例如结合球棍模型拼插的POE教学策略等），创设真实情境（例如“医用酒精说明书”“酒类存储注意事项”等），设计丰富的能力活动（例如现象解释、性质预测、小组探究等）进行教学设计与实践。在本节课的教学实践中，部分学生对医用高分子材料的实际应用（如医用防护服）缺乏直观认识，可提前布置调研任务或课堂展示实物样本（如不同材质的防护服碎片），提升情境代入感。此外，学生对医用材料的创新（如可降解缝合线、抗菌高分子等）兴趣浓厚，可在课后拓展中引入相关案例，或设计开放性问题（如“如何改进防护服的透气性”），进一步挖掘学科育人价值。

参考文献

[1] 中华人民共和国教育部．普通高中化学课程标准（2017年版2020年修订）[S]．北京：人民教育出版社，2020：15-20，23-27，65-67.

[2] 王星乔，张金水，陈孝娜，等．促进学科能力发展的“配合物”教学研究——基于农村学校的实践探索[J]．化学教学，2023（02）：42-48.

[3] 王晶，毕华林．普通高中教科书·化学（必修）第二册[M]．北京：人民教育出版社，2019：19-24.

[4] 王磊．基于学生核心素养的化学学科能力研究［M］．北京：北京师范大学出版社，2017：13-14，17-19．
[5] 张礼聪，李婷婷，孔琴飞，等．在对比中学习——“乙烯”的教学实录［J］．化学教学，2016（05）：55-58．
[6] 扶云松．“乙烯的结构与性质”教学设计［J］．中学化学教学参考，2023（21）：24-26．
[7] 鞠霞．科学设计驱动问题促进学科观念建构——“乙烯”的教学设计与反思［J］．化学教与学，2019（09）：66-68．
[8] 卢珊．核心素养视角下POEC教学策略的“乙烯”教学实践［J］．化学教与学，2023（08）：56-60．
[9] 张军平，邓君．基于POE教学策略的“乙烯”教学设计［J］．中学化学教学参考，2021（04）：20-22．

徐　凯　（宁波外国语学校　浙江宁波）
张丹宁　（宁波市鄞州高级中学　浙江宁波）

第 19 单元

乙醇与乙酸

目标研制

一、课标研读

（一）内容要求和学业要求

“乙醇与乙酸”教学单元属于《普通高中化学课程标准（2017 年版 2020 年修订）》必修课程主题 4 中的内容，课标相应内容要求和学业要求如表 19-1 所示。

表 19-1 “乙醇与乙酸”教学单元的课标内容要求和学业要求[1]

内容要求	学业要求
4.1 有机化合物的结构特点 知道有机化合物分子是有空间结构的，以甲烷、乙烯、乙炔、苯为例认识碳原子的成键特点，以乙烯、乙醇、乙酸、乙酸乙酯为例认识有机化合物中的官能团。知道有机化合物存在同分异构现象 4.2 典型有机化合物的性质 认识乙烯、乙醇、乙酸的结构及其主要性质及应用；结合典型实例认识官能团与性质的关系，知道氧化、加成、取代、聚合等有机反应类型。知道有机化合物之间在一定条件下是可以转化的 4.3 有机化学研究的价值 知道合成新物质是有机化学研究价值的重要体现。结合实例认识高分子、油脂、糖类、蛋白质等有机化合物在生产、生活中的重要应用	1. 能辨识常见有机化合物分子中的碳骨架和官能团。能概括常见有机化合物中碳原子的成键类型 2. 能描述乙烯、乙醇、乙酸的主要化学性质及相应性质实验的现象，能书写相关的反应式，能利用这些物质的主要性质进行鉴别 3. 能列举合成高分子、油脂、糖类、蛋白质等有机化合物在生产、生活中的重要应用，并结合这些物质的主要性质进行简要说明 4. 能从有机化合物及其性质的角度对有关能源、材料、饮食、健康、环境等实际问题进行分析、讨论和评价。能妥善保存、合理使用常见有机化学品

注：数字序号即课标中相应序号。

可见，课标中对“乙醇与乙酸”的内容要求侧重于有机化合物的结构特点和典型有机化合物的性质，以及研究有机化学的价值。学业要求则从“辨识”“概括”“描述”“列举”“简要说明”“分析、讨论和评价”等能力角度提出了具体要求。通过直接摘录、增补解构、删繁就简等方法，可以得到该教学单元课标优化后的要求，如表 19-2 所示。

表 19-2 “乙醇与乙酸”教学单元课标优化后的要求[1]

优化后的要求
(原内容要求 4.1)能以乙醇、乙酸为例认识有机化合物中的官能团(直接摘录) (原内容要求 4.2)能认识乙醇、乙酸的结构及其主要性质及应用;能结合典型实例认识官能团(羟基、羧基)与性质的关系,知道氧化、取代(酯化)等有机反应类型。知道通过氧化反应可以实现乙醇、乙醛、乙酸之间的相互转化(增补解构) (原内容要求 4.3)能利用乙醇和乙酸的组成、结构与性质,分析、解释相关实验现象及其在生产、生活中的重要应用(删繁就简)
(原学业要求 1)能辨识以乙醇、乙酸为代表的醇类和羧酸类物质的官能团(直接摘录) (原学业要求 2)能描述乙醇、乙酸的物理性质和主要化学性质及相关实验的现象,能指出反应类型并书写相关方程式。能根据羟基和羧基的特征反应设计简单实验鉴别、检验(增补解构) (原学业要求 3)能列举乙醇、乙酸在生产、生活中的重要应用,并结合这些物质的主要性质进行简要说明(直接摘录) (原学业要求 4)能结合乙醇与乙酸性质及转化关系对有关能源、饮食、健康、环境等实际问题进行分析、讨论和评价。能妥善保存、合理使用乙醇和乙酸(增补解构)

(二)学业质量水平

课标学业质量水平与“乙醇与乙酸”教学单元的相关要求对应关系如表 19-3 所示。

表 19-3 “乙醇与乙酸”教学单元的学业质量水平

学业质量水平描述[1]	针对本教学单元内容的具体表现
2-1 能从构成物质的微粒、化学键、官能团等方面说明常见物质的主要性质,能分析物质性质与用途的关系	2-1 能够以羟基对乙醇性质的影响、羧基对乙酸性质的影响为例,建立官能团与有机物特征性质、有机物类别的关系
2-2 认识化学变化的多样性和复杂性;能设计物质转化的方案,能运用化学符号表征物质的转化,能说明化学变化的本质特征和变化规律	2-2 能基于官能团转化的视角认识氧化反应、酯化反应的本质;能正确书写相关方程式
2-3 能通过实验探究物质的性质和变化规律,能提出有意义的实验探究问题,根据已有经验和资料作出预测和假设,能设计简单实验方案,能运用适当的方法控制反应条件并顺利完成实验;能收集和表述实验证据,基于实验事实得出结论	2-3 能够结合实验现象分析解释水和乙醇与钠反应的异同;能设计简单实验比较乙酸酸性的强弱;能根据羟基、羧基的特征反应设计简单实验鉴别、检验乙醇和乙酸
2-4 能分析化学科学在开发利用自然资源、合成新物质、保护环境、保障人类健康、促进科技发展和社会文明等方面的价值和贡献;能从化学视角理解食品安全、环境保护等法律法规,关注化学产品和技术在生产、生活中可能产生的负面影响	2-4 能够举例说明乙醇与乙酸在生产、生活中的应用,能妥善保存、合理使用乙醇与乙酸
3-1 能说明物质的组成、官能团和微粒间作用力的差异对物质性质的影响	3-1 能够从键的极性、基团的相互影响方面论证乙醇和乙酸分子中的反应活性部位
4-1 能根据物质的类别、组成、微粒的结构、微粒间作用力等说明或预测物质的性质,评估所做说明或预测的合理性	4-1 能从物质类别和官能团方面预测陌生醇类与羧酸类物质的性质,书写简单化学方程式

注:数字序号即课标中相应序号。

二、教材解读

在人教版高中化学必修教材(2019 年版)第七章第三节“乙醇与乙酸”中,通过对乙醇的组成、结构、物理性质、化学性质和在生产生活中的应用,以及乙酸的组成、结构、物理性质、酸性、酯化反应及酯类物质等显性知识（图 19-1）的简单介绍，建立“官能团”的认识视角和“分析结构→预测性质→实验验证→符号表征→结构与性质关联→了解应用→性质与用途关联”的认识思路，强化“结构决定性质，性质决定用途”的学科观念。借助大量结构模型和化学实验帮助学生从微观结构角度学习和理解相关内容，掌握模型法和科学实验探究等认识方法，结合“思考与讨论”等栏目，实现学业要求和学业质量水平中有关“辨识”“概括”“描述”“列举”“简要说明”“分析、讨论和评价”等能力表现的具体要求。本单元内容知识要求较高，注重建立物质的微观结构与性质的概括关联，教学时需要注意培养学生科学探究、证据推理和模型构建等意识。

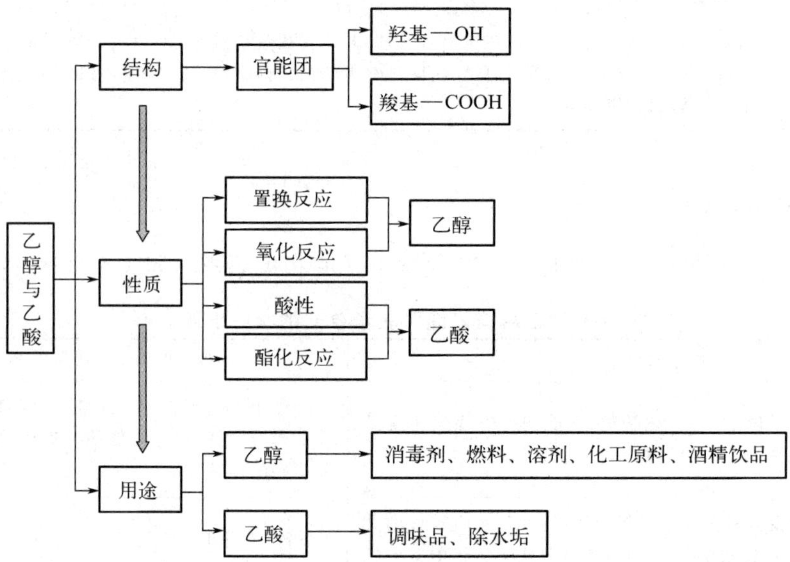

图 19-1 “乙醇与乙酸”教学单元内容

三、能力模型建构

通过课标研读和教材分析，可以确立相关主题的知识基础、研究对象和化学问题、学科认识方式，从而构建该教学单元的学科能力模型（图 19-2）[2]。例如，该教学单元核心知识是乙醇与乙酸，认识角度是官能团，认识思路是“分析结构→预测性质→实验验证→符号表征→结构与性质关联→了解应用→性质与用途关联”，学科思想为“结构决定性质，性质决定应用”。研究对象和化学问题主要包括乙醇与乙酸的结构、性质、应用及转化。

四、课程资源分析

在实际教学过程中，能力目标的实现还受到授课类型、学生学情、教学资源等客观因素的影响。

（一）授课类型

本节课的授课类型为新授课。

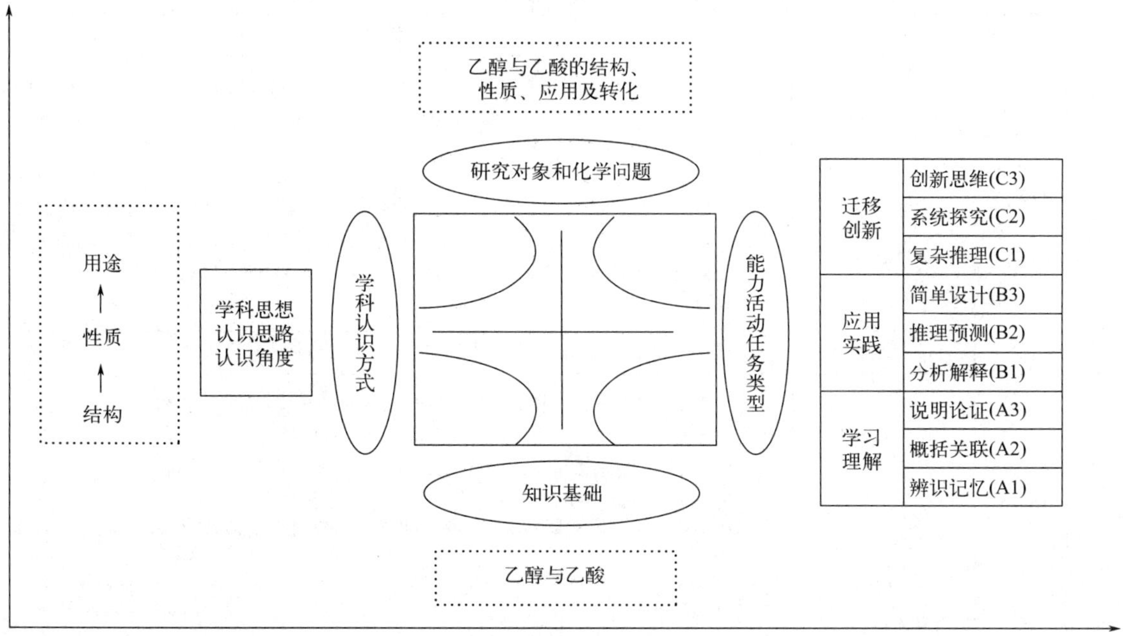

图 19-2 “乙醇与乙酸”教学单元能力模型

（二）学情分析

已有基础：从知识层面来看，初中阶段，学生已经初步认识生活中常见的有机化合物——乙醇、乙酸的性质及用途，高中阶段进一步学习了甲烷、乙烯、乙炔、苯等烃类物质，掌握了学习一般有机化合物的思路与方法；从能力层面来看，经过高一近半年的学习，学生已经初步具备了一定的分析问题、解决问题的能力；从心理层面上看，由于本单元学习的乙醇与乙酸非常贴近生活，学生对此有一定的亲切感和较强的求知欲。

潜在困难：学生刚开始接触烃的衍生物，且作为新授课，本单元内容涉及较多新的概念性知识，这对接触有机化合物不久的学生而言难度较大。此外，学生尚不能从微观角度对有机化合物的结构与性质进行系统的概括关联，实验探究水平较低。

（三）教学资源

学科能力目标的实现还有赖于学校资源的支持，学科能力目标的制定需考虑教学资源因素。本单元的授课过程中穿插有较多的教师演示实验、学生实验、多媒体播放实验视频等环节，因此本单元的学科能力表现性目标制定要求学校提供相应的球棍模型、实验药品（无水乙醇、铜丝、金属钠、希夫试剂、酸性高锰酸钾溶液、乙酸、浓硫酸、饱和碳酸钠溶液等）、仪器（试管、酒精灯、针筒、软木塞、碎瓷片等）和投影设备等硬性资源，以及多媒体课件（含动画）等软件资源。

五、表现性目标制定

将学科能力模型中 4 个维度进行连接组合，再结合学生学情、授课类型、教学资源等客观因素，制定了“乙醇与乙酸”教学单元学科能力表现性目标，如表 19-4 所示。

表 19-4 “乙醇与乙酸”教学单元学科能力表现性目标

能力要素		表现性目标
A 学习理解能力	A1 辨识记忆	能书写乙醇和乙酸的分子式和结构式；能辨识以乙醇、乙酸为代表的醇类和羧酸类物质的官能团；能描述乙醇和乙酸的物理性质和主要化学性质及相关现象，能指出反应类型并书写相关方程式
	A2 概括关联	能以羟基对乙醇性质、羧基对乙酸性质的影响为例，建立官能团与有机物特征性质、有机物类别的关系；能通过氧化反应建立乙醇、乙醛、乙酸之间的关系，概括相关官能团的转化关系及有机氧化反应的特点，以乙酸乙酯的制备为例说出酯化反应的基本规律
	A3 说明论证	能基于实验现象、经验事实等获取证据，说明乙醇和乙酸的性质
B 应用实践能力	B1 分析解释	能结合实验现象分析、解释水和乙醇与钠反应的异同；能利用乙醇和乙酸的组成、结构和性质分析、解释相关实验现象（如乙醇的催化氧化反应、酯化反应）及其在生产、生活中的应用，能根据物质性质妥善保存、合理使用乙醇和乙酸
	B2 推理预测	能从物质类别和官能团预测简单陌生醇类、羧酸类物质的性质，书写简单化学方程式
	B3 简单设计	能设计简单实验比较乙酸与盐酸、碳酸的酸性强弱；能根据羟基和羧基的特征反应设计简单实验鉴别、检验乙醇和乙酸
C 迁移创新能力	C1 复杂推理	能结合乙醇和乙酸的性质与转化关系对有关能源、饮食、健康、环境等实际问题进行分析、讨论和评价
	C2 系统探究	—（必修阶段不要求）
	C3 创新思维	—（必修阶段不要求）

教学设计

一、教学现状

本单元为人教版高中化学必修教材（2019 年版）第七章第三节“乙醇与乙酸”中的内容[3]。教材以常见的有机物——乙醇与乙酸为主题，既紧密联系生活实际，又具有重要的学科价值和育人价值。经文献搜索分析发现，刘洋等[4] 从“酿酒工艺”的生活情境入手，挖掘情境背后的素养点进行教学设计；李浩德[5] 基于知行合一的理念进行项目式教学设计；刘福亮[6] 利用诗酒文化等思政培养素材进行教学设计；还有以“酿酒制醋”为情境的教学设计[7]。综上，已有文章从不同视角开展素养为本的教学设计，但尚未发现以“学科能力导向”为视角的相关教学设计。

二、教学思路

（一）创设真实问题情境

本单元创设了从化学视角解读“医用酒精说明书”“葡萄酒存储说明书”这两个情境主题，主要原因有：①选取真实、有价值的情境素材，既贴近生活，又利于激发学生强烈的求知欲；②基于化学视角解读说明书内容，将乙醇、乙酸的性质、应用、保存关联整合，既体现了一体化的设计理念，又能使学生充分认识化学学科的价值（详见图 19-3）。

情境线索	任务线索	问题线索	活动线索	知识线索	能力线索	
解读医用酒精说明书	了解乙醇的物理性质	乙醇在常温下的颜色、状态、气味如何，水中溶解性怎样?为什么乙醇既能与水互溶也能和有机溶剂混溶?	结合医用酒精说明书的内容及乙醇在生活中的应用，概括乙醇的物理性质	乙醇的物理性质	A1、A3、B1	课时一
	认识乙醇的结构	乙醇分子的结构有几种可能?如何设计实验证明乙醇的结构?乙醇能与金属钠反应吗?反应现象和产物是什么?	根据乙醇的分子式搭建可能的球棍模型；分组设计验证乙醇结构的实验方案	乙醇的组成、结构及乙醇与金属钠的反应	B1、B3	
	探究乙醇的还原性	不同条件下，乙醇被不同强弱的氧化剂氧化后产物有什么差异?有何规律?	实验探究不同条件下乙醇的还原性	乙醇的还原性	A2、B2	
	辨别乙醇的“功”与“过”	举例说明乙醇在生产、生活中有哪些应用?乙醇进入人体后会发生怎样的代谢过程，对人体健康有怎样危害?	结合实例体会合理使用乙醇的重要性	乙醇在生产、生活中的重要应用及在人体内的转化	C1	
解读葡萄酒存储说明书	认识乙酸	新制葡萄酒保存不当会发酸，酸味从何而来?乙酸在生产、生活中有哪些应用?	结合乙酸在生活中应用，概括乙酸的物理性质	乙酸的组成、结构及物理性质	A1、A3、C1	课时二
	浅探乙酸的酸性	发酸的葡萄酒能清除水垢体现了乙酸的什么性质?如何比较乙酸与碳酸、盐酸的酸性强弱?	设计简单实验比较乙酸酸性强弱	乙酸的酸性及强弱	A3、B3	
	深入学习酯化反应	为何葡萄酒是陈的香?酯化反应的反应机理如何?	制备乙酸乙酯并探讨实验相关问题；模型探究酯化反应的断键方式	酯化反应的反应机理及方程式书写	A2、A3、B1	
	预测乳酸的性质	乳酸可能具有怎样的化学性质?如何设计实验加以验证?	分析乳酸的结构，推测可能的化学性质，设计实验方案验证并写出相应的方程式	醇类、羧酸类物质的化学性质，简单反应方程式的书写	B2、B3	

图 19-3　教学流程

（二）设计能力评价任务

依据上述确立的学科能力表现性目标，精心设计了多样化、梯度化的能力发展评价任务，体现对学科思维、学科认识视角和认识思路等的建立、诊断和发展。具体见表19-5。

表19-5 “乙醇与乙酸”教学单元能力发展评价

序列	教学环节	评价任务	评价活动	能力要素	素养价值
1	了解乙醇的物理性质	概括乙醇的物理性质	结合医用酒精说明书的内容及乙醇在生活中的应用，概括乙醇的物理性质	A1、A3、B1	发展概括关联、说明论证的学科能力
2	认识乙醇的结构	模型搭建乙醇可能的结构，设计实验证明乙醇的结构	学生搭建可能的乙醇的球棍模型结构，设计实验方案证明乙醇是哪种结构	B1、B3	学习并巩固认识方法（实验），建立“宏观—微观”的认识视角
3	探究乙醇的还原性	探究乙醇的还原性，多角度归纳乙醇发生氧化反应的一般规律，从物质类别和官能团角度预测陌生醇类物质的性质	实验探究，从观察现象、分析产物、推测断键位置、符号表征等途径研究乙醇的还原性；学生归纳乙醇发生氧化反应的一般规律，书写乙二醇催化氧化反应方程式	A2、B2	建立“宏观—微观”的认识视角以及符号表征能力
4	辨别乙醇的“功”与“过”	体会乙醇在生产、生活中的重要应用及在人体内的转化	分析乙醇在人体内的转化途径，结合实例讨论、评价合理使用乙醇的重要性	C1	培养学生复杂推理的学科能力和对化学有关的社会问题作出正确价值判断的能力
5	认识乙酸	概括乙酸的物理性质	结合乙酸在生活中的应用，概括其物理性质	A1、A3、C1	发展说明论证的学科能力、感受化学与生活的紧密联系
6	浅探乙酸的酸性	比较乙酸与盐酸、碳酸的酸性强弱	学生小组合作，设计简单实验比较乙酸酸性的强弱	A3、B3	培养设计实验方案的能力
7	深入学习酯化反应	从化学键角度分析酯化反应的机理	利用模型探究酯化反应的断键方式	A2、A3、B1	建立“宏观—微观”的认识视角
8	预测乳酸的性质	分析乳酸结构，预测化学性质，设计简单实验验证	学生小组讨论，分析乳酸分子结构中的官能团，预测乳酸可能具有的化学性质，设计实验方案加以验证	B2、B3	建立宏观—微观的认识视角，发展迁移、应用、预测能力，培养设计实验方案的能力

（三）选择教学策略

根据教学目标和教学内容，选择合适的教学策略。在探究乙醇结构的过程中，通过使用预测(P)—观察(O)—解释(E)的教学策略（详见以下教学实录），使得课堂内容丰富，教学逻辑清晰。此外，针对乙醇与乙酸的性质等内容，采取情境创设、实验探究、概括关联等教学策略，例如从思考“乙醇既能溶解有机物又能与水互溶”的原因入手，引导学生从微观结构角度解释宏观现象，建立“结构—性质—用途”之间的关联。

三、教学实录（第一课时）

【引入】同学们，下午好！医用酒精是家中常备的杀菌消毒剂，它的主要成分是乙醇。今天老师从家里带来了一瓶医用酒精，让我们一起观察它的外观。

任务一：了解乙醇的物理性质

【教师】展示一瓶医用酒精，引导学生观察颜色、状态，以及是否出现分层现象。喷出少量酒精在手背上，让学生感受其气味，片刻后发现手背上的酒精“消失”了。

【教师】乙醇在常温下是什么状态？气味如何？为什么手背上的乙醇会“消失”？它在水中的溶解性怎样？

【学生】乙醇是无色、有特殊香味的液体，易挥发，能与水互溶。

【PPT】某品牌医用酒精说明书如图 19-4 所示。

使用说明书

酒精纯度：75%±5%(乙醇的体积分数)

有效期：两年

使用范围：适用于物体表面和人体完整皮肤的消毒

注意事项：

1. 用后及时封闭，以防挥发；
2. 本品含酒精，忌明火；
3. 外用品，不得口服。

图 19-4　某品牌医用酒精说明书

【PPT】酒精在日常生活中的妙用如图 19-5 所示。

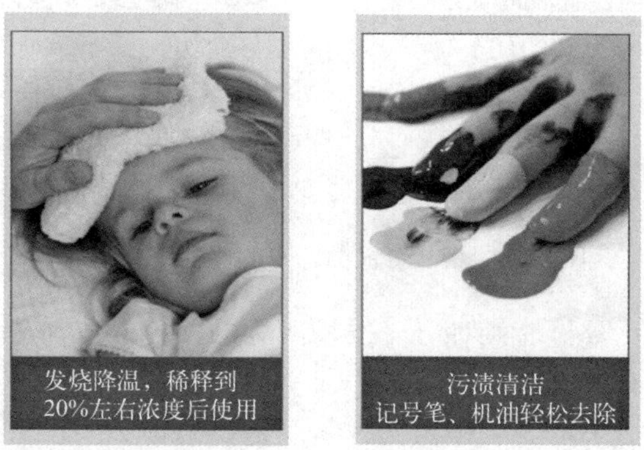

图 19-5　酒精的应用实例

【教师】医用酒精在日常护理中除了用于杀菌消毒之外，还可以用来进行物理降温和油污清洁等，结合医用酒精说明书的内容，请同学们来说说乙醇具有怎样的物理性质。

【学生】乙醇易挥发，能溶解多种有机物，是一种很好的有机溶剂。

【教师】乙醇的水溶性如何呢？

【学生】易溶于水，能与水任意比互溶。

【小结】学生讨论并完成表19-6：

表 19-6 “乙醇”的物理性质

颜色	气味	状态	密度	沸点	溶解性
无色	特殊香味	液体	比水小	78.5℃，易挥发	既能溶解有机物又能与水互溶

【教师】为什么乙醇既能溶解有机物又能与水互溶呢？

学习评价：在“了解乙醇的物理性质”的任务中，多数学生能够结合生活中的应用实例描述乙醇的相关物理性质，具备A1、A3学科能力；通过讨论“乙醇既能与水互溶也能和有机物混溶”的问题，引导学生基于物质结构分析实际问题，发展了B1学科能力。

任务二：认识乙醇的结构

【过渡】物质的性质往往是由其结构决定，那么乙醇的物理性质与其分子结构有何关联？乙醇的结构是怎么样的呢？接下来，我们一起认识一下乙醇的结构。

【PPT】信息提示：通过现代仪器测得乙醇的分子式为C_2H_6O。

【教师】对比乙烷的分子式C_2H_6，推测乙醇分子的结构有几种可能。

学生活动1：请同学们小组讨论并搭建可能的乙醇的球棍模型（图19-6）。

【学生】

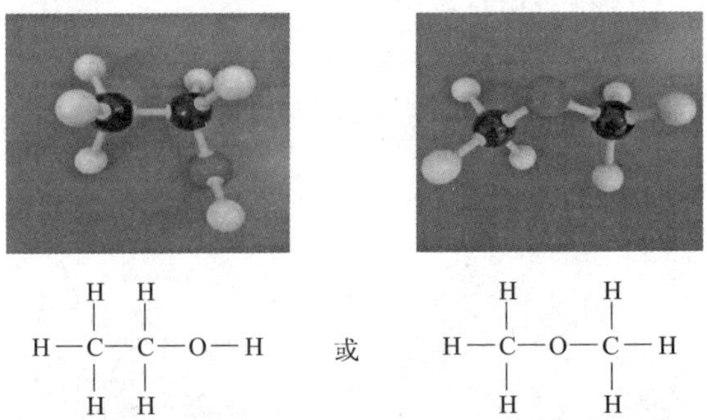

结构1　　结构2

图 19-6　搭建可能的乙醇的球棍模型结构

【教师】请同学们对比分析这两种分子结构所含的共价键有何异同？

【学生】相同点：都有碳氧键、碳氢键；

不同点：结构1中含有碳碳键、氢氧键，结构2中没有。

【教师】我们学过的哪种分子中也存在氢氧键呢？

【学生】水分子。

【教师】预测（P）：能否通过特征反应证明乙醇中具有与水类似的结构呢？

如何设计实验证明乙醇是哪种结构呢？

【学生】可以试着将金属钠投入乙醇中，观察反应是否发生。

【教师】教师进行演示实验1：乙醇与金属钠反应。

【学生】仔细观察实验现象。

观察（O）：钠沉到乙醇底部，并有气泡生成，反应一段时间后钠浮到液面上，如图 19-7 所示。

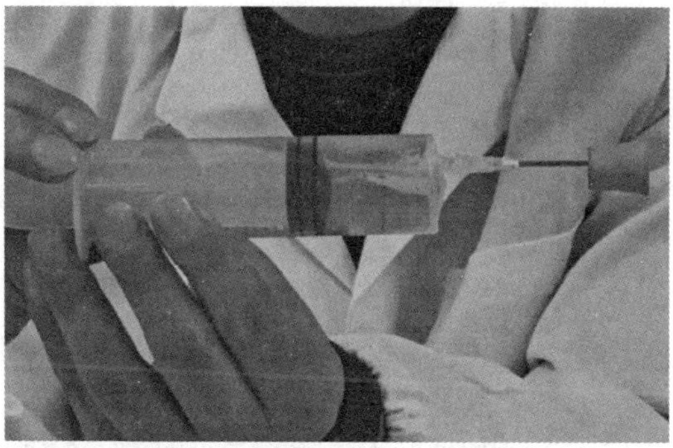

图 19-7　乙醇与钠反应实验（一）

【教师】产生的气体是什么？如何证明？

【学生】氢气。可以收集生成的气体并点燃。

【教师】继续演示实验，如图 19-8 所示。

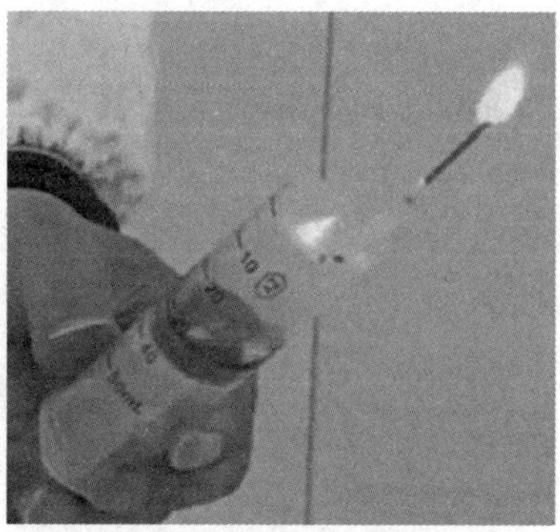

图 19-8　乙醇与钠反应实验（二）

【教师】由此证明，生成的气体是氢气。那么氢原子来自哪里呢？是碳氢键上的氢原子还是氢氧键上的氢原子呢？

【学生】学生思考。

【资料卡片】

1. 乙烷的结构式：

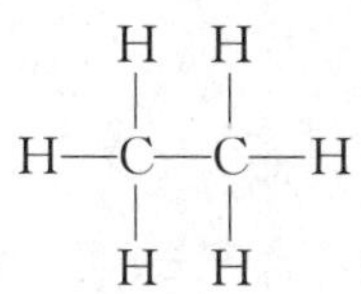

2. 金属钠可以保存在煤油中，煤油的主要成分是烷烃。

【学生】解释（E）：结合上述信息分析可知，乙醇与金属钠反应生成的氢气来自氢氧键上的氢原子，据此可推测乙醇的真实结构为结构 1。

【教师】乙醇与钠反应时分子中的哪根化学键发生断裂？请写出对应的化学方程式。

【学生】断键位置分析：乙醇和金属钠反应断裂的化学键为①。

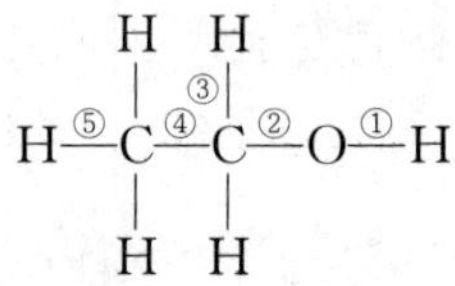

【学生书写】

$$2CH_3CH_2OH + 2Na \longrightarrow 2CH_3CH_2ONa + H_2\uparrow$$

【教师】乙醇中的—OH 叫作羟基，乙醇的主要性质与它有关，它是乙醇的官能团。

【教师】官能团：决定有机物特性的原子或原子团。例如：羟基（—OH）、碳碳双键、碳碳三键等。剩下的部分叫作乙基。乙醇可以看作是乙烷分子中的一个氢原子被羟基取代后的产物。像这样，烃分子中的氢原子被其他原子或原子团所取代而生成的一系列化合物称为烃的衍生物。例如：一氯甲烷、二氯甲烷、1,2-二溴乙烷等。

【教师】结合乙醇分子的结构，我们再来思考一下为什么乙醇既能溶解有机物又能与水互溶。

【学生】乙醇中 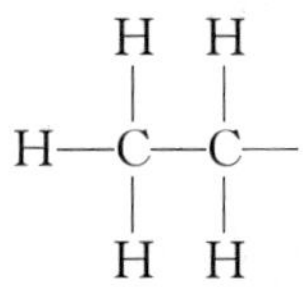 部分结构与乙烷相似，—OH 部分结构与水相似，物质的结构决定性质，因此乙醇既能溶解有机物又能与水互溶。

【教师】很好！这就是我们所说的“相似相溶”原理，这也说明物质的结构决定了它的性质。

为什么乙醇与钠的反应比水与钠的反应缓和得多？乙醇分子与水分子中所含羟基中的氢原子谁更活泼？

【学生】乙醇羟基中的氢原子不如水分子中的氢原子活泼。

【教师】由此可见，乙醇分子中乙基的引入使得羟基中的氢原子活泼性减弱，即氢氧键变得不容易断裂。

学习评价：在“认识乙醇的结构”任务中，通过使用 POE 教学策略，诊断并发展了学生 B1、B3 学科能力。围绕着水和乙醇与钠反应实验现象的异同分析，进一步帮助学生培养 B1 学科能力，强化“结构决定性质”的核心观念。但部分学生理解与迁移能力不足，无法建立起微观结构与物质性质的概括关联，需要进一步发展认识有机化合物的一般思路。

任务三：探究乙醇的还原性

【过渡】医用酒精说明书注意事项中指出：忌明火。

【教师】已知医用酒精不能在室内大面积喷洒，若遇明火容易引发火灾，试分析原因？

【学生】乙醇易燃烧。

【教师】教师进行演示实验 2：乙醇的燃烧反应。

【学生】观察实验现象：产生淡蓝色火焰，放出大量的热。

【教师】请大家写出乙醇燃烧的化学方程式。

【学生】学生书写方程式：$CH_3CH_2OH + 3O_2 \xrightarrow{\text{点燃}} 2CO_2 + 3H_2O$。

【教师】乙醇的燃烧产物对环境有何影响？

【学生】对环境友好，无污染。

【PPT】如图 19-9 所示。

图 19-9　乙醇燃料

【教师】正是利用了乙醇易燃和燃烧产物对环境无污染的特点，乙醇常作为燃料应用于制作酒精灯、固体酒精、乙醇汽油等。

【教师】乙醇燃烧反应的反应类型是什么？体现了乙醇的什么性质？

【学生】氧化反应。体现乙醇的还原性。

【过渡】在催化剂作用下，乙醇还能被氧化成其他产物。接下来，我们将继续通过实验探究乙醇的还原性。

学生活动 2：探究乙醇的还原性。

学生用品：乙醇、铜丝、酸性高锰酸钾溶液、火柴、试管、酒精灯。

学生实验 1：向试管中加入约 2mL 乙醇，取一根铜丝，下端绕成螺旋状，在酒精灯上灼烧后插入乙醇，反复 2 次，注意观察反应现象，小心地闻试管中液体产生的气味。

【学生】动手实验并观察实验现象：

红铜丝$\xrightarrow{\triangle}$变黑$\xrightarrow{\text{插入乙醇溶液}}$铜丝又变成红色，试管中液体有刺激性气味。

【教师】教师在黑板上进行符号表征：

$2Cu + O_2 \overset{\triangle}{=\!=\!=} 2CuO$

$CuO + CH_3CH_2OH \longrightarrow ?$

【教师】黑色的氧化铜与乙醇反应生成红色的铜以外，还得到什么产物呢？由于实际反应过程中较难发现反应前后试管中液体气味的变化，所以刚才在大家实验过程中，老师用棉花蘸了一种特殊的试剂放在试管口，发现棉花团变紫色了。这种特殊的试剂是什么呢？有什么作用呢？大家先来了解一下。

【PPT】展示百度资料。

希夫试剂（Schiff）又称品红亚硫酸试剂。品红是一种红色染料，将二氧化硫通入品红水溶液中，品红的红色褪去，得到的无色溶液称为品红亚硫酸试剂。它能跟醛作用显紫色，与酮作用不显色。这一显色反应非常灵敏，可用于鉴别醛类化合物。

【教师】希夫试剂本身是无色的。现在我们看到棉花团变紫色了，说明产生了醛类物质。这里产生的是乙醛（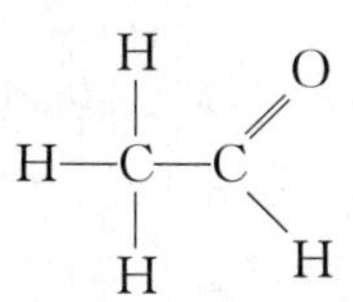）。根据产物结构，请同学们预测一下乙醇可能的断键

位置。

【学生】学生小组讨论，汇报结果。

【教师】该反应的机理是怎样的呢？我们一起来看一段动画视频。

【学生】断键位置分析：乙醇催化氧化时断裂的化学键为①③。

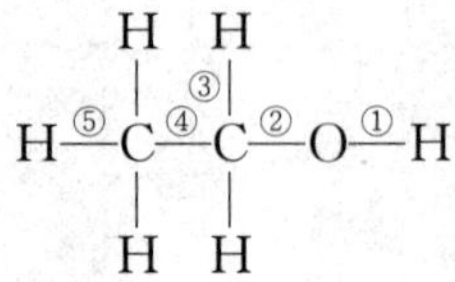

【教师】归纳总结乙醇催化氧化的反应方程式。

$$2CH_3CH_2OH+O_2 \xrightarrow[\triangle]{Cu} 2CH_3CHO+2H_2O$$

【教师】乙醇在空气中可燃烧，经过催化氧化反应能生成醛类物质。那么，乙醇遇到更强的氧化剂又会发生怎样的反应呢？我们可以一起动手做实验探究一下。

学生实验 2：取 1 支试管，加入少量乙醇，再滴加几滴浓度较大的酸性高锰酸钾溶液，振荡试管，观察现象。

【学生】动手实验并观察实验现象：酸性高锰酸钾溶液褪色。

【教师】乙醇遇到强氧化剂高锰酸钾后可以使之褪色，自身被氧化成乙酸。另外，同样具有强氧化性的酸性重铬酸钾溶液也能将乙醇氧化成乙酸，由 $Cr_2O_7{}^{2-}$ 中＋6 价的 Cr 元素变成＋3 价的 Cr^{3+}，颜色由橙色变成绿色。利用这一颜色变化，可以将该反应应用于测试酒驾。

【教师】结合以上几种不同类型的氧化反应，请同学们试着归纳乙醇发生氧化反应的一般规律。

【学生】通过以上反应，可以发现：①乙醇作为还原剂遇到不同强弱的氧化剂（O_2、$KMnO_4$、$K_2Cr_2O_7$）时可以得到不同的氧化产物；②乙醇作为还原剂遇到同种氧化剂（O_2）时，若反应条件不同，则得到的产物也不同。

【迁移应用】聚乙二醇滴眼液的一种合成原料为乙二醇（$HOCH_2CH_2OH$），结合所学分析下列有关问题。

① 乙二醇能与金属钠反应吗？若能，试写出反应方程式。

② 乙二醇能否发生催化氧化反应？若能，其反应产物是什么？

学习评价：在“探究乙醇的还原性”任务中，以乙醇为例，引导学生从官能团的角度认识有机化合物之间在一定条件下是可以相互转化的，培养学生 A2 学科能力；以乙二醇为例，诊断学生基于物质类别和官能团预测陌生醇类物质的性质的 B2 学科能力。但部分学生 B2 学科能力不足，有待继续提升。

任务四：辨别乙醇的“功”与“过”

【过渡】乙醇在日常生活中有很多的用途，比如作为消毒剂、燃料等；在工业生产上也有许多重要的应用，比如乙醇是常见的溶剂、化工原料，还用于生产很多常见的酒精饮品。然而医用酒精说明书的注意事项中却指出：医用酒精不得口服。同学们猜猜可能是什么原因呢？

【学生】医用酒精中乙醇浓度太高了。

【教师】回答正确！医用酒精的浓度很高，如果进入消化道可以导致胃肠黏膜的损伤，严重的还会引起胃肠道的穿孔。此外，医用酒精中还含有较多的醚和醛，一旦进入人体会使人体的肝脏和神经系统受损。而低浓度的酒精是可以食用的，比如：厨房使用的料酒、酒精饮料、腐乳、藿香正气水中均含有食用酒精。

【PPT】如图 19-10 所示。

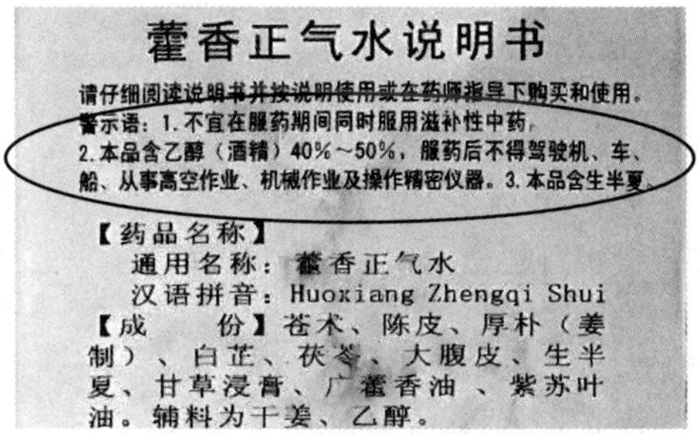

藿香正气水说明书

请仔细阅读说明书并按说明使用或在药师指导下购买和使用。

警示语：1.不宜在服药期间同时服用滋补性中药。2.本品含乙醇（酒精）40%～50%，服药后不得驾驶机、车、船、从事高空作业、机械作业及操作精密仪器。3.本品含生半夏。

【药品名称】

通用名称：藿香正气水

汉语拼音：Huoxiang Zhengqi Shui

【成　　份】苍术、陈皮、厚朴（姜制）、白芷、茯苓、大腹皮、生半夏、甘草浸膏、广藿香油、紫苏叶油。辅料为干姜、乙醇。

图 19-10　藿香正气水说明书

【教师】藿香正气水说明书中明确指出服药后不得驾驶机、车、船，不得从事高空作业、机械作业及操作精密仪器，这是什么原因呢？乙醇进入人体后有哪些代谢途径？接下来，让我们看看乙醇进入人体后的代谢过程图。

【PPT】如图 19-11 所示。

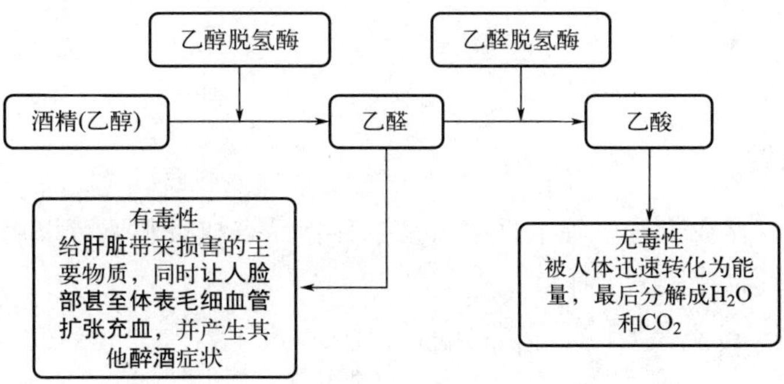

图 19-11　乙醇进入人体后的代谢过程图

【教师】乙醇在人体内的代谢过程中会产生哪些中间产物，最终产物又是什么？这些产物对人体有何影响？长期大量饮酒对人体健康有哪些危害？

【学生】乙醇进入人体后在酶的催化作用下也发生了一系列氧化反应。中间产物乙醛有毒性，大量饮酒会加重肝脏的负担，血液中较高浓度的乙醇和乙醛也会对人体产生毒害作用。尤其是酒后驾车更是危害无穷。因此，请一定要记住：珍爱生命，拒绝酒驾。

学习评价：在“辨别乙醇的‘功’与‘过’”的任务中，大部分学生能主动参与其中。通过介绍乙醇在人体中的催化氧化过程，学生认识到过量饮酒及酒驾的危害；将乙醇的性质与转化的学习融入与人类息息相关的饮食、健康等社会实际问题中进行分析、讨论和评价，有效培养学生 C1 学科能力和对化学有关的社会问题作出正确价值判断的能力，强化学生的社会责任意识。

【总结】通过对“医用酒精说明书”的深度解读，我们不仅学习了乙醇的结构、性质及应用等显性知识，还初步掌握了学习有机化合物的一般思路，强化了“结构决定性质，性质决定用途”的学科观念。希望通过本节课的学习，可以为大家在今后学习同类型的有机化合物时提供有效的学习方法。

四、板书设计

板书设计如图 19-12 所示。

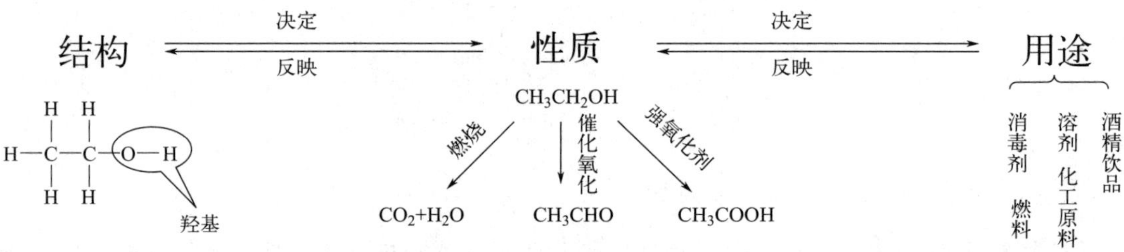

图 19-12 “乙醇”教学板书设计[8]

教学评价

一、教学效果

（一）测评试题

丙烯酸乙酯天然存在于菠萝等水果中，是一种食品合成香料，可以用乙烯、丙烯等石油化工产品为原料进行合成：

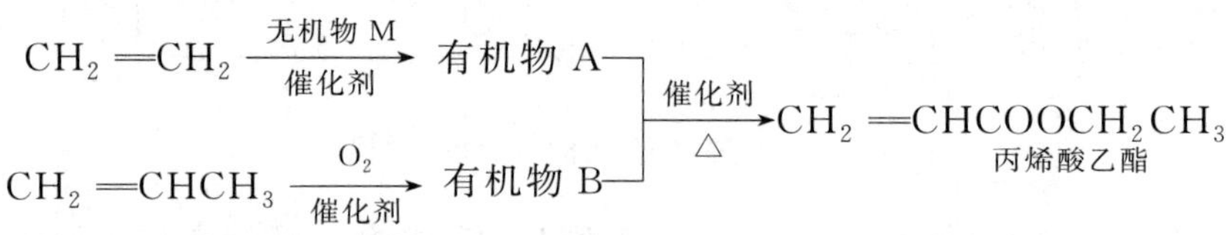

1. 【多选题】下列说法正确的是（　　）。

A. 等物质的量的 A 和 B 完全燃烧耗氧量不相等

B. 仅用水无法鉴别有机物 A 与丙烯酸乙酯

C. 有机物 A、B 均能与金属钠反应产生氢气，且反应剧烈程度 A<B

D. 丙烯酸乙酯难溶于水，可作为有机溶剂

2. 【简答题】

（1）有机物 A、B 中含有的官能团分别是________、________（填名称）。A 与 B 反应生成丙烯酸乙酯的化学方程式是______________，该反应的类型是________。

实验中可能观察到的现象是________________。

(2) 若以丙烯醇（$CH_2=CH—CH_2OH$）为原料，经过两次氧化反应可制备有机物 B，请写出第一步氧化反应的方程式：________________。请用一种试剂区分有机物 A、B 及丙烯酸乙酯：____________。

3.【拓展题】丙烯酸乙酯的一种同分异构体在一定条件下可转化为有机物 C，其结构简式为 $HO—CH_2CH=CHCH_2—COOH$，预测其可能具有的化学性质，并设计实验验证其中一种性质。请查阅资料，分析其性质与你的推测是否一致。

（二）设计说明

以“宏观辨识与微观探析”的化学学科核心素养为测试宗旨，以合成丙烯酸乙酯的真实情境为测试载体，设计辨识官能团、书写方程式、分析有机合成、改变合成路径、根据结构预测物质性质等基于实际问题的测试任务，要求学生在观察和分析有机物组成、结构的基础上，推测物质的相关性质并解决相应问题。每一试题均对应学科能力表现性目标，旨在评价完成本单元学习后相应的学科能力水平。具体如表 19-7 所示。

表 19-7 评价说明和评分标准（总分 20 分）

试题编号	学科能力要素	认识能力	分值	标准答案及评分标准
1	A2 概括关联：能以羟基对乙醇性质、羧基对乙酸性质的影响为例，建立官能团与有机物特征性质、有机物类别的关系 B1 分析解释：能利用乙醇和乙酸的组成、结构和性质分析、解释相关实验现象	4 分：能根据信息推断有机物 A、B 的结构并对相关物质的性质做出正确判断（系统水平） 2 分：只能对部分有机物的结构与性质做出正确判断（孤立水平） 0 分：无法根据信息推断有机物结构并分析相关问题（孤立水平）	4 分	4 分：C、D 2 分：C 或 D 0 分：多选或错选
2(1)	A1 辨识记忆：能辨识以乙醇、乙酸为代表的醇类和羧酸类物质的官能团 A2 概括关联：以乙酸乙酯的制备为例说出酯化反应的基本规律 B2 推理预测：能从物质类别和官能团预测陌生醇类、羧酸类物质的性质，书写简单反应方程式 B1 分析解释：能利用乙醇和乙酸的组成、结构和性质分析、解释相关实验现象	6 分：能准确辨识官能团；能够书写酯化反应方程式；指出反应类型；能准确描述实验现象（宏观—微观；系统） 0 分：不能准确辨识官能团；不能够准确书写酯化反应方程式；不能指出反应类型；不能准确描述实验现象（孤立水平）	6 分	2 分：羟基、羧基 2 分： $CH_3CH_2OH + CH_2=CHCOOH \xrightarrow[\triangle]{催化剂} CH_2=CHCOOCH_2CH_3 + H_2O$ 1 分：酯化反应 1 分：溶液出现分层，上层是无色油状液体，并可以闻到香味
2(2)	A1 辨识记忆：能书写相关方程式 B3 简单设计：能根据羟基和羧基的特征反应设计简单实验鉴别、检验乙醇和乙酸	4 分：能书写反应方程式；能写出合理的鉴别物质（宏观—微观；系统） 2 分：能书写反应方程式；不能写出鉴别物质（孤立水平）； 0 分：不能够书写反应方程式；不能写出鉴别物质（孤立水平）	4 分	2 分：$2CH_2=CHCH_2OH + O_2 \xrightarrow[\triangle]{Cu} 2CH_2=CH—CHO + 2H_2O$ 2 分：饱和碳酸钠溶液（答案合理即可）

续表

试题编号	学科能力要素	认识能力	分值	标准答案及评分标准
3	B2 推理预测：能从物质类别和官能团预测陌生物质的性质 B3 简单设计：能根据羟基和羧基的特征反应设计简单实验鉴别、检验乙醇和乙酸	6 分：能结合相应官能团分析对应物质的化学性质并进行实验设计（宏观—微观；结构—性质；系统水平） 1～5 分：无法完整答出（宏观—微观；结构—性质；孤立水平） 0 分：无法回答（欠缺）	6 分	3 分： 化学性质：能发生加成反应、加聚反应、取代反应（酯化反应）、氧化反应 3 分： 实验设计： ①加成反应　向有机物 C 中加入溴的四氯化碳溶液，观察是否褪色； ②氧化反应　向有机物 C 中加入酸性高锰酸钾溶液，观察是否褪色； ③取代反应（酯化反应）　向有机物 C 中加入催化剂浓硫酸并加热，将产生的气体导入饱和碳酸钠溶液的液面上，观察溶液是否出现分层，上层是否出现无色油状液体，并可以闻到香味

（三）效果分析

收集答卷 50 份，能力对应的平均得分情况如表 19-8 所示。

表 19-8　评分结果

学科能力	试题编号	分值	平均分	得分率
A1	2(1)、2(2)	4(2+2)	3.5	88.3%
A2	1、2(1)	4(2+2)	2.9	72.5%
B1	1、2(1)	3(2+1)	1.38	46.0%
B2	2(1)、3	4(1+3)	1.68	42.0%
B3	2(2)、3	5(2+3)	1.52	30.4%

通过数据分析可见，学生学习理解能力（A1、A2）水平普遍较高，这是由于这部分试题难度较低，通过课堂针对性学习，学生掌握程度较好；而针对应用实践能力（B1、B2、B3）的试题得分率不高，个体差异也很大，部分学生达到了较高水平，也有部分学生的能力有待提高。这部分试题开放程度大，对学生能力要求较高，得分情况与学生基础和课堂活动参与情况有关。其中 B2、B3 能力的试题得分率较低，原因可能是学生实验设计能力与语言表达能力欠缺，提示教师在今后的教学中要进一步帮助学生提高与实验有关的综合能力和语言表达能力。

二、教学反思

本单元依据学科能力理论，通过“目标制定—策略选择—情境创设—活动设计”的流程展开教学设计。围绕“医用酒精使用说明书”“葡萄酒存储说明书”的深度解读，遵循“结构—性质—用途”的学科观念，引导学生建立认识有机化合物的一般思路，为今后学习同类型的知识提供了学习模板。教学实践表明，多数学生 A1、A2、A3 学习理解能力较好，B1、B2 应用实践能力也尚可，但 B3、C1 等能力有待加强。同学们在参与课堂活动和小组合作的过程中，各学科能力都得到了不同程度的提升。

教学设计过程中还需要注重教、学、评有机结合，课堂问题的设计应有意识地关注学科能力水平的达成程度。例如：“乙醇发生氧化反应的一般规律是什么?”这一问题的设计就有诊断功能。教学实践过程中，多数学生只能基于反应条件差异（与氧气反应时是否使用催化剂、是否需要加热等）或氧化剂强弱差异的视角思考氧化反应的影响因素；部分学生则能基于两个因素进行综合分析，明白有机反应需要关注反应条件，遵循一定的规律；极少数学生还能基于化学键断裂与官能团转化的视角予以归纳整理。由此可反映出学生“学习理解能力”和“应用实践能力”达成水平的差异。建议教师在今后的课堂问题设计中充分考虑学生学科能力的差异与不足，有意识地提出更多具有诊断和发展学生学科能力的问题，并通过适当地布置课前任务，提供更充足的提示信息、明确学生思考问题的角度等方式，有效引导学生更全面、更准确地得出结论，提升相应的学科能力水平。

参考文献

[1] 中华人民共和国教育部．普通高中化学课程标准（2017 年版 2020 年修订）[S]. 北京：人民教育出版社，2020：21-23，65-67，75.

[2] 王磊．基于学生核心素养的化学学科能力研究 [M]. 北京：北京师范大学出版社，2017：13-14，17-19.

[3] 王晶，毕华林．普通高中教科书·化学（必修）第二册 [M]. 北京：人民教育出版社，2019：77-80.

[4] 刘洋，王乙品，张雪．素养为本的“乙醇”教学设计 [J]. 化学教学参考，2020（04）：28-30.

[5] 李浩德．基于知行合一的“乙醇”项目式教学设计 [J]. 化学教学参考，2023（23）：34-36.

[6] 刘福亮．课程思政视域下“一镜到底”式高中化学教学——以“乙醇”新授课教学实践为例 [J]. 化学教与学，2024（13）：36-39.

[7] 韩春盐，沈坤华．学科大概念统领下的高中化学整体单元教学设计——“以乙醇与乙酸”为例 [J]. 中学教学参考，2024（01）：70-72.

[8] 包朝龙，王星乔．素养为本的高中化学优质课例（第二册）[M]. 长春：吉林大学出版社，2021（01）：190.

陈孝娜（宁波市鄞江中学　浙江宁波）

王宣文（浙江省仙居中学　浙江仙居）

第 20 单元
基本营养物质

目标研制

一、课标研读

（一）内容要求和学业要求

“基本营养物质”教学单元为《普通高中化学课程标准（2017 年版 2020 年修订）》必修课程主题 4 中的内容，课标相应内容要求和学业要求如表 20-1 所示。

表 20-1 “基本营养物质”教学单元的课标内容要求和学业要求[1]

内容要求	学业要求
4.3 有机化学研究的价值 结合实例认识高分子、油脂、糖类、蛋白质等有机化合物在生产、生活中的重要应用	3. 能列举合成高分子、油脂、糖类、蛋白质等有机化合物在生产、生活中的重要应用，并结合这些物质的主要性质进行简单说明 4. 能从有机化合物及其性质的角度对有关能源、材料、饮食、健康、环境等实际问题进行分析、讨论和评价

注：数字序号即课标中相应序号。

可见，课标中对“基本营养物质”的内容要求侧重于基本营养物质在生产、生活中的应用，学业要求则从“举例说明”“分析”“评价”等能力表现角度提出了具体要求。通过删繁就简、增补解构等方法，可以得到该教学单元课标优化后的要求，如表 20-2 所示。

表 20-2 “基本营养物质”教学单元课标优化后的要求[1]

优化后的要求
（原内容要求 4.3）能结合实例认识油脂、糖类、蛋白质等有机化合物在生产、生活中的重要应用（删繁就简）
（原学业要求 3）能列举油脂、糖类、蛋白质等有机化合物在生产、生活中的重要应用，并结合这些物质的主要性质进行简单说明（删繁就简） （原学业要求 4）能从基本营养物质及其性质的角度对有关材料、饮食、健康等实际问题进行分析、讨论和评价（增补解构）

（二）学业质量水平

课标学业质量水平与“基本营养物质”教学单元的相关要求对应关系如表 20-3 所示。

表 20-3 “基本营养物质”教学单元的学业质量水平

学业质量水平描述[1]	针对本教学单元内容的具体表现
1-1 能根据物质组成和性质对物质进行分类，能说明常见物质的性质与应用的关系	1-1 能从物质的组成及结构辨识基本营养物质，对糖类、油脂、蛋白质进行分类；能用化学方程式表示其物质的转化
2-1 能从不同视角对典型的物质及其主要变化进行分类；能从构成物质的官能团等方面说明常见物质的主要性质	2-1 能从官能团的角度描述糖类、油脂、蛋白质、氨基酸的化学性质；能从基本营养物质的性质角度举例说明其在生产、生活中的应用
1-3 能依据化学问题解决的需要，选择常见的实验仪器、装置和试剂，完成简单的物质性质、物质制备、物质检验等实验	1-3 能设计实验检验糖类、蛋白质、油脂的性质
2-3 能通过实验探究物质的性质和变化规律 3-2 能根据解决问题的需要设计典型有机化合物的组成结构检测与合成的方案 3-3 能设计实验方案探究有机化合物的主要性质等；能基于现象和数据进行分析推理得出合理结论	2-3、3-2、3-3 能根据实验探究，基于实验现象总结得出糖类、蛋白质、油脂的性质
2-4 能分析化学科学在开发利用自然资源、合成新物质、保障人类健康、促进科技发展和社会文明等方面的价值和贡献	2-4 能分析说明基本营养物质在生活和生产中的发展和应用

注：数字序号即课标中相应序号。

二、教材解读

在人教版高中化学必修教材（2019 年版）第七章第四节“基本营养物质”中，通过对三大基本营养物质（糖类、蛋白质、油脂）的组成与结构、性质、应用等显性知识（图 20-1）的介绍，建立起“结构—性质—用途”的学科观念。借助实验帮助学生理解三大基本营养物质的性质等内容，结合图片、“资料卡片”、“科学·技术·社会”等栏目，实现学业水平和学业质量水平中有关“分类”“说明”“运用”等能力表现的具体要求。本节课内容注重培养学生科学实验思维与价值观。

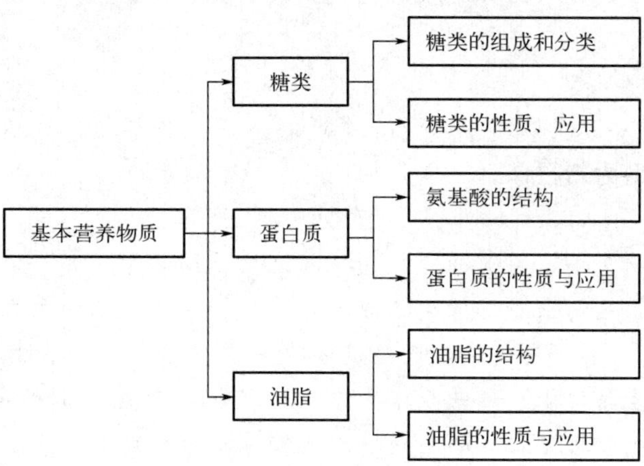

图 20-1 “基本营养物质”教学单元内容

三、能力模型建构

通过课标研读和教材分析，可以确立相关主题的知识基础、研究对象和化学问题、学科认识方式，从而构建该教学单元的学科能力模型[2]。例如，该教学单元核心知识是糖类、蛋白质和油脂的结构、性质与应用；认识角度是“结构—反应”，认识思路是“结构—性质—用途”，学科思想为“结构决定性质，性质决定用途”。研究对象和化学问题主要包括糖类、蛋白质和油脂的结构、性质、应用，与人体健康相关问题的解释、评价、决策。具体见图 20-2。

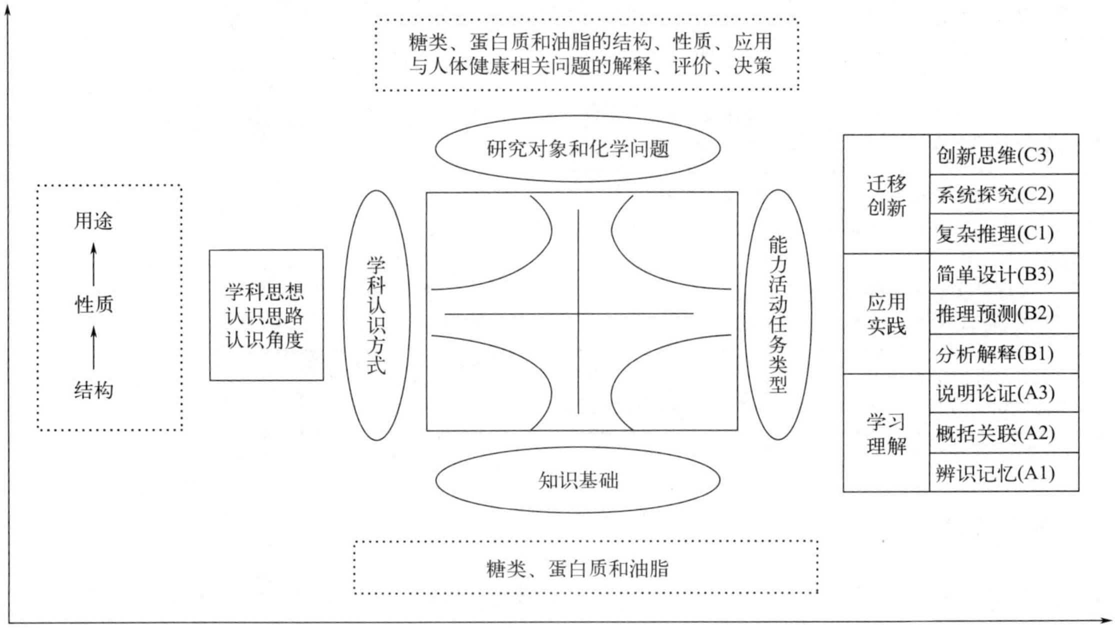

图 20-2 “基本营养物质”教学单元能力模型

四、课程资源分析

在实际教学过程中，能力目标的实现还受到授课类型、学生学情、教学资源等客观因素的影响。

（一）授课类型

本节课的授课类型为新授课。

（二）学情分析

已有基础：从知识层面来看，学生已经学习了烃和乙醇、乙酸等烃的衍生物的结构（官能团）、性质及用途，对有机物的学习已经具备了一定的自学能力，另外糖类、蛋白质、油脂这三类营养物质在生物学中、日常生活中多有涉及，学生对它们的性质有了一定的认识。从能力水平上看，学生掌握了在实验中获取现象和分析推理的能力。从心理层面上看，学生对陌生有机物有着浓厚的学习兴趣，对有关实验现象及其原理的好奇心很强。

潜在困难：学生对糖类、蛋白质、油脂等概念并没有一个清晰的认识，对其相关反应理解不深入。学生的知识迁移能力、分析推理能力还有待提高。

（三）教学资源

学科能力目标的实现还有赖于学校资源的支持，学科能力目标的制定需考虑教学资源因素。本节课的学科能力表现性目标制定要求授课学校提供所需实验（淀粉的检验、银镜反应、新制氢氧化铜与葡萄糖反应）的仪器和药品，以及基本营养物质代表（如葡萄糖、油脂、氨基酸、蛋白质等）的结构模型或 3D 动画模型。

五、表现性目标制定

将学科能力模型中 4 个维度进行连接组合，再结合学生学情、授课类型、教学资源等客观因素，制定了“基本营养物质”主题学科能力表现性目标，如表 20-4 所示。

表 20-4 “基本营养物质”教学单元学科能力表现性目标[3]

能力要素		表现性目标
A 学习理解能力	A1 辨识记忆	能辨识常见的糖类、蛋白质和油脂，指出其官能团。能列举糖类、蛋白质、油脂等有机化合物在生产、生活中的重要应用，能书写相关的化学方程式
	A2 概括关联	能概括糖类、蛋白质、油脂的结构特点和性质。能建立食物中营养物质与糖类、蛋白质、油脂之间的关系；能概括氨基酸与蛋白质的关系、葡萄糖与纤维素的关系
	A3 说明论证	能基于官能团或化学键特征说明论证葡萄糖、淀粉、蛋白质的性质并结合其主要性质进行简要说明
B 应用实践能力	B1 分析解释	能利用糖类、蛋白质、油脂的性质，解释生活、生产中的现象
	B2 推理预测	能从物质类别和官能团角度预测陌生酯类、蛋白质和糖类物质的性质，书写简单反应方程式
	B3 简单设计	能根据糖类、蛋白质的特征反应设计简单实验鉴别
C 创新迁移能力	C1 复杂推理	能依据基本营养物质的结构和性质，解释生产、生活中的现象；能依据实验现象说明有机物间的转化；能够结合物质的结构推测未知物质的性质
	C2 系统探究	—（新授课暂不要求）
	C3 创新思维	能给出基本营养物质在生产、生活中的创新应用，培养社会责任感

教学设计

一、教学现状

本课时为人教版高中化学必修教材（2019 年版）第七章第四节“基本营养物质”的新授课。本单元内容聚焦糖类、蛋白质、油脂，从组成和分类、性质与应用等方面来介绍三大基本营养物质，该内容与生产、生活息息相关，承载着重要教学价值和育人价值。查阅文献可知，“基本营养物质”这一单元中的两课时的教学设计思路通常是以常见物质为原料，探究基本营养物质的性质。在具体教学实践中，教师通常会以简单的实验验证基本营养物质的性质的方法来开展教学。如何围绕真实情境进行本节课的教学，从食品的分类和转化视角串联相关内容，让学生学习性质后自主设计实验探究物质，值得思考[4-6]。

二、教学思路

（一）创设真实问题情境

本课例以“龙游发糕”为真实情境主题，主要原因有：①龙游发糕为本地特色小吃，贴近学生生活，能充分调动学生的学习积极性，提高学习兴趣；②龙游发糕的原料中含糖类、蛋白质和油脂，一种食物涵盖三种营养物质，用龙游发糕可以始终贯穿本单元内容的教学，逐步解决本单元需要解决的问题（详见图 20-3）。

图 20-3　教学流程

（二）设计能力评价任务

依据上述确立的学科能力表现性目标，精心设计了多样化、梯度化的能力发展评价任务，体现对学科思维、学科认识视角和认识思路等的建立、诊断和发展。具体见表 20-5。

表 20-5 “基本营养物质”教学单元能力发展评价

序列	教学环节	评价任务	评价活动	能力要素	素养价值
1	发现糖类	辨识生活中的糖类物质	依托文字、信息等，讨论糖类组成分类，辨析同分异构体	A1	建立宏观辨识的视角
2	了解糖类	总结归纳检验淀粉及葡萄糖的方法	实验探究糖类的性质	A2、A3、B2	诊断并发展结构决定性质的学科思想，提高动手操作实验的能力
3	应用糖类	归纳总结实验操作和实验现象	实验探究发糕中糖类物质	B3、C1	培养证据推理和科学探究能力，以及归纳总结的能力
4	认识蛋白质、油脂	辨识生活中的蛋白质、油脂	依托龙游发糕实物和成分表等，交流讨论，教师点评	A1	建立宏观辨识的视角，培养证据推理的意识
5	探究蛋白质、油脂	预测氨基酸的性质，归纳蛋白质、油脂的性质	从结构特点和实验现象探究氨基酸及蛋白质以及油脂的性质	A2、B3、C1	诊断并发展结构决定性质的学科思想，提高动手操作实验的能力
6	应用蛋白质、油脂	归纳用途	根据性质及信息预测蛋白质和油脂的用途	B1、C1、C3	建立化学与生活息息相关的思想，辩证看待事物的能力

（三）选择教学策略

根据教学目标和教学内容，选择合适的教学策略。针对糖类、蛋白质、油脂的组成和分类内容（侧重发展学习理解能力），采取情境创设、概括关联等教学策略。针对基本营养物质的性质与应用内容（侧重发展应用实践和迁移创新能力），采取预测、设计验证、交流讨论等教学策略。例如根据给出的氨基酸的结构预测氨基酸的性质，根据现有材料设计实验验证并进行交流，深化“结构—性质—用途”的认知。

三、教学实录（第一课时）

任务一：发现糖类

【引入】老师想到一种我们本地的美食：它风味独特，制作精美，又谐音“福高”，象征吉利。你觉得会是什么呢？

【学生】龙游发糕。

【教师】不错，龙游发糕是我们衢州有名的特色小吃，营养丰富，尤其适合老年人、儿童食用。本节课，我们将对龙游发糕进行探究。

【教师】实物展示龙游发糕。

【PPT】制作龙游发糕的用料：大米、糯米、米酒、糖、猪油、少量面粉等。

【教师】龙游发糕的成分看似简单，但却能为我们提供丰富的营养物质，其中淀粉和葡萄糖都属于糖类这一基本营养物质。今天就跟着老师，带着龙游发糕，一起来探究糖类。请阅读教材中的表格，归纳出糖类分类的依据。

【PPT】糖的分类、特点、代表物、分子式、在自然界的存在及用途如表 20-6 所示。

表 20-6 常见的糖类物质

类别	特点	代表物	代表物的分子式	代表物在自然界的存在	代表物的用途
单糖	不能水解为更简单的糖分子	葡萄糖、果糖	$C_6H_{12}O_6$	葡萄糖和果糖：水果、蜂蜜	营养物质、食品工业原料
二糖	水解后能生成两分子单糖	蔗糖、麦芽糖、乳糖	$C_{12}H_{22}O_{11}$	蔗糖：甘蔗、甜菜 乳糖：哺乳动物的乳汁	营养物质、食品工业原料
多糖	水解后能生成多分子单糖	淀粉、纤维素	$(C_6H_{10}O_5)_n$	淀粉：植物的种子或块根 纤维素：植物的茎、叶	淀粉：营养物质、食品工业原料 纤维素：造纸和纺织工业原料

【学生】单糖：不能水解；二糖：水解后生成两分子单糖；多糖：水解后生成多分子单糖。

【教师】很好，可以看到葡萄糖和果糖的分子式是相同的，但结构相同吗？他们是什么关系？

【学生】不相同，它们互为同分异构体。

【教师】同理，蔗糖、麦芽糖和乳糖分子式相同，但结构不同，也互为同分异构体。请大家思考：淀粉和纤维素是不是同分异构体？

【学生】不是。

【教师】为什么？

【学生】虽然都可以用 $(C_6H_{10}O_5)_n$ 表示，淀粉和纤维素都是高分子化合物，但它们的结构单元数目不同，分子式不同，因此它们不是同分异构体。

学习评价：在任务一中，学生通过真实情境对本节课的研究对象糖类有一个感性认识，并且提升了学生的家乡自豪感。多数学生能够归纳信息，辨识糖类，具备了 A1 学科能力。部分学生生活经验欠缺，需要进一步发展知识联系生活的能力。

任务二：了解糖类

【过度】通过刚刚的学习，我们知道淀粉可以最终水解成葡萄糖。请写出淀粉水解成葡萄糖的方程式。思考：如何知道淀粉是否水解，以及是否水解完全呢？

【学生】书写方程式：

$$\underset{\text{淀粉}}{(C_6H_{10}O_5)_n} + nH_2O \xrightarrow{\text{稀 } H_2SO_4} \underset{\text{葡萄糖}}{nC_6H_{12}O_6}$$

【学生】是否水解完全，可以用碘水检验淀粉。

【教师】很好，要知道是否水解成葡萄糖，就要涉及葡萄糖的检验以及葡萄糖的性质。我们知道结构决定性质，请观察葡萄糖的结构，找出你熟悉的官能团，说说其可能具有哪些性质？

【PPT】葡萄糖的结构简式：$CH_2OH—CHOH—CHOH—CHOH—CHOH—CHO$

【学生】羟基和醛基。有羟基，具有与乙醇相似的化学性质；有醛基，具有与乙醛类似的性质。

【教师】说得很好。葡萄糖的醛基很容易被氧化成羧基，下面我们分组完成葡萄糖和银氨溶液反应的实验和葡萄糖与新制氢氧化铜反应的实验。（介绍实验注意事项和实验安全问题）

【实验1】（1）将1ml 2%的$AgNO_3$溶液加入洁净试管中，然后将2%的稀氨水逐滴加入，边加边振荡试管，直到沉淀恰好完全溶解，得到银氨溶液。

（2）再加入1mL淀粉水解液，振荡，然后水浴加热。

现象：在水浴加热条件下，葡萄糖与银氨溶液反应产生银镜（图20-4）。

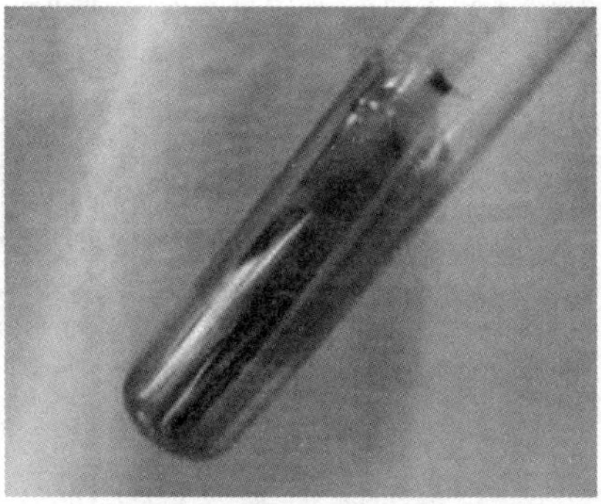

图20-4　葡萄糖与银氨溶液反应现象

【实验2】（1）在试管中加入2mL 10%的NaOH溶液，滴加5滴5%的$CuSO_4$溶液，得到新制的$Cu(OH)_2$。

（2）再滴入1mL淀粉水解液，振荡，放在酒精灯上加热。

现象：葡萄糖与新制$Cu(OH)_2$在加热条件下反应可产生砖红色沉淀（图20-5）。

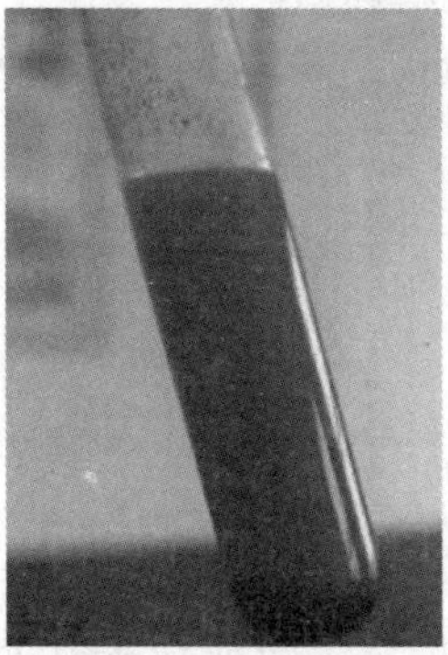

图20-5　葡萄糖与新制氢氧化铜反应现象

【教师】总结：以上两个反应是检验葡萄糖的特征反应，因为葡萄糖是还原性糖。你还知道哪些糖类物质也具有此特征反应吗？

【学生】果糖、乳糖、麦芽糖等。

学习评价：在任务二中，多数学生能够在教师引导下推测葡萄糖的性质，具备了“结构决定性质”的学科思想和B2学科能力。大多数学生也能够根据步骤完成检验葡萄糖的实验，总结、概括葡萄糖的性质，具备了A2、A3学科能力。也有部分学生在总结描述葡萄糖性质实验时不够仔细、全面，A2、A3能力表现不足，需要进一步发展学习理解能力。

任务三：应用糖类

【教师】通过实验我们已经掌握了葡萄糖的检验方法，请利用自己所学知识，设计实验并检验龙游发糕中的糖类物质。

【学生】实验方案展示：

龙游发糕 $\xrightarrow{\text{碘（}I_2\text{）溶液}}$ 观察是否变蓝

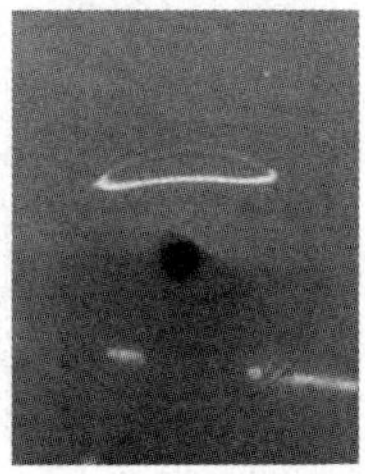

实验现象和结论：变蓝，说明发糕中含有淀粉。

【学生】实验方案展示：

龙游发糕 $\xrightarrow{\text{稀硫酸}}$ 发糕水解液 $\xrightarrow{\text{新制 }Cu(OH)_2}$ 观察是否产生砖红色沉淀

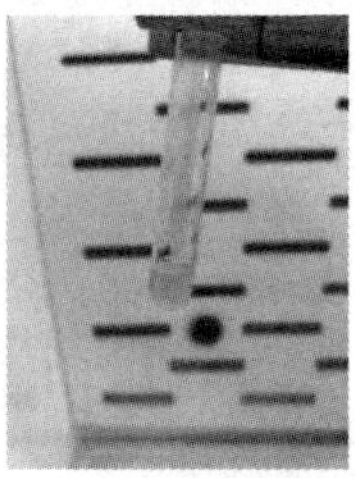

实验现象和结论：没有砖红色沉淀产生，说明淀粉未开始水解。

【追问】未达到实验预期现象，是否说明淀粉未开始水解呢？请检查实验设计方案，小组讨论。

【学生】不能说明淀粉未水解，水解液中未加入碱中和稀硫酸，未提供碱性环境。

【教师】你设计的实验方案又是怎么样的？

【学生】实验方案展示：发糕水解液 $\xrightarrow[\text{调成碱性}]{NaOH\text{ 溶液}}$ 碱性发糕水解液 $\xrightarrow[\text{加热}]{\text{新制 }Cu(OH)_2}$ 观察是否

产生砖红色沉淀。

实验现象和结论：产生砖红色沉淀，说明发糕中的淀粉水解生成葡萄糖。

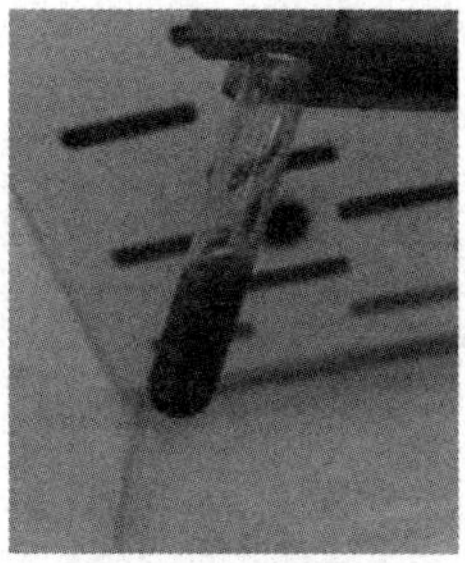

【教师】非常好，我们感受到发糕软软的，蓬松质地是如何形成的呢？

【PPT】发糕的生产流程。

【学生】结合发糕的生产流程，应该是发酵过程中产生了气体。

【教师】产生的是什么气体？如何产生的？请写出该化学方程式。

【学生】是 CO_2 气体，书写方程式：$\underset{\text{葡萄糖}}{C_6H_{12}O_6} \xrightarrow{\text{酒化酶}} 2C_2H_5OH + 2CO_2\uparrow$

【总结】很好。这节课我们以龙游发糕为研究对象，开展对糖类这一营养物质的研究。建立起“结构—性质—用途”的学科思想，学习了糖类的结构和性质，检验了发糕中的糖类物质。希望同学们合理饮食、均衡搭配食物，能利用所学知识为我们的美好生活服务。

学习评价：在任务三中，学生学习了糖类在生活、生产中的应用。大部分学生都能够利用所学知识设计检验发糕中的糖类物质，具备了“性质决定用途”的学科思想和 B3、C1 学科能力。部分学生课堂参与度较低，“结构—性质—用途”认识思路不清晰，实验原理以及实验操作有待提升。

四、板书设计

板书设计如图 20-6 所示。

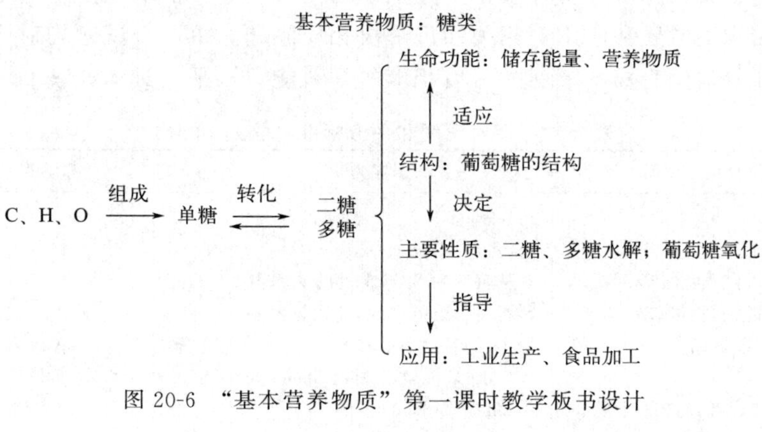

图 20-6 “基本营养物质”第一课时教学板书设计

教学评价

一、教学效果

（一）测评试题

第 24 届冬奥会于 2022 年在中国北京成功举办。除了奥运赛场给运动员留下了美好记忆外，奥运村餐厅的饮食也给各国运动员留下了深刻印象。

请回答以下问题：

1. 【多选题】冬奥会期间，运动员餐厅除了为运动员提供丰富的菜品外，还提供了各种补充能量的饮品，其中一种饮品的主要成分为麦芽糖和果糖。

下列说法正确的是（　　）。

A. 饮品的主要成分之一果糖与葡萄糖互为同分异构体

B. 餐厅为运动员提供的菜品中所含的糖类、油脂、蛋白质等营养物质都是高分子化合物

C. 蔬菜、水果中富含纤维素，能为运动员提供能量

D. 在饮品的主要成分麦芽糖中加入新制 $Cu(OH)_2$ 后加热，可观察到砖红色沉淀生成

2. 【简答题】北京冬奥会倡导“绿色奥运”，运动员餐厅使用可降解餐具，其主要成分为淀粉基塑料。

（1）写出淀粉水解为葡萄糖的化学方程式。

（2）若将淀粉与稀硫酸共热，充分反应后，如何设计实验验证水解产物为葡萄糖？请写出实验步骤及实验现象。

3. 【拓展题】结合淀粉基塑料自然降解的原理，分析淀粉基塑料的环保优势，并提出推广淀粉基塑料的建议。

（二）设计说明

以化学学科核心素养为测试宗旨，以北京冬奥会运动员饮食的真实情境为测试载体，设置饮品成分分析、餐具降解分析等基于实际问题的测试任务，要求学生运用基本营养物质的组成、分类、结构、性质和应用等相关知识解决相应问题。每一个试题均对应学科能力表现性目标，旨在评价学生完成本节课学习后相应的学科能力水平。具体如表 20-7 所示。

表 20-7　评价说明和评分标准（总分 14 分）

试题编号	学科能力要素	认识能力	分值	标准答案及评分标准
1	A1 辨识记忆：能辨识常见的糖类、蛋白质和油脂 A2 概括关联：能概括糖类、蛋白质、油脂的结构特点和性质 B3 简单设计：能根据糖类的特征反应设计简单实验鉴别	4 分：能辨识常见的糖类、油脂、蛋白质；能概括其结构特点；并从营养物质与能量的关系判断所需物质的原因，能设计鉴别糖类的实验（系统水平） 1 分：只能辨识部分糖类、油脂、蛋白质（孤立水平） 0 分：无法辨识常见的糖类、油脂、蛋白质（欠缺）	4 分	4 分：A、D 1 分：A 或 D 0 分：其他答案

试题编号	学科能力要素	认识能力	分值	标准答案及评分标准
2(1)	A1 辨识记忆：能书写相关的化学方程式	2 分：能够准确书写淀粉水解成葡萄糖的化学方程式（宏观—微观） 0 分：无法准确书写化学方程式（欠缺）	2 分	2 分： $\underset{\text{淀粉}}{(C_6H_{10}O_5)_n}+nH_2O\xrightarrow{\text{催化剂}}nC_6H_{12}O_6$ 0 分：化学方程式错误
2(2)	B3 简单设计：能根据糖类、蛋白质的特征反应设计简单实验鉴别	4 分：能够设计验证淀粉水解成葡萄糖的实验方案，并说明实验现象（系统水平） 2 分：能够设计实验方案，未说明实验现象（孤立水平） 0 分：不能设计实验方案，也不能说明实验现象（欠缺）	4 分	4 分：取少量水解液于试管中，先加 NaOH 溶液中和至碱性，再加入新制氢氧化铜悬浊液，加热。若产生砖红色沉淀，则说明水解产物为葡萄糖 2 分：实验方案正确，无实验现象 0 分：实验方案和实验现象均错误
3	B1 分析解释：能利用糖类、蛋白质、油脂的性质，解释生活、生产中的现象 C3 创新思维：能给出基本营养物质在生产、生活中的创新应用，培养社会责任感	4 分：能够解释清楚原因，分析淀粉基塑料的环保优势并能设计出推广建议（系统水平） 2 分：能够基本说明原因，分析优势欠考虑，建议不够实用（孤立水平） 0 分：无法解释原因以及给出合理建议（欠缺）	4 分	4 分：淀粉基物质通过微生物的作用，在自然界、特定堆肥消化条件或厌氧消化条件下完全降解成二氧化碳或甲烷、水、无机盐。淀粉基塑料因其可再生、可降解、减少碳排放等特性，在环保方面具有明显优势 推广淀粉基塑料的建议：①加强科技研发与改性处理；②优化市场推广策略，强化政策支持与产业链协作；③加大公共教育，增强消费者认知和接受度 2 分：能基本解释原理和说出优势 0 分：不能解释原理和说出优势

（三）效果分析

收集答卷 90 份，能力对应的平均得分情况如表 20-8 所示。

表 20-8　评分结果

学科能力	试题编号	分值	平均分	得分率
A1	1、2(1)	4(2+2)	3.51	87.8%
A2	1	1	0.86	86.0%
B1	3	2	0.68	34.4%
B3	1、2(2)	5(1+4)	3.15	63.0%
C3	3	2	1.24	62.2%

通过数据分析可见，学生学习理解能力（A1、A2）水平普遍较高，这部分试题难度较低，通过课堂针对性学习，学生掌握情况较好。而针对应用实践能力（B1）和迁移创新能力（C3）的试题得分率不高；针对 B3 能力的设计实验方案的试题，个体差异较大，部分学

生达到了较高水平，也有部分学生尚有欠缺。这部分试题开放程度大，对学生能力要求较高，得分情况与学生基础及课堂活动参与情况的差异有关。这要求教师在平时课堂教学过程中应注重学生实验思维的培养，规范实验操作。针对 B1、C3 能力的试题难度较大，学生接触这类创新性的、发散性的问题较少，教师应在教学中培养学生应用知识的能力。

二、教学反思

本课例依据学科能力理论，将本地特色小吃“龙游发糕”作为教学情境，体现了情境的地域性和真实性；实现了发糕与糖类、蛋白质和油脂的关联与统一。从教学情况来看，多数学生 A1、A2、A3 学习理解能力，以及 B1、B2 应用实践能力较好，部分学生 B3、C1、C3 能力欠缺。总体而言，教学设计中的任务、问题、活动等符合学生的能力水平，学生的应用实践能力得到了锻炼。学生经过适当的引导，形成了学习有机物质的基本模式“结构—性质—用途”，学生的学科核心素养“宏观辨识与微观探析”能够得到有效的发展。

经过教学实践发现，实验探究中学生的实验能力急需加强，无论是实验仪器的操作，还是现象的描述，都有欠缺。部分学生在理解复杂的化学结构时仍有困难，说明在有机物的结构教学上还需优化。此外，在基本营养物质的应用方面，教学的深度和广度都需加强。

针对这些问题，后续教学中应准备更多形象化的教学素材，如利用动画演示帮助学生理解抽象知识。同时，强化实验操作的预习指导与课堂演练，提高学生实验技能。在联系生活方面，多引入一些案例讨论，提高学生运用所学知识解决实际问题的能力。

参考文献

[1] 中华人民共和国教育部．普通高中化学课程标准（2017 年版 2020 年修订）［S］．北京：人民教育出版社，2020：15-20，23-27，65-67.

[2] 王晶，周业虹．普通高中教科书教师教学用书：化学（必修 第二册）［M］．北京：人民教育出版社，2019：98-100.

[3] 王磊．基于学生核心素养的化学学科能力研究［M］．北京：北京师范大学出版社，2017：13-14，17-19.

[4] 武培．基于真实情境的任务驱动式教学设计——以“基本营养物质蛋白质”为例［J］．中学化学教学参考，2022（11）：21-23.

[5] 李晶，王星乔，王仕杰，等．核心素养导向的教学设计与实施——以“糖类”教学为例［J］．化学教学（中英文），2022（11）：54-59.

[6] 王海龙．基于地方特色的高中化学主题式教学实践——以“基本营养物质”的教学为例［J］．化学教与学，2022（8）：50-54.

姜锦牌（浙江省衢州第三中学　浙江衢州）

第 21 单元
自然资源的开发利用

目标研制

一、课标研读

（一）内容要求和学业要求

“自然资源的开发利用”教学单元为《普通高中化学课程标准（2017 年版 2020 年修订）》必修课程主题 5 中的内容，课标相应内容要求和学业要求如表 21-1 所示。

表 21-1 “自然资源的开发利用”教学单元的课标内容要求和学业要求[1]

内容要求	学业要求
5.1 化学促进可持续发展 结合实例认识化学科学与技术合理使用的重要性。认识化学科学与技术的不断创新和发展是解决人类社会发展中遇到的问题、实现可持续发展的有效途径。结合实例认识化学原理、化工技术对于节能环保、清洁生产、清洁能源等产业发展的重要性。树立“绿色化学”的观念，形成资源全面节约、物能循环利用的意识 5.2 化学科学在材料科学、人类健康等方面的重要作用 知道金属材料、无机非金属材料、高分子材料等常见材料类型，结合实例认识材料组成、性能与应用的联系 5.3 化学在自然资源和能源综合利用方面的重要价值 结合合成氨、工业制硫酸、石油化工等实例了解化学在生产中的具体应用，认识化学工业在国民经济发展中的重要地位。以海水、金属矿物、煤、石油等的开发利用为例，了解依据物质性质及其变化综合利用资源和能源的方法。认识化学对于构建清洁低碳、安全高效的能源体系所能发挥的作用，体会化学对促进人与自然和谐相处的意义	3. 能举例说明重要资源和能源的主要类型、成分和用途；能从化学的角度分析从资源到产品的转化途径；能对资源的开发利用和能源的使用方案进行评价 5. 能主动运用所学的化学知识和方法解决生产、生活中简单的化学问题。在应用化学成果时能主动考虑其对自然和社会带来的可能影响，权衡化学成果在生产、生活中应用的利弊。能运用“绿色化学”思想分析和讨论化工生产的相关问题

注：数字序号即课标中相应序号。

可见，课标中对“自然资源的开发利用”的内容要求侧重于化学科学对自然资源利用的重要作用，以及“绿色化学”的科学观念。学业要求则从“举例说明”“主动应用”等能力表现角度提出了具体的要求。通过删繁就简、关联合并、增补解构等方法，可以得到该教学单元课标优化后的要求，如表 21-2 所示。

表 21-2 “自然资源的开发利用”教学单元课标优化后的要求[1]

优化后的要求
（原内容要求 5.1）能对各工业流程进行评价，形成绿色化学的思想（删繁就简） （原内容要求 5.2、5.3）能说出化石燃料综合利用的方式，并解释其中的化学变化；能举例说明常见的金属材料类型，并说出其冶炼方法；能举例说明海洋中存在的资源，并分析其提取或制备的工业流程（关联合并） （原内容要求 5.3）能对金属材料的冶炼进行分类，归纳出冶炼方法与金属活动性之间的关系（增补解构）
（原学业要求 3、5）能说出金属矿物、海水和化石燃料中可获取的资源；分析工业流程中发生的物理变化及化学变化，并能设计简单实验模拟工业流程（删繁就简，关联合并，增补解构）

（二）学业质量水平

课标学业质量水平与“自然资源的开发利用”教学单元的相关要求对应关系如表 21-3 所示。

表 21-3 “自然资源的开发利用”教学单元的学业质量水平

学业质量水平描述[1]	针对本教学单元内容的具体表现
2-4 能分析化学科学在开发利用自然资源、合成新物质、保护环境、保障人类健康、促进科技发展和社会文明等方面的价值和贡献	2-4 能举例说明金属矿物、海水和化石燃料中可提取的资源种类
3-4 认识有机化合物转化和合成在社会经济可持续发展、提高生活质量等方面的重要贡献；能运用化学原理和方法解释或解决生产、生活中与化学相关的一些实际问题	3-4 能分析金属矿物、海水和化石燃料中提取资源的工业流程及其中发生的化学变化
4-4 能说明化学科学发展在自然资源利用、材料合成、环境保护、保障人类健康、促进科学技术发展等方面的重要作用	4-4 能说明在提取金属矿物、海水和化石燃料中资源时所采取的保护环境、节约能源的措施，形成绿色化学的思想

注：数字序号即课标中相应序号。

二、教材解读

在人教版高中化学必修教材（2019 年版）第八章第一节“自然资源的开发利用”中，通过对金属矿物、海水和化石燃料的组成、冶炼、提取的工业流程等显性知识（图 21-1）的介绍，建立“性质—应用”的认识视角和“明确存在形式—分析提炼原理—优化生产工艺”的认识思路，落实课标内容要求的自然资源的认识及利用和可持续发展的学科观念。利用大量图片、资料卡片等形式，提高学生获取信息、分析信息的能力。两则“思考与讨论”，实现学业要求和学业质量水平中有关“分析”和“说明”等能力表现的具体要求。

本单元涉及的基本都是工业制备流程，实际的工业流程会比教科书上复杂很多，考虑的方面也会很多。由于这一特点，本单元的实验设计难度会增大，教师可以引导学生尝试设计简化工业流程的模拟实验，培养学生的科学探究能力和创新意识；同时，通过对工业“三废”的模拟处理，学生能真正意识到绿色化工业的重要性，增强社会责任感。

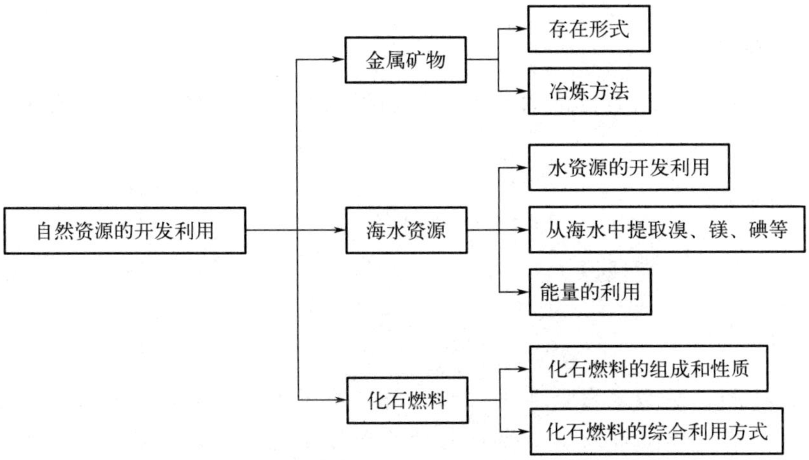

图 21-1 “自然资源的开发利用”教学单元内容

三、能力模型建构

通过课标研读和教材分析，可以确立相关主题的知识基础、研究对象和化学问题、学科认识方式，从而构建该教学单元的学科能力模型（图 21-2）。例如，该教学单元核心知识是自然资源的开发利用，如金属矿物、海洋资源和化石燃料的分类、性质、开发与利用方法，以及环境保护的基本原则；认识角度是“性质—应用”；认识思路是“明确存在形式→分析提炼原理→优化生产工艺”，学科思想为将可持续发展、环境保护、资源节约等理念融入教学，培养学生的综合思维能力和批判性思维能力。研究对象和化学问题主要包括自然资源的存在及其提取、转化利用。

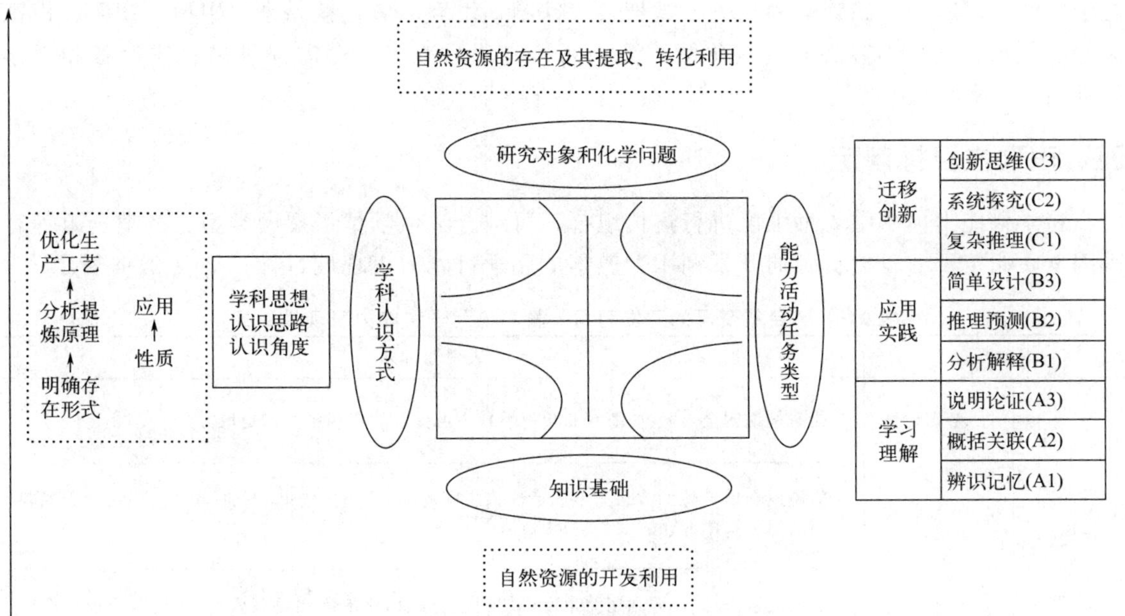

图 21-2 “自然资源的开发利用”教学单元能力模型

四、课程资源分析

在实际教学过程中，能力目标的实现还受到授课类型、学生学情、教学资源等客观因素的影响。

（一）授课类型

本节课的授课类型为新授课。

（二）学情分析

已有基础：从知识层面来看，学生已经了解了 Fe、Cu、Cl 等元素及其化合物的基本性质和变化规律，对有机物如烃及其衍生物的结构和性质也有了初步认识，已经学习了基本的化学反应如氧化还原反应、离子反应等；从能力层面来看，学生具备了一定的实验操作能力、观察现象能力，以及初步能从结构分析物质的性质的能力；从心理层面上看，学生对化学学科有一定的兴趣，好奇心强，喜欢通过实验探究科学现象。

潜在困难：由于高一学生平常学习中遇到的问题较为单一，对于自然资源开发利用中的复杂化学反应和工艺过程可能难以理解。同时，学生的生活、社会阅历比较少，对于资源开发与环境保护之间的平衡缺乏深刻的认识和实际的体验。学生还可能对跨学科的知识融合（如化学与环境科学的结合）感到困惑，不知如何将化学知识应用于实际问题。

（三）教学资源

学科能力目标的实现还有赖于学校资源的支持，学科能力目标的制定需考虑教学资源因素。本节课的学科能力表现性目标制定需要授课学校提供相应的实验试剂和实验仪器：试管若干、洗气瓶若干、滴管、酒精灯、铁架台、铁圈、坩埚、氧化铁粉末、铝粉、镁条、模拟海水、氯水、碳酸钠溶液、氢氧化钠溶液、60%硫酸溶液等；还需提供多媒体设备和教学软件。

五、表现性目标制定

将学科能力模型中 4 个维度进行连接组合，再结合学生学情、授课类型、教学资源等客观因素，制定了“自然资源的开发利用”教学单元学科能力表现性目标，如表 21-4 所示。

表 21-4 “自然资源的开发利用”教学单元学科能力表现性目标

能力要素		表现性目标
A 学习理解能力	A1 辨识记忆	能举例说明金属矿物、海水和化石燃料中可提取的资源种类和提取方法
	A2 概括关联	能说出金属冶炼的方法与金属活泼性之间的关系；能比较煤、石油、天然气三种化石燃料不同的综合利用方式
	A3 说明论证	能从能量消耗、资源利用的角度说明回收金属铝比冶炼铝更高效；能从反应原理角度分析反应

续表

能力要素		表现性目标
B应用实践能力	B1 分析解释	能分析金属矿物、海水和化石燃料中提取资源的工业流程及其中发生的化学变化
	B2 推理预测	能依据金属活动性与冶炼方法之间的关系，推测陌生金属的冶炼方法；能依据已学知识推测陌生工业反应的产物
	B3 简单设计	能设计简单实验模拟金属冶炼、海水资源提取和化石燃料综合利用的工业流程
C创新迁移能力	C1 复杂推理	能从能源消耗、环保等角度对某一工业流程进行分析、讨论和评价，形成绿色化学思想
	C2 系统探究	—(新授课暂不要求)
	C3 创新思维	—(新授课暂不要求)

教学设计

一、教学现状

本课时为人教版高中化学必修教材（2019年版）第八章第一节“自然资源的开发利用”的新授课[2]。本节课涉及金属矿物、海水资源和化石燃料中物质的提取、转化、综合利用及环境保护等多个方面。其主旨在于引导学生理解自然资源的基本概念、分类、开发利用方式及其对环境的影响，并且培养学生的环境保护意识和可持续发展意识。文献调研显示，本单元从真实情境例如金属冶炼、海水资源、矿石燃料出发，综合必修一、必修二所学的元素化合物知识，讲解自然资源开发利用的方法，并且培养学生的绿色化学思想[3]。如何从真实情境出发进行本节课的教学设计，使其实现学科能力培养价值和育人价值，值得探索。

二、教学思路

（一）创设真实问题情境

建构主义学习理论强调真实情境可以唤起学生的求知欲和相应的情感体验，基于真实情境的问题解决过程可以让学生有积极的情感体验，就会对学习产生浓厚的兴趣，会更加积极主动地学习[4]。本节课选择“海水资源的开发利用”为真实情境主题，主要原因有：①基于海水中提取溴的实验，提炼出从自然界中获取物质的方法模型，可应用于镁、碘的提取，串联相关知识，形成知识网络；②海水资源在生产、生活中应用广泛，与学生日常生活关联紧密，能激发学生的学习兴趣（详见图21-3）。

（二）设计能力评价任务

依据上述确立的学科能力表现性目标，精心设计了多样化、梯度化的能力发展评价任务，体现对学科思维、学科认识视角和认识思路等的建立、诊断和发展。具体见表21-5。

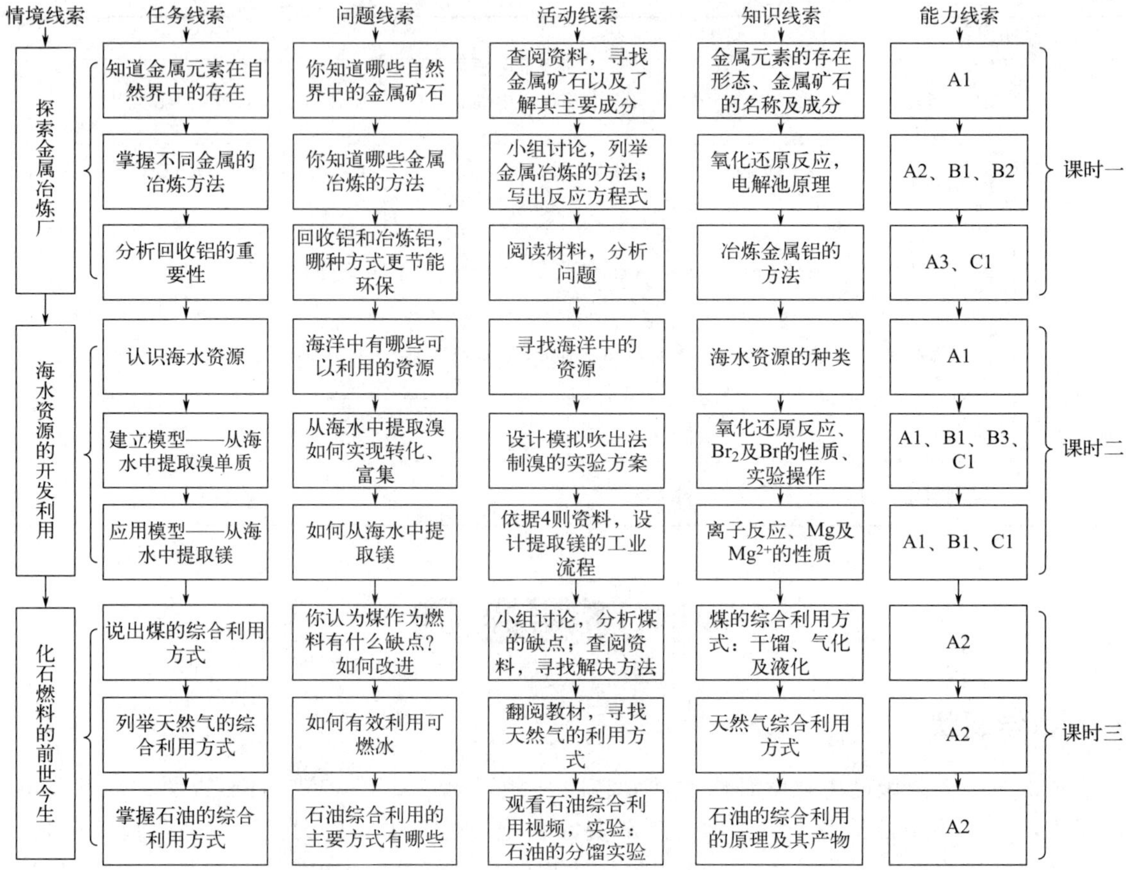

图 21-3 教学流程

表 21-5 “自然资源的开发利用”教学单元能力发展评价

序列	教学环节	评价任务	评价活动	能力要素	素养价值
1	知道金属元素在自然界中的存在	列举金属矿物中可提取的资源种类	【提问】你能介绍金属矿物中可提取的资源种类吗	A1	培养科学精神和社会责任感
2	说出不同金属的冶炼方法	说出金属矿物中提取资源的工业流程，写出其中发生的化学变化	【提问】活泼性不同的金属该如何冶炼呢 【活动】归纳总结冶炼方法，书写化学方程式	A2、B1、B2	提升归纳总结一般规律的能力，建立“金属活动性顺序与冶炼方法”的模型
3	分析回收铝的重要性	依据所给数据，分析回收铝和冶炼铝的优缺点	【活动】依据所给数据，分析回收铝和冶炼铝，哪种方式更节能环保	A3、C1	树立节约资源、保护环境的意识
4	认识海水资源	归纳海水中的资源	【活动】寻找海洋中资源	A1	培养科学精神和社会责任感
5	建立模型——从海水中提取溴单质	设计实验方案来模拟海水中提取溴的工业流程	【活动】学生设计实验并相互评价，再进行实验操作	A1、B1、B3、C1	通过实验现象、工业流程推断物质性质与反应规律，构建化学模型解释复杂资源利用问题，发展逻辑推理与模型建构能力

续表

序列	教学环节	评价任务	评价活动	能力要素	素养价值
6	应用模型——从海水中提取镁	说出海水中提取资源的工业流程，写出其中发生的化学变化	【活动】根据材料，小组讨论，请设计从海水中提取镁的工业流程	A1、B1、C1	从宏观视角认识海水提镁，并能从微观角度理解其化学本质，建立"宏观现象—微观解释—符号表征"的化学思维链
7	说出煤的综合利用方式	依据资料和生活常识归纳煤的优缺点并提出解决方法	【活动】依据材料，分析煤的优缺点，并且寻找煤的利用方法	A2	树立节约资源、保护环境的意识，形成"化学服务于人类文明与生态平衡"的责任感
8	列举天然气的综合利用方式	归纳天然气的利用方式	【活动】翻阅教材，寻找天然气的利用方式	A2	培养信息收集、归纳能力，建立"宏观—微观"认识角度
9	掌握石油的综合利用方式	列表说明石油综合利用的方式	【活动】观看石油综合利用视频 【实验】石油的分馏实验	A2	认识化学在自然资源开发中的双重性（促进社会发展VS环境挑战）

（三）选择教学策略

根据教学目标和教学内容，选择合适的教学策略。针对金属矿物的提炼（侧重对以往知识的复习总结），采取对比分析、情境创设等教学策略，例如通过对比不同金属的冶炼方法，总结出金属冶炼的一般规律；针对海水资源的开发利用，采用情境创设、自主合作、简单设计、展示交流等教学策略，例如合作设计实验模拟工业提取溴，展示交流，完善方案，培养严谨的科学态度和创新意识；针对化石燃料的综合利用，采用分析资料、归纳总结的教学策略。

三、教学实录（第二课时）

任务一：认识海水资源

【教师】海洋是一座巨大的宝库，很多元素在海洋中的含量远超在陆地上的含量，比如核电站用的核燃料——铀，科学家们致力于研究如何从海中提取金属铀。除此之外，海洋中还有哪些资源或能源呢？观看一个视频来了解一下。

【学生】水资源、波浪能、潮汐能。

【教师】除此之外，海水中还蕴含了非常多的元素，其中溴元素被叫作海洋元素，因为地球上99%的溴都存在于海洋中，同时溴元素在生产、生活中应用广泛，观看一个视频来了解一下。

学习评价：学生几乎都能通过视频、材料以及书本阅读等形式，归纳出海洋中存在的资源，符合A1能力表现性目标。

任务二：建立模型——从海水中提取溴单质

【观看视频】通过视频我们可以看到溴在生活和工业中应用都十分广泛。今天我们一起来探究一下工业上如何制取单质溴。

【问题 1】制取溴的原料是什么？

【教师】要选择合适的原料，你需要什么信息？

【学生】需要知道溴在自然界中的存在形式和分布。

【资料 1、资料 2】

资料1 溴元素在自然界中的分布

海水	99%
矿石	1%

资料2 海水中溴元素的含量以及存在形式

浓度	0.067g/L
存在形式	Br^-

【教师】请同学说一下你选择的原料是什么？

【学生】海水。

【追问】选择海水为原料，你觉得需要解决什么问题？

【学生】溴的浓度太小。

【教师】99％的溴分布在海洋中，我们选择海水作为原料。但海水中溴的浓度很小，因此在转化之前，我们需要对原料进行预处理，来增大溴离子的浓度。大家都用什么方法呢？

【学生】蒸发浓缩。

【教师】海水可以用来晒盐，晒盐过程中去除了大部分的水和氯化钠，就实现了海水的浓缩。我们把晒盐后得到的母液叫作苦卤。苦卤中溴离子的浓度相对会高一点。从海水到苦卤这一步我们就在对原料进行预处理，来实现浓缩、初步除杂。

【问题 2】我们的目标产物是溴，海水中溴以 Br^- 形式存在，利用已有的知识，你想设计怎么样的转化路径呢？可以从物质的类别、价态角度去分析。

【学生】$Br^- \rightarrow Br_2$ 化合价升高，被氧化，达成这一步需要加氧化剂。

【追问】同学们想选择哪种氧化剂呢？

【学生】氯气、高锰酸钾等。

【教师】这里有几种常见氧化剂的价格，请同学选择合适的氧化剂。

【PPT】

资料3 几种常见氧化剂的价格

氧化剂	价格/(万元/吨)
Cl_2	0.155
$KMnO_4$	3.4
K_2CrO_4	3.76
$KClO_3$	2.7
H_2O_2	1.4

【学生】从这张表格看到，氯气能达到目的，且成本较低，所以工业上选用氯气来做氧化剂。

【追问】制出了溴，我们是不是就获得目标产物了？

【学生】不是，得到的溴单质在海水中，需要收集起来。

【问题 3】如何将生成的溴收集起来，实现富集呢？

【PPT】请大家阅读资料 4，与同桌讨论一下收集路径。

资料4

溴是唯一在常温下呈液态的非金属元素单质，易挥发，沸点为58.76℃，红棕色液体，在四氯化碳(一种无色有毒液体，沸点为76.8℃，不溶于水，密度为$3.12g/cm^3$)等有机溶剂中的溶解性远大于在水中的溶解性。

【讨论方案，学生分享】

【学生 1】用热空气吹出，再冷凝收集溴单质。

【教师反馈】想法很好，但是溴蒸气浓度仍旧很低，收集效率低。

【学生 2】将溴蒸气吹入四氯化碳中。

【教师反馈】吹出来的溴蒸气浓度还是比较低，所以可以吹入溶解度较大的四氯化碳中，用来富集。这个思路很好，但四氯化碳有两个问题，一个是价格高、成本大，另外一个是四氯化碳有毒。沿着这条思路，工业上将溴蒸气吹入便宜的二氧化硫水溶液中，请同学分析一下，为什么二氧化硫水溶液能吸收溴蒸气？并写出化学反应方程式。

【学生】因为溴有氧化性，能和二氧化硫反应。化学方程式为：$Br_2+SO_2+2H_2O = 2HBr+H_2SO_4$。

【教师】通过二氧化硫水溶液的吸收，溴的浓度变大了，但又回到了溴离子。我们可以再通入氯气，让溴离子转化成溴单质，这时候溴单质的浓度就很大了，再通过蒸馏、冷凝就能得到目标产物——液溴。

【拓展】除了用二氧化硫水溶液吸收溴蒸气，工业上还有用碳酸钠溶液吸收溴蒸气的方法，这是因为溴能和碱反应，而碳酸钠水溶液呈碱性。

【教师】请同学用给出的试剂和仪器模拟吹出法制溴中的主要流程。

【实验试剂】模拟海水、碳酸钠溶液、新制氯水、较浓的硫酸溶液、氢氧化钠溶液。

【实验仪器】集气瓶、导管、橡胶管、滴管、鼓风机。

【学生】交流讨论，设计实验。

【实验方案】如图 21-4 所示。

【教师】边进行演示实验，边请同学书写相关方程式。

【学生】$3Br_2+3CO_3^{2-} = 5Br^-+BrO_3^-+3CO_2$

【教师】引导学生分析将溴化钠和溴酸钠再次变为溴的方法。

【学生 1】用氯气氧化。

【学生 2】氯气只能将溴离子氧化，溴酸钠仍在溶液中。

【提示】一般情况下，碱性歧化，酸性归中。

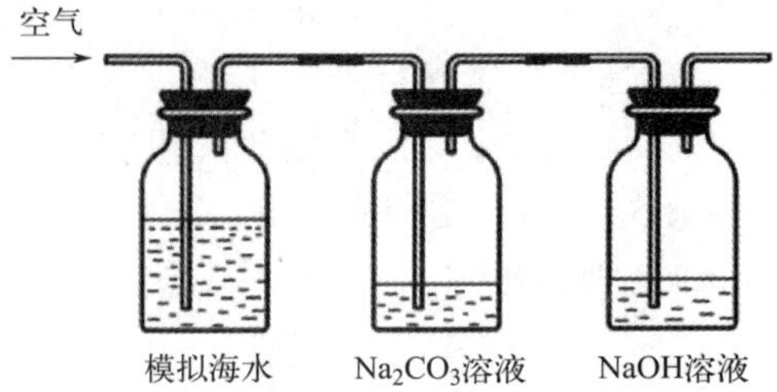

图 21-4　实验装置

【学生】可以加入酸，如稀硫酸。

【教师】请学生书写该离子方程式。

【学生】$5Br^- + BrO_3^- + 6H^+ \xlongequal{} 3Br_2 + 3H_2O$

【演示实验】模拟海水中溴的颜色慢慢变浅，碳酸钠溶液显无色。此时，停止鼓气，打开中间吸收器的瓶塞，倒入少量较浓的硫酸。溶液立即变为红棕色，比氧化器中原来溴的颜色要明显变深，说明溴被浓缩了。

【教师】海水制溴过程的特点是需要不断浓缩，这也是从自然界中获取其他化学物质的一个普遍特点。由此我们可以建立起从自然界中提取物质的方法模型。

【建立模型】如图 21-5 所示。

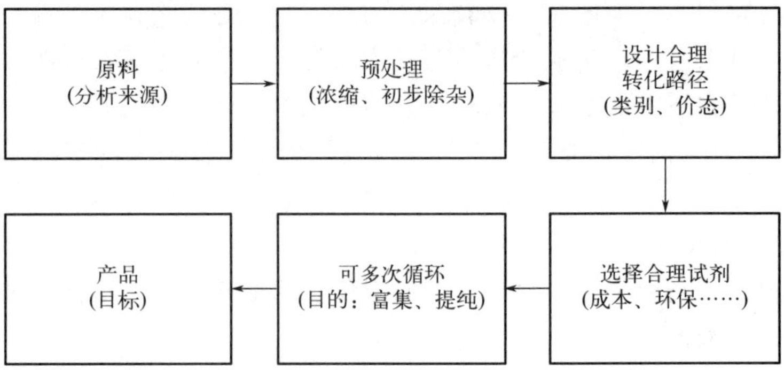

图 21-5　模型建构

学习评价：在问题的引导下，大多数学生能根据所给资料进行推理分析，讨论得出工业制溴的原料、原料的预处理方式、氧化剂的选择以及溴的收集方式，少部分学生也能在教师或者同学引导下得出结论，符合 A1、B1 能力表现性目标。在设计模拟实验时，一部分学生能通过前期积累设计出较为完善的实验方法，大部分学生设计的实验仍有较多需改进的地方，B3 学科能力有待提高。通过同学之间相互评价方案，发展了 C1 学科能力。

任务三：应用模型——从海水中提取镁

【过渡】海洋中不仅有非金属元素，还有丰富的金属元素资源。

【教师】如何从海水中提取金属镁呢？

【小组探究】请 4 人小组依据下列资料，讨论并设计从海水中提取镁的流程图。

【PPT】

资料1：Mg^{2+}在海水中的浓度为1.31g/L

资料2：室温下几种常见镁的化合物的溶解度

物质	$MgCl_2$	$MgSO_4$	$MgCO_3$	$Mg(OH)_2$
溶解度/g	54	33	0.011	0.0029

资料3：

试剂	氢氧化钾	氢氧化钠	氢氧化钙	氢氧化钡
价格/(元/吨)	6160	2300	580	3700

资料4：氯化镁溶液在直接加热时，会发生水解反应。对于含有六个分子的结晶水的氯化镁($MgCl_2 \cdot 6H_2O$)，加热时会失水并部分生成氧化镁(MgO)和碱式氯化镁[Mg(OH)Cl]，需要在HCl氛围中加热脱水。

【学生分享，相互评价】

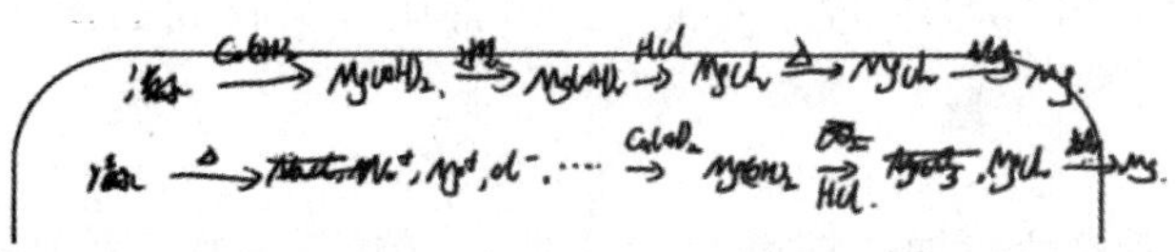

学生1

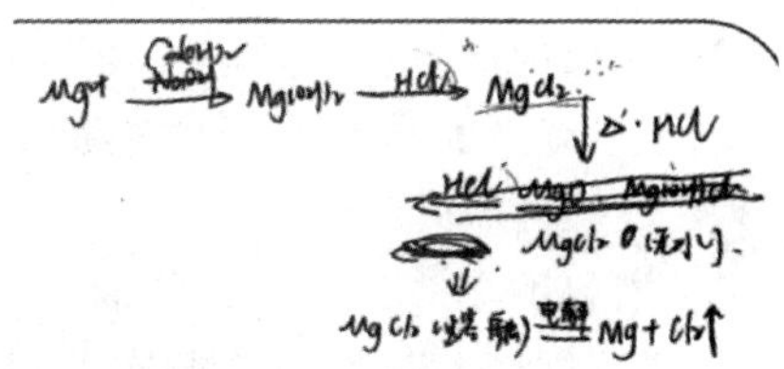

学生2

【教师】经过大家的合作、努力，我们完成了从海水中提取镁的工业流程。

学习评价：经过从海水中提取溴的学习，以及模型的建立，对于镁的提取绝大多数学生能设计出较为完善的工业流程，说明本节课在一定程度上实现了A1、B1、C1学科能力的发展。但很少有学生考虑到Cl_2可以循环使用，创新意识有待加强。

【小结】本节课我们一起探索了海洋资源，实现了从海水中提取溴和镁。海洋中还存在很多其他资源等待大家开发和利用，希望同学们学好知识，以后能合理地去开发利用海洋资源。

四、板书设计

板书设计如图21-6所示。

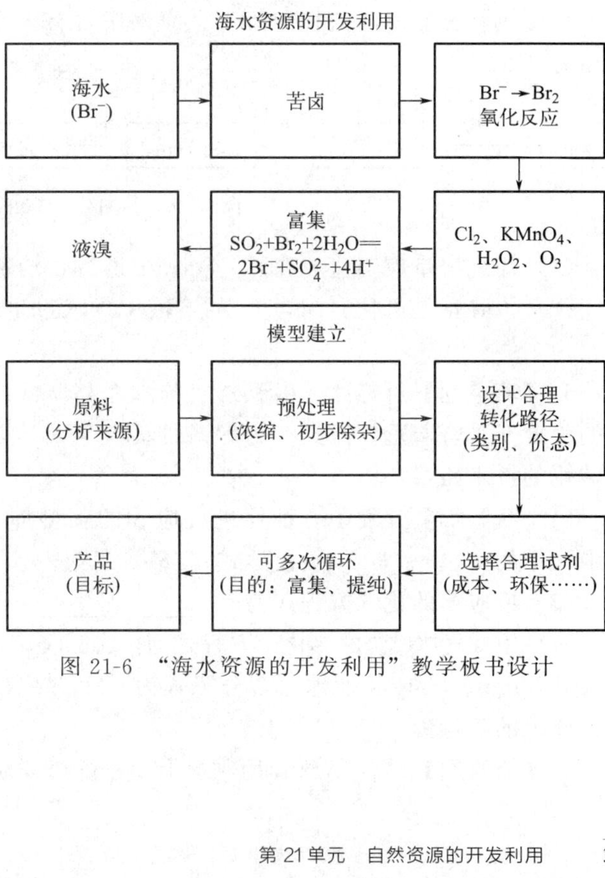

图21-6 “海水资源的开发利用”教学板书设计

教学评价

一、教学效果

（一）测评试题

我国大力推进海洋资源的开发利用，在南海海域成功实现可燃冰的稳定试采，持续进行石油勘探开发，积极开展海水提镁、海水提溴等海洋化学资源综合利用研究，同时探索海底多金属结核矿开采。请结合化学学科知识，回答下列相关问题。

1.【单选题】海底块状硫化物富含铜、铁、锌、银和金等多种元素，其中冶炼金属铁的方法是（　　）。

A. 热还原法　　B. 电解法　　C. 物理分离法　　D. 生物富集法

2.【单选题】海底开采的石油通常采用分馏法进行精炼，其中常压分馏得到的产物是（　　）。

A. 燃料油　　B. 柴油　　C. 沥青　　D. 石蜡

3.【填空题】随着新能源产业对铜需求的激增，深海铜矿可能成为铜资源的重要来源。铜制品久置后会产生蓝色薄锈，其主要成分为碱式碳酸铜［$Cu_2(OH)_2CO_3$］，这层蓝色薄锈形成的原理是____________________（用方程式表示，下同）。若要除去表面蓝色薄锈，一是用稀硫酸洗涤；二是可以在炼铁高炉中锻造，其原理为____________________________。

4.【填空题】海洋植物如海带、海藻中含有丰富的碘元素。实验室里从海带中提取碘的流程见图 21-7。

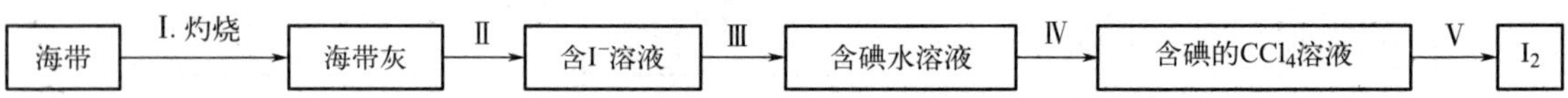

图 21-7　从海带中提取碘的流程

（1）灼烧海带应当盛放在________中进行，灼烧的目的是________。

（2）步骤Ⅲ是氧化：向含 I^- 的溶液中加入过量的 H_2O_2 和稀 H_2SO_4，该反应的离子方程式为____________________。

5.【填空题】可燃冰是由天然气与水在高压低温条件下形成的类冰状结晶化合物，可燃冰的稳定开采有着重要意义。为解决能源与环境问题，有学者提出如图 21-8 所示的含碳物质转化的技术路线：

（1）我国学者开发了一种促进反应③的新型催化剂，催化过程如图 21-9 所示。该过程的中间产物是________（填化学式），氧和氢进一步作用生成甲醇和水。

（2）反应④的化学方程式为____________________。

（3）甲烷气体燃烧的热化学方程式为：$CH_4(g)+2O_2(g) = CO_2(g)+2H_2O(l)$　$\Delta H = -890.3kJ/mol$。356g 可燃冰（若分子式为 $CH_4 \cdot 9H_2O$）释放的甲烷气体完全燃烧生成液态水，放出的热量为________ kJ。

6.【简答题】结合资源利用与环保，分析海洋资源的开发如何实现可持续发展。（至少

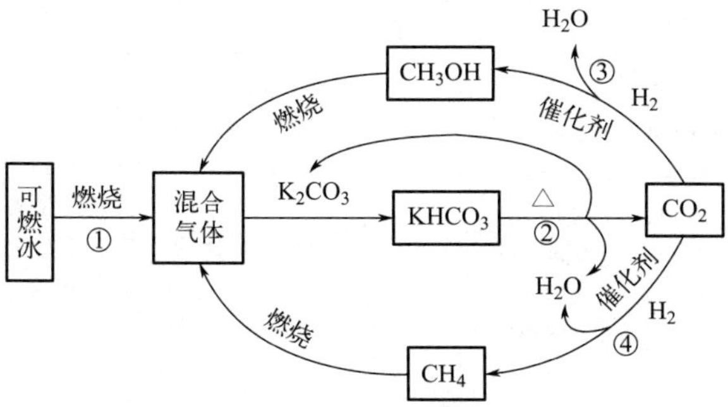

图 21-8　含碳物质转化的技术路线

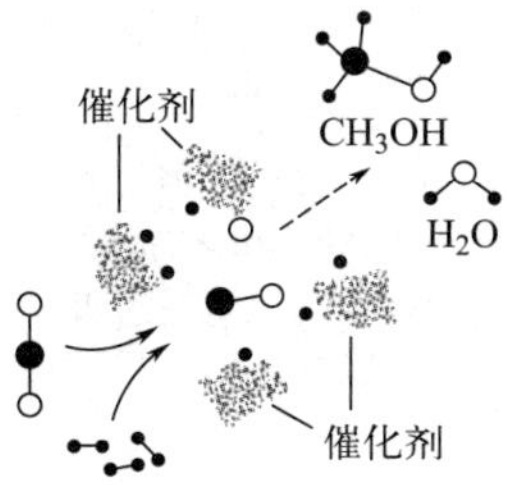

图 21-9　新型催化剂的催化过程

3 点）

（二）设计说明

以“证据推理和模型认知”“科学探究和创新意识”和“科学态度和社会责任”的化学学科核心素养为测试宗旨，以海洋资源的开发利用为测试载体，设置工业提取铁、铜，石油炼制的分析，海带提取碘分析和可燃冰的利用等基于实际问题的测试任务，要求学生运用铁、铜、碘元素的相关知识和工业流程知识解决相关问题。每一试题均对应学科能力表现性目标，旨在评价学生完成本节课学习后相应的学科能力水平，评价标准具体如表 21-6 所示。

表 21-6　评价说明和评分标准（总分 25 分）

试题编号	学科能力要素	认识能力	分值	标准答案及评分标准
1	A1 辨识记忆：能举例说明金属矿物、海水和化石燃料中可提取的资源种类和提取方法	2 分：能选择正确的冶炼方法（系统水平） 0 分：无法选择正确的冶炼方法（欠缺）	2 分	2 分：A 0 分：其他答案
2	A1 辨识记忆：能举例说明金属矿物、海水和化石燃料中可提取的资源种类和提取方法	2 分：能正确指出产物（系统水平） 0 分：不能指出产物（欠缺）	2 分	2 分：B 0 分：其他答案
3	B2 推理预测：能依据金属活动性与冶炼方法之间的关系，推测陌生金属的冶炼方法；能依据已学知识推测陌生工业反应的产物	4 分：能正确分析反应（系统水平） 0 分：无法正确分析反应（欠缺）	4 分	4 分： 第一空： $2Cu + CO_2 + O_2 + H_2O = Cu_2(OH)_2CO_3$（2 分） 第二空： $Cu_2(OH)_2CO_3 + 2CO \xlongequal{高温} 2Cu + 3CO_2 + H_2O$（2 分） 0 分：其他答案

续表

试题编号	学科能力要素	认识能力	分值	标准答案及评分标准
4	B1 分析解释：能分析金属矿物、海水和化石燃料中提取资源的工业流程及其中发生的化学变化	5 分：能正确分析实验装置，能结合碘的知识分析实际操作中遇到的问题以及反应原理并用化学方程式表示（系统水平） 0 分：不能正确分析实验装置，不能结合碘的知识分析实际操作中遇到的问题以及反应原理并用化学方程式表示（欠缺）	5 分	5 分： 第一空：坩埚（1 分） 第二空：将海带中的有机碘化物（如碘的有机结合形态）通过高温氧化分解，转化为可溶于水的无机碘离子（I^-），以便后续通过酸化、萃取等步骤提取碘单质（2 分） 第三空：$2I^- + H_2O_2 + 2H^+ = I_2 + 2H_2O$（2 分） 0 分：其他答案
5	A3 说明论证：能从能量消耗、资源利用的角度说明回收金属铝比冶炼铝更高效；能从反应原理角度分析反应	6 分：能分析反应的中间产物及反应，能依据热化学知识分析反应并计算（系统水平） 0 分：不能分析反应的中间产物及反应，不能依据热化学知识分析反应并计算（欠缺）	6 分	6 分： 第一空：CO（2 分） 第二空：$CO_2 + 4H_2 \xlongequal{催化剂} CH_4 + 2H_2O$（2 分） 第三空：1780.6（2 分） 0 分：其他答案
6	C1 复杂推理：能从能源消耗、环保等角度对某一工业流程进行分析、讨论和评价，形成绿色化学思想	6 分：能从能源消耗、环保等角度分析海洋资源开发利用的工业（系统水平） 0 分：不能分析（欠缺）	6 分	6 分：合理规划开采；提高资源利用率；发展循环经济（每点 2 分） 0 分：其他答案

（三）效果分析

收集答卷 106 份，能力对应的平均得分情况如表 21-7 所示。

表 21-7　评分结果

学科能力	试题编号	分值	平均分	得分率
A1	1、2	4	3.68	92%
A3	5	6	4.21	70%
B1	4	5	3.15	63%
B2	3	4	2.92	73%
C1	6	6	3.54	59%

通过数据分析可见，学生的 A1 学习理解能力较好，应用实践能力（B1、B2）和 A3 学习理解能力掌握一般，分析原因可能是因为元素化合物的知识有所遗忘；而复杂推理能力（C1）有所欠缺，且分化较大。基础好且上课参与程度高的学生答题情况较好，这提示教师在教学时可以多关注基础不太好的同学的掌握情况。

二、教学反思

本课例依据学科能力理论，通过“目标制定—策略选择—情境创设—活动设计”的流程展开教学设计。围绕“海水资源的开发利用”的情境主题，引导学生认识海水中的资源以及学会如何从海水中提取资源。教学实践表明，大多数同学对于 A1、A2 学习理解能力和 B1、

B2 应用实践能力掌握一般；对于 B3 应用实践能力和 C1 迁移创新能力，部分同学尚有欠缺，但通过课堂上教师的引导和同学之间的交流讨论，获得了不同程度的提升。总体而言，本节课的教学设计和实践基本上覆盖了教学知识点，提升了学生的学科能力，同时培养了学生的绿色化学意识和严谨的科学探究精神，提高了学生的创新能力。

本课例是在必修二第八章，也是必修阶段的最后一章。这一章内容不仅是对必修所学知识的整合应用，更是承担着提升学生情感价值的重任。通过海水资源开发利用的学习，学生能从宏观上感受到化学对海水资源开发及合理利用的重要性[5]，也能将所学知识应用于此，让知识落地扎根，学有所用、学有所思，而不只是为了应试，提升了对化学学科的认同感和幸福感。

本课例的设计思路对相似主题的教学，如“化学品的合理使用”“环境保护和绿色化学”等具有一定的参考价值。教师在充分研究教学内容的能力培养价值和育人价值基础上，通过制定学科能力导向的教学目标进行教学设计。在本节课的实践中发现，大部分学生已经具备基础知识和实验能力，可以设计一个更加开放的课堂。课前设计好预习清单[6]，学生可通过书籍、网络查阅工业制溴、工业制镁的实际流程，分析其中的化学原理，也可以记录所遇到的问题。通过资料的查阅，学生会遇到很多想不到的问题，从而能感受到实际工业生产的复杂性和艰巨性，拓宽了思考问题的角度。最后邀请同学上台进行方案展示，相互评价，完善方案，将课堂真正地还给学生。通过这样的课堂展示，学生能更好地提高化学学科的学科能力。

参考文献

[1] 中华人民共和国教育部．普通高中化学课程标准（2017 年版 2020 年修订）［S］．北京：人民教育出版社，2020：15-20，23-27，65-67.

[2] 王晶，毕华林．普通高中教科书·化学（必修）第二册［M］．北京：人民教育出版社，2019：19-24.

[3] 李明．基于多维度落实化学学科核心素养的品质课堂——以“海水资源的开发利用”教学设计为例［J］．教育观察，2021，010（047）：P. 118-121.

[4] 樊亚军，陈媛媛，张恒．基于真实情境的高中化学作业设计——化学中常用的实验方法［J］．化学教育（中英文），2023，44（5）：18-24.

[5] 惠海涛．“海水资源的开发利用”教学设计［J］．中学化学教学参考，2008（9）：3.

[6] 李姗姗，唐劲军．基于发展学生化学学科核心素养的教学设计——以“海水资源的开发利用”为例［J］．化学教学，2017，000（008）：42-46.

傅园家（浙江省奉化中学　浙江宁波）

第 22 单元
化学品的合理使用

目标研制

一、课标研读

（一）内容要求和学业要求

“化学品的合理使用”教学单元为《普通高中化学课程标准（2017 年版 2020 年修订）》必修课程主题 5 中的内容，课程标准相应内容要求和学业要求如表 22-1 所示。

表 22-1 “化学品的合理使用”教学单元的课标内容要求和学业要求[1]

内容要求	学业要求
5.1 化学促进可持续发展 结合实例认识化学科学与技术合理使用的重要性。认识化学科学与技术的不断创新和发展是解决人类社会发展中遇到的问题、实现可持续发展的有效途径 5.5 化学应用的安全与规则意识 认识经济发展与环境保护等的关系。树立自觉遵守国家关于化学品应用、化工生产、环境保护、食品与药品安全等方面的法律法规的意识	1. 能列举事实说明化学科学在生产、生活中的应用价值，以及对人类文明的伟大贡献。能列举我国体现化学科学与技术应用的重要成果 2. 能从材料组成的角度对生活中常见的材料进行分类，能根据使用需求选择适当的材料，能解释使用注意事项，并能科学合理使用 5. 能主动运用所学的化学知识和方法解决生产、生活中简单的化学问题。在应用化学成果时能主动考虑其对自然和社会带来的可能影响，权衡化学成果在生产、生活中应用的利弊 7. 能借助国家关于安全生产、环境保护、食品安全、药物开发等方面的法律法规分析与化学有关的社会热点问题

注：数字序号即课标中相应序号。

可见，课标中对“化学品的合理使用”的内容要求侧重于化学科学与技术合理使用的重要性。学业要求则从“列举事实”“分类”“合理使用”“解决问题”等能力表现角度提出了具体的要求。通过关联合并、删繁就简等方法，可以得到该教学单元课标优化后的要求，如表 22-2 所示。

表 22-2 “化学品的合理使用”教学单元课标优化后的要求[1]

优化后的要求
（原内容要求 5.1）能够运用化学知识合理使用化肥、农药、医药以及食品添加剂。能逐步树立化学应用的安全与规则意识（删繁就简） （原内容要求 5.5）认识经济发展与环境保护等的关系。树立自觉遵守国家关于化学品应用、化工生产、环境保护、食品与药品安全等方面的法律法规的意识（直接摘录）
（原学业要求 1 和 2）能说出化学的应用价值（化肥、农药、医药、食品添加剂等方面）（删繁就简） （原学业要求 5 和 7）能运用化学解决日常生产、生活中的简单问题（例如药物选择、食品购买等）。能运用化学视角分析与化学有关的社会热点问题（关联合并）

（二）学业质量水平

课程标准学业质量水平与“化学品的合理使用”教学单元的相关要求对应关系如表 22-3 所示。

表 22-3 “化学品的合理使用”教学单元的学业质量水平

学业质量水平描述[1]	针对本教学单元内容的具体表现
1-4 具有安全意识，能将化学知识与生产、生活实际结合，能主动关心并参与有关的社会性议题的讨论，赞赏化学对人类生活和生产所作的贡献；能运用所学的化学知识和方法分析讨论生产、生活中简单的化学问题（如酸雨防治、环境保护、食品安全等），认识化学科学对社会可持续发展的贡献	1-4 能在面对多种化肥、农药、医药、食品添加剂等化学品时，评价优劣，并选择合适产品。能主动参加与化学相关的社会议题的讨论。认同化学在多领域的积极作用
4-4 能说明化学科学发展在自然资源利用、材料合成、环境保护、保障人类健康、促进科学技术发展等方面的重要作用；能运用化学原理和方法对解决生产和生活中的热点问题提出创造性的建议，能对化学技术推广应用和化学品使用进行分析和风险评估	4-4 能够对化学技术的推广以及化学品的使用进行风险评估，能够预测化学品对环境、健康和社会可能产生的影响，进而能够选择安全且高效的化学品

注：数字序号即课标中相应序号。

二、教材解读

人教版高中化学必修教材（2019 年版）第八章第二节“化学品的合理使用”以化学品的分类、应用及环境影响为主线，通过对农药与化肥的作用原理、食品添加剂的安全性、药物的合理使用等显性知识（图 22-1）的介绍，建立“宏观—微观”视角和“分类—功能—风险—责任”的认识思路，落实课标“化学应用的安全与规则意识”的内容要求。教材设置了“科学 · 技术 · 社会”“资料卡片”等栏目，旨在帮助学生从感性和理性层面学习相关内容，从而达成学业要求和学业质量水平中有关“说明”“分类”“使用”“运用”“评估”等能力表现的具体要求。本节课以通识类知识为主，注重学科价值与社会问题的融合，旨在引导学生从化学视角审视科技发展与人类福祉的关系，树立可持续发展的科学观。

三、能力模型建构

通过课标研读和教材分析，可以确立相关主题的知识基础、研究对象和化学问题、学科认识方式，从而构建该教学单元的学科能力模型（图 22-2）[2]。例如，该教学单元核心知识是化学品在不同领域（如农业、工业、医药、日常生活）中的应用，同时强调合理使用化学

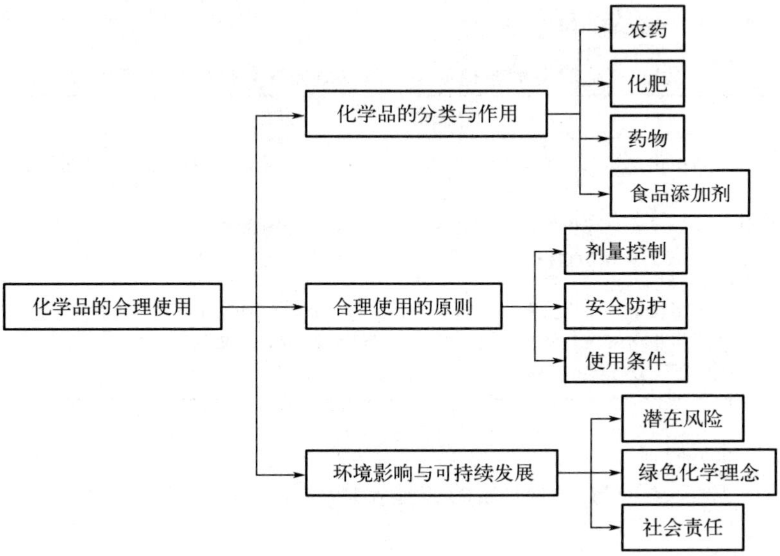

图 22-1 “化学品的合理使用”教学单元内容

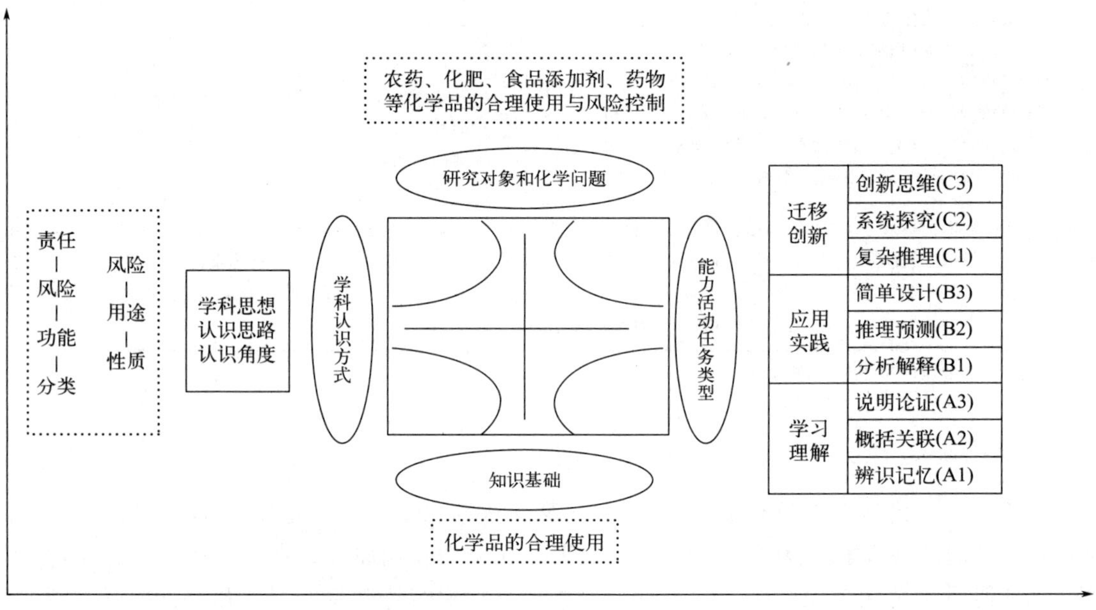

图 22-2 “化学品的合理使用”教学单元能力模型

品的重要性以及对社会可持续发展的意义。认识角度是“性质—用途—风险”，认识思路是“分类—功能—风险—责任”，学科思想为“性质决定应用，应用规避风险”；研究对象和化学问题主要包括各类化学品（如农药、化肥、食品添加剂、药物等）及其在生产、生活中的应用和环境问题。针对化肥、农药的合理施用，可侧重发展学习理解能力。针对安全使用食品添加剂，可侧重发展应用实践和迁移创新能力。

四、课程资源分析

在实际教学过程中，能力目标的实现还受到授课类型、学生学情、教学资源等客观因素的影响。

（一）授课类型

本节课的授课类型为新授课。

（二）学情分析

已有基础：从知识层面来看，学生已经掌握了基本的元素化合物知识，了解了化学反应的基本原理，对物质的性质、分类及变化规律有一定的认识。同时，学生也初步了解了化学品在日常生活中的应用及其对环境的影响。从能力层面来看，学生具备了一定的实验操作能力，能够独立完成简单的化学实验，并观察、记录实验现象。他们还能运用所学的化学知识解释一些简单的化学现象，具备一定的分析问题和解决问题的能力。从心理层面上看，学生对化学学科保持一定的好奇心和兴趣，愿意探索化学世界的奥秘。

潜在困难：理论知识应用于实际问题解决时，学生可能难以将抽象概念与具体情境相联系。面对涉及多因素、多步骤的化学品使用问题时，学生可能感到无从下手。尽管学生认识到环保和安全的重要性，但在实际操作中可能难以坚持原则，做出正确的决策。

（三）教学资源

学科能力目标的实现还有赖于学校资源的支持，学科能力目标的制定需考虑教学资源因素。本节课的学科能力表现性目标制定要求授课学校需要提供相应实验场地和实验仪器及药品等。

五、表现性目标制定

将学科能力模型中4个维度进行连接组合，再结合学生学情、授课类型、教学资源等客观因素，制定了“化学品的合理使用”教学单元学科能力表现性目标，如表22-4所示。

表22-4 “化学品的合理使用”教学单元学科能力表现性目标

能力要素		表现性目标
A学习理解能力	A1 辨识记忆	能够准确识别并记忆常见化学品（如化肥、农药、药物、食品添加剂等）的名称、类型以及它们的基本标识信息（如安全警告、有效期等）
	A2 概括关联	能够概括出不同化学品之间的相似性和差异性，并建立它们与日常生活、环境保护和健康安全之间的关联
	A3 说明论证	能够用化学知识和逻辑论证支持自己关于化学品合理使用的观点
B应用实践能力	B1 分析解释	能够深入分析化学品的性质、作用机制以及它们在不同应用场景下的效果并解释相关原因
	B2 推理预测	能够基于化学原理和现有知识进行逻辑推理，预测化学品使用可能带来的后果，并提出预防措施
	B3 简单设计	能够运用所学知识，设计简单的化学品使用方案或改进方案，以解决实际问题
C迁移创新能力	C1 复杂推理	—（新授课暂不要求）
	C2 系统探究	—（新授课暂不要求）
	C3 创新思维	能够多角度创意应用物质性质及其变化解决现实问题，设计多样化的用途，发现材料的新功能、新应用

教学设计

一、教学现状

本课时为人教版高中化学必修教材第二册（2019 年版）第八章“化学与可持续发展”第二节内容的新授课[3]。该节课内容蕴含化学学科核心概念和知识点较少，内容相对零散。但是，能够正确认识、合理使用化学品是每位同学需要具备的基本素质，也是“科学态度与社会责任”的具体体现。文献检索发现，与“化学品的合理使用”相关的文章相对较少，主要集中在以下几个方面：一是以化学品的合理使用作为载体，研究学程案设计、项目式教学[4-5]；二是对教材进行重构，选择真实情境如“喜树”“笔套中的化学物质”进行课堂教学设计及实施[6-7]。

二、教学思路

（一）创设真实问题情境

本课例创设了“绿色农业实践——慈溪杨梅生态种植”这一情境主题，主要原因有三点。①贴近生活：杨梅是宁波慈溪特色农产品，学生熟悉且易产生兴趣；②学科融合：涵盖农药、化肥、食品添加剂等核心内容，体现化学与农业的关联；③学科能力培养：通过解决杨梅种植问题，发展学生“分类—功能—风险—责任”的化学品使用认识思路，有助于实现开展学科能力导向教学目标的具体能力活动（详见图 22-3）。

图 22-3　教学流程

（二）设计能力评价任务

依据上述确立的学科能力发展目标，精心设计了多样化、梯度化的能力发展评价任务，体现对学科思维、学科认识视角和认识思路等的建立、诊断和发展。具体见表 22-5。

表 22-5 “化学品的合理使用”教学单元能力发展评价

序列	教学环节	评价任务	评价活动	能力要素	素养价值
1	探究杨梅产量影响因素	影响因素探究总结	观看视频，阅读信息后进行展示，小组互评和教师点评	A1、A2	培养分析问题的认识思路
2	解密杨梅增产化学机制	根据杨梅生长周期和土壤情况，选择合适的化肥	小组讨论，设计施肥方案并展示	A2、B1、B3	建立“性质—用途—风险”认知逻辑
3	分析农药使用双重影响	模拟农药残留实验，评估环境影响	实验操作，撰写风险评估报告	A3、B2、B3、C3	发展实验设计、环保意识与风险评估能力
4	指导梅农健康合理用药	阿司匹林制备，模拟药用过程	通过数字化实验模拟人体吸收药物过程，得出相关数据，分析药物使用的合理性	A2、B1	增强对常见药物及其分类的理解，提升合理用药意识
5	研发杨梅中食品添加剂	分析常见食品添加剂的作用，设计适合杨梅产品的食品添加剂使用方案	查阅资料了解各类食品添加剂，分析市面上杨梅加工制品，小组讨论设计使用方案并展示	A3、B3	学会根据产品特点合理使用食品添加剂，强化对食品添加剂合理使用的认识
6	探索杨梅药用开发前景	预测杨梅药用开发的可能性	根据化学知识和现有研究成果预测药用开发前景	B1、B2	提升对物质成分和性质的分析能力，培养创新研究意识

（三）选择教学策略

根据教学目标和教学内容，结合学生学情与学科能力发展需求，针对不同教学环节选择不同策略。通过情境创设教学策略，以“宁波慈溪杨梅生态种植”为主线，结合视频采访、土壤检测报告等真实素材，引导学生构建化肥、农药、医药和食品添加剂等化学知识体系。通过问题导引教学策略，提出“如何提高杨梅产量”“如何合理使用农药”等递进式问题，激发学生探究动力。通过“浙江地区杨梅园土壤重金属含量变异特征与污染风险评价”的案例教学策略，引导学生辩证分析农药的功与过，强化“性质—用途—风险”的认识角度。

三、教学实录（第一课时）

任务一：探究杨梅产量影响因素

【PPT】播放采访慈溪本地杨梅种植户视频。

【教师】影响杨梅产量的主要因素有哪些？你学习化学之后可以从哪些方面帮助杨梅增产？

【学生】天气、生长年限、化肥、农药；合理使用化肥可以增产，对症使用农药可以减少病虫害。

学习评价：在“探究杨梅产量影响因素”的任务中，多数学生能够通过视频和生活经历，总结出杨梅产量的影响因素。

任务二：解密杨梅增产化学机制

【教师】同学们，我们已经知道化肥是杨梅增产的关键因素之一。首先来认识一下农业生产中常用的化肥种类及其作用。

【PPT】展示常见的化肥[8]。

种类	含义	常见品种	作用
氮肥	氮为主要元素的化肥	尿素、氯化铵	促进枝叶生长，提高叶绿素含量
磷肥	磷为主要元素的化肥	过磷酸钙	促进根系发育和花芽分化
钾肥	钾为主要元素的化肥	硫酸钾、氯化钾	增强抗倒伏能力，提升果实品质
复合肥	含有 2 种或 2 种以上主要元素的化肥	硝酸钾、磷酸二氢钾	提供多种营养元素，均衡供给

【教师】杨梅从萌芽到结果需经历多个生长阶段，如果你是种植户，会在哪些关键时期施肥？分别侧重哪种肥料？

【学生】小组讨论，设计施肥方案并展示。

发芽时：需要长叶子，应该施氮肥。

开花时：开花结果可能需要磷肥，可用过磷酸钙。

结果时：果实长大需要钾肥，比如硫酸钾。

【教师】除了这三个时期，采果后是否需要管理？此时树体状态如何？

【学生】杨梅树已提供大量营养，需要施肥恢复，但不知道用什么肥。

【真实情境】基于杨梅园土壤检测的精准施肥[9]

杨梅种植园土壤检测报告：pH = 5.8，有效钾含量为 80mg/kg，有效硼含量为 0.1mg/kg，硼含量低于临界值 0.5mg/kg。

补充资料 1：

生长阶段	时间	主要需求	土壤限制因素
春梢萌发期	3～4 月	氮肥为主，补充硼肥	酸性土壤（pH↓）、缺硼（B↓）

续表

生长阶段	时间	主要需求	土壤限制因素
花期	4～5月	授粉坐果＋营养储备	磷钾需求激增
果实膨大期	5～6月	糖度积累＋防落果	氮肥过量易导致落果
采果后	7～8月	根系修复＋养分储备	土壤活力下降

补充资料2——常见硼肥：

硼砂：化学名称为十水合四硼酸钠，是一种白色结晶粉末，易溶于热水，但在冷水中的溶解度较低。硼砂含硼量一般在11%左右，价格相对低廉，来源广泛。

硼酸：呈白色粉末状，易溶于水、酒精、甘油等，含硼量约为17%。硼酸在土壤中能缓慢释放出硼离子，肥效相对持久。

【师生共研优化方案】种植前土壤pH＝5.8，需要将土壤调节为弱酸性，我们可以使用腐熟有机肥和过磷酸钙，或使用生石灰调节土壤pH。春梢萌发期仅仅施用氮肥，会造成杨梅营养不足。我们可以施加尿素和硼砂，促进新梢和花芽发育。氮肥过量易导致杨梅果实落果。应采用叶面肥磷酸二氢钾溶液，少量多次喷施。采摘杨梅后，果树需要修复，应施腐熟有机肥和复合肥，增强土壤活力。

【过渡】农业生产中常有人认为“肥料混用效果更强”，但事实是否如此？草木灰是植物燃烧后的灰烬，主要成分是碳酸钾（K_2CO_3），也是一种钾肥。请同学们探究铵态氮肥和草木灰一起施肥，肥效是如何变化的？

【学生活动】将固体铵态氮肥（NH_4Cl）和草木灰（K_2CO_3）加入试管，滴加少量水并加热，有刺激性气体产生，用湿润的红色石蕊试纸检验，等待片刻，观察到试纸变蓝，说明有氨气生成。

【提问】请思考为什么会有氨气生成？生成氨气后肥效如何变化？

【学生】应该是碱性环境下产生氨气，氮肥就失效了。

【教师】草木灰溶液呈碱性，所以铵态氮肥不能和碱性物质混用，混用会降低肥效。化肥的使用不仅要关注搭配的合理性，更要警惕不当施用带来的连锁反应。接下来请大家思考：化肥的不合理施用可能有哪些危害？

【学生】可能会造成水体富营养化，导致藻类大量繁殖，消耗水中溶解氧，造成鱼类等水生生物缺氧死亡，破坏水生态平衡。化肥中的重金属会在土壤中累积，造成重金属超标，还可能引起土壤板结、酸碱度失衡等问题。

【教师】化肥施用不当不仅仅会带来环境问题，同时也会影响农作物自身。

【PPT】展示化肥施用过量对农作物的危害[10]。

肥料类型	过量危害表现
氮过剩	1. 植株徒长、茎秆脆弱易倒伏 2. 果实含糖量低、品质差 3. 细胞壁变薄，抗逆性下降（裂果率增加） 4. 叶片易腐烂 5. 农产品硝酸盐污染，危害健康

续表

肥料类型	过量危害表现
磷过剩	1. 叶片出现褐色焦状斑点 2. 植株早熟、营养生长受抑制 3. 诱发锌、铁、镁等缺素症(与土壤金属离子结合成难溶物)
硼过剩	老叶出现黑褐色斑点,抑制叶绿素合成,诱发缺铁、缺镁症

【学生】不合理施用化肥对农作物健康生长、果实产量和品质、水体、土壤都会带来不良影响，我们一定要合理施用化肥。

学习评价：在“解密杨梅增产化学机制”的任务中，多数学生能够根据杨梅生长周期、土壤分析报告和化肥的不同特性，合理设计施肥方案，具备了A2、B1学科能力。学生均能认识到不合理施用化肥的危害，但对危害类型的了解还存在欠缺，需要加强发展学生B3学科能力。

任务三：分析农药使用双重影响

【PPT】展示杨梅生长过程中常出现的病虫害，寻找解决办法。

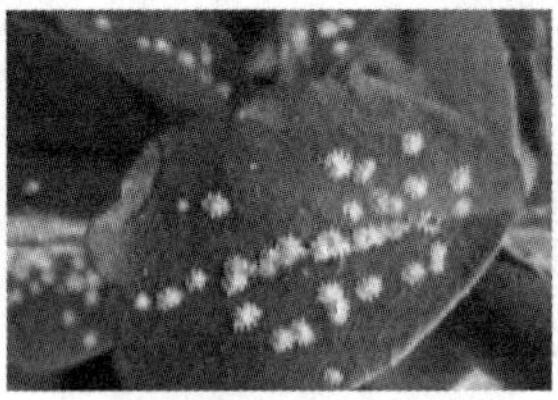
杨梅卷叶蛾(卷叶虫)

松毛虫

杨梅褐斑病

【教师】如何帮助梅农治疗病虫害问题？

【学生】查询资料：卷叶虫用杀螟松乳剂；松毛虫用敌百虫溶液喷施；杨梅褐斑病用甲基托布津或波尔多液。通过这些方法可以减少杨梅病虫害，提升杨梅产量和品质。

【教师】同学们，我们刚才讨论了可以借助农药解决杨梅病虫害问题，现在来思考一个核心问题——什么是农药？

【学生1】农药是用来杀虫的化学药剂。

【教师】农药的核心功能是防治病、虫、草及其他有害生物，但它不仅限于化学药剂。哪位同学能补充更完整的概念？

【学生2】好像还包括生物源的药剂，比如从植物里提取的成分。

【教师】非常好！农药是以化学或生物成分制成的物质，包括化学合成农药、植物源农药（如印楝素）、微生物农药（如苏云金杆菌）等。根据来源和性质，农药可以分为几类呢？

【学生3】可以分为植物源农药、无机农药和有机农药等。

【教师】具体来说：①植物源农药（如除虫菊素）取自天然植物；②无机农药（如波尔多液）以矿物为原料；③有机农药（如敌百虫）是人工合成有机物。它们的作用原理有什么不同？

【学生 4】有机农药好像效果更快，但可能残留更久？

【教师】你的观察很敏锐！有机农药通常杀虫谱广，但环境风险较高，而植物源农药和无机农药降解更快。不过无论哪种类型，农药的核心作用都是……

【学生】保障作物增产，减少病虫害带来的损失！

【教师】没错，但使用时必须注意：过量或不合理使用会导致残留和生态问题。这也引出我们接下来要探讨的重点——如何科学评估农药的利弊。

【教师】农药的不合理使用，不仅会造成杨梅长势不佳，过量使用甚至会造成农药残留，影响消费者健康。请同学们根据 PPT 检测杨梅是否存在农药残留。

【信息提示】农药残留速测卡（图 22-4）是以国家 2003 年公布的农药残留快速检测的标准方法为原理，利用对有机磷和氨基甲酸酯类农药高敏感的胆碱酯酶和显色剂做成的试纸。

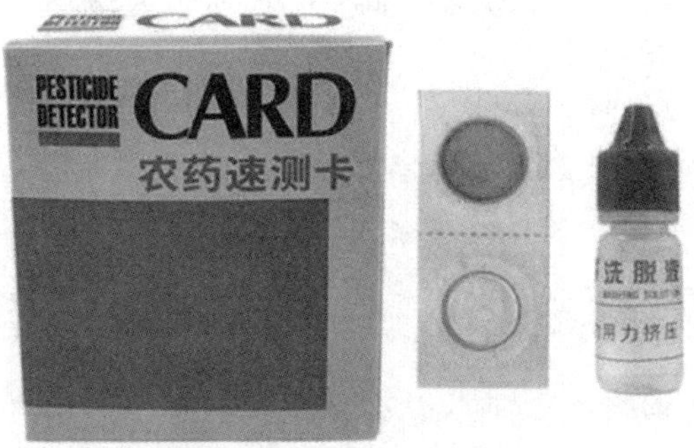

图 22-4　农药残留速测卡

测定方法：整体测定法或表面测定法。

整体测定法：

① 采购不同超市的杨梅，将杨梅表面泥沙清理干净，去核捣碎后称量 3g 放入碘量瓶中，加入 2ml 洗脱液，充分振荡后静置。

② 用胶头滴管吸取提取液，滴在白色药片中央，静置待充分浸润。

③ 将农药残留速测卡对折，使红、白药片重合。等白色药片的颜色不再变化，判断实验结果。

【学生】如图 22-5 所示，与空白对照卡比较，白色药片不变色（右边药片）为强阳性结

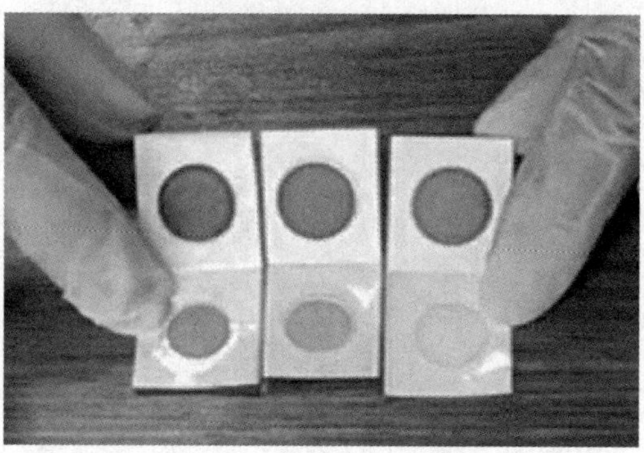

图 22-5　杨梅检测结果

果，农药残留量较高；白色药片略有浅蓝色（中间药片）为弱阳性结果，农药残留量较低；白色药片变为天蓝色（左边药片）为阴性结果。分组实验结果为，部分杨梅有农药残留。

【PPT】播放科普中国的“DDT 的科学史”并阅读常见杨梅使用农药说明书。

【提问】不合理使用农药的弊端有哪些？

【学生】破坏生态；害虫产生抗药性；有益昆虫死亡；环境污染。

【提问】农药未来发展趋势是什么？

【学生】生物化学学科融合主导；低毒高效；精准施用；AI 驱动研发；环境友好与可持续相融合。

【教师】若要求杨梅种植全程零化学农药，如何通过生物防治、物理防治替代？请结合新型农药（如生物农药）或技术（如无人机监测）设计方案。

【方案展示】提前查阅相关资料，设计实验方案，课堂交流展示。例如，调研生物农药（如印楝素）的作用机制；设计“智能虫情监测＋天敌昆虫投放”一体化方案；采用穹顶种植。各组展示方案并接受其他小组质询。

学习评价： 在“分析农药使用双重影响”的任务中，多数学生能够根据杨梅病虫害情况选择合适药物，并通过实验验证农药过量会引起残留，具备了 A3、B2、B3 学科能力。学生对零农药的杨梅方案设计不够全面，需要加强发展学生 C3 学科能力。

【总结】今天，我们从杨梅增产需求出发，探究产量影响因素、解析化肥施用机制、剖析农药使用利弊，系统梳理了化学品合理使用的核心逻辑。农业生产需遵循科学原则，无论是化肥的精准配比，还是农药的规范施用，均需兼顾作物生长需求与生态环境保护。化学知识并非遥不可及，而是渗透于农业生产的每个环节，其指导我们在保障产量的同时，也守护着食品安全与可持续性发展。愿未来你们以双手践行合理使用之法，以胸怀担当绿色发展之责，让化学的力量在守护小家与润泽大国中绽放光芒。

四、板书设计

板书设计如图 22-6 所示。

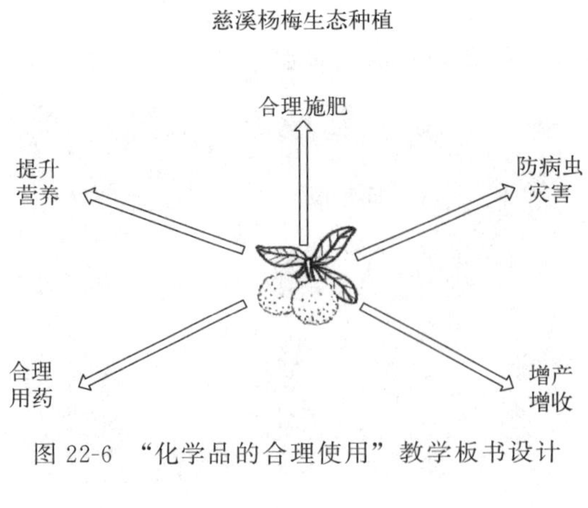

图 22-6 “化学品的合理使用”教学板书设计

教学评价

一、教学效果

（一）测评试题

2025 年，为积极响应国家农业绿色发展战略，践行“绿水青山就是金山银山”的理念，某地区推行绿色农业示范项目，旨在提高农产品质量和产量的同时，减少化学品的不合理使用，实现农业可持续发展。请你根据所学知识，回答以下问题：

1. 【单选题】在该绿色农业示范项目中，下列关于化肥使用的做法正确的是（　　）。

A. 为了提高农作物产量，大量施用氮肥

B. 根据土壤检测结果和农作物生长需求，合理搭配氮、磷、钾肥

C. 将铵态氮肥与草木灰混合使用，以增强肥效

D. 只施用复合肥，不使用单质化肥

2. 【填空题】滴滴涕（DDT）是一种有机氯杀虫剂，因其性质稳定，具有较高和较宽广的杀虫活性而被大量使用，以致最终造成环境污染。另外，如果长期施用 DDT，一些害虫体内的酶会使 DDT 发生反应变成 DDE（如下图），害虫就具有了对 DDT 的抗药性。

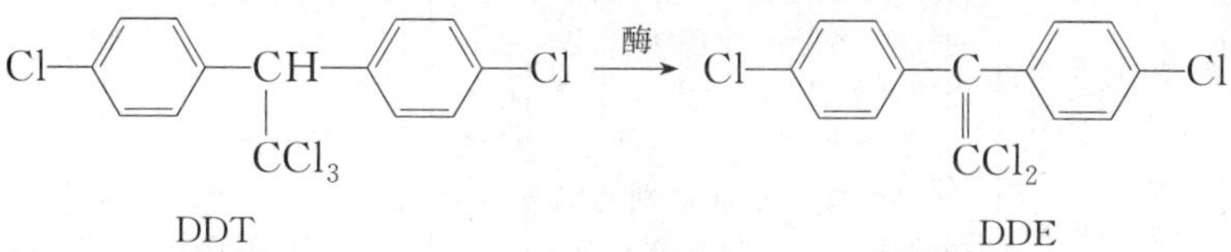

请回答：

（1）日常生活中可以采取哪些措施来防止农药残留对人体的危害？

（2）下列说法正确的是________。

A. DDT 是一种易溶于水的物质

B. DDT 在杀死害虫的同时，也能杀死有益的生物

C. 含 DDT 的农药用于蔬菜杀虫时，在蔬菜中残留时间短，对人体无害

D. 可以用溴水鉴别 DDT、DDE

3. 【拓展题】2025 年，某绿色农业示范基地农户反映：长期单一施用化肥导致杨梅树势衰弱、土壤板结，且雨季地表径流中检测出氮、磷超标（总氮＞20mg/L，总磷＞0.5mg/L），威胁周边水体生态。作为技术顾问，需结合化学原理、环境风险防控与创新技术，为农户设计一套可持续的土壤修复与施肥优化方案。

（二）设计说明

以“科学探究与创新意识”“科学态度与社会责任”的化学学科核心素养为测试宗旨，以某地区绿色农业示范项目为测试载体，设置化肥使用判断、农药选择因素分析考查以及针对实际问题提出建议等测试任务，要求学生运用“化学品的合理使用”相关知识解决相应问题。每一个试题均对应学科能力表现性目标，旨在评价学生完成本节课学习后相应的学科能力水平。具体如表 22-6 所示。

表 22-6　评价说明和评分标准（总分 16 分）

试题编号	学科能力要素	认知能力	分值	标准答案及评分标准
1	A1 辨识记忆：能够准确识别并记忆常见化学品（如化肥、农药、药物、食品添加剂等）的名称、类型以及它们的基本标识信息（如安全警告、有效期等） A3 说明论证：能够用化学知识和逻辑论证支持自己关于化学品合理使用的观点	4 分：能准确辨识和使用各种化肥（系统水平） 0 分：不能正确判断	4 分	4 分：B 0 分：其他选项
2(1)	B1 分析解释：能够深入分析化学品的性质、作用机制以及它们在不同应用场景下的效果并解释相关原因	4 分：能准确且多样化指出在日常生活中减少农药残留危害的方式（系统水平） 2 分：能较准确指出在日常生活中减少农药残留危害的方式（方式比较单一） 0 分：无法正确回答	4 分	4 分：认准绿色食品标识；瓜果去皮；蔬菜放入清水或洗洁精水溶液中浸泡（或其他合理答案） 2 分：只能从单方面回答问题 0 分：回答错误
2(2)	B2 推理预测：能够基于化学原理和现有知识进行逻辑推理，预测化学品使用可能带来的后果，并提出预防措施	4 分：能准确识别滴滴涕的性质，并依据作用对象、农作物的性质，进行全方位分析（系统水平） 2 分：能较准确识别滴滴涕的性质，并依据作用对象、农作物的性质，进行分析，但不够全面 0 分：不能准确分析	4 分	4 分：B、D 2 分：单选 B 或 D 0 分：错选、多选均不得分
3	B3 简单设计：能够运用所学知识，设计简单的化学品使用方案或改进方案，以解决实际问题 C3 创新思维：能够多角度创意应用物质性质及其变化解决现实问题，设计多样化的用途，发现材料的新功能、新应用	4 分：能利用化学知识阐释土壤酸化原理，准确预测面源污染的链式效应；设计包含水肥管理、缓冲带构建的完整方案；创新性引入生物炭、微生物菌剂等前沿技术，方案具有可持续性（系统水平） 2 分：仅解决单一问题（如只提施肥比例，未涉及污染防控）；创新技术描述笼统（孤立水平） 0 分：不能正确分析	4 分	4 分： 化学原理分析与风险预测：土壤退化机制为长期单一施用铵态氮肥（如 NH_4Cl）导致土壤 H^+ 浓度升高，破坏土壤胶体结构，造成板结。过量磷肥[如 $Ca(H_2PO_4)_2$]与土壤中 Fe^{3+}、Al^{3+} 反应生成难溶性磷酸盐，降低磷有效性，同时随径流引发水体富营养化。 环境风险预测：①杨梅根系吸收障碍，果实品质下降；②土壤微生物多样性锐减；③周边湖泊出现水华，威胁饮用水安全。 施肥优化与土壤修复方案：设计精准施肥体系，配施化肥与有机肥，运用面源污染防控技术。 创新技术与社会责任实践：生物炭基缓释肥等新型肥料创新应用，“杨梅园—养殖场—沼气池”循环体系建设 2 分：能提出合理建议，内容较简单、不完整 0 分：无法提出有效建议

（三）效果分析

收集答卷 57 份，能力对应的平均得分情况如表 22-7 所示。

表 22-7　评分结果

学科能力	试题编号	分值	平均分	得分率
A1	1	2	1.80	90%
A3	1	2	1.70	85%
B1	2(1)	4	3.44	86%
B2	2(2)	4	3.16	79%
B3	3	2	1.40	70%
C3	3	2	1.36	68%

通过数据分析，可以很容易发现 A1、A3、B1 这几个能力对应的试题学生得分较高。因为“化学品的合理使用”内容较为简单，带有科普性质。B2、B3 能力对应的试题得分率稍低，原因是基于化学原理和现有知识，进行逻辑推理 DDT 使用范围和危害时，不够全面。同时第二题的第 2 问双选，多数同学单选，学生的审题习惯需要提升。C3 能力对应的试题得分率最低，大部分同学都能提供一定建议，但多为孤立水平。能从化学原理和社会责任两方面提出合理、全面且具有一定创新性的建议（系统水平）的同学较少，这需要教师针对学情合理引导，促进学生全面发展。

二、教学反思

本课例以“慈溪杨梅生态种植”为真实情境，通过“化肥选择—农药施用—食品安全”任务链，有效落实了学科能力目标。学生能够准确辨识各类化学品，并建立“性质—用途—风险”的关联。从教学实践和测试试题反馈，多数同学 A1、A3、B1 能力掌握较好，B2、B3、C3 能力都有所欠缺。相对于课前，在教师的引导下、学生的努力下，学生的各项学科能力都有了不同程度的提升。

本课例通过分析化学品的性质、原理和风险控制，引导学生合理认识化学品、使用化学品，用化学知识解决农业、医药和食品领域的实际问题，在此过程中体会化学在保障人类健康和社会可持续发展方面的贡献。在实践过程中，学生虽能基于物质结构对具体化学品的使用问题展开分析，但在系统性风险评估方面仍存在欠缺。未来教学设计中应该进一步加强真实情境中的教学综合实践。例如开展“杨梅生态农场化学品使用”项目式学习，与生物学科合作开展“杨梅生态系统健康评估”“优化农药降解条件”等一系列活动，提升学生解决复杂问题的能力，培养科学决策能力和社会责任意识。

参考文献

[1]　中华人民共和国教育部．普通高中化学课程标准（2017 年版 2020 年修订）[S]．北京：人民教育出版社，2020：23-27，65-67.

[2]　王磊．基于学生核心素养的化学学科能力研究 [M]．北京：北京师范大学出版社，2017：13-14，17-19.

[3]　王晶，毕华林．普通高中教科书·化学（必修）第二册 [M]．北京：人民教育出版社，2019：107-116.

[4]　徐晓勇．项目式教学在高中化学课堂中的运用探究——以人教版必修第二册“化学品的合理使用”教学为例 [J]．

高考，2024（35）：126-128.
[5] 倪大茹．高中化学学科核心素养的学程案设计与实践研究——以《化学品的合理使用》学程案设计为例［J］．天津教育，2023（28）：60-61.
[6] 金丹．指向处事能力培养的课堂教学与反思——以“化学品的合理使用”为例［J］．中学化学教学参考，2021（23）：19-22.
[7] 邓丹，陈雪玲，潘红．基于真实问题情境的单元整体教学设计与实践——以“化学品的合理使用”为例［J］．中学化学教学参考，2023（26）：22-26.
[8] 王迪轩，何永梅，李建国．新编肥料使用技术手册［M］．北京：化学工业出版社，2017：12-15，21-27，52-56，77-82，205-208，212-216.
[9] 柴春燕，徐绍，周和锋．杨梅高效生态栽培技术［M］．宁波：宁波出版社，2012：66-86.
[10] 杨忠妍．化肥施用过量对农作物的危害［J］．现代农业科技，2020（21）：203-204.

王　府（宁波科学中学　浙江宁波）

第 23 单元
环境保护与绿色化学

目标研制

一、课标研读

（一）内容要求和学业要求

“环境保护与绿色化学”教学单元为《普通高中化学课程标准（2017 年版 2020 年修订）》必修课程主题 5 中的内容，课标相应内容要求和学业要求如表 23-1 所示。

表 23-1 “环境保护与绿色化学”教学单元的课标内容要求和学业要求[1]

内容要求	学业要求
5.1 化学促进可持续发展 树立“绿色化学”的观念，形成资源全面节约、物能循环利用的意识 5.4 化学在环境保护中的作用 认识物质及其变化对环境的影响，依据物质的性质及其变化认识环境污染的成因、主要危害及其防治措施 5.5 化学应用的安全与规则意识 认识经济发展与环境保护等的关系。树立自觉遵守国家关于环境保护等方面的法律法规的意识	4. 能列举常见的大气、水体和土壤的污染物及其危害，能说明常见污染的成因和防治措施的化学原理，能结合具体的污染问题设计简单的防治方案。能举例说明化学对环境保护的作用 5. 能主动运用所学的化学知识和方法解决生产、生活中简单的化学问题。能运用“绿色化学”思想分析和讨论化工生产的相关问题 6. 具有节约资源、保护环境的可持续发展意识

注：数字序号即课标中相应序号。

可见，课标中对“环境保护与绿色化学”的内容要求侧重于化学在环境保护中的作用。学业要求则从“举例说明”“设计方案”“解决问题”“主动运用”等能力表现角度提出了具体的要求。通过删繁就简、增补解构等方法，可以得到该教学单元课标优化后的要求，如表 23-2 所示。

表 23-2 "环境保护与绿色化学"教学单元课标优化后的要求[1]

优化后的要求
(原内容要求 5.1)能通过讨论,树立"绿色化学"的观念,并能运用"绿色化学"思想分析和讨论化工生产的相关问题,形成节约和循环利用的可持续发展的意识(删繁就简、增补解构) (原内容要求 5.4)能说出大气、水体和土壤的污染物及其危害,依据常见污染的成因分析防治措施的原理(增补解构) (原内容要求 5.5)以酸雨防治为例,能设计简单的防治方案,体会化学原理的应用对环境保护的作用并说明化学科学在生产、生活中的应用价值(删繁就简、增补解构)
(原学业要求 4)能列举常见的大气、水体和土壤的污染物及其危害,依据常见污染的成因解释防治措施的原理。运用绿色化学的思想和元素及其化合物的知识设计简单的防治方案(删繁就简、增补解构) (原学业要求 5、6)能对环氧丙烷两种制备方法的优劣进行评价,树立"绿色化学"的观念,并能运用"绿色化学"思想分析和讨论化工生产的相关问题,按照"循环经济"原则做到可持续发展(删繁就简、增补解构)

(二)学业质量水平

课标学业质量水平与"环境保护与绿色化学"教学单元的相关要求对应关系如表 23-3 所示。

表 23-3 "环境保护与绿色化学"教学单元的学业质量水平

学业质量水平描述[1]	针对本教学单元内容的具体表现
1-4 能运用所学的化学知识和方法分析讨论生产、生活中简单的化学问题(如酸雨防治、环境保护等),认识化学科学对社会可持续发展的贡献	1-4 能运用所学的化学知识和方法分析讨论酸雨的防治和污水的化学控制原理,认识化学对环境保护的作用
2-4 了解在化工生产中遵循"绿色化学"思想的重要性,能从化学视角理解环境保护等法律法规	2-4 运用绿色化学的思想分析比较不同化工生产方法对环境的影响
3-2 能分析评估物质转化过程对环境的影响	3-2 能分析评估不同化工生产方法对环境的影响
4-4 能依据"绿色化学"思想分析某些化学产品生产和应用存在的问题,提出处理或解决化学问题的方案	4-4 能运用"绿色化学"思想分析和讨论不同化工生产方法的原料、中间产物、副产物、废弃物对环境的影响,形成节约和循环利用的可持续发展的意识

注:数字序号即课标中相应序号。

二、教材解读

在人教版高中化学必修教材(2019 年版)第八章第三节"环境保护与绿色化学"中,通过对化学与环境保护(环境保护、大气污染物来源及次生污染物的形成、污水的处理、固体废物的处理)和绿色化学(核心思想、原子经济性反应、绿色化学对化学反应的要求、开发和利用自然资源遵循的三原则)等显性知识(图 23-1)的介绍,建立"生活视角—化学视角"的认识角度和"性质—应用""现象—原理—实践"的认识思路,将看待化学对人与自然作用的视角上升到"可持续发展"的高度,强调人与自然的和谐共生,促进学生绿色化学观的建立。学生通过这节课的学习,增强环保意识,同时对"绿色化学"与可持续发展有一个全面的认识,关心与环境保护有关的社会热点问题,形成与环境和谐共处的观念。

三、能力模型建构

通过课标研读和教材分析,可以确立"环境保护与绿色化学"单元的核心知识是化学与

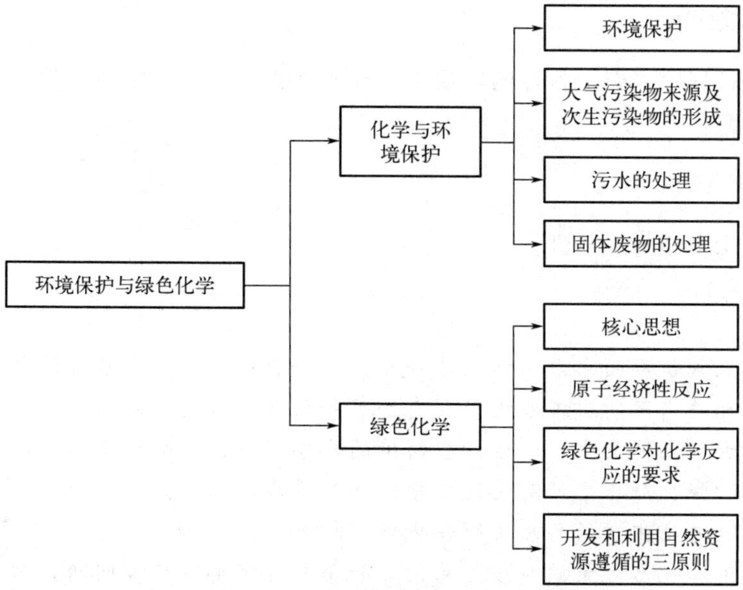

图 23-1　“环境保护与绿色化学”教学单元内容

环境保护及绿色化学，认识角度是“生活视角—化学视角”，认识思路是“性质—应用”“现象—原理—实践”，学科思想为“绿色化学的思想”（图 23-2）。从学科知识及其运用的角度来看，本单元教学有利于学生将前面所学过的知识进行梳理、归纳，并运用于实际生产、生活之中。这些知识主要是指物质之间的转化，包括无机物之间的转化和有机物之间的转化，能使学生体会化学在自然资源综合利用、资源保护和环境保护中的作用，同时树立“绿色化学”“原子经济”“循环经济”等观念。

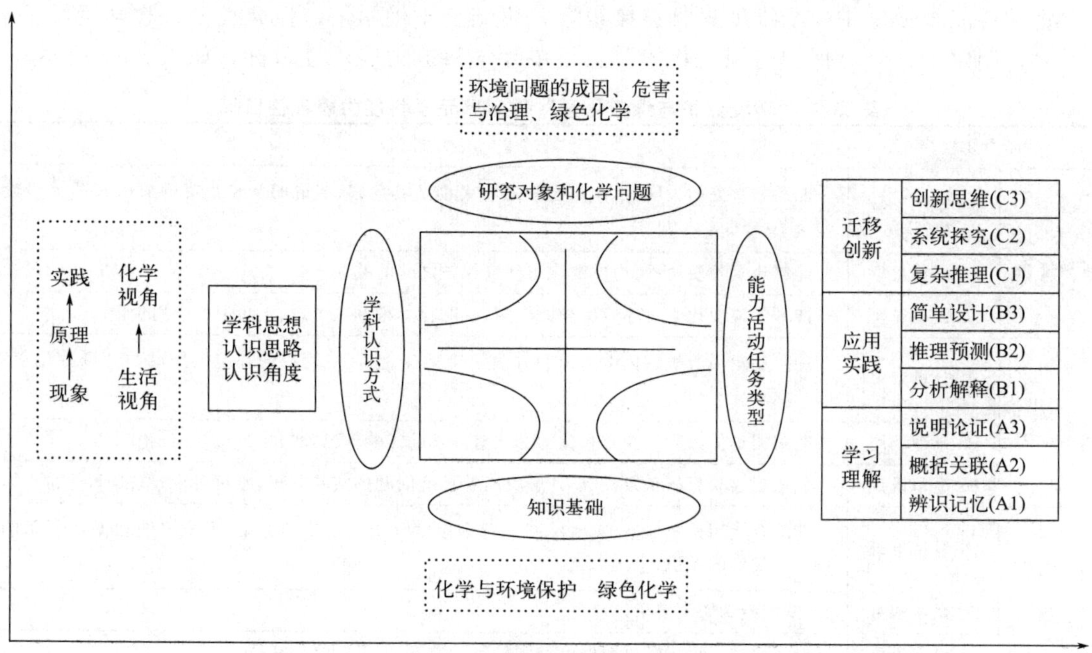

图 23-2　“环境保护与绿色化学”教学单元能力模型

四、课程资源分析

在实际教学过程中，能力目标的实现还受到授课类型、学生学情、教学资源等客观因素的影响。

（一）授课类型

本节课的授课类型为新授课。

（二）学情分析

已有基础：从知识层面来看，学生已经学习了金属矿物和海水资源的开发利用、物质之间的相互转化等相关内容，对工业流程也有一定的认知；从能力层面来看，学生能主动运用所学的化学知识和方法解决生产、生活中简单的化学问题；从心理层面看，高一学生思维敏捷、活跃，好奇心强，对与生活有关的化学问题有浓厚的兴趣。

潜在困难：既要从化学的角度去解释化学环境和从“可持续发展”高度重新认识化学，又要构建生活视角和化学视角的对应关系，并利用其分析解决环境问题，对于学生来说相对困难。

（三）教学资源

学科能力目标的实现还有赖于学校资源的支持，学科能力目标的制定需考虑教学资源因素。本节课的学科能力表现性目标制定要求学校提供电路板印刷后的废液、煤炭、石膏、塑料等。

五、表现性目标制定

将学科能力模型中 4 个维度进行连接组合，再结合学生学情、授课类型、教学资源等客观因素，制定了“环境保护与绿色化学”教学单元学科能力表现性目标，如表 23-4 所示。

表 23-4 “环境保护与绿色化学”教学单元学科能力表现性目标

能力要素		表现性目标
A 学习理解能力	A1 辨识记忆	能列举常见的大气、水体和土壤的污染物及其危害，能说明常见污染的成因和防治措施的化学原理
	A2 概括关联	能够建立物质性质、物质变化与环境保护之间的关联
	A3 说明论证	能举例说明化学对环境保护的作用，说明化学科学在生产、生活中的应用价值
B 应用实践能力	B1 分析解释	能主动运用所学的化学知识和方法解决生产、生活中简单的环境问题，树立“绿色化学”的观念
	B2 推理预测	能根据具体物质的性质和化学变化对环境的影响作出预测
	B3 简单设计	能依据实验目的和假设，设计解决简单环境问题的实验方案，能对实验方案进行评价
C 迁移创新能力	C1 复杂推理	能综合运用认知模型、实践模型进行多角度分析评价实验方案，形成节约和循环利用的可持续发展的意识
	C2 系统探究	—（新授课暂不要求）
	C3 创新思维	能运用“绿色化学”思想评价和优化实验方案，提升社会责任感

教学设计

一、教学现状

本课时为人教版高中化学必修教材（2019 年版）第八章第三节“环境保护与绿色化学”的新授课。其内容与人类的生产、生活紧密联系，不仅引导学生综合应用所学化学知识分析解决环境问题，还引导学生从“可持续发展”高度重新认识化学，承载了重要教学价值和育人价值[2-4]。文献调研显示，环境保护与绿色化学这节的教学设计很少，主要是绿色化学理念在实验教学或环境保护中的应用[5-6]。

二、教学思路

（一）创设真实问题情境

环境保护是当今社会重要的研究主题，也与化学密切相关。本节课选择“共建美好校园”这一情境主题，主要原因有：①关联相关教学内容，可以通过“初步认识校园生活与环境的关系”“能运用所学的化学知识和方法设计烟气脱硫的实验方案并进行优化”及“能运用绿色化学的思想评价环氧丙烷的两种制备方法”三个任务整合相关的教学内容；②引导学生从化学的视角看待和解决实际问题，从“可持续发展”高度重新认识化学，构建生活视角和化学视角的对应关系，并利用其分析解决环境问题（详见图 23-3）。

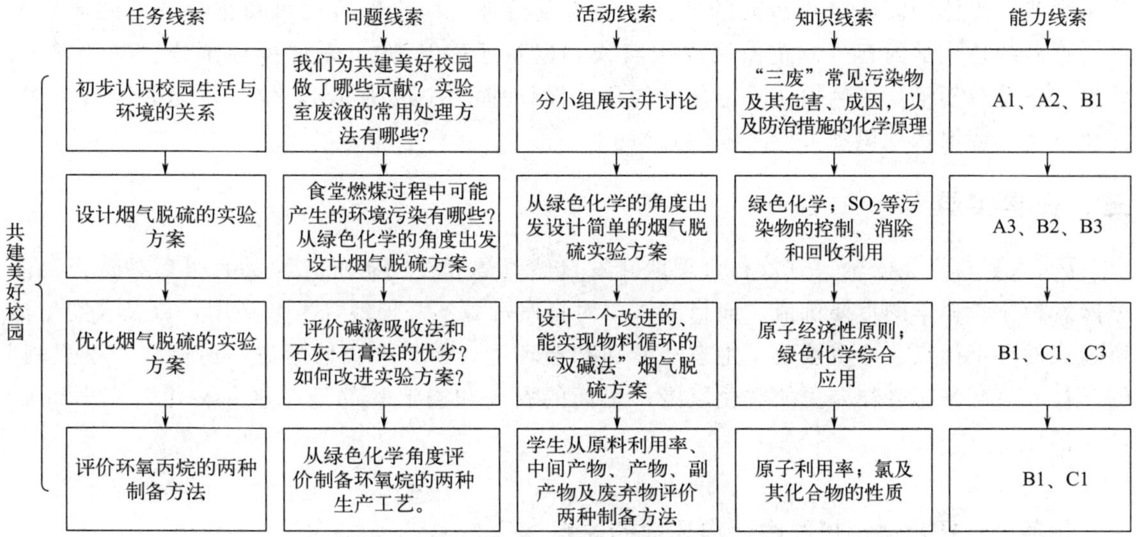

图 23-3　教学流程

（二）设计能力评价任务

依据上述确立的学科能力表现性目标，精心设计了多样化、梯度化的能力发展评价任务，体现对学科思维、学科认识视角和认识思路等的建立、诊断和发展。具体见表 23-5。

表 23-5 “环境保护与绿色化学”教学单元能力发展评价

序列	教学环节	评价任务	评价活动	能力要素	素养价值
1	初步认识校园生活与环境的关系	初步建立物质性质、物质变化与环境问题处理之间的关联	【展示】分小组展示我们为共建美好校园做出的贡献	A1、A2、B1	建立宏观辨识与微观探析的认识视角
2	设计烟气脱硫的实验方案	设计简单烟气脱硫方案，防治硫酸型酸雨	【活动】从绿色化学的角度出发设计简单的烟气脱硫方案	A3、B2、B3	培养应用实践能力
3	优化烟气脱硫的实验方案	“双碱法”烟气脱硫方案的设计和评价	【提问】评价碱液吸收法和石灰—石膏法的优劣？ 【活动】设计一个改进的、能实现物料循环的“双碱法”烟气脱硫方案	B1、C1、C3	诊断并发展创新迁移能力
4	评价环氧丙烷的两种制备方法	运用“绿色化学”思想评价环氧丙烷的两种制备方法	【活动】从原子利用率等角度用绿色化学的思想评价环氧丙烷的两种生产工艺	B1、C1	发展创新迁移能力；迁移应用认识思路

（三）选择教学策略

根据教学目标和教学内容，选择合适的教学策略。针对化学与环境保护内容（侧重发展学习理解能力与应用实践能力），采取自主合作、展示交流等教学策略，例如分小组调查并展示大气、水体和固体废物污染的成因、危害及治理，构建生活视角和化学视角的对应关系。针对绿色化学内容（侧重发展应用实践和创新迁移能力），采取推理预测、设计方案、评价方案等教学策略，例如从绿色化学的角度设计酸雨的防治方案，评价优劣并改进方案，深化学生环境保护意识和可持续发展意识。

三、教学实录

【引入】科学、安全、有效和合理地开发自然资源和使用各种化学品，可以为建设美丽家园发挥化学科学的重要价值。而目前人类对自然资源不合理地开发和利用，以及人类生活所造成的环境污染，严重威胁了生态环境和社会环境。本节课我们走进一所叫作“李惠利”的学校，一起来感受校园里的文化氛围，里面的农场和茶吧等都是“惠利文化”（图 23-4）的一部分。

任务一：初步认识校园生活与环境的关系

【课前任务】小组合作在感受美好校园的同时观察和思考：在校园生活中学校和我们为保护环境做了哪些贡献？

【小组成果】在交流、讨论的基础上，得出结论：

绿色出行、垃圾分类、减少使用一次性餐具、用布袋代替塑料袋、实验室废液集中处理达标后再排放。惠利农场不使用肥料和农药，使用可降解的塑料薄膜。

图 23-4 “惠利文化”剪影

【教师】我们在完成 $FeCl_3$ 溶液“腐蚀”覆铜板制作印刷电路板的实验产生的废水能直接排放吗？应该怎么处理？

【小组讨论】不能。废液中含有重金属离子，会污染环境。可利用沉淀法进行处理。将沉淀物从溶液中分离，并作为废渣处理；在确定溶液中不含重金属离子后，将溶液排放。

【教师】实验室废液的常用处理方法还有哪些呢？

【小组 1】对于酸、碱、氧化剂或还原剂的废液，可以分别收集。在确定酸与碱混合、氧化剂与还原剂混合无危险时，可用中和法或氧化还原法，每次各取少量，分次混合后再排放。

【小组 2】对于有机废液，具有回收利用价值的，可以用溶剂萃取，分液后回收利用，或直接蒸馏，回收特定馏分。不需要回收利用的，可用焚烧法处理。

【教师】非常好，不同类型的废液处理方法不同。含卤素的有机废液焚烧后的尾气较为特殊，需要单独处理。

学习评价：在“初步认识校园生活与环境的关系”的任务中，多数学生能够说出为共建美好校园所作的努力，具备 A1、A2 学科能力，通过建立“生活-化学”的认识视角，发展了 B1 学科能力。

任务二：设计烟气脱硫的实验方案

【教师】煤燃烧可提供能量，我们学校的食堂最早使用的是燃煤（柴）灶具、蒸饭柜，现在宁波市各大学校均已“煤改气”，我们学校食堂在前几年已安装天然气管道。你觉得燃煤过程中可能会对环境产生影响吗？

【小组讨论】煤在燃烧过程中会产生废气及颗粒物，在太阳辐射等因素作用下，经过复杂变化形成次生污染物，在一定的天气条件下会造成酸雨、雾霾等污染现象[7]。

【教师】燃煤的成本较低，如果需要燃烧大量煤来获取能源，那如何解决煤燃烧产生的 SO_2？绿色化学的核心之一是减少或消除产品在生产和应用中涉及的有害化学物质，实现从源头减少或消除环境污染[7]。请同学们从绿色化学的角度出发设计方案，小组讨论，并给出你们的依据。

【小组 1】从物质类别分析，SO_2 属于酸性氧化物，具有酸性氧化物的通性，可用碱、碱性氧化物或某些弱酸盐溶液吸收。

【小组 2】从“元素价态”视角分析，SO_2 中的硫元素为+4 价，处中间价态，因而既有氧化性，也有还原性，可用某些还原剂或氧化剂吸收[4]。

【教师】结合工业实际，选取 SO_2 的吸收剂还应考虑哪些条件？

【学生】廉价易得、效果显著、不产生新污染物。

【教师】工业上主要用氢氧化钙、氧化钙、石灰石等作吸收剂。请画出其工艺流程图并写出防治中发生反应的化学方程式。

【小组 1】

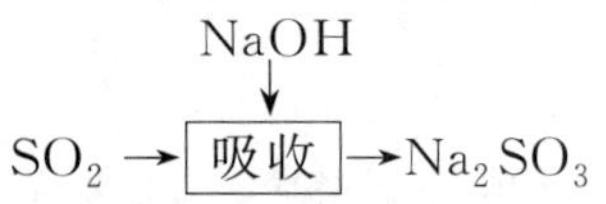

$SO_2+2NaOH = Na_2SO_3+H_2O$

【小组 2】

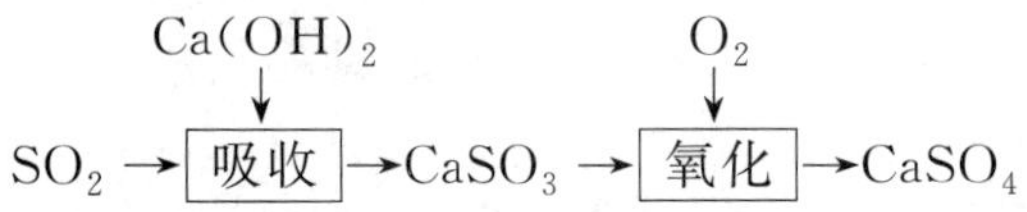

$SO_2+Ca(OH)_2 = CaSO_3+H_2O$　$2CaSO_3+O_2 = 2CaSO_4$

【教师】请结合所学知识，从不同角度评价上述两种方法的优劣。

【小组讨论】第一种方法用氢氧化钠吸收，吸收效率高，但原料氢氧化钠成本高。第二种方法虽然吸收效率低，但所用吸收剂氢氧化钙价格便宜且产物硫酸钙比较稳定，同时储存运输方便。

【教师】两种方法各有优缺点，那能否结合两种方案的优势，改进实验方案实现物料的循环。

【成果展示】

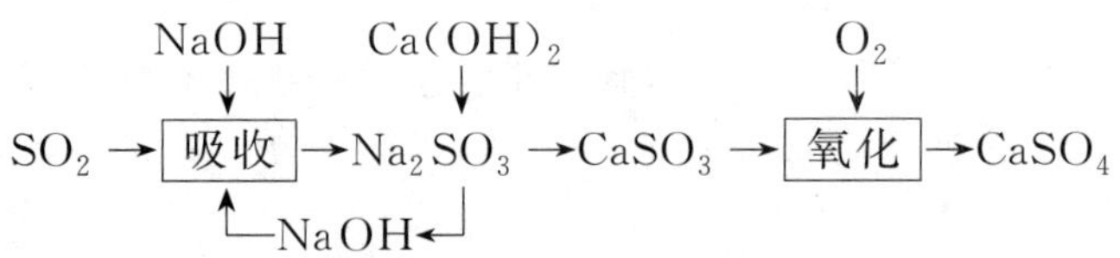

【教师】该方法与前两种吸收方法进行对比，其吸收流程有哪些优点？

【小组讨论】中间产物 NaOH 可循环利用，有利于降低成本；副产物可以生产石膏；没有排放污染物。

学习评价：在“设计烟气脱硫的实验方案”的任务中，多数学生能根据二氧化硫及其化合物的性质预测燃煤对环境的影响，设计碱液吸收法和石灰-石膏法，部分学生能对比两种方法，从经济和效率的角度优化设计实验方案得到“双碱法”，实现烟气脱硫。大部分学生具备了 A3、B1、B2、B3 学科能力，但 C1、C3 学科能力还有欠缺，创新意识有待提高。

任务三：评价环氧丙烷的两种制备方法

【教师】为了减少白色污染，学校提出了哪些切实可行的措施？

【小组讨论】学校要求垃圾分类（图 23-5），食堂不提供一次性餐具并设有厨余垃圾桶和其他垃圾桶，教室有可回收垃圾桶和其他垃圾桶，在惠利茶吧设有厨余垃圾桶和其他垃圾桶。

图 23-5　垃圾分类

【教师】矿泉水瓶、饮料瓶、塑料袋等很难被降解，可回收利用减少白色污染，但惠利农场冬天所用的废旧塑料薄膜不会造成“白色污染”，你觉得这类塑料可能具有什么特点？

【学生】惠利农场可能用的是可降解塑料薄膜。

【教师】我国科学工作者发现在稀土催化剂下环氧丙烷可与 CO_2 反应生成聚合物，为消除“白色污染”和减轻温室效应作出了贡献。

【PPT】展示两种制备环氧丙烷的方法：

环氧丙烷的工业生产方法主要有氯醇化法，包括以下两步反应：

$$\mathrm{CH_2{=}CHCH_3 + Cl_2 + H_2O \longrightarrow CH_3CHClCH_2OH + HCl}$$

$$\mathrm{2CH_3CHClCH_2OH + Ca(OH)_2 \longrightarrow 2\,\underset{\diagdown\,O\,\diagup}{CH_2{-}CHCH_3} + CaCl_2 + 2H_2O}$$

总的反应可表示为：

$$\mathrm{CH_2{=}CHCH_3 + Cl_2 + Ca(OH)_2 \longrightarrow \underset{\diagdown\,O\,\diagup}{CH_2{-}CHCH_3} + CaCl_2 + H_2O}$$

以氧气为氧化剂的丙烯直接环氧化工艺极具潜力，可以一步实现：

$$\mathrm{2CH_2{=}CHCH_3 + O_2 \xrightarrow{\text{催化剂}} 2\underset{\diagdown\,O\,\diagup}{CH_2{-}CHCH_3}}$$

目前丙烯直接环氧化工艺距工业化还有一定的差距，找到高选择性的催化剂是今后发展的重要方向。

【教师】按照绿色化学的思想，最理想的“原子经济性反应”就是反应物的原子全部转化为期望的最终产物，这时原子利用率（即期望产物的总质量与生成物的总质量之比）为 100%。请计算上述两种环氧丙烷的生产工艺的原子利用率。

【学生】方法 1：原子利用率$=\frac{44}{28+71+74}\times100\%=25.4\%$；方法 2：原子利用率$=100\%$。

【教师】方法 2 的原子利用率高，没有副产物，只有目标产物。你还能从其他角度用绿色化学的思想评价这两种生产工艺吗？

【学生 1】原料角度：方法 1 原料 Cl_2 有毒、有污染。

【学生 2】中间产物角度：方法 1 原料 Cl_2、中间产物 HCl、HClO 腐蚀设备。

【学生 3】副反应角度：方法 1 副反应多，产率低。

【学生 4】废弃物角度：方法 1 产生废液、废渣。

【教师】你觉得绿色化学对化学研究和化工生产提出了哪些新的要求？

【学生 1】在原料、溶剂的选择上提出了新要求。原料、溶剂要无毒、无害，应致力于开发无溶剂存在下的反应。

【学生 2】在反应路线的选择上提出了新要求。开发、应用“原子经济性”的反应路线，最大限度地利用反应物分子中的每一个原子[4]，充分利用资源，实现废物的零排放。

【学生 3】在反应条件的选择上提出了新要求。生产过程应尽量在温和的温度和压力下进行[6]，节约能源；寻找新型、高效、对环境友好、可回收、高选择性的催化剂。

【学生 4】在资源和能源的选择上提出了新要求。绿色化学要求充分利用可再生资源，合理利用资源和能源，降低生产成本，使之符合可持续发展的理念[4]。

【教师】非常好，在工业生产中不仅要关注原料、溶剂、反应路线的选择，也要关注反应条件、资源和能源的选择，坚持绿色化学的思想。

学习评价：在“评价环氧丙烷的两种制备方法”的任务中，大多数学生能想到惠利农场使用了可降解塑料，在用“绿色化学”思想评价生产可降解塑料的原料之一环氧丙烷的两种制备方法的任务中，多数学生能从中间产物、产物、副产物等方面提出评价，部分学生可以从原料利用率及废弃物等方面提出评价，具备了 B1 学科能力， C1 学科能力还有所欠缺，需要进一步强化“绿色化学”的学科思想。

【总结】开发和利用自然资源，必须遵循减量化、再利用和再循环的原则，践行绿色发展理念，保护生态环境。这关系到人类的生存和可持续发展，需要全社会共同努力，为子孙后代留下良好的生存空间和更加美好的未来[7]。

四、板书设计

板书设计如图 23-6 所示。

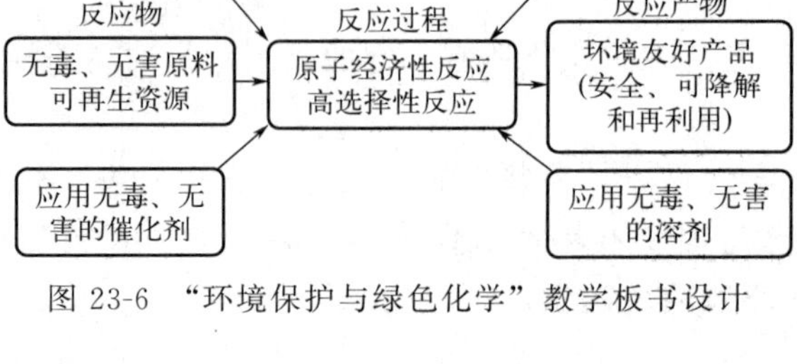

图 23-6 “环境保护与绿色化学”教学板书设计

教学评价

一、教学效果

（一）测评试题

某校化学教研组立足学科特色，充分利用学校的资源（如惠利农场、实验室等），开展有效的校园实践活动。请你回答如下问题：

1.【单选题】化学与我们的校园生活、社会可持续发展密切相关，下列说法正确的是（　　）。

A. 惠利农场的塑料薄膜（聚氯乙烯）易造成环境污染，可采用焚烧法处理

B. 废电池、过期药品属于有害垃圾，无须回收，为防止污染环境应当深埋处理

C. 减少 CO_2 及碳氢化合物的排放以防止温室效应和酸雨的形成

D. 厨余垃圾经生化处理转化为沼气和有机肥料，从而生产绿色有机食品和清洁燃料

2.【简答题】波尔多液是惠利农场常用的杀菌剂，配制波尔多液的主要原料有生石灰和硫酸铜。甲、乙两位同学用铜和硫酸做原料，设计了两种制取硫酸铜的方案。

方案甲：铜与浓硫酸加热直接反应，即 $Cu \rightarrow CuSO_4$。

方案乙：由 $Cu \rightarrow CuO \rightarrow CuSO_4$。

（1）方案甲中铜和浓硫酸反应的化学方程式是______________________________。

（2）请选择 2 个合适的角度对甲乙两种方案进行评价____。

3.【简答题】在我们完成 $FeCl_3$ 溶液“腐蚀”覆铜板制作印刷电路板的试验后，实验室老师会收集废液，请你设计印刷电路板腐蚀液再生和铜回收的工艺流程。

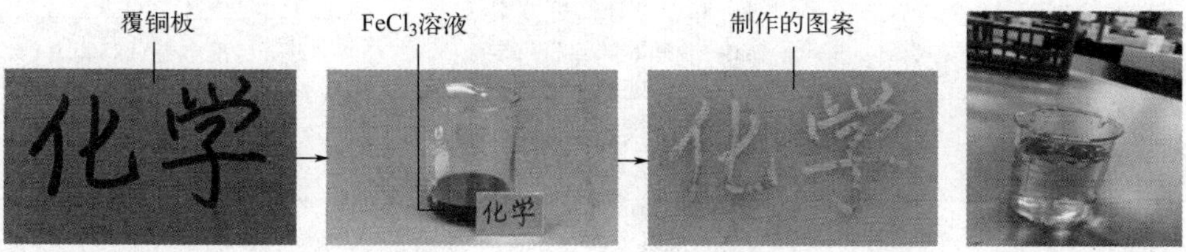

（二）设计说明

以“宏观辨识与微观探析”“科学探究与创新意识”“科学态度与社会责任”的化学学科核心素养为测试宗旨，以校园资源等真实情境为测试载体，设置废弃物的处理、硫酸铜的制备、印刷电路板腐蚀液再生和铜回收工艺流程的设计等基于实际问题的测试任务，要求学生运用化学与环境保护、绿色化学、经济性原则等相关知识解决相应问题。每一个试题均对应学科能力表现性目标，旨在评价学生完成本节课学习后相应的学科能力水平。具体如表 23-6 所示。

表 23-6 评价说明和评分标准（总分 14 分）

试题编号	学科能力要素	认识能力	分值	标准答案及评分标准
1	A1 辨识记忆：能列举常见的大气、水体和土壤的污染物及其危害，能说明常见污染的成因和防治措施的化学原理	2 分：能分析大气、水体和土壤的常见污染物及防治措施（系统水平） 0 分：无法分析大气、水体和土壤的常见污染物及防治措施（孤立水平）	2 分	2 分：D 0 分：其他选项
2(1)	A2 概括关联：能够建立物质性质、物质变化与环境保护之间的关联	2 分：能准确书写铜与浓硫酸反应的化学方程式（宏观—微观） 0 分：不能准确书写铜与浓硫酸反应的化学方程式（微观）	2 分	2 分：$Cu+2H_2SO_4(浓)\xlongequal{\triangle}CuSO_4+SO_2\uparrow+2H_2O$ 0 分：其他选项
2(2)	A3 说明论证：能利用物质的性质及转化，说明论证处理方案的合理性 B1 分析解释：能通过讨论不同化工生产方法对环境的影响，树立“绿色化学”的观念	2 分：能利用物质的性质及转化从不同角度评价制备硫酸铜的两种方案（宏观—微观；结构—性质—应用；系统水平） 1 分：只能从一个角度评价 0 分：无法回答（欠缺）	2 分	2 分：方案甲生成的二氧化硫有毒，污染环境，硫元素没有全部转化为 $CuSO_4$，原料利用率低，方案乙更合理 1 分：从一个角度作出评价 0 分：无法回答
3	B3 简单设计：能基于“绿色化学”理念设计物质转化的实验方案 C1 复杂推理：能综合运用认知模型、实践模型进行多角度分析，形成节约和循环利用的可持续发展的意识 C3 创新思维：能综合运用认知模型、实践模型设计方案	7～8 分：能综合运用认知模型、实践模型设计完整的方案并详细描述，并优化工艺流程，选择合适的设备和操作条件（宏观—微观；结构—性质—应用；系统水平） 5～6 分：可以设计方案并简单描述，能够选择并简单优化工艺流程，不能体现绿色化学的理念（性质—应用；孤立水平） 1～4 分：可以设计简单方案并简单描述，选择的试剂和操作考虑欠妥，不能体现绿色化学的理念（孤立水平） 0 分：无法设计方案（欠缺）	8 分	8 分： 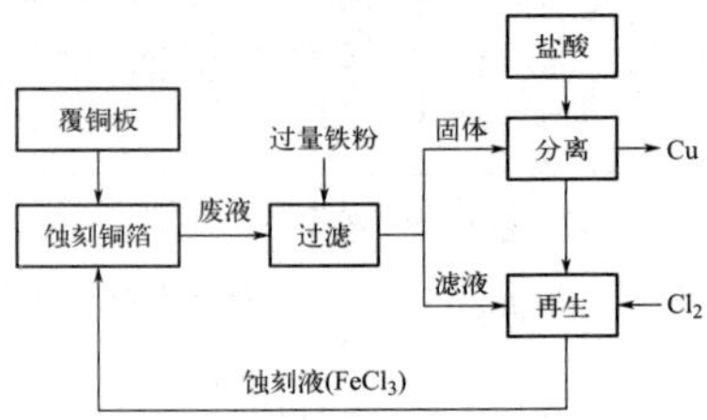 （评分标准参考认识能力）

（三）效果分析

收集答卷 60 份，能力对应的平均得分情况如表 23-7 所示。

表 23-7 评分结果

学科能力	试题编号	分值	平均分	得分率
A1	1	2	1.98	99.0%
A2	2(1)	2	1.65	82.5%
A3	2(2)	1	0.85	85.0%
B1	2(2)	1	0.75	75.0%

续表

学科能力	试题编号	分值	平均分	得分率
B3	3	2	1.25	62.5%
C1	3	3	1.51	50.3%
C3	3	3	1.47	49.0%

通过数据分析可见，学生学习理解能力（A1、A2、A3）普遍较高，这是由于这部分试题难度较低，通过课堂针对性学习，学生掌握情况较好；应用实践能力（B1、B3）也较好；迁移创新能力（C1、C3）的试题得分率尚有欠缺。这部分试题开放程度大，对学生能力要求较高，得分情况与学生基础及课堂参与情况差异有关，教师在教学过程中需要进一步帮助学生提高综合运用知识的能力。

二、教学反思

本课例依据学科能力理论，通过“目标制定—策略选择—情境创设—活动设计”的流程展开教学设计。围绕“环境保护与绿色化学”，加强物质组成、结构、性质等化学视角与真实情境素材之间的联系，引导学生从化学的视角看待和解决实际问题，从“可持续发展”高度重新认识化学，构建生活视角和化学视角的对应关系，并利用其分析解决环境问题。教学实践表明，多数学生 A1、A2、A3 学习理解能力，B1、B3 应用实践能力较好，部分学生 C1、C3 能力尚有欠缺，但在教师引导和同学合作中获得了不同程度的提升。

本课例综合运用元素及其化合物的性质及转化设计方案，解决环境保护中的问题，使学生体会化学在自然资源综合利用、资源保护和环境保护中的作用，同时树立“绿色化学”“原子经济”“循环经济”等观念。在教学过程中学生自主设计实验方案的能力略显不足，在设计过程中也出现了相应问题，在今后的教学中应多开展以学科能力和真实情境为主题的教学，引导学生在真实情境中运用知识，促进学科认识方式的发展。

参考文献

[1] 中华人民共和国教育部．普通高中化学课程标准（2017 年版 2020 年修订）[S]．北京：人民教育出版社，2020：26-27，65-67.

[2] 张景伟．学科核心素养视域下高中化学教材的新变化及教学启示——以“化学与可持续发展”为例 [J]．化学教育（中英文），2022，43（11）：21-26.

[3] 王卫，张忠孝．基于核心素养“科学态度和社会责任”培养的教学设计——以人教版必修 2“环境保护和绿色化学”为例 [J]．化学教学，2019（3）：46-49.

[4] 王晶，周业虹．普通高中教科书教师教学用书：化学（必修第二册）[M]．北京：人民教育出版社，2019：154-157，156-157.

[5] 蔡雪萍，潘红．我与绿色化学——探讨环境保护议题“酸雨防治”[J]．化学教与学，2020（11）：57-61.

[6] 谢飞云．基于绿色化学理念的高中化学实验教学分析 [J]．试题与研究，2023（4）：60-62.

[7] 王晶，毕华林．普通高中教科书·化学（必修）第二册 [M]．北京：人民教育出版社，2024：156-157，117-120.

应贤玲（宁波市李惠利中学　浙江宁波）